راجہ گدھ

بانو قدسیہ

سنگِ میل پبلی کیشنز، لاہور

891.4393 Bano Qudsia
Raja Gidh / Bano Qudsia.- Lahore :
Sang-e-Meel Publications, 2018.
452pp.
1. Urdu Literature - Novel.
I. Title.

ایڈیشنز:
پہلا 1981 ، دوسرا 1981 ، تیسرا 1982 ، چوتھا 1988 ، پانچواں 1989 ، چھٹا 1992 ، ساتواں 1994 ، آٹھواں 1995 ، نواں 1995 ، دسواں 1997 ، گیارہواں 1997 ، بارہواں 1998 ، تیرہواں 1998 ، چودھواں 1999 ، پندرہواں 2000 ، سولہواں 2001 ، سترہواں 2002 ، اٹھارواں 2002 ، انیسواں 2002 ، بیسواں 2004 ، اکیسواں 2004 ، بائیسواں 2005 ، تئیسواں 2006 ، چوبیسواں 2007 ، پچیسواں 2008ء ، چھبیسواں 2009ء ، ستائیسواں 2009ء اٹھائیسواں 2010ء ، انتیسواں 2011ء ، تیسواں 2012ء ، اکتیسواں 2013ء ، بتیسواں 2015ء ، تینتیسواں 2017ء ، چونتیسواں 2018ء

2018ء
افضال احمد نے
سنگ میل پبلی کیشنز لاہور
سے شائع کی۔

ISBN-10: 969-35-0514-X
ISBN-13: 978-969-35-0514-6

Sang-e-Meel Publications
25 Shahrah-e-Pakistan (Lower Mall), Lahore-54000 PAKISTAN
Phones: 37220100-37228143 Fax: 37245101
http://www.sangemeel.com e-mail: smp@sangemeel.com

حاجی حنیف اینڈ سنز پرنٹرز، لاہور

قدرت اللہ شہاب
کے نام

شام سمے

عشق لاحاصل

یہ تیسرے پیریڈ کا واقعہ ہے۔

ایم اے کی ساری کلاس حاضر تھی۔ لڑکیاں ہم سے اگلی قطار میں بیٹھی تھیں ــــــ ان چولستانی ہرنیوں میں وہ سب سے آخری تھی ــــــ اکتوبر کا دن تھا۔ جس طرح بھٹی سے نکل کر مکئی کے دانے سفید پھولے ہوئے بڑے اور ٹھنڈے نظر آتے ہیں، ایسے ہی اکتوبر کا یہ دن تھا۔ بڑا پھولا ہوا اور سفید ــــــ اس سے پہلے کے تمام دن بھٹی دیدہ گرم تھے۔ لیکن یہ دن سفید سفید دھوپ میں کچھ پھولا پھولا، بڑا بڑا نظر آتا تھا۔ کچھ دنوں میں یہ صلاحیت ہوتی ہے کہ وہ گھڑیوں کے تابع نہیں رہتے، اپنی گنجائش اور سمائی کے مطابق گزرتے ہیں۔

پروفیسر سہیل نے نئی کار جیسی اس لڑکی کی طرف نظریں اٹھا کر سوال کیا۔ "اپنا تعارف کرائیے!"

داخلے کے دن سے لے کر اب تک، ہم اس کے نام کے متعلق کئی قیافے لگا چکے تھے۔ چولستانی ہرنی اٹھی، اس نے کرسی پر ایسے بازو رکھا جیسے موٹر سائیکل کے سہارے کھڑی ہو۔

"سر میرا نام سیمی شاہ ہے، میں نے کنیرڈ کالج سے بی اے کیا ہے اور میرے سبجیکٹ سائیکلوجی اور ہسٹری تھے۔"

پہلی مرتبہ تمام طلبہ اپنے آپ کو باقی کلاس سے باضابطہ طور پر متعارف کرا رہے تھے۔ اس سے پہلے فرزانہ، انجلا، طیبہ اور کوثر اپنا تعارف کرا چکی تھیں۔ لیکن یہ تمام لڑکیاں چہرے مہرے اور لباس سے ایسی لگتی تھیں، جنہوں نے اخباری کاغذوں پر چھپے ہوئے نوٹس رٹ رٹ کر بی اے کیا ہو۔ کوثر کے علاوہ ان لڑکیوں کی جنرل نالج اور علمی استعداد کورس کی کتابوں تک محدود تھی۔

کوثر حبیب اور سیمی شاہ ہماری کلاس کی آنکھیں تھیں۔ جگمگاتی، روشن، دعوت سے بھری ہوئی۔ لیکن کوثر حبیب متاثر کرنے سے پہلے بیک گیئر لگاتی تھی۔ پسپا کرنے سے پہلے خود ہار جانے کی عادی تھی۔ اس کے جسم اور ذہن کی بناوٹ ہی ایسی تھی، جیسے بہت خوبصورت بلب روشن ہو، لیکن بار بار بجلی کا فیوز اڑ جانے کی وجہ سے روشنی میں تواتر نہ رہے۔

اور سیمی شاہ؟——

وہ گلبرگی معاشرے کی پیداوار تھی۔ اس وقت اس نے موری بند جینز کے اوپر وائل کا سفید کرتا پہن رکھا تھا۔ گلے میں حمائل مالا نما لاکٹ ناف کو چھو رہا تھا۔ کندھے پر لٹکنے والے کینوس کے تھیلے میں غالباً نقدی، لپ سٹک، ٹیشو پیپر تھے۔ ایک ایسی ڈائری تھی، جس میں کئی فون نمبر اور برتھ ڈے کے دن درج تھے۔ ایک دو ایسے قیمتی پن بھی شاید موجود ہوں گے جن میں سیاہی نہ ہونے کی وجہ سے وہ بال پوائنٹ مانگ کر لکھا کرتی تھی۔ اس کے سیاہ بالوں پر سرخ رنگ غالب تھا۔ اکتوبر کے سفید دن کی روشنی میں اس کے بال آگ پکڑنے ہی والے تھے۔ وہ بالکل میرے سامنے تھی اور اگر میں چاہتا تو اس کے کندھوں پر سلیقے سے جمے ہوئے بالوں کو چھو سکتا تھا لیکن ہمیشہ کی طرح اس کے کرتے کے نیچے سے باڈس کا الاسٹک، ہک اور اوپر جانے والی طنابوں کو دیکھ کر میں خوفزدہ ہو گیا۔

بھری پستول سے کبھی میں اس طرح خائف نہیں ہوا۔

لڑکوں کی قطار میں پہلا لڑکا آفتاب تھا۔

جب سیمی شاہ اپنا تعارف کروا چکی تو آفتاب اٹھا، امریکی فلموں کا چڑھتا سورج آہستہ آہستہ—— موسیقی اور لے کے ساتھ—— روشن کرتا ہوا—— گرمی پھیلاتا ہوا۔

اس سکس ملین ڈالر مین نے بھاری آواز میں کہا—— "میرا نام آفتاب بٹ ہے سر۔ میں اس کالج کا ہی اولڈ سٹوڈنٹ ہوں آپ مجھے خوب جانتے ہیں سر۔"

پروفیسر سہیل نے اپنی آنکھوں پر سے چشمہ اتار کر کہا—— "لیکن تمہارے ہم جماعت شاید تمہیں نہیں جانتے؟"

آفتاب نے پہلے لڑکیوں کی قطار پر کرنیں ڈالیں پھر ڈسکس پھینکنے والوں کی طرح

تھوڑا پاؤں پر گھوما اور لڑکوں کو مخاطب کر کے بولا —— "پچھلے سال میں یونین کا صدر تھا۔ بی اے میں میرے سبجیکٹ سائیکلوجی اور سوشیالوجی تھے۔ میں اگر خود پسندی اور فلموں کا شوقین نہ ہوتا تو شاید بی اے میں ٹاپ کرتا۔ لیکن مجھے فسٹ نہ آنے کا کچھ خاص افسوس بھی نہیں ہوا کیونکہ جو لڑکی پنجاب میں فسٹ آئی ہے وہ مجھ سے نوٹس لے کر پڑھتی رہی ہے، ویسے میری Reputation والدین کے خوف اور اللہ کے فضل سے اچھی ہے۔"

ساری کلاس ہنس دی۔ لڑکوں میں سے کسی دل جلے نے نعرہ لگایا۔ "میاں مٹھو میاں مٹھو...."

تعارف جاری رہا۔

پانچ لڑکیاں اور پندرہ لڑکے جب تعارف کروا چکے تو فضا حالات زندگی اور ناموں سے بوجھل ہو چکی تھی۔ شاید اس کے بعد کلاس ختم ہو جاتی اور جمائیاں شروع ہوتیں۔ لیکن اس کے بعد ڈاکٹر سہیل نے میز پر سے چاک اٹھایا۔ بلیک بورڈ پر ایک بڑا سا سر بڑی بڑی مونچھیں چھوٹے دھڑ اور بڑے بڑے بوٹوں والا ایک کامک فگر بنایا۔ پھر اس کی آنکھوں پر چوکور فریم کی عینک پہنائی۔ فریاد کے انداز میں پھیلے ہوئے بازو کھینچے —— اور نیچے لکھا۔

"اِٹ اِز می —— ڈاکٹر سہیل —— میں آپ کو سوشیالوجی پڑھاؤں گا۔"

بلیک بورڈ پر تصویر بنانے والا پروفیسر ہم سے بمشکل پانچ چھ سال بڑا تھا۔ لیکن اس کے پاس ایک ایسا ہنٹر موجود تھا جو شیروں کو سدھارنے والے استعمال کرتے ہیں۔ اسے کبھی کورس پڑھانا نہ آیا۔ لیکن وہ ذہنوں کا جوڈو کھیلنا جانتا تھا۔ نظریات کی کشتی کرانا اس کا محبوب مشغلہ تھا۔ اپنے شاگردوں کی کھوپڑیاں کھولنا اور خالی پا کر انہیں جوں کی توں بند کر دینا اسے جی سے پسند تھا۔ سلی ہوئی زبانیں آزاد کرانے طوطے کی طرح باتیں کرانا اور ریڈیو کی مسلسل زبان بولنے والوں کو چپ کرانے کا فن بھی صرف اسے آتا تھا۔ خوب آزادی برتتا اور ہر طرح کی آزادی دیتا۔ کوئی بات کبھی اُسے شاک نہ کر سکی۔ سوشیالوجی کے ساتھ ساتھ اسے دنیا کا ہر سبجیکٹ آتا تھا۔ اسی لئے اس کی موجودگی میں فضا تعلیمی تصنع سے ہمیشہ پاک رہتی اور طالب علم ایک دوسرے کے تشخص میں زیادہ غلطیاں

نہ کرتے۔

پروفیسر سہیل نے اپنی گُدی پر دایاں ہاتھ رکھا اور میز پر ذرا سا چونترا جما کر بولا۔

"مَیں عمر اور تجربے میں آپ لوگوں سے بہت زیادہ بڑا نہیں ہوں لیکن چونکہ میری شادی نہیں ہوئی اس لیے مجھے پیار کرنے کے لیے صرف کتابیں ملی ہیں۔ ابھی تک میرا passion کتابیں ہیں۔ کلاس میں کبھی کبھی آپ لوگ کچھ ایسے سوال بھی کریں گے جن کا جواب مجھے نہیں آتا ہو گا۔ اور میں بدقسمتی سے اتنا متکبر ہوں کہ سب کچھ برداشت کرتا ہوں، کسی اور کی علمی برتری برداشت نہیں کر سکتا۔ اس لیے I warn you جب تک آپ میری کلاس میں رہیں ہمیشہ مجھے گُرو سمجھیں۔ میرے علم کو زیادہ مانیں۔ کبھی کبھی یہ بالکل shallow ہو گا۔ آپ خود بات کی تہہ کو بہتر سمجھتے ہوں گے لیکن مجھے اس بات کا احساس دلا کر آپ کو نقصان ہو گا۔ میری چھاتی چھوٹی ہو جائے گی۔ مَیں اپنی whiskers منوا دوں گا اور میری بلٹ ڈھیلی ہو جائے گی۔ کون کون چاہتا ہے کہ میں احساس کمتری میں مبتلا ہو جاؤں ہاتھ اٹھایئے ——" سوائے آفتاب کے کسی نے ہاتھ نہ اٹھایا۔

"بھلا مسٹر آفتاب آپ کیوں چاہتے ہیں کہ میں احساس کمتری میں مبتلا ہوں؟"

آفتاب نیزے کی طرح سیدھا کھڑا ہو گیا۔

"سر اس لیے کہ آپ پہلے سے احساس کمتری میں مبتلا ہیں۔ صرف ہمارے چاہنے سے کچھ نہیں ہوتا!"

قہقہوں میں سب سے اونچا قہقہہ پروفیسر سہیل کا تھا۔

اب کمرے میں تثلیث بن گئی۔ لڑکیوں کی قطار کے آخر میں سیمی شاہ، لڑکوں کی ٹکڑی کے سرے پر آفتاب بٹ —— اور ان دونوں کے نقطۂ اتصال پر پروفیسر سہیل۔ گفتگو ان تینوں کے درمیان جاندار سرکٹ کی طرح چلنے لگی۔

ہنسی کے ختم ہونے پر پروفیسر سہیل پھر گویا ہوا —— "میرے پاس فی الحال موٹر سائیکل ہے کسی لڑکے کو ضروری کام ہو تو وہ مجھ سے چابی مانگ سکتا ہے۔ لیکن جو وعدے کے مطابق موٹر سائیکل واپس نہیں کرے گا وہ دوبارہ اپنے اس حق کو استعمال نہیں کر سکتا۔ اگر کوئی لڑکی بس سٹاپ پر کھڑی ہو اور ہاتھ دے کر مجھے روکے میں اسے لفٹ دوں گا۔ لیکن اگر وہ مجھے موٹر سائیکل موڑنے کو کہے گی تو میں اسے اتار دوں گا ——

اب آپ سب مجھے بتا سکتے ہیں کہ آپ کے پاس کیا کچھ ہے —— جو آپ دوسروں کے ساتھ share کر سکتے ہیں اور کس حد تک۔"

"پن ——" ایک طرف سے آواز آئی۔

"سائیکل —— کبھی کبھی ——"

"ٹیشو پیپر..... ہمیشہ۔"

"نوٹس... امتحان کے بعد..."

"لپ سٹک ——" سیمی شاہ بولی۔

"فلائنگ کِس ——" آفتاب نے جواب دیا۔

"گڈ ویری گڈ —— مجھے پتہ چلا کہ ہماری سوشیالوجی کی کلاس کا جی این پی کافی ہے اور ہم اس پر اعتماد کر کے آسانی سے آگے چل سکتے ہیں۔ بائی دی وے کیا آپ لوگ کچھ سمجھتے ہیں کہ فرد اور معاشرے کا آپس میں کیا رشتہ ہے؟ فرد کی آزادی بڑی ضروری چیز ہے —— لیکن کیا کبھی یہ بھی ممکن ہو گا کہ معاشرہ بھی اپنی تمام ذمہ داریوں سے آزاد ہو جائے اور پھر بھی قائم رہے....؟ ——"

اب پروفیسر کی شکل بوڑھی ہو گئی —— اپنے موٹر سائیکل جتنی پرانی....

ہمیں معلوم بھی نہ ہو سکا کہ لیکچر شروع ہو گیا ہے۔

پروفیسر سہیل بڑی چابکدستی سے فرد اور معاشرے کے باہمی ربط کو زیر بحث لا رہا تھا۔ لیکن کچھ ایسے باری باری گیند ہم سب کے کورٹ میں پہنچتا کہ ہم اپنی پوری ذہنی قوت کے ساتھ اسے پروفیسر کے کورٹ میں لوٹا دیتے۔ دیکھتے دیکھتے چہرے تمتمانے لگے۔ آوازیں تیکھی ہو گئیں۔ ہاتھ ہوا میں چلنے لگے۔ لڑکیاں جو نمازیں نیت کر بیٹھی ہوئی تھیں سوئے کے ساتھ برف توڑتی نظر آنے لگیں۔ بات فرد اور معاشرے سے ہو کر اب دُور جا نکلی تھی اور ہم سویڈن، تھائی لینڈ، روڈیشیا، میکسیکو، یوگینڈا کے مختلف معاشروں کا تقابل کرتے کرتے کبھی فرد کی محرومی کے متعلق سوچ رہے تھے اور کبھی معاشرے کی بے چارگی پر افسوس کر رہے تھے۔

پھر سیمی شاہ اٹھی اور بولی —— "سر آپ کا کیا خیال ہے اگر معاشرہ ideal ہو تو پھر کیا کوئی فرد کبھی خودکشی کر سکتا ہے؟"

پروفیسر نے اپنے چھتے جیسے سر میں انگلیاں ڈبوئیں پھر سوال کو لڑکوں کی قطار میں پھینک دیا۔ لڑکوں کی قطار سے جب کوئی خاطر خواہ جواب نہ ملا تو پروفیسر نے کہا۔ ''دراصل خودکشی ایک symptom ہے۔ کسی معاشرے کے اندر اگر کوئی بیرومیٹر فٹ کیا جائے تو خودکشی اس کا آخری درجہ حرارت ہو گا۔ افسوس مس شاہ ابھی کوئی آدرشی سوسائٹی ایسی نہیں بن سکی اس لئے ہم تجربہ نہیں کر سکتے لیکن خیال کیا جاتا ہے کہ سوسائٹی کا پریشر پاگل پن کو جنم دیتا ہے اور پاگل پن ہی خودکشی کا باعث ہے۔''

اس کے بعد وہ ڈُرخائم کے حوالے سے دیر تک بات کرتا رہا۔ ہم سب ایسی عمر میں تھے جب خودکشی سے ایک روحانی اور رومانی وابستگی پیدا ہو جاتی ہے۔ ایسی وجوہات کا جائزہ لیا گیا جن کی وجہ سے فرد خودکشی پر مائل ہوتا ہے۔ اقتصادی، معاشرتی، شخصی، ذاتی اور جبلی وجوہات —— بالآخر بات خودکشی سے کھسک کر دماغی امراض اور پاگل پن کی طرف مڑ گئی۔ کیونکہ خودکشی نتیجہ تھی، وجہ نہیں تھی۔ اصلی وجہ وہ دیوانہ پن تھا جس کی بنا پر انسان کئی احمقانہ اقدامات اٹھانے پر مجبور ہوتا ہے۔

اینجلا شروع سے آخر تک خاموشی سے بیٹھی رہی۔ پروفیسر سہیل کے ساتھ ساتھ فرزانہ، طیبہ اور کوثر بہت گرم جوشی سے بحث میں حصہ لے رہی تھیں۔ لیکن یہاں پر ان کی بولتی بند ہو گئی۔

پروفیسر سہیل بولا —— ''آپ لوگوں نے فرد اور معاشرے کی کشمکش کو بہت خوبی سے سمجھا ہے اور بہت سے صحیح نتیجے اخذ کیے ہیں۔ مس فرزانہ ٹھیک کہتی ہیں کہ معاشرے کا پھندا جب فرد کی گردن پر بہت تنگ ہونے لگتا ہے تو کبھی کبھی فرد کو موت سے پہلے خود اپنے فیصلے سے مرنا پڑتا ہے۔ کوثر نے خودکشی کی ان گنت وجوہات کو ایسے بیان کیا ہے کہ اس میں ایک نئی دریافت کی سی تازگی پیدا ہو گئی۔ لیکن اب میں آپ لوگوں کو دعوت دیتا ہوں کہ سوچیں خودکشی کا فعل جسے آپ سب متفقہ طور پر پاگل پن کی ایک معکوس شکل سمجھتے ہیں۔ اس پر غور کریں۔ خودکشی پر نہیں، پاگل پن پر.... وجہ پر، نتیجے پر نہیں۔ پاگل پن کی اصلی وجہ کیا ہے —— یاد رکھئے پاگل پن جس قدر ششدر کرنے والی حالت ہے اسی طرح پاگل پن پیدا کرنے کی وجہ کو بھی حیران کن ہونا چاہئیے۔''

اب ہماری لڑکوں کی ٹیم اس بحث میں لنگوٹے کس کر داخل ہوئی۔

"پاگل پن کی دو وجوہات ہو سکتی ہیں۔ ایک تو functional وجہ ہو سکتی ہے سَر کہ بچہ پیدائشی طور پر نامکمل ہو..... دوسری وجہ نفسیاتی ہو سکتی ہے۔"

"اور گہرا دیکھئے ان وجوہات کے علاوہ شاید کوئی اور وجہ بھی ہو۔"

اب تک آفتاب نے منہ سے ایک لفظ بھی نہ نکالا تھا۔ یہ کشمیری بچہ سفید رنگ کی پیکنگ میں برتھ ڈے گفٹ کی طرح سجا سجایا پڑا تھا۔ آفتاب کی یہ عادت بعد میں ہمیں پتہ چلی کہ جہاں مسکراہٹ سے کام چل جاتا وہاں وہ ایک لفظ ضائع نہ کرتا۔ جہاں لفظ سے عندیہ پورا ہو جاتا وہاں وہ جملے کو استعمال نہ کرتا۔ جہاں مختصر بات کافی ہوتی وہاں وہ لمبی بحث میں نہ پڑتا۔ وہ عموماً پوائنٹس میں بات کرنے کا عادی تھا۔

انگلیوں پر گنتا جاتا —— ایک.... نمبر دو.... نمبر تین۔ اور زیادہ وقت اسے نمبر تین سے آگے بڑھنے کی ضرورت نہ ہوتی۔ ایم اے کی کلاس میں یہ آفتاب کی سب سے لمبی گفتگو تھی۔

آفتاب اٹھا۔ اس نے اپنے دونوں بازو صلیب کی طرح اٹھائے۔ آدھی آستین والی قمیض میں اس کے دونوں بازو سنہری گھاس سے اَٹے ہوئے نظر آ رہے تھے۔ کھڑکی سے آنے والی روشنی اس کی براؤن آنکھوں میں چمکتے شہد جیسی روشنی پیدا کر رہی تھی اور اس وقت وہ اولمپک کھیلوں میں آگ کی مشعل اٹھانے والے کھلاڑی کی طرح خوبصورت، کنوارہ اور مقدس نظر آ رہا تھا۔ شاید اسی لمحے سیمی نے اس کی طرف دیکھنے کی غلطی کی اور دیوانی ہو گئی۔

"پاگل پن ہمیشہ ناآسودہ آرزوؤں سے پیدا ہوتا ہے سَر —— اور ناآسودہ آرزوئیں ان Taboos سے جنم لیتی ہیں، جو ہر کلچر میں موجود رہتی ہیں۔ جس کلچر میں ماموں زاد بہن سے شادی نہیں ہو سکتی وہاں ماموں زاد بہن کے عشق لاحاصل سے دیوانگی پیدا ہو سکتی ہے۔"

"فرائیڈ سے مستعار لینے کا شکریہ ——" سیمی نے قینچی جیسی تیکھی انگریزی میں کہا۔

"محترمہ —— پاگل پن کی یہ وجہ میں نے repression سے نہیں لی....

مَیں جس پاگل پن کا ذکر کر رہا ہوں وہ میر تقی میرؔ کا پاگل پن ہے.... فرہاد کا پاگل پن ہے.... پروفیسر سہیل تو دیوانے پن کی ایک سائیڈ دکھا رہے تھے۔ خودکشی اور موت۔ میں دوسری سائیڈ پیش کر رہا ہوں جہاں پہنچ کر دیوانہ پن مقدس ہو جاتا ہے۔ ماؤنٹ ایورسٹ فتح کرلیتا ہے، دودھ کی نہر بہا دیتا ہے۔"

کسی لڑکے نے پیچھے سے نعرہ لگایا —— "بیٹھ جاؤ جناب فرہاد صاحب۔"

آفتاب نے پیچھے قہر کی نظر ڈالی اور بیٹھ گیا۔

"that's a point" پروفیسر سہیل کی آنکھیں چمکنے لگیں۔

"یعنی ہم اس نتیجے پر پہنچے ہیں کہ پاگل پن دو قسم کا ہے —— ایک مثبت ایک منفی.... ویری گڈ —— اب اس مہینے آپ سب کی یہ assignment ہو گی کہ آپ مجھے ایک نہ ایک وجہ ایسی بتائیں جس سے فرد میں پاگل پن پیدا ہوتا ہے —— یہ وجہ جبلی نہیں ہونی چاہئے environmental نہیں ہونی چاہئے —— کوئی بالکل انوکھی وجہ —— خواہ بالکل احمقانہ کیوں نہ ہو۔ کوئی صوفی نظریہ، کوئی آفاقی نظریہ، لیکن بالکل نئی وجہ ہونی چاہئے۔ میں سب سے سرپھرے جواب پر سب سے زیادہ نمبر دوں گا۔"

کلاس میں شور مچ گیا۔

"سر دیوانے پن کی صرف ایک وجہ ہے —— ماحول..... ماحول.... ماحول" ایک طرف سے آواز آئی۔

"سر انسان میں پیدائشی نقص ہوتا ہے biological"

"سر.... repression"

"مانے نہ مانے کوئی...... اصل پاگل پن کی صرف ایک وجہ ہے —— صرف ایک وجہ عشق لاحاصل.... عشق لاحاصل —— عشق لاحاصل.... عشق لاحاصل..."

بھنگڑا ڈالنے کے انداز میں آفتاب کرسی پر چڑھ کر چلایا۔

"آڈر آڈر...." پروفیسر سہیل نے کہا۔ "دوستو میری increment کا سوال ہے۔ اگر تم لوگ ایسے شور مچاؤ گے تو کالج والے میری رپورٹ کر دیں گے پرنسپل صاحب کے پاس اور میری تبدیلی مظفر گڑھ کرا دیں گے۔"

اس کے بعد بحث بے پتوار کی کشتی بن کر چلنے لگی۔

کلاس کے کسی ذہین نوجوان نے گروپ شادی اور حشیش کا قصہ چھیڑ دیا۔ پھر مغرب کی آزاد روی سے بات نیگرو مسئلے کی طرف گئی۔ سویڈن میں اعلےٰ سینا کے ریفیوجی مسائل، ریڈ انڈین اور ان کے جادوگروں کی باتیں، نوآبادیات اور جمہوریت کے بکھیڑے، جاپان اور اس کی انڈسٹریل کامیابی.... روس کا پلٹتا ہوا کمیونسٹ نظام، جو بھی بات کسی کو معلوم تھی اس نے کی —— لیکن سیمی شاہ کو کرسی پر کھڑے آفتاب کے عشق لاحاصل نے سر کر لیا۔ وہ گلبرگ کی ساختہ تھی۔ اس کی ساری عمر کونونٹ سکولوں اور کالجوں میں گزری تھی۔ اپنے خالی اوقات میں وہ انگریزی موسیقی سنتی، ٹائم اور نیوز ویک پڑھتی، ٹی وی پر امریکی سیریز دیکھتی۔ اس کی واڈروب میں گنتی کے شلوار قمیض تھے۔ وہ شمپو، ہیئر سپرے، ٹیشو پیپر، کولون اور سینٹ سپرے کے بل بوتے پر سنگار کرتی تھی۔ اس نے کبھی لوٹے اور بالٹی سے غسل نہ کیا تھا۔ بیک برش اور شاور سے نہانے والی اس دختر گلبرگ کو نہ جانے کیا ہوا کہ ایک کشمیری بچے سے اور وہ بھی اندرون شہر کے رہنے والے سے جب وہ عشق لاحاصل کا نعرہ لگا رہا تھا، مات کھا گئی۔ اس سے پہلے سیمی شاہ اور آفتاب کنکھیوں سے ایک دوسرے کو دیکھتے رہے تھے۔ ایڈمیشن فیس داخل کرواتے وقت، برآمدے میں آتے جاتے۔ لیکن اس تیسرے پیریڈ میں ان دونوں کی نگاہوں میں پہلے استعجاب ابھرا۔ پھر پہچان پیدا ہوئی اور ایک ہی سشن میں سب کچھ اعتراف میں بدل گیا۔ کلاس کے بعد وہ دونوں اُٹھے۔ ایک انجانی قوت کے تحت ساتھ ساتھ چلنے لگے۔ باہر پہنچ کر سیمی شاہ کچھ کہے بغیر آفتاب کی موٹر سائیکل پر بیٹھ گئی۔ آفتاب نے سوال نہ کیا کہ اسے کہاں جانا ہے اور وہ دونوں کسی فلمی منظر کی طرح آہستہ آہستہ سڑک پر فیڈ آؤٹ کر گئے۔ تعارفی تقریب میں تین افراد نے میرا پتّہ ا کیا۔

آفتاب جسم کے اعتبار سے بالکل یونانی تھا —— اگر وہ کلاس میں موجود نہ ہوتا تو شاید میرا چراغ سب سے روشن ہوتا۔ ایک خاص قسم کا بغض، حسد اور اللہ واسطے کا بیر میرے دل میں اس کے خلاف پیدا ہو گیا۔

دوسرا دھکا مجھے پروفیسر سہیل سے لگا۔ اس سے پہلے میں ہمیشہ ایسے پروفیسروں سے پڑھا تھا، جنہوں نے کئی سال پہلے کورس کی کتابوں سے نوٹ بنا کر رکھے ہوئے تھے۔ ہر سال وہ ان ہی مختصر ناموں کے بل بوتے پر پڑھاتے آ رہے تھے اور پنشن ملنے تک ان

کی تعلیمی استعداد بڑھنے کے امکانات صفر تھے۔ جو نظریات انہوں نے سروس کے شروع میں مرتب کر لئے، ان کو بدلنا یا ان میں ترمیم کرنا ممکن نہ تھا۔

سکول میں ہم ماسٹر غلام رسول کی پرورش میں رہے۔ ان کی ڈاڑھی، زبان کی گھن گرج اور وہ میز کبھی تبدیل نہ ہوئی جس پر وہ کلاس میں آتے ہی اپنی چھڑی رکھتے تھے۔ ان کی ڈاڑھی ہمیشہ کاسنی مائل سیاہ خضاب سے چمکتی نظر آتی۔ جس طرح تھانیدار ملزم کو لمبا ڈال کر ماں بہن کی گالیاں دیتے ہیں ایسے ہی وہ ہمیں بنچ پر کھڑے کر کے ہماری عزت افزائی کیا کرتے تھے۔ ان کی آواز کا والیوم کنٹرول خراب تھا اور صرف اُونچے سُروں پر کام کر سکتا تھا۔ گرمیاں سردیاں ان کی وہی بل دار سیاہ چھڑی میز پر نظر آتی۔ چھڑی تک ہماری رسائی نہ تھی۔ اس لیے ہم میز سے بدلے لیا کرتے تھے۔ پرکار سے گود گود کر نقطوں کی شکل میں اس کی چاروں ٹانگوں پر کئی گالیاں کندہ تھیں۔ لیکن یہ میز بدسلوکی کے باوجود اور ماسٹر صاحب ہماری بددعاؤں کے باوصف کبھی اپنی جگہ سے نہ ٹلے۔ اگر ان کے منہ سے نکل جاتا کہ جنگ آزادی ۱۹۴۷ء میں ہوئی تھی تو پھر تمام کتابوں کی تصدیق کے باوجود وہ اپنی رائے بدلنے پر رضامند نہ ہوتے۔ اُن کی اس اٹل خاصیت کی وجہ سے ان کے تمام شاگرد ڈرپوک، گھنے اور بزرگ دشمن تھے۔ ماسٹر غلام رسول مغل بادشاہوں کی شان میں کوئی گستاخی برداشت نہ کر سکتے تھے۔ بابر سے لے کر بہادر شاہ ظفر تک تمام شاہ ان کے ہیرو تھے۔ اگر ان کے عہدِ حکومت یا ذات میں کوئی کوتاہی کسی کو نظر آتی تو وہ بلبلا اٹھتے۔ نکتہ چینی کرنے والے کو دلائل دے کر قائل کرنے کی ان میں صلاحیت نہ تھی۔ ایسے میں ان کا والیوم کنٹرول کھلتا جاتا اور وہ دلیل کی جگہ چنگھاڑ سے اگلے کو قائل کر لیتے۔

نویں جماعت کے شروع میں کہیں سے تو زک جہانگیری میرے ہتھے چڑھ گئی۔ میں سارا دن ہم جماعتوں کو اس کے واقعات سناتا نہ تھکتا۔ گو میں ماسٹر غلام رسول کی ذہنیت سے واقف تھا لیکن نئی نئی جوانی چڑھی تھی، انا پھن اٹھائے کھڑی تھی۔ میں نے ہم جماعتوں پر اپنا رعب ڈالنے کے لیے ایک روز کلاس میں جرأت سے کہا۔ "ماسٹر جی آپ نے تو زک جہانگیری پڑھی ہے؟"

"جب تو ابھی تھوڑا تھوڑا موتتا پھرتا تھا، تب میں نے اس کو پڑھا تھا۔ بیٹھ جا اور

زیادہ علمیت نہ بگھارا کر کلاس میں؟"

"ماسٹر جی —— " میں نے ذرا سی اور کوشش کے بعد کہا۔

"کیا ہے؟"

"اس میں کچھ ایسے واقعات درج ہیں، جن کو پڑھ کر احساس ہوتا ہے کہ بادشاہ جہانگیر کچھ ایسا رحمدل نہیں تھا۔"

ماسٹر غلام رسول نے چاک کا ٹکڑا اڑیل میز پر مارا۔

"نور جہاں سے شادی کی —— یہ رحم دلی نہیں؟ کوئی بادشاہ کسی دوہاجو سے شادی کرتا ہے؟ اس کو کمی تھی کنواریوں کی؟ بول بتا یہ رحمدلی نہیں تو اور کیا ہے۔ بتا؟"

ماسٹر جی اور میں مختلف پیمانوں سے رحم دلی کو ناپتے تھے۔

"جہانگیر نے ایک ملزم کو —— ماسٹر جی بکرے کی کھال میں بند کروا کے اوپر سے کھال سلوا دی تھی۔"

"ملزم تھا ناں کوئی بے گناہ تو نہیں تھا۔ سزا ہمیشہ بہتری کے لیے دی جاتی ہے۔ اب میں تم کو مارتا ہوں تو کیا اس کا فائدہ مجھے ہوتا ہے بتاؤ —— ساری سزا ملزم کے فائدے کے لیے ہوتی ہے۔"

"لیکن ماسٹر جی جو بکری کی کھال میں سلوا دیا گیا اس کو کیا فائدہ ہوا؟"

"بیٹھ جا —— بیٹھ جا اور بحثی نہ جایا کر اپنے بڑے بھائی مختار کی طرح —— مطلب ہو نہ ہو بحثی چلا جا رہا ہے۔ بولے جا رہا ہے۔ خیر سے مونچھیں آ جائیں سدھی پدری تو بات کریں گے جہانگیر اعظم کی۔"

وہ سکندر اعظم کی طرح ہر مغل بادشاہ کے ساتھ اعظم لگانے کے عادی تھے، اپنی مونچھوں کے سلسلے میں پہلے ہی مَیں کچھ شرمسار رہتا تھا اس لیے میں چُپ چاپ بیٹھ گیا۔ لیکن علمیت بگھارنے والے لڑکے نے میرے اندر کہیں بغاوت کر دی۔

تعلیم و تدریس کی بڑی بد نصیبی یہ ہے کہ عام استاد عموماً اوسط درجے کا شخص ہوتا ہے اور وہ ذہنی، جسمانی اور جذباتی طور پر لکیر کے فقیر قسم کی باتیں سوچتا ہے۔ اسے ضبط و نظم سے مڈل کلاس لوگوں سے، اور پڑھا کُو طلبا کو پڑھانے سے پیار ہوتا ہے لیکن سارا دن وہ بڑی قد آور شخصیتوں اور ان کے کارناموں کی تعلیم دیتا ہے۔ ایسے لوگ جنہوں نے کبھی

معاشرے کے ساتھ مطابقت نہ کی، عام ترین ہوتے ہوئے وہ ایسے لوگوں کی تعلیم عام کرتا ہے جن کی سطح پر وہ سوچ بھی نہیں سکتا۔ اس کا اپنا کردار بچوں کو عام بنانے پر مصر رہتا ہے اور اس کی تعلیم بچوں کو خاص ہونے پر اکساتی رہتی ہے۔ سکول سے بھاگ جانے والے بچوں کی جگہ سکول میں نہیں ہوتی۔ لیکن ایسے ہی باغی بچوں کو بنچ پر کھڑا کر کے ہمیشہ ان عظیم شخصیتوں کی روشن مثالیں دی جاتی ہیں جو خود سکولوں سے بھاگے تھے۔ ہر غلام رسول بچوں کو جینیس ——— کی کتابیں پڑھا کر عام بنانے کی کوشش کرتا رہتا ہے اور یہی تعلیم کا سب سے بڑا المیہ ہے۔ خاص لوگوں کی تعلیم اور عام لوگوں کی دادا گیری۔ میرے دل کی بنچ پر بھی ماسٹر غلام رسول کے ساتھ کئی قد آور شخصیتیں کھڑی تھیں۔ اسی تضاد کے باعث میں عمر میں بڑھنے کے باوجود اندر سے نہ بڑھ سکا۔ اور میری شخصیت اس درخت جیسی ہو گئی جسے زیبائش کے لیے جاپان میں پالا جاتا ہے، جو سالوں پرانا ہوتا ہے لیکن جس کا قد ایک حد سے آگے نہیں بڑھ سکتا۔

مَیں اسی لیے اس قدر محتاط تھا کہ کبھی کبھی بے عمل ہو جاتا۔

تجزیے کی حد تک تو ٹھیک ہے لیکن عملی زندگی میں بھی سیدھے راستوں کی بجائے میں پگڈنڈیوں پر آوارہ کتوں کی طرح سرگرداں رہتا۔ مجھے کسی ایسے گُرو کی تلاش تھی، جو مجھے کھینچ تان کر اپنے علم جتنا بڑا کر دے لیکن سکول کے بعد ایک اور ماسٹر غلام رسول مل گئے۔

ان سے میری ملاقات بی اے کے پہلے سال میں ہوئی۔ پروفیسر تنویر ہمیشہ فارن سگریٹ پیتے۔ اُن کے تھری پیس سوٹ بے داغ ہوتے۔ چہرے پر موٹے شیشوں کی عینک ہوتی۔ کلاسوں کے علاوہ وہ ہمارا ٹوریل بھی لیتے تھے۔ انہوں نے بھی ان گنت کتابیں پڑھی تھیں۔ اُن کا مطالعہ مجھے مرعوب کرتا تھا۔ کیونکہ میری اوّلین تعلیم دیہاتی تھی۔ اس لیے میں فیوڈل نظام پسند کرتا تھا۔ وہ پکے سوشلسٹ تھے ——— تھیوری کی حد تک وہ معاشرے کی ہر مصیبت کو دولت کی غلط بانٹ سے منسوب کرتے ——— بی اے کے پہلے سال میں انہوں نے مجھے منہ کے بل گرا لیا۔ لیکن ایک سال ان کا سایہ بنے رہنے کے بعد مجھے پتہ چلا، کہ وہ ایک اور قسم کے ماسٹر غلام رسول ہیں۔ وہ دل سے سوشلسٹ تھے لیکن صرف کتابی طور پر ——— ان کا رہنا سہنا، ملنا ملانا، زندگی بسر کرنے کی چھوٹی چھوٹی جزیات

کسی فیوڈل لارڈ کی سی تھیں۔ مشکل یہ تھی وہ نہ اپنے سوشلسٹ نظریے پر تنقید برداشت کرتے تھے، نہ اپنی طرز زندگی پر۔

اگر کوئی تضاد ان کے شاگردوں کی نظر پڑ جاتا اور وہ اس پر رائے دے دیتے تو پروفیسر تنویر سختی کے ساتھ اُس آزادئ رائے کی سرکوبی کرتے، جس کے وہ پرچارک تھے۔

بی اے فائنل کے امتحانوں سے کچھ دن پہلے کی بات ہے وہ ہمیں کلاس میں سگریٹ پینے کی اجازت دے کر اپنے روشن خیال ہونے کا ثبوت دے رہے تھے۔

مَیں کھڑا ہو کر بولا ——— "سَر ایک بات ہے۔"

"سگریٹ مت بجھاؤ ہم دوست ہیں پوچھو۔ اور بیٹھے رہو۔"

"سر آپ ہر روز ہمیں بتاتے ہیں کہ روپیہ تھرڈ ورلڈ ذلت کی جڑ ہے۔ پھر آپ اپنی کار بیچ کر معمولی موٹر سائیکل کیوں نہیں خرید لیتے؟"

ابھی میں پختہ نہیں تھا اور نہیں جانتا تھا کہ عام طور پر قول اور فعل کے تضاد سے بڑی قد آور شخصیتوں کا خمیر بنا ہوتا ہے۔

پروفیسر تنویر کا چہرہ لال ہو گیا۔ انہوں نے اپنے غصّہ پر قابو پاتے ہوئے کہا ——— "یہ بالکل پرسنل سوال ہے بیٹھ جاؤ اور یاد رکھو تم قصباتی لوگوں کے manners بہت کمزور ہوتے ہیں۔ بے وقوف گدھے ——— اگر میں کار بیچ دوں تو کالج کیسے آؤں؟"

میری انا کو سخت دھکا لگا۔ اس لیے بحث کو اب چھوڑنا میرے لیے بھی آسان نہ تھا۔ مَیں نے پروفیسر تنویر کو زچ کرنے کے لیے کہا ——— "سائیکل پر سَر ——— سائیکل پر..... انسان کو عوام میں ملے رہنا چاہیے۔"

"یہ space age ہے گدھے آدمی..... ہر کام میں وقت بچانا پڑتا ہے۔ اور تم مجھے سائیکل سوار بنا رہے ہو۔"

"لیکن سَر چین بھی تو space age میں ہے وہاں کے لوگ....."

"ایک دانشور انٹلیکچوئل سائیکل پر آئے جائے..... اور تمہارے بزنس مین... کارخانے دار..... دو کوڑی کے نودولتیئے کاروں پر گھومیں۔ مر مر کر تو جگہ ملی ہے معاشرے میں ——— برسوں کی جدوجہد کے بعد گریڈ بڑھے ہیں۔ ہم بھی عزت دار زندگی بسر کرنے

کے قابل ہوئے ہیں۔"

"سر لیکن آپ کے نظریات کے مطابق تو سوسائٹی میں کوئی طبقہ نہیں ہونا چاہیے جس سے عزت بے عزتی کا سوال پیدا ہو۔"

اب پروفیسر کے منہ سے جھاگ اُڑنے لگی، وہ دونوں بازو لہرا لہرا کر بولے ——

"بیٹھ جاؤ، بیٹھ جاؤ —— مینڈکی! کھوپڑی ڈھائی انچ کی ہوتی ہے اور اس میں مارکس کے نظریات بٹھانا چاہتے ہیں۔ بیٹھ جاؤ —— بھائی میاں.... پہلے ٹائی کی ناٹ باندھنا سیکھو —— پھر ادھر آنا —— ان باتوں کی طرف...."

میں اپنی ٹائی کی ناٹ ہتھیلی میں چھپا کر بیٹھ گیا —— پروفیسر تنویر کو کھوپڑیاں کھولنے کا عمل نہیں آتا تھا۔ وہ کسی کو ایسی تعلیم دینے کے اہل نہ تھے جو نظریے اور عمل کا فرق کم کر دے۔

لیکن پروفیسر سہیل ایسا چھپا ہوا کاغذ نہیں تھا، جس پر مزید کچھ لکھا نہ جا سکے، وہ تو سلیٹ کی مانند تھا۔ لکھا —— مٹایا اور پھر لکھ لیا۔ کتابوں سے اس کا شغف دیکھ کر مجھے بہت حیرت ہوئی —— مجھے بھی عرصہ سے کتابوں کی رفاقت نصیب تھی۔ لیکن کتابوں نے مجھ سے زندگی کی ہلکی طرف کو پوشیدہ کر دیا تھا۔ مَیں محسوس کرتا تھا، کہ کتابوں سے محبت کرنے والے عموماً زندگی کی اس اہم سمت کو بھول جاتے ہیں۔ وہ اس قدر سنجیدہ ہو جاتے ہیں کہ مزاح مکمل طور پر ان کی زندگی سے نکل جاتا ہے اور وہ لمبا جبہ پہن کر سارا وقت پڑھے ہوئے نظریات کی لاٹھی سے دوسروں کی پٹائی میں مصروف رہتے ہیں۔

پروفیسر سہیل مختلف اور عجیب تھا۔ میری شخصیت پر کسی نہ کسی غلام رسول نے اپنی مہر لگا رکھی تھی —— اس لیے بچے کی طرح سادہ، کسی گنوار کی طرح متحیر اور کسی مسخرے جیسے ہنسوڑ پروفیسر سہیل کو دیکھ کر میں ہکا بکا رہ گیا۔ تعارفی کلاس میں ہی مجھے اپنی علم دوستی سے گلہ پیدا ہو گیا۔ مہاتما بدھ کی دھاما پادھا سے لے کر موجودہ دور کے تازہ ترین علم پیرا سائیکالوجی تک مجھے جو کچھ پیش آیا تھا، اس سے اکتاہٹ پیدا ہو گئی۔ کاش میں بھی سادہ سلیٹ ہوتا —— پچھلا لکھا ہوا مٹا سکتا اور پروفیسر سہیل کی دی ہوئی assignment کو اسی تازگی سے لکھ سکتا جس کی وہ ہم سے توقع رکھ رہے تھے۔

حالانکہ ابھی میں نے مضمون نہیں لکھا تھا، لیکن ابھی سے انہیں مایوس کرنے کا دُکھ مجھے

تھا۔

آفتاب کے حسن اور پروفیسر سہیل کے علم کے آگے گھٹنے ٹیکنے کے بعد میں نے تیسرا سجدہ سیمی شاہ کو کیا.... غالباً اس میں اس کلچر کی جیت تھی جو دیہاتی لوگوں کو میسر نہیں آتا۔

میں نے اس سے پہلے اتنی مکمل شہری لڑکی نہیں دیکھی تھی۔ اسے دیکھ کر میں اشتہاروں کی دنیا میں پہنچ گیا۔ اور وہ مجھے ہوائی سفروں پر بادلوں سے اوپر لے گئی۔ اس کا لب و لہجہ، لباس، اٹھنا بیٹھنا، جسم سے اٹھنے والی خوشبو سب اس بات کی گواہ تھیں کہ وہ مجھ سے زیادہ مہذب ہے۔ اب میری انا کا یہی مسئلہ تھا کہ مَیں اس لڑکی کو پچھاڑ دوں اور اسے اپنی دیہاتی بیک گراؤنڈ میں گھسیٹ کر لے جاؤں جہاں وہ میری وجہ سے پچھاڑ کھا کر گرے اور مکمل طور پر دیہاتی ہو جائے۔

پھر اس کے صبح و شام ماں کی طرح لسی پیتے، دودھ دوہتے، چرخا کاتتے اور بڑی بڑی ہانڈیوں میں ساگ پکاتے ہوئے صرف ہوں۔

شاید ہر مرد کے اندر یہ آرزو ہوتی ہے کہ وہ عورت کو اس کی پٹڑی سے اتارے اور اپنے راستے پر لے کر چلے۔ اب یہ اور بات ہے کہ آفتاب مجھ سے پہلے ہی سیمی شاہ کو موٹر سائیکل پر بٹھا کر رخصت ہو گیا تھا اور اندرون شہر کے کلچر پر اُردو میں پہلا لیکچر دے رہا تھا۔

کچھ لوگ کہتے ہیں۔

پوٹھوہار کا وہ علاقہ جہاں آج کل دوسرے درجے کے بے آب خاکستری پہاڑ ہیں اور جن کو مقامی لوگ پبیاں پکارتے ہیں، یہی علاقہ جو ہوائی جہاز کی کھڑکی سے امریکہ کے جنوبی ریگستانوں سے مشابہ نظر آتا ہے، یہ علاقہ ایک زمانے میں لہریں مارتا چاند کی طرف لپکتا، زمردیں سمندر تھا۔ پھر کسی جوگی نے جو تین صدی سے اس کے کنارے بیٹھا گیان دھیان میں مصروف تھا، سمندر کو نظروں سے اوجھل ہونے کا سراپ دے دیا۔ سمندر ایسے لوٹا کہ ہر ہر لہر پالا گن پالا گن کہتی بحیرۂ عرب میں جاگری اور اس علاقے کی تہہ آب چھپی ہوئی پہاڑیاں ٹنڈ منڈ باہر نکل آئیں۔ ان پہاڑیوں کے نشیب و فراز اور کٹاؤ ایسے تھے کہ لہر در لہر سمندر کے بہاؤ کا پتہ دیتے تھے۔

کچھ اور لوگ کہتے ہیں۔ اس علاقے سے ملحق کبھی ایک گھنا جنگل تھا، اس جنگل کے درخت ایسے اُونچے چھتنارے ڈال ملے تھے کہ اس میں بہنے والی ندیوں کو بھی راستہ نہ ملتا اور سورج کی روشنی سے ان کے پانیوں میں کبھی ست رنگے بھنور نہ پڑتے۔ یہاں سارا دن پرندے آزادی سے گھومتے پھرتے اور الو بھی دن کے وقت دیکھ سکتے تھے۔ لیکن ایک رات چاند سے ایسے آسیب کی ہوا اتری کہ سارا جنگل ٹنڈ منڈ ہو گیا اور سب ندی نالے سُوکھ گئے۔ اس کے علاوہ کچھ لوگ کہتے ہیں۔ کئی قرن پہلے جب پہلی بار بنی نوع انسان متمدن ہوا تو یہ جنگل موجود تھا۔ اس وقت وہ تمام متداول علوم رائج تھے جو آج پھر سکھائے جاتے ہیں۔

تب پہلی بار انسان نے مریخ اور زہرہ کا سفر کیا تھا اور زمین پر ایٹم بم بنائے تھے۔ جب تمدن کی کمان پورے زور سے تن گئی تو انسان نے سارے بم گرا کر اللہ کی دھرتی کو تہس نہس کر دیا۔ اور یہ جنگل بے آب و گیاہ بنجر علاقہ بن گیا۔

یہ تب کا ذکر ہے جب ابھی انسان نے پہلی بار متمدن ہو کر اپنے بم دنیا پر نہ

چلائے تھے۔ جانوروں کی بستیوں میں اس ایجاد کی وجہ سے بہت تشویش پھیلی ہوئی تھی۔ اسی لیے جنگل میں کانفرنس بلائی گئی۔ جانوروں کی اس بین الاقوامی کانفرنس میں اتنے پرندے آئے کہ جنگل کے درختوں کی کسی شاخ پر بیٹھنے کو جگہ باقی نہ رہی۔

ہند سندھ سے کاسنی پروں والے پرندے غول در غول آئے۔ کھاسی کی پہاڑیوں سے سُرخ دُم والی بلبل اور فیروزی رنگ کا کبوتر اس شان سے آیا کہ اس کے اندرونی نارنجی پروں سے سب کی آنکھیں خیرہ ہوئیں۔ کھٹ منڈو کا بھجنگا اور تبت کے شاہین کئی پڑاؤ ٹھہر کر حاضر ہوئے۔ افریقہ کے بھٹ تیتر، بن مرغی اور بلبلیں تو آئی ہی تھیں لیکن شکاری پرندوں نے بھی اپنی مصروفیات بُھلا کر امریکہ اور آسٹریلیا سے یہاں تک کا سفر اختیار کیا تھا۔ اونچے اونچے درختوں میں ریسٹ ہاؤس بن گئے۔ شکرہ، باز چرخ، عقاب گو ایشیا کوچک اور روسی ترکستان کے باسی تھے لیکن وہ بھی پامیر کے پرندوں کو ساتھ لے کر پہنچے تھے۔ کوّا، مینا، بٹیر، کھٹکھٹ، چکور، چڑیا، مقامی جنگل کے عوام تھے، اس لیے میٹنگ میں ان کی اجتماعی ووٹ بہت اہم تھی لیکن انفرادی طور پر کوئی ان کی رائے کو نہ پوچھتا تھا۔ مڑی ہوئی ناک اور اونچی اڑانوں والے پرندے سفید فام قوموں کی طرح احساس برتری سے اترائے پھر رہے تھے۔ دریائے گھاگرا اور چترنجی کے طاس سے لٹورے، بھوری چنڈول اور غوغائی بڑے طمطراق اور سلیقے سے فوجی ہوائی جہازوں جیسی فارمیشن بناتی آئیں۔ زریں پشت، نیل کنٹھ، اور ہدہدوں کی ٹولیوں نے پرانے درختوں کے ٹھنٹھ بسرام کے لیے چن لیے۔ فاختہ، کوئل اور چنڈول کو اس مجلس مشاورت سے کوئی دلچسپی نہ تھی، ان کے بھانویں انسان چاہے ساری کائنات ختم کر دیتا وہ میلے گھومنیاں تو جنگل والوں سے ملنے ملانے چغلی عیب جوئی کے لیے آئی تھیں لیکن جنگل میں پہنچ کر انہیں پتہ چلا کہ معاملہ بہت سنگین ہے۔

کانفرنس سے کچھ دن پہلے سارے بن میں بھانت بھانت کے پرندوں سے کوک پڑی تھی۔ صاحب صدر کا سب انتظار کر رہے تھے۔ کرسی صدارت خالی ہونے کی وجہ سے کانفرنس جاری نہ کی جا سکتی تھی۔ کچھ عرصہ بعد پرندوں کی نمائندہ ٹولی ماؤنٹ ایورسٹ سے یہ خبر لے کر واپس آئی کہ وہ تمام پربت چھان آئے ہیں۔ دھولی دھار، نانگا پربت، کے ٹو اور کنچنجنگا تک ہو آئے ہیں لیکن ہُما کا کہیں سراغ نہیں ملا۔ شاید دنیا میں

کسی زبردست بادشاہ کی آمد تھی اور وہ اس کے انتخاب میں کائناتی طاقتوں کی مدد کرنے کے لیے اپنے وی آئی پی ٹور پر نکلا تھا۔ اس دورے کے متعلق بھی پرندوں میں بہت چہ میگوئیاں ہوئیں۔ کچھ شکاری ہوابازوں کا خیال تھا کہ قیامت کے آثار قریب ہیں اور یہ قیامت خود انسان کے ہاتھوں برپا ہونے والی ہے۔ دنیا کو قیامت سے بچانے کے لیے مرد مومن کی تلاش ہے اور اس بار ہُما بادشاہ کا چناؤ نہیں بلکہ نجات دہندے کو کھوجنے کے لیے نکلا ہے۔ کچھ پرندے سمجھتے تھے کہ ہُما اب صوفی منش ہو چکا تھا۔ وہ انسان کو اتنی بار اللہ کی خلافت کا مشورہ سنا چکا تھا لیکن ہر بار خلیفہ صرف بادشاہ بن کر بیٹھ جاتا۔ ہُما کو اس بات کا اتنا دُکھ تھا کہ اب وہ اشرف المخلوقات کے سروں پر سے اڑنا گوارا نہیں کرتا اور کہیں چھپ کر وقت گزار رہا تھا۔

بوم جاتی جو اپنے پرائے میں پاؤں اٹکانے کے عادی نہ تھے، انہیں اس رائے سے اتفاق نہ تھا۔ وہ سمجھتے تھے کہ ہُما اپنی انفرادی شان کی وجہ سے مشیت ایزدی کو بالکل ملحوظ نہیں رکھتا، اسے صرف کسی کسی انسان کی آرزو کی خوشبو ملتی ہے، جس کے تعاقب میں وہ پہنچ جاتا ہے۔ اسی لیے ہُما جس کندھے پر بیٹھ کر بادشاہت کا اعلان کرتا ہے وہی بادشاہ رعایا کے زوال کا باعث بنتا ہے لیکن اُلّو لوگ چونکہ دیکھنے کے عادی تھے اور بولنے سے پرہیز ان کا شیوہ تھا، اس لیے انہوں نے اپنی رائے کا اظہار برملا نہ کیا۔ چپ چپ رہے اور ٹکر ٹکر صاحب صدر کا انتظار کرنے لگے۔

گو بوم جاتی کے سرکردوں نے اپنی رائے کا اظہار اندر والے سرکل میں کیا تھا، لیکن کوے کن سوئی لینے میں اوّل درجے کے حرامی ہوتے ہیں۔ ویسے بھی انہوں نے بات پہنچانے کا فن آدم زادوں سے سیکھا تھا۔ گول آنکھوں والے الوؤں کی بات سارے میں پھیل گئی اور سارے جنگل میں چہ چہ کی آوازیں آنے لگیں۔ کوؤں کی چھٹ بھیا برادری کو ویسے بھی ہُما سرکس کا جوکر لگتا تھا، جو ازل سے خود سر بھی تھا اور برخود غلط بھی۔ جب عرصے تک ہُما نایاب رہا، تو میٹنگ کی بے جا طوالت سے سب پرندے عاجز آنے لگے۔ کوے بجا طور پر نالاں تھے کیونکہ ان کو جنگل کی عادت نہ رہی تھی۔ وہ کوٹھے منڈیروں پر بیٹھ کر عورتوں کی باتیں سننے کے عادی ہو گئے تھے۔ یہاں انسان کا ساتھ نہ ملا تو یہ پچھیرا پارٹی بہت دق ہوئی۔

اب اِکا دُکا سیانے، مکار اور ڈرپوک کوے شاطر سیاست دانوں کی طرح چھوٹے پرندوں کی گنی چنی نفری کو گھیر لیتے اور مشتعل کرتے۔ "لو ہُما تو ازل کا احمق ہے بادشاہ چنتا پھرتا ہے دھرتی پر.... بھائی ادھر دنیا کا ہر انسان بادشاہ۔ چاہے کھُلی میں سوئے، چاہے تخت پر۔ ہُما کم عقل یہ نہیں سمجھتا کہ ہر انسان اپنے آپ کو اشرف المخلوقات سمجھتا ہے جن کے سر پر تکبر کا تاج ہو اُن کو بادشاہ کیا بنانا۔"

لیکن مور چنور پھیلائے سارے جنگل میں ہُما کے سواگت کا ناچ ناچتے پھرتے تھے، انہیں اس کانفرنس میں آنے کی یہی خوشی تھی کہ وہ استقبالیہ کمیٹی پر ہیں۔ کوے موروں کی ٹولی میں جانکلتے تو فٹ دوغلی پالیسی تلے کہتے۔ "ہُما کی بات کچھ اور ہے —— کرسی صدارت پر صرف وہی سجے گا۔ اگر وہ نہ براجے تو چاہے لاکھ کھٹ جوڑ کروانت کچھ نہ ہو گا!"

کرسی صدارت دیر تک خالی رہنے کی وجہ سے ہُما کے نعم البدل کا ذکر ہونے لگا۔ پھر پرچہ لگا کہ جہاں سے سمندر پرنام کرتا لوٹا تھا اور جہاں پہاڑیوں پر سیپیاں، گھونگھے، بچھو، صولن سگ، مچھلی کے ڈھانچے اور دوسری سمندری مخلوق مردار پڑی تھی، وہاں ایک سیمرغ کا شانتی بھون ہے۔ اس کی عمر کا کسی کو کچھ اندازہ نہ تھا۔ کچھ پرندے مصر تھے کہ سیمرغ بابا نوح کی کشتی میں رفیوجی رہا۔ کچھ کا خیال تھا کہ وہ علاقے جسے آج کل اسرائیلی ہتھیانے کی کوشش کر رہے ہیں، یہیں غازہ کے علاقے میں مسجد اقصیٰ سے طاقت اخذ کرنے کے لیے سیمرغ کبھی رہتا تھا۔ بوڑھے کچھوے مصر تھے کہ بحیرہ روم کے طاس میں جس وقت پچھلی رات کو پہلی بار چاندی جیسا پانی بھرنے لگا اور ابرق ریت لہروں سے آشنا ہوئی اس ریتلے خطے میں سیمرغ رہتا تھا۔

ساری رات وہ چاند سے نظریں ملائے قوت جذب کرتا رہتا اور سارا دن تپتی ریت میں پنکھ پھیلائے، بنجر اور ویران جگہ پر عمل آفتابی میں مشغول رہتا۔ فاختہ بضد تھی کہ سیمرغ کی ہی قوت سے پوٹھوہاری علاقہ جنگل ہوا —— اگر چاند کی پوری کشش سیمرغ میں نہ اُبھر آتی۔ ایک بھی پانی کی لہر اس علاقے سے لوٹنے کا ارادہ نہ کرتی۔ عمل مہتابی میں وہ مقناطیسی قوت تھی جس نے پانی کو باہر کی طرف لوٹنے پر مجبور کیا اور آخر میں تمام پانی بحیرۂ عرب میں جا گرا۔

راہب طبع سیمرغ کو غل غپاڑے سے نفرت تھی۔ وہ جنگل کے باسیوں سے بڑی وحشت کھاتا تھا۔ بے آباد جگہوں میں رہنا اور جینے بھر کی خوراک کھانا اس کی عادت تھی۔ لیکن نمائندہ وفد نے اسے ڈھونڈ نکالا اور اس کے تجربے، فطانت، ذہانت اور نجابت کی قسمیں دے دلا کر اسے میٹنگ میں لے آئے۔ سیمرغ پورے چاند کی رات میں پچھلے پہر آیا۔ اس کے آنے سے چند ثانیے پہلے سارا آسمان درخت توڑ آندھی کی لپیٹ میں آ گیا۔ طوفانوں سے محبت کرنے والے پرندے اونچی اڑانوں کو نکل گئے۔ ڈرپوک پرندے لمبی شاخوں سے لپٹ کر جھونٹے لینے لگے۔ پھر زور سے بجلی چمکی، دھرتی کانپی۔ بجلی اس دھماکے اور چنگھاڑ سے چمکی کہ رات دن سی اجالی گئی۔ اس لمحے جب تمام پرندے تڑاکے کی بجلی سے دم بخود تھے۔ سیمرغ چودہ سو سال پرانے بڑ کے درخت پر آ بیٹھا۔ اس کے بیٹھتے ہی آندھی چھٹ گئی۔ درخت ساکت ہو گئے اور بڑ کے درخت میں جیسے فاسفورس کا ایک بڑا فانوس روشن ہو گیا۔ جس وقت سیمرغ نے پر پھڑپھڑا کر اپنی رضامندی کا اعلان کیا تو جنگل پار تک توپوں کے فائر جیسی آواز آئی اور جانوروں نے ایک دوسرے کو کسی بھونچال کے آنے کی خبر دی۔

"اتنی بڑی کانفرنس بلانے کی وجہ کیا ہے؟؟" سیمرغ نے سوال کیا۔

چیل جاتی کے گروہ میں سے ایک تنبولن سی چیل نکلی اور تراہ تراہ کرتی آگے بڑھی ——— "آقا! مسئلہ بہت باریک اور توجہ طلب ہے۔ تو دیکھتا ہے کہ آج کا انسان پہلی بار متمدن ہوا ہے، اس نے اپنی ایجاد پسند طبیعت کے ہاتھوں زہرہ اور مریخ کے سفر کیے ہیں لیکن انسان کی سرشت میں ایک وصف ایسا ہے جو اس کی تباہی کا باعث ہے ——— دیوانہ پن ——— اسپیج کے ہاتھوں مجبور ہو کر اور دیوانے پن سے مشتعل ہو کر اس نے ایسے ہتھیار ایجاد کر لیے ہیں جن سے یہ کرۂ زمین کو منٹوں میں تباہ کر سکتا ہے اور اپنے ہم جنسوں کو ہمیشہ کے لیے ختم کر سکتا ہے۔ اے پرندوں کے شاہ! ہم دیکھ رہے ہیں کہ ہم میں سے کچھ پرندے بھی پاگل پن کا شکار ہوتے جا رہے ہیں۔ ہمیں خوف ہے کہ ان کا دیوانہ پن.... یعنی اپنے دیوانے پن کی یہ کہیں ایسی روش نہ نکالیں کہ ان کے ہاتھوں تمام پرندے صفحۂ ہستی سے معدوم ہو جائیں۔"

"دیوانہ کون ——— دیوانہ کون۔" پرندوں کی جلجلاہٹ سے

جنگل میں کہرام مچ گیا۔

چیل نے متک رگڑ کر کہا —— "ہم کو تانابانی سے غرض آقا.... آج تک کبھی کوئی پرندہ پاگل نہیں ہوا..... اگر گیدڑ اور لومڑ کی طرح پرندے بھی پاگل ہونے لگے تو جانے جنگل کی آب و ہوا کیا ہو جائے اور..... سب سے بڑی بات انسان کی تقلید میں یہ بھی پرندوں کو ہی تہس نہس کر ڈالیں۔"

"ہم میں سے کون پاگل ہے، بول بتا؟" —— پرندوں نے طوفان اٹھایا۔

"حاضرین —— ہم کسی پر الزام دھرنا نہیں چاہتے، لیکن ان دنوں گدھ جاتی انوکھی اور نرالی باتیں کرتی ہے۔ جب سیر ہو چکتی ہے تو پھرتے کرتی ہے اور پھر کھاتی ہے —— ہم اسے اب کئی برسوں سے دیکھ رہے ہیں۔ چاند راتوں میں اس کا دیوانہ پن بڑھ جاتا ہے اور یہ مرغزاروں کو چھوڑ کر بے آب و گیاہ بنجر زمینوں پر ایسے بھاگتی ہے جیسے کشتی باد مخالف کی سمت میں بھاگی جائے۔"

سارے پرندوں نے کرگس جاتی کی طرف دیکھا جو منقار زیر پر لیے مالیخولیا کے مریضوں کی طرح زرد زرد بیٹھے تھے۔

چیل پھنکارتی ہوئی آگے بڑھی اور بولی —— "ان کے خلاف تادیبی کارروائی کی جائے میرے آقا ورنہ ہم جو گدھ کے ہم شکل ہیں، مفت میں تضحیک کا نشانہ بنیں گے۔"

سیمرغ نے اپنی فاسفورس کی بتی اعلان کے طور پر تین بار بجھائی۔ سارے جنگل میں سناٹا چھا گیا۔ پھر سیمرغ گویا ہوا —— "مسئلہ اتنا سہل نہیں جتنا بیان کیا گیا ہے۔ پہلی بات یہ غور طلب ہے کہ کیا گدھ برادری کے دیوانے پن سے واقعی جنگلی باسیوں کو کوئی خطرہ درپیش ہے، دوسرا مسئلہ یہ ہے کہ اس دیوانے پن کی اصل وجہ کیا ہے —— اگر یہ اس کی سرشت کا مسئلہ ہے تو پھر ہم کچھ کہنے سے قاصر ہیں کیونکہ پھر فیصلہ اس کے اور بنانے والے کے درمیان طے ہو گا۔"

سارے جنگل میں ایک بار پھر سناٹا چھا گیا۔

چیل خانوادے کو مباحثے سے کوئی دلچسپی نہ تھی، وہ تو صرف اس قدر خواہاں تھے کہ کسی طرح اس کے ہم شکل کرگسوں کو جنگل بدر کر دیا جائے۔ ہم شکلی کا دُکھ تو

عقاب، شاہین اور شکرے کو بھی تھا لیکن چیل جاتی بر انداز بہت تاولی تھی، جھٹ بولی ——— "آقا! جب انسان دیوانہ ہوا تو کسی نے پروانہ کی۔ آج وہ اس کا نتیجہ بھگتنے والے ہیں۔ اگر آپ سب نے بھی ادھر توجہ نہ کی تو جنگل برادری بھی صفحۂ ہستی سے مٹ جائے گی۔ چلئے ہمارا مسئلہ تو عزت نفس کا ہے، ہم تو رو پیٹ کر چپ ہو جائیں گے لیکن جنگلی باسیوں کا مسئلہ بقا کا مسئلہ ہے ——— کیا آپ سب کو جینے کی آرزو ہے کہ نہیں؟ ہے کہ نہیں ——— ہے کہ نہیں؟"

پرندوں کو منصفانہ فیصلے سے کوئی غرض نہ تھی ——— بقا کے لفظ پر یکبارگی شور اٹھا۔ "جنگل بدر ——— جنگل بدر ——— جنگل بدر ———"

خاکستری پدے جو بات بات پر بدکتے تھے اور منہ تھتھائے نالشی بنے بیٹھے تھے، اس شور و غوغا سے خوف زدہ ہو گئے۔

سرخاب نے سرکاری وکیل کی حیثیت سے شانتی سروپ کہا ——— "دیکھو بھائیو! مسئلہ اس قدر بھی آسان نہیں جتنا تم سمجھتے ہو۔ پھر بھانت بھانت کے پنچھی جمع ہیں۔ اکثریت رائے سے فیصلہ ہو جائے تو کیا بُرا ہے۔"

جنگل میں پھر شور اٹھا ——— "دیوانے کی یہی سزا ہے کہ وہ نقل مکانی کرے۔ دیس نکالا ——— دیس نکالا۔"

چیلوں کے گروہ سے ایک پیر کامل اٹھا ——— اور کھنگار کر بولا۔ "آقا ان کو انسانوں کی بستی کی طرف نکال دو۔ وہ پاگل آج کل ایسے بم بنا رہے ہیں۔ جن سے کوئی ذی روح باقی نہ رہے گا ——— جب وہ دیوانے اپنا بیج ختم کریں گے ان کا خاتمہ بھی ساتھ ہی ہو جائے گا۔"

کھٹ بڑھئی کے دل میں اچانک کچھ درد پیدا ہو گیا۔ کھسیا کر بولا ——— "سائیں! ہم سب پرندے شہروں کو جاتے ہیں۔ پر لوٹ آتے ہیں۔ انسان کا اثر ہم پر بھی ہو جاتا ہے لیکن دیرپا نہیں ہوتا۔ پر اگر دیس نکالے کے بعد گدھ جاتی مکمل طور پر انسان کی صحبت میں رہی تو پھر.... ہم بھی گناہ گار ٹھہریں گے.... کیونکہ یہ انسان سے اور بہت

سی بدی سیکھ لیں گے مثلاً بغض و حسد۔"

اب کوّے بولے——— "یہ کہاں لکھا ہے کہ انسان کی قربت بغض و حسد کا باعث بنتی ہے آخر انسان اللہ کا خلیفہ ہے۔ پرندوں کو ایسی باتیں زیب نہیں دیتیں۔"

کھٹ بڑھئی نے مینا کو اپنی طرفدار پا کر کہا——— "اُٹھ کچھ تو بھی بول۔"

مینا نے پَر پھڑپھڑائے اور سب کو متوجہ کر کے بولی——— "جس وقت پہلی دیوانگی کا واقعہ ہوا——— قابیل نے اپنے بھائی ہابیل کو قتل کیا اور کوّے نے انسان کی بے بسی دیکھ کر اس کی مدد کی۔ آسمان سے اُترا اور ہابیل کی لاش کو مٹی میں چھپانے کا گُر سمجھایا۔ انسان کی کم ظرفی ملاحظہ ہو۔ شکر گزار ہونے کے بجائے اس نے ہمیشہ کوّے کو ذلیل سمجھا اور پرندوں کو اپنی عقل سے تابع کرنے کی کوشش کی۔

جب بنی قابیل نے جشن منایا تو وہ جنگلی جانور پکڑ کر لائے، ان کو ذبح کیا، گوشت خود کھایا اور کلّے پائے اِدھر اُدھر پھنکوا دیئے۔ کتے اور بلی نے گوشت کی کثرت دیکھی... تو اپنے ابنائے جنس کو چھوڑ کر بستیوں میں آ رہے، سیر بھر کر کھایا اور وافر مٹی تلے چھپا چھوڑا.... حرص کا شکار ہوئے۔"

"یہ لمبی داستان ہے آقا.... بہت لمبی——— انسان لاکھ اشرف المخلوقات سہی ہم اس پر بھروسہ نہیں کر سکتے، اس کی صحبت کبھی کسی جانور کو پرندے کو راس نہیں آئی۔"

طوطا مینا کا دشمن تھا ادبدا کر بولا——— "اگر انسان کی صحبت سے دیوانگی کے آثار پیدا ہوتے ہیں، حرص، رغبت، کینہ و حسد جنم لیتا ہے تو بتا گدھا حریص کیوں نہیں حالانکہ وہ انسان کا سب سے پرانا ساتھی ہے۔"

مینا جزبز ہو کر بولی——— "اور تو بتا اتنی وفاداری کے باوجود——— اتنی نیک نفسی کے باوصف انسان نے گدھے سے ہمیشہ کیسا سلوک کیا؟ کس قدر بوجھ لادتا ہے وہ ان بے زبانوں پر..... اور جس کسی کی عزت مقصود نہ ہو اُسے گدھا پکارتا اور سمجھتا ہے، انسان کا کیا ہے یہ تو دودھ پلانے والے جانوروں کو کام نکل جانے پر قصائی کے حوالے کر دیتا ہے۔ انسان کی بات درمیان میں نہ لاؤ دوستو ورنہ بحث لمبی ہو جائے گی۔"

چیل اسی بندر گھاؤ سے پریشان ہو کر بولی——— "ملزم کے نفع نقصان پر اس

وقت بحث فضول ہے۔ سزا دو —— اور نکال دو —— سزا دو اور نکال دو۔"

کاہنوں جیسے سیاہ لباس والی کوئل بولی —— "سوچ لو عادلو —— انسانوں کی بستی سے گدھ جاتی لوٹ نہ سکے گی۔ آخر گدھ کا ہمارے ساتھ پرانا رشتہ ہے، وہ ان درختوں پر ہمارے ساتھ رہا ہے، بھلا وہ انسان کی صحبت میں کیسے تندرست ہو گا۔ کیسے شفایاب ہو گا؟"

"تجھے شفایابی کی پڑی ہے ہم کہتے ہیں کہ بہت جلد اس کا پاگل پن سارے جنگل کو لپیٹ میں لے لے گا.... اور پھر کوئی چارہ نہ چل سکے گا..." ایک جہاں دیدہ چیل بولی۔

چیلوں کو بحث سے کوئی غرض نہ تھی، ان کو سزا سے علاقہ تھا اور وہ صرف سزا کے متمنی تھے۔

سارے جانور کوئل کی بات سن کر گردنیں جھکائے بیٹھے تھے۔

بالغ نظر چیل پھر گویا ہوئی —— "ہم غافلوں کو اس بحث سے یک گونہ تشفی ہوئی ہے لیکن مکمل تسلی نہیں ہوئی۔ ہمارا مطالبہ صرف ایک ہے کہ گدھ جاتی کا حقہ پانی بند کر کے انہیں جنگل بدر کر دیا جائے، پھر چاہے یہ آبی جانوروں سے ناطہ جوڑیں، چاہے انسانوں میں جا بسیں۔ بس پرندوں میں ان کا شمار نہ ہو۔"

اس وقت سیاہ بگلا اٹھا اور ایک ٹانگ پر ایستادہ ہو کر بولا —— "دانشوروں کی محفل میں میرا بولنا معیوب ہے، پر جو گدھ سے بھی پوچھ لیا جائے تو کیا مضائقہ ہے۔"

فاسفورس کی بتی تین بار پٹاخی اور آواز آئی —— "کہہ گدھ راجہ کیا تجھے اعتراف ہے کہ تو دوسرے پرندوں کی طرح نہیں ہے —— تجھے دیوانگی کے دورے پڑتے ہیں؟"

راجہ گدھ اونچے درخت کی آخری ڈالی سے اترا اور سوکھے تال میں سب کو مخاطب کر کے بولا۔

"ہاں آقا! چاند راتوں میں اونچے چھتنارے درختوں سے میں خود ہی گر پڑتا ہوں۔ پھر میری حالت اپنے بس کی نہیں رہتی۔ میں اپنے ہم جنسوں کو، اپنے ماحول کو پہچاننے سے قاصر رہتا ہوں۔ اور ایسی سمتوں میں نکل جاتا ہوں جو کبھی کہیں نہیں جاتیں۔"

"تو ایسا کرنے پر کیوں مجبور ہے ــــــ؟ کیونکہ کوئی پرندہ اس دیوانگی کا مرتکب نہیں۔"

"مان گیا مان گیا ــــــ" چیلوں کے گروہ سے آواز آئی۔

"جس وقت لومڑ دیوانگی کے آزار سے مغلوب ہو کر روتے ہیں، ہم آپے میں نہیں رہتے آقا.... ہم خود نہیں جانتے کہ یہ دیوانگی کیوں ہے۔ ہم گناہگار ضرور ہیں لیکن کیوں ہیں، اس کا بھید ہم پر آج تک نہیں کھلا ــــــ کوئی ہمیں بتا سکے تو ہم اس کا احسان ماننے کو.... تیار ہیں۔"

اس وقت نجد کی رہنے والی ایک بلبل بولی ــــــ "دوستو! میں ریگستان کی رہنے والی ہوں، میرے حلق میں حدی خوانوں کے نغمے ہیں اور میرے سینے پر انسان کے عشق کا لہو جم گیا ہے۔ میں صدیوں سے دیکھتی آئی ہوں اور تمہیں بتاتی ہوں کہ گدھ کی دیوانگی کا سراغ انسان کی پراگندگی میں ملے گا اور انسان کے پاگل پن کی وجہ ایک ایسی قوت میں پنہاں ہے جو اگر آگے نہ جائے تو ریزہ ریزہ کرنے لگتی ہے۔"

جنگل میں اُلّو سب سے زیادہ پڑھا لکھا تھا۔ یکدم متوجہ ہوا ــــــ "کیسی قوت؟ مکینیکل انرجی... اٹومک انرجی... الیکٹریکل انرجی... پوٹنشل کہ کائی نیٹک ساؤنڈ کہ لائٹ انرجی؟"

بلبل سرخ سینہ پُھلا کر بولی ــــــ "ان سب قوتوں کا مرکب تیار ہو تو انسان کی قوت کا اندازہ ہو سکتا ہے۔"

سب حیرانی سے بلبل کا چہرہ تکنے لگے۔

"انسان اسی قوت کی بدولت دیوانہ ہوتا ہے ــــــ مان لو صاحبو جب قوت کو نکلنے کا راستہ نہیں ملتا تو پھر وہ اس باسن کو توڑ دیتی ہے جس میں اسے جمع کیا جاتا ہے۔"

"تجھے کیسے پتہ چلا؟ کیسے کیسے کیسے؟"

"میں نجد کی رہنے والی ہوں، میرا شیخ جب تجارت کی غرض سے دوسرے ملکوں کا سفر کرتا ہے تو مجھے سونے کے پنجرے میں ساتھ رکھتا ہے۔ ایک مرتبہ مجھے بنارس کے ایک سنیاسی نے بتایا تھا کہ انسان کے دیوانہ پن کی اصل وجہ کیا ہے؟"

"بول ــــــ بتا.... سربستہ راز کھول..."

"انسان کی ساری قوت اس کی جنسی طاقت میں پوشیدہ ہے، وہ جانوروں اور پرندوں کی طرح محض نسل بڑھانے کو اپنی جنس استعمال نہیں کرتا، بلکہ طاقت کے اس مشکی گھوڑے کو اپنی رانوں میں دبا کر رکھتا ہے۔ پھر یہی برق رفتار اسے دنیا اور دین کی مسافتیں طے کرنے میں مدد دیتا ہے۔ اس گھوڑے پر انسان کے زانو سختی سے کسے ہوں تو وہ عرفان تک پہنچتا ہے، ڈھیلا بیٹھا ہو تو دیوانہ وار گرتا ہے اور پاگل کہلاتا ہے۔ دنیا کا عرفان ہو تو شاعری، مصوری، موسیقی، آرٹ جنم لیتا ہے، دنیا درکار نہ ہو اور قوت تیز ہو تو عرفان کی حدیں چھو لیتا ہے۔ اگر یہ قوت مقبض ہو جائے تو خودکشی کرتا ہے—— عشق لاحاصل ہو جائے اور گھوڑا سوار کو گھسیٹے تو انسان پاگل ہو جاتا ہے۔ لوگ اُسے پتھر مارتے ہیں، زنجیروں سے باندھتے ہیں—— دیوانگی کی اصل وجہ یہی عشق لاحاصل ہے آقا۔"

فاسفورس کی بتی تین بار بجھی اور آواز آئی—— "لیکن انسان کی دیوانگی سے گدھ جاتی کا تعلق؟"

"علم ہمیشہ معلوم سے نامعلوم کی طرف لے جاتا ہے—— کیا ہم انسان کی دیوانگی سے یہ پتہ نہیں لگا سکتے کہ کہیں راجہ گدھ بھی ایسی ہی قوت رکھتا ہو؟"

"عشق لاحاصل کی قوت؟——" سرخاب نے سوال کیا۔

"ہاں—— اس کو کسی طرح وہی طاقت حاصل ہو گئی ہے۔" بلبل بولی۔

"اللہ کے دیئے ہوئے رزق کی قسم! سچ سچ بتا—— کیا تو اس طاقت سے مزین ہے؟"

راجہ گدھ نے سراسیمگی کے عالم میں پر پھڑپھڑائے اور بولا—— "آقا! مجھے مہلت دے میں اپنے بھید سے خود آگاہ نہیں۔ ہو سکتا ہے کہ یہی وجہ ہو لیکن اگر تو مجھے کچھ وقت عنایت کرے تو میں اپنی برادری والوں سے مشورہ کروں اور پھر ساری کیفیت عرض کروں۔"

سیمرغ نے فاسفورس کی لالٹین بجھا دی زور سے بادل گرجا، یکبارگی بجلی یوں کڑکی کہ تمام پرندوں کی نگاہوں میں جنگل سفید ہو گیا۔ پھر اگلی میٹنگ تک کانفرنس ختم ہو گئی... پرندے ہولے ہولے ٹکڑیوں میں اڑنے لگے اور کچھ دیر کے بعد جنگل صرف سانپوں کی سائیں سائیں سے فیڈ بیک کرنے لگا۔

کلاس میں پہلے پندرہ لڑکے داخل ہوئے۔

لیکن رفتہ رفتہ بور جھڑنے لگا۔ کسی کو کورس مشکل لگا۔ کوئی ماحول سے مطابقت نہ پیدا کر سکا۔ کسی ایک کو لڑکیوں کی صحبت خائف کر گئی۔ ایک آدھ اس لیے چلا گیا کہ پڑھائی کے علاوہ کسی دوسری فیلڈ میں کمائی کے امکانات زیادہ روشن تھے۔ لڑکیاں ہمیشہ کی طرح ڈٹی رہیں۔ عورت میں ڈٹے رہنے کی بڑی قوت ہوتی ہے۔ بہت جلد کلاس میں ہم صرف پانچ لڑکے رہ گئے۔ پانچ لڑکیاں اور پانچ لڑکے اور اتنی متناسب تعداد کے باوجود سیمی اور آفتاب کے علاوہ ہم میں جوڑا جوڑا بننے کی صلاحیت پیدا نہ ہوئی۔

سالانہ سپورٹس کے دن سارے کالج میں ہر زبان پر سیمی اور آفتاب کا سکینڈل تھا۔ اتنی جلدی اس قدر دیدہ دلیری اور اپنائیت سے کوئی طالب علم کسی لڑکی کی طرف بڑھنے کی جرأت نہیں کر سکتا۔ لیکن وہ دونوں غالباً اس سکینڈل کو کوئی اہمیت نہیں دیتے تھے۔ سیمی اپنی ہم جماعت لڑکیوں سے مکمل طور پر کٹی ہوئی تھی۔ طیبہ اور فرزانہ تو خیر مڈل کلاس کی لڑکیاں تھیں، ان کی انگلیاں تو شروع دن سے منہ میں تھیں، لیکن کوثر جو خود گلبرگی پیداوار تھی، وہ بھی اپنی تمام تر جدیدیت کے باوجود ابرو اٹھانے اور کندھوں پر عیسائی لڑکیوں کی طرح کراس کا نشان بنائے بغیر نہ رہ سکتی تھی۔ اینجلا البتہ سارے سکینڈل سے بچ کر چلا کرتی۔ ہر بات سے بچے رہنے کی وجہ سے اس کا چہرہ ہمیشہ خوفزدہ رہتا۔

جوں جوں ان دونوں میں فاصلے کم ہوتے گئے، اتنا ہی بلاوجہ —— بغیر سوچے سمجھے اور اپنی بہتری کے خلاف میں سیمی کا گرویدہ ہوتا چلا گیا۔ دل بھی عجیب چیز ہے جب ماننا نہ چاہے تو لاکھ ثبوت پیش کرو، ہزاروں دلائل ہوں کچھ نہیں مانتا۔ آفتاب اور سیمی ساتھ ساتھ بیٹھتے تھے، ان کے نوٹ سانجھے تھے۔ کتابیں ایک تھیں، وہ ایک پن سے باری باری لکھتے تھے، موٹر سائیکل پر میں نے انہیں آتے جاتے کئی بار دیکھا، کیفے ٹیریا پر وہ ایک گلاس میں دو سٹرو ڈال کر مشروب پیتے، کالج میں تمام ایک کی خیریت دوسرے سے پوچھتے، اس کے باوجود مجھے شبہ تک نہ تھا کہ سیمی آفتاب سے محبت کرتی ہے —— کیونکہ میرا دل اس بات کی گواہی دیتا رہتا تھا کہ یہ سب چلتی پھرتی چھاؤں ہے —— انسان لاحاصل کے پیچھے بھاگ کر کتنی لذت حاصل کرتا ہے۔

سالانہ سپورٹس ڈے پر سارا کالج نصف دائرے والے لان میں جمع تھا۔ زیادہ تر نظریں آفتاب اور سیمی پر تھیں جو کرسیاں کم ہونے کی وجہ سے ایک ہی کرسی پر ساتھ ساتھ بیٹھے تھے۔ پھر لڑکیوں کی چاٹی ریس اناؤنس ہوئی۔ سپورٹس کلب والے ہماری سوشیالوجی کی لڑکیوں کو منا کر گراؤنڈ میں لے گئے۔ اس ریس کے دوران کوثر اور سیمی نے جینز پہن رکھی تھیں اور طیبہ اور فرزانہ کھلے پائنچوں کی شلواروں میں چاٹیاں سر پر اٹھائے بھاگ رہی تھیں۔ کالج کے کئی حلال زادے بازو اٹھائے بے پروا بھاگتی ان ہرنیوں کو دیکھ کر دل ہی دل میں حرامزادے ہو گئے تھے۔

ایسوں ہی میں سے میں بھی تھا۔

فرزانہ کی چاٹی ٹوٹ کر پاش پاش ہوئی۔ سیمی نے کئی فاؤل کیے۔ طیبہ بھاگی تو جی داری سے لیکن کوثر سے پیچھے رہ گئی۔ بالآخر چاٹی ریس میں کوثر سے سیمی ہار گئی۔ اس کے بعد آفتاب اور سیمی چند لمحے ٹھہرے اور پھر وہ دونوں اوول چھوڑ کر خدا جانے کہاں چلے گئے۔

اس روز پہلی بار میرے دل میں شبہ پیدا ہوا کہ شاید سیمی اور آفتاب دُور نکل گئے ہوں۔

یہ شبہ میرے دل میں کوثر نے ڈالا۔ وہ چاٹی ریس میں فسٹ آئی تھی۔ اس کا چہرہ تمتمایا ہوا اور گردن پر پسینے کے قطرے تھے۔ سیمی کی غیر موجودگی میں وہ بہت سمارٹ، شائستہ اور قابلِ قبول لڑکی لگتی تھی۔ کرسیوں کی کمی تھی۔ اس کی واپسی پر میں نے اپنی کرسی اُسے پیش کر دی اور شامیانے کے کھمبے کو پکڑ کر کھڑا ہو گیا۔

"چلی گئی؟"

"کون؟ ——" میں نے پوچھا۔

"ہاں جی چلی گئی ——" پچھلی قطار سے امجد نے جواب دیا۔

اس وقت ساری کلاس جھرمٹ میں بیٹھی ہوئی تھی۔

"اور وہ بھی ساتھ گیا اس کا چمچہ ——" کوثر بولی۔

"گیا ——" جمال نے جواب دیا۔

اپنے کٹے ہوئے بال دونوں ہاتھوں میں اٹھا کر اس نے پسینہ آلود گردن سے

اوپر کیے۔

"Competition تو ذرا برداشت نہیں کرتی، کیسے بھاگی ہے ہار کے۔"

طیبہ اور فرزانہ دوپٹوں سے منہ پونچھتی ہوئی ہنسنے لگیں۔ اینجلا البتہ اپنے ناخنوں کو دیکھتی رہی —— وہ ازل کی بے چاری تھی۔

"ابھی تو چاٹی ریس ہاری ہے —— جب آفتاب ریس ہارے گی تو پتہ نہیں کیا حشر ہو گا اس کا۔"

کوثر کی زبان پر عورت کا ازلی حسد تھا۔ غصّے کی وجہ سے مجھے اس کی شکل بھی کچھ ٹیڑھی لگ رہی تھی۔ پھر سپورٹس کلب کا ایک جوان ان تین لڑکیوں کے لیے کوکا کولا لے کر آ گیا۔ فرزانہ اور طیبہ تو شدید "عصمت بچاؤ" قسم کی لڑکیاں تھیں۔ انہوں نے کوکا کولا پینے سے انکار کر دیا لیکن کوثر نے بوتل شکریے کے ساتھ وصول کی۔ نواڑی رنگین کرسی پر بیٹھی اور کوکا کولا پیتے ہوئے سیمی کے کردار، آفتاب کی کمزوری، کلاس کی بدنامی، پروفیسروں کی بے بسی پر بڑی لمبی چوڑی گفتگو کا آغاز کیا۔ کوثر تعارفی تقریب والے دن سے زخم خوردہ تھی۔ گو اس کا مبلغ علم سیمی سے کم تھا لیکن وہ گلبرگ کے مین بولے وارڈ سے آتی تھی، جہاں شہر کے امیر الامراء رہتے ہیں۔ سیمی کے متعلق سن رکھا تھا کہ اس کے ابّا کا گھر گلبرگ کی ایکسٹینشن نمبر تین میں تھا۔ وہ ماں باپ کے پاس رہنے کے بجائے کسی ہوسٹل میں مقیم تھی۔

"ایسی لڑکیاں پڑھنے تھوڑی آتی ہیں۔ اگر اس کو سنجیدگی سے پڑھنا ہو تو یہ گھر رہے، ہوسٹل میں رہتی ہی اس لیے ہے کہ آزادی ہو —— اور کیا۔"

بڑی دیر تک طیبہ اور فرزانہ کانوں کو ہاتھ لگاتی رہیں۔

دراصل ساری بات ڈگری کی ہوتی ہے۔ برقعے والیاں، بے نقاب لمبی چوٹی والی، کو آزاد خیال سمجھتی ہیں۔ لمبی چوٹی والی کٹے بالوں والی کو بے حیا جانتی ہے۔ بال کٹی کا خیال ہوتا ہے کہ اس کے تو صرف بال ہی کٹے ہیں۔ اصل حرافہ تو وہ ہے جو دن کے وقت ماسکارا بھی لگاتی ہے اور آئی شیڈو بھی۔ آئی شیڈو والی کو یقین ہوتا ہے کہ وہ بے چاری تو اللہ میاں کی گائے ہے۔ اصل میں تو وہ اچھال چھکا ہے جو دوپٹہ نہیں اوڑھتی، see through کپڑے پہنتی ہے اور سب کے سامنے سگریٹ پینے سے نہیں چُوکتی۔

سگریٹ نوش بی بی کے سامنے وہ فسادن ہوتی ہے جو نامحرموں کے ساتھ بیٹھ کر بلیو فلم دیکھتی ہے ——— وغیرہ وغیرہ۔

اسی طرح مردوں میں بھی نیکی کی تعلی موجود ہوتی ہے اور اس کی کئی ڈگریاں مقرر ہوتی ہیں۔ جو شخص صرف نظرباز ہے اور اچٹتی نظر سے لڑکیوں کو آنکتا ہے، وہ ان مردوں کو بدمعاش سمجھتا ہے جو لڑکیوں کی محفل میں راجہ اندر بن کر بیٹھتے ہیں اور لطیفوں اور کہانیوں سے فضا کو غزل الغزلات کی طرح رومانٹک کر دیتے ہیں۔ عورتوں سے باتیں کرنے کے رسیا اُن مردوں کو غنڈہ سمجھتے ہیں جو اندھیرے سویرے کواڑ کے پیچھے سیڑھیوں کے سائے میں، غسل خانے کی سنک کے پاس چوری چھپے کسی لڑکی کو بازوؤں میں لے لیتے ہیں۔ چوری چھپے بلے اڑانے والے ان حضرات کو عادی مجرم سمجھتے ہیں جو کھُلے بندوں عورتوں کو کاروں میں بٹھاتے اور ہوٹل کے کمرے بک کراتے ہیں۔ کھُلے عاشق اُن پر آوازے کستے ہیں جو زنا کے مرتکب ہوتے ہیں اور زناکار ان پر نکتہ چینی کر کے بے قیاس راحت محسوس کرتے ہیں جو زنا بالجبر کرتے ہیں اور قانون کی گرفت میں ملزم ٹھہرائے جاتے ہیں۔

یہ ساری باتیں اپنے آپ کو بری الذمہ کرنے کے لیے کی جاتی ہیں اور ان میں تمام لوگ سوسائٹی سے اپنے لیے approval کا ایک جائز طریقہ تلاش کرتے ہیں۔ ورنہ بات ساری ڈگری کی ہے ——— کسی کو ہلکا بخار ہوتا ہے ——— کسی کو تیز ——— کسی معاشرے میں شرافت کا درجہ نارمل متعین کرنا مشکل ہی نہیں بلکہ ناممکن بھی ہے۔

"ہوا کیا ہے ———" آخر جمال نے سوال کیا۔

"ہوا کیا نہیں ——— تم کسی فسٹ ایئر کے لڑکے سے پوچھ لو ——— سٹاف روم میں جا کر کسی کیمسٹری کے پروفیسر، حساب اُردو کے پروفیسر سے پوچھ لو ——— سیمی بیگم کو عشق ہو گیا ہے آفتاب سے ———" کوثر بولی۔

ٹھن سے کسی نے میرے سر پر لوہے کی ہتھوڑی ماری۔

پہلی بار مجھے خیال آیا کہ شاید سیمی مجھ سے محبت نہ کر سکے۔

سب سے پہلے مجھے سیمی کے اظہارِ اشتہا نے متاثر کیا ـــــ وہ ہر وقت کچھ نہ کچھ کھاتی رہتی تھی یا کھانا چاہتی تھی۔

ہر عہد میں ہر معاشرے میں مختلف عمر کی عورتیں اپنی اشتہا کی نمائش کرتی رہی ہیں۔ جس عہد میں پردہ، عصمت، حیا پر زور دیا جاتا ہے، اس عہد میں عورت کی بھوک درپردہ ہو جاتی ہے۔ وہ نہ صرف عام محفلوں میں چڑی چوگا کھانے لگتی ہے بلکہ اشتہا کے اظہار سے بھی انہیں نفرت ہو جاتی ہے کیونکہ ایک بھوک سے ہمیشہ دوسری بھوک کا سراغ چلتا ہے۔ پچھلی صدی میں بھوک کی نمائش جنسی آمادگی کے مترادف تھی۔ میلے ٹھیلوں پر یاروں سے لڈو جلیبیاں لے کر کھانے والی بنتو مردوں میں تو مقبول تھی لیکن اپنی ہم جنسوں میں وہ بڑی بدنام تھی اور سسرال جا کر بسنا اس کے لیے مشکل تھا۔

لیکن اس دور کی ماڈرن لڑکی نے کھانے کے آداب ہوٹلوں سے سیکھے ہیں... ڈائننگ ٹیبل کی میز سے اخذ کیے ہیں۔ ہوائی جہازوں کے سفر میں جہاں اپنے اپنے ٹرے لگے لگائے آتے ہیں اور جہاں آپ کے ٹرے میں دوسروں کی شراکت ممکن نہیں، ان ہوٹلوں، ہوائی سفروں نے لڑکیوں کا نہ صرف چمچ کانٹا علیحدہ کر دیا ہے بلکہ ان کی بھوک کو فرداً فرداً بڑی اہمیت دے دی ہے۔ اب بیف برگر چبانے والی، دوہرے سٹرا سے کوک پینے والی، زبان کے چٹخارے سے کون چاٹنے والی لڑکی ندیدی نہیں دلآویز ہے۔ اتنے سارے ٹیلی ویژن کے اشتہاروں میں ماڈلز کو چائے پیتے، چیونگ گم چباتے، بسکٹ کھاتے دیکھنے کے بعد کھاتی پیتی لڑکی مرد کا آئیڈیل بن گئی ہے۔

ویسے بھی مرد کا عورت کی بھوک سے ڈھکا چھپا لیکن بڑا پرانا رشتہ ہے۔ جب کبھی کوئی مرد کسی عورت کے عشق میں مبتلا ہوتا ہے تو اسے اس عورت کی بھوک مٹانے کا چسکہ پڑ جاتا ہے۔ پھر وہ اس کی جذباتی بھوک مٹانے کے لیے اس کا سہارا بنتا ہے، ذہنی خلا جو بھوک ہی کی شکل ہے، ختم کرنے کو اس سے باتیں کرتا ہے۔ اس کی جذباتی بھوک کے لیے تفریح کا سامان مہیا کرتا ہے۔ جسمانی بھوک بچوں کا باعث بنتی ہے اور پھر یہی چھوٹی چھوٹی اشتہائیں ختم کرنے میں اس کی زندگی صرف ہو جاتی ہے۔

پرانے زمانے میں بھی شوہر اپنی ماؤں سے چھپ کر اپنی نوبیاہتا بیویوں کی ذہنی جذباتی، جسمانی بھوک مٹانے اوپر والی منزل میں جاتے تو ان کے ہاتھ میں قلاقند کے دونے

اور مولسری کے ہار ہوتے ــــــ آج بھی جب ملاقات ہوتی ہے تو کوک پلانے، کون کھلانے اور پیٹ برگر اڑانے کے لیے کسی ریستوران میں لے جانا پڑتا ہے۔ کھانے والی کبھی بل ادا نہیں کرتی بلکہ کھلانے والا اسے اپنی نیک نصیبی سمجھتا ہے۔

ماڈرن لڑکی یہ بھید سمجھ گئی ہے کہ بھوک کا دکھلاوا مرد تک یہ پیغام پہنچاتا ہے کہ اگر وہ کھانے پینے میں سرگرم ہے تو جنسی بھوک میں مرد سے کم نہ ہو گی ــــــ وہ ایک سمبل سے اپنے تمام کوائف سمجھا دیتی ہے۔ اپنی بھوک کو نمایاں کرتے ہی آج کی لڑکی مرد کی بھوک میں برابر کی شریک ہونے کا وعدہ کرتی ہے۔

طیبہ، کوثر اور فرزانہ سے سیمی خوبصورت تو نہ تھی، لیکن وہ لباس میں، نشست و برخاست، گفتگو، کھانے پینے میں سب سے آگے تھی۔ جب کبھی وہ کلاس میں داخل ہوتی اس کے منہ میں چیونگ گم ہوتی۔ جونہی پروفیسر کلاس سے جاتا وہ اپنے کینوس کے تھیلے میں سے سیب نکالتی اور اسے آستین پر صاف کر کے کھانے لگتی ــــــ سیب کھانے کا بھی اس کا عجیب طریقہ تھا۔ وہ سیب میں تیکھے دانت اتارتی اور کڑک کی آواز کے ساتھ منہ پرے کر لیتی۔ ایک ہی ہفتے کے اندر اس کا سیب ساری کلاس میں گھومنے لگا تھا۔

"ایک bite لے لو ــــــ" ایک دن اس نے مجھ سے کہا۔

میں ایک ایسے گھر سے سوشیالوجی کی کلاس میں گیا تھا جہاں جھوٹے برتنوں میں کھانا گناہ ہوتا ہے۔

"اس طرف سے کھا لو ــــــ میں نے یہاں نہیں کھایا۔"

اس نے سیب کی صاف ستھری طرف پیش کر دی۔ میں نے سیب اس سے لیا اور عین وہاں دانت گاڑ دیئے جہاں سے اس نے کڑاک سیب کاٹا تھا۔

بھوک کے معاملے میں وہ بہت بودی تھی۔ وہ گھنٹے گھنٹے کے بعد بھوکی ہو جاتی۔ یا یوں سمجھیے، یہ اس کا لاڈ تھا ــــــ بہت جلد ہماری کلاس ایک خاندان کا روپ اختیار کر گئی۔ اسی لیے سیمی کی باتیں کسی کو عجیب نہ لگتی تھیں۔

"بھئی میرے پاس پچھتر پیسے ہیں ــــــ لیکن مجھے کوک پینا ہے ــــــ ہے کوئی اللہ کا بندہ ــــــ؟"

اللہ کا بندہ آفتاب ہمیشہ اس کی ساتھ والی سیٹ پر ہوتا۔

"اچھا بھئی اور کون کون کوک پینے جائے گا؟"

ادھے پورے بھی تیار ہو جاتے۔

پھر سب اپنی اپنی نقدی اس کے ڈسک پر دھرتے جاتے۔ وہ حساب لگاتی جب رقم پوری ہو جاتی تو ہم سب کوک پینے چلے جاتے۔ کینٹین پر بھی عجب تماشا رہتا۔ کوئی سیون اپ منگواتا کوئی فانٹا منگواتا کوئی کوک —— اب سیمی کبھی کسی سے مانگ کر گھونٹ پیتی کبھی اپنی بوتل پیش کر کے کہتی۔

"پی لو طیبہ —— تم نے تو فانٹا منگوایا ہے —— سیون اپ کا بھی ایک سپ لے لو —— بھئی ——"

جب طیبہ ہچکچاتی تو وہ اپنے کینوس کے تھیلے میں سے ٹیشو پیپر نکال کر بوتل کا منہ صاف کرتی اور کہتی۔

"خدا قسم اب تو کوئی ہرج نہیں ہے۔"

شروع شروع میں سیمی ایسی sporty لڑکی نظر آئی کہ کلاس والوں کو شبہ تک نہ ہوا کہ وہ آفتاب کی ہپ پاکٹ میں ہے۔ ان دنوں میں ہر روز اس میں کوئی نئی بات کوئی نئی ادا دریافت کرنے کی سٹیج میں تھا۔ میری یہ سٹیج تحیر کی تھی جو کچھ مجھے نظر آتا میں اسے پوری طور پر ہضم بھی نہ کر پاتا کہ دوسرے دن اس میں کچھ اور نیا، کچھ اور دلچسپ اور حیران کن نظر آ جاتا —— سب سے بڑی تبدیلی جو آفتاب سے ملنے کے بعد اس میں آئی اردو کی سوجھ بوجھ تھی۔ اب وہ ایسی اردو بولنے لگی تھی کہ بڑے بڑے اردو باز اس کا منہ دیکھتے رہ جاتے۔

سوشیالوجی کی کلاس میں وہ سب سے باتونی لڑکی تھی۔ پروفیسروں کے نظریات سے ٹکر لینا اور چھوٹے سے لطیفے پر دیر تک ہنستے رہنا اس کا محبوب مشغلہ تھا۔ دراصل اس میں وہ خوش اعتمادی کا خمیر تھا جس سے اس کی شخصیت کی تمام دلآویزی میں پھول لگے تھے۔

بھوک کی نمائش کے بعد سیمی کی ہنسی میں بڑی جنسی کشش تھی۔ وہ عموماً گردن پیچھے کر کے غرغرے کرنے کے انداز میں منہ کھول کر پاٹ دار آواز میں ہنستی۔ ایسے میں اس کے کندھے، بازو، پیٹ چھاتیاں سب ہلکورے لینے لگتے۔ اس کا قہقہہ عام طور پر

مصنوعی ہوتا۔ لیکن اس قدر بناوٹی ہونے کے ساتھ ساتھ اس میں ایک عجیب سی کشش تھی۔ لپ سٹک، بریزیئر، اور سینٹوں کے اشتہاروں کی طرح کوئی چیز آپ کو یقین دلاتی کہ قہقہہ محض اشتہار ہے، اصل سیمی اس اشتہار سے بھی اچھی ہو گی۔

اس روز پتہ نہیں آفتاب نے کیا کہا کہ ساری کلاس ہنسنے لگی۔ سیمی کا قہقہہ سب سے بلند بانگ تھا۔ ہنستے ہنستے اس کی آنکھوں سے آنسو بہنے لگے تھے۔ بدقسمتی سے اس روز وہ میرے بہت قریب بیٹھی تھی۔ حالانکہ اس کا بازو آفتاب کی کاپی پر تھا۔ لیکن اس قربت نے مجھ پر ایسے اثر کیا کہ یکدم ہنستے ہنستے میں اسے دیکھنے لگا اور پھر ہنس نہ سکا۔

کچھ لمحے بڑے فیصلہ کن ہوتے ہیں۔ اس وقت یہ طے ہوتا ہے کہ کون شخص کس کا سیارہ بنایا جائے گا۔ جس طرح کسی خاص درجہ حرارت پر پہنچ کر ٹھوس مائع میں اور مائع گیس میں بدل جاتا ہے، اسی طرح کوئی خاص گھڑی بڑی نتیجہ خیز ہوتی ہے، اس وقت ایک قلب کی سُوئیاں کسی دوسرے قلب کے تابع کر دی جاتی ہیں۔ پھر جو وقت پہلے کا رہتا ہے وہی وقت دوسرے قلب کی گھڑی بتاتی ہے، جو موسم، جو رُت، جو دن پہلے قلب میں طلوع ہوتا ہے وہی دوسرے آئینے میں منعکس ہو جاتا ہے۔ دوسرے قلب کی اپنی زندگی ساکت ہو جاتی ہے۔ اس کے بعد اس میں صرف بازگشت کی آواز آتی ہے۔ جس وقت میں سیمی کے عشق میں مبتلا ہوا مجھے معلوم نہ تھا کہ وہ آفتاب کی محبت میں اس قدر دور نکل چکی ہے—— دراصل سیمی جیسی لڑکیوں پر محبت کرنے کا کبھی شک بھی گزر نہیں سکتا—— وہ لجاتی شرماتی تو ہیں نہیں کہ آدمی اندازے لگا سکے۔ ہم پانچوں طالب علموں کے ساتھ اس کی خوب کھٹا بجتی رہتی تھی۔

فرزانہ اور طیبہ متوسط گھرانے کی لڑکیاں تھیں، اس لیے ان میں جرأت کی کمی بھی تھی اور سچائی کی بھی—— کوثر درمیان میں تھی—— کبھی ماڈرن ہو کر مذاق کر لیتی کبھی دقیانوسی بن کر کسی کی بات پر منہ بنا لیتی—— صرف سیمی جلتا کوئلہ تھی—— بھڑکتا سرخ—— بھلا اس پر میں کیسے شبہ کرتا کہ اندر ہی اندر وہ جل بجھا ہے۔

حُسنِ اتفاق دیکھئے کہ آفتاب اور میں روم میٹ تھے۔ ہوسٹل کے ہم کمرہ دوست بھی ہوتے ہیں اور حریف بھی۔ ان کا سب سامان سانجھا بھی ہوتا ہے اور اس شراکت کے باعث ان میں جھگڑے بھی رہتے ہیں۔ ہم کمرہ کے سیفٹی سے بلیڈ چرانا، اس کے صاف

تولیے سے گندہ پسینہ پونچھنا، پیسے ادھار لے کر نہ لوٹانا، اس کی حاضری میں سے کھانا، بغیر اجازت کے ٹائی لے کر استعمال کرنا اور ڈرائی کلین کرائے بغیر لوٹانا، اپنے سلیپر خشک اور روم میٹ کے سلیپر غسل کے بعد گیلے کرنا، تیل لگانے کے بعد ہم کمرہ کے صاف تکیے کو دوہرا کر کے گردن تلے فٹ کرنا، نئی جرابیں مانگنا، گندے رومال بخوشی آفر کرنا، مجموعی طور پر لڑکیوں کو زیر بحث لانا اور اصلی لڑکی کے ذکر کو گول کر جانا ——— یہ سب باتیں ایک ہی کیوبکل میں رہنے والوں میں چلتی رہتی ہیں۔ لیکن آفتاب اور میں پورا ففتھ ایئر اور سکستھ ایئر کے چھ ماہ ساتھ رہے ——— ہمارے پلنگ، ٹرنک اور میز تو ساتھ ساتھ تھے۔

لیکن ہم دونوں ایک دوسرے کے لیے مکمل طور پر اجنبی ہی رہے۔

نہ صرف ہماری عادتیں مختلف تھیں بلکہ ہم مختلف ماحول کی پیداوار بھی تھے۔

اگر میں گھاس ہوں تو آفتاب پھول تھا۔ گورا چٹا کشمیری جس کی شربتی آنکھیں براؤن بال اور بڑی چوڑی چکلی کاٹھی تھی۔ اس میں قد سے لے کر رنگ تک باتوں سے لے کر خاموشی تک عادتوں سے لے کر جبلّی سرشت تک وہ سب کچھ تھا جس سے لڑکیاں پیار کرتی ہیں۔ وہ شکلاً اتنا معصوم اور بھولا تھا کہ اسے دیکھ کر ہر لڑکی میں ایک ماں بیدار ہو جاتی۔ لڑکیوں کے سامنے اس بلا کا خاموش رہتا کہ سب کا جی محبوبہ کی طرح اُسے گدگدانے کو چاہتا۔ ذرا سی طبیعت کے خلاف بات ہو جاتی تو اس کی شکل مجروح ہو جاتی، شربتی آنکھیں نمناک نظر آتیں۔ اب باتوں کے پھاہے لے کر سب لڑکیاں نرس بننے پر آمادہ ہو جاتیں۔ آفتاب قالین فروشوں کا، امیروں کا ایسا لاڈلا بیٹا تھا جس کی گھٹی میں پریم رچنا تھی۔ وہ اس قدر سیر چشم سیر دل آدمی تھا کہ نہ اسے دولت کی بھوک تھی نہ محبت کی نہ وہ شہرت کی تلاش میں تھا نہ ترقی کی ——— وہ ان تمام نعمتوں میں ہر وقت رہتا تھا۔ مچھلی جیسے جل میں رہتی ہے۔ اس کے لیے یہ سب کچھ سورج کی طرح ضروری اور سورج کی ہی طرح غیر اہم تھا۔ اس نے کبھی کسی کلاس میں کسی پروفیسر سے بحث نہیں کی۔ بس نما نما مسکراتا رہتا۔ ہم سب میں جب سیاسی بحثیں ہوتیں اور ہم نوائے وقت، امروز، مساوات، جنگ، مشرق سے ہو کر نیوز ویک اور ٹائم تک پہنچتے، تب بھی وہ خاموش رہتا۔ وہ کسی کو مرعوب کرنے کے لیے یا خود کسی سے مرعوب ہونے کے لیے خواہ مخواہ کوئی پنگا نہیں لیتا تھا۔ جب کبھی وہ بات کرتا تو اس کی بات میں وزن ہوتا ——— نمبر

ایک... نمبر دو... نمبر —— تین —— وہ نہ کبھی لڑکیوں کو لفٹ دیتا نہ متاثر کرنے کی کوشش کرتا۔ صرف اس بے عادتاً اور سرشتاً ایسی حرکتیں ہوتی رہتی تھیں جن سے لڑکیاں پیار کرتی ہیں۔ اگر ماڈرن لڑکیاں بھوک کی نمائش کر کے اندر کی بھوک کا ثبوت دیتی تھیں تو آفتاب کے پاس ہمیشہ اتنے پیسے رہتے تھے جس سے وہ ظاہری بھوک کو شانت کر دیتا اور کچھ اس لاپروائی سے کہ لڑکی سمجھ جاتی ایسے ہی بغیر مشکور کیے، بغیر شرمندہ کیے خاموشی اور رضا سے وہ اس کی دوسری اشتہا مٹانے کی بھی صلاحیت رکھتا ہے۔

لڑکیوں کے ٹاپک پر وہ گھنٹوں باتیں کر سکتا تھا لیکن صرف امجد کے ساتھ۔ روم میٹ ہونے کے باوجود اس نے کبھی کسی لڑکی کو میرے ساتھ موضوع سخن نہیں بنایا۔ مجھے یاد ہے۔ شروع ایم اے کے دن تھے۔ میرا خیال تھا کہ آفتاب اپنے تجاہل عارفانہ سے مجھے ٹٹول رہا ہے۔ میں نے کمرے میں داخل ہوتے ہی کہا۔

"آج طیبہ تمہارے متعلق پوچھ رہی تھی۔"

"کون سی طیبہ۔"

"وہی جس کی ناک پر تل ہے۔"

"اچھا وہ۔"

"شاید اسے تم میں دلچسپی پیدا ہو گئی ہے۔"

"ہو سکتا ہے —— لیکن بڑی بے وقوفی ہے ——" اس نے جرابیں اتارتے ہوئے کہا۔

"تھوڑے وقفے کے لیے جو ملیں ان میں دلچسپی نہیں لینی چاہیے۔"

"یہ کوئی اختیاری بات تھوڑی ہے ——" میں نے کہا۔

"ہاں —— اختیاری بات تو نہیں ہے۔"

اس کا رویہ جارحانہ تھا نہ مدافعانہ —— بس وہ بات کو آگے بڑھانا نہیں چاہتا تھا۔

"پوچھتی تھی کہ کیا آفتاب کے ابا جی کی دوکان ہے مال پر —— قالینوں کی ——"

"بتا دینا تھا ابا جی کی دوکان ہے —— آفتاب کی نہیں ——" اس نے ابرو

سکوڑ کر کہا۔

اب وہ پیٹھ موڑ کر کھڑا ہو گیا ——— میں بات کو بڑھانا چاہتا تھا لیکن اس کی خاموشی نے میرا منہ بند کر دیا۔

ففتھ ایئر میں مجھے شبہ تھا کہ وہ نرگسیت کا شکار ہے۔ لیکن بعد میں مجھ پر کھلا کہ غالباً آفتاب کو اپنے آپ سے پیار نہیں تھا۔ بس اسے زندہ رہنے کی عادت تھی ——— پرندوں کی طرح اور وہ سمجھتا تھا کہ کسی کے پاس کوئی خاص معقول وجہ بھی نہیں ہے کہ وہ کیوں زندہ نہ رہے؟ اگر کسی کے پاس ایسی وجہ ہوتی اور وہ آفتاب کو بتا دیتا تو یقیناً آفتاب اپنی زندگی ختم بھی کر دیتا۔ شروع شروع میں جب سیمی اس کے ساتھ نتھی ہوئی اور وہ دونوں اکٹھے رہنے لگے تو مجھے آفتاب سے شدید نفرت ہو گئی بلکہ میری یہی کوشش رہتی تھی کہ جونہی وہ کمرے میں آئے مَیں باہر نکل جاؤں۔ لیکن اتنا پاس رہنے کے باوجود یہ اس کی سادگی تھی جس نے اسے یہ اندازہ ہی نہ لگانے دیا کہ میرے جذبات کیا ہیں؟ آفتاب کو میں نے کسی دن خود آگاہی میں مبتلا نہیں دیکھا اگر اسے اپنی ذات کی سمجھ ہوتی تو شاید وہ مجھ تک پہنچ سکتا۔ عام طور پر ہماری کلاس کے لڑکے لڑکیاں اسی خود آگاہی کے احساس سے کئی حرکتیں کرتے تھے، لیکن اس کا اُلٹا سیدھا ایک تھا۔ اسی لیے وہ کھاتے وقت باتیں کرتے ہوئے چلتے وقت بیٹھتے سمے سوتے ہوئے کبھی اپنی ذات کی کڑکی میں گرفتار نظر نہیں آیا۔

اس روز جب امجد کی زبانی بھید کھلا کر سیمی اور آفتاب کا قصہ دور نکل چکا ہے۔ تو کوثر کی بات پر مہر لگ گئی ——— میں پروفیسر سہیل سے مل کر آ رہا تھا۔ سٹاف روم سے باہر ہی مجھے احمد مل گیا ——— کلاس میں صرف امجد سے آفتاب کی بے تکلفی تھی۔

"یار یہ لڑکیاں بہت میسنی ہیں۔ عشق بھی فل سائز کرتی ہیں اور پڑھائی بھی فل ٹاس کرتی ہیں۔ تم غافل نہ رہنا ——— ماریں گی یہ ساری بدبختیں ——— پڑھتے تم رہو گے اور فسٹ یہ آئیں گی باجماعت ———"

میں نے تکلفاً پوچھا ——— "عشق کون کون کر رہا ہے؟"

"سب کر رہی ہیں، ایک ایک ——— لیکن سب کا عشق گھٹیے درجے کا ہے سوائے سیمی کے۔"

"سیمی —— سیمی بھی؟"

میرا دل دھک دھک کرنے لگا۔

میں بھی چوری چوری پرائز بانڈ خرید چکا تھا۔ اس وقت میرے کان یہ سننے کو بے قرار تھے کہ میرا انعام نکل آیا ہے۔

ہم دونوں اوول کے سامنے ایک بنچ پر بیٹھ گئے۔ میں نے بات کو مذاق میں اڑانا چاہا۔

"اچھا تو پھر کون کون عشق کر رہا ہے۔"

"طیبہ اور فرزانہ تو قابل اعتماد لڑکیاں نہیں ہیں، یہ دو قدم آگے آتی ہیں تو چار قدم پیچھے جاتی ہیں۔"

"کیوں؟"

"ان کا قصور نہیں۔ ان کی فیملی بیک گراؤنڈ ایسی ہے۔ مڈل کلاس کی لڑکی کو بدنامی کا بڑا ڈر ہوتا ہے —— یہ عشق نہیں کرتیں شوہر تلاش کرتی ہیں۔"

"اور کوثر؟"

"کوثر؟ اس وقت میرے ساتھ فٹ جا رہی ہے، لیکن میرا خیال ہے کہ جب سارے نوٹس فوٹوسٹیٹ کر کے میں اسے دے دوں گا تو پھر وہ جمال کی طرف مائل ہو جائے گی۔"

"بکو مت ——"

امجد نے سگریٹ سلگا کر کہا۔

"احمق آدمی جمال کے ابا جی وائس چانسلر ہیں —— کوثر بے چاری کیریئر بنانا چاہتی ہے۔ وہ اس فیکٹ کو بھلا سکتی ہے کبھی —— وہ کسی مرد کے انگوٹھے تلے زندگی بسر نہیں کرنا چاہتی۔"

میرے لبوں پر سیمی کا نام آنا چاہتا تھا، لیکن امجد ادھر ادھر کی باتوں کے چٹخارے لے رہا تھا، میں سیمی کا نام کیسے لیتا۔

"ویسے یار یہ کوثر چوہی جیسی میرے اپنے دل کو بڑی لگی تھی پہلے پہل۔"

"اب کیا ہو گیا ہے ——" میں نے سوال کیا۔

"فائدہ ــــــ ان کم بختوں کے پیچھے مرنے کا ــــــ دفع ہو جائیں گی تو خط کا جواب بھی نہیں دیں گی، بچوں کو گود میں بٹھا کر توس مکھن کھلایا کریں گی اور ہماری باتیں اپنے شوہر کو سنا کر ہنسایا کریں گی۔"

میں نے پھر سیمی کے متعلق پوچھنا چاہا لیکن چپ رہا۔

"اینجلا کا فگر اچھا ہے اگر وہ کُب ڈال کر نہ چلے ــــــ ہے نا ــــــ؟" امجد نے کہا۔

"شرماتی ہے ــــــ" میں نے جواب دیا ــــــ "لمبے قد کی لڑکیوں کو بیماری ہوتی ہے کب کی۔"

"شرماتی نہیں ذرا عام نارمل لڑکی سے بھاری ہے اس کا کومپلکس ہے اسے۔ کُب کی وجہ یہی ہے مانو نہ مانو ــــــ"

میں نے ذہن میں اینجلا کے کومپلکس کو لانے کی کوشش کی لیکن مجھ پر سیمی کے عشق کا ایسا خوف طاری تھا کہ مجھے اینجلا کا کچھ بھی یاد نہ آسکا۔

"کبھی تم نے دیکھا نہیں جب وہ کلاس میں آتی ہے تو ہمیشہ اپنی کتابیں سینے کے آگے رکھ لیتی ہے۔ کم بخت کی ایک ہی چیز اچھی ہے اور اسی کا اسے کومپلکس ہے۔"

"آج سپاٹ سینوں والی لڑکیاں فیشن میں ہیں گدھے ــــــ جن کے کندھے کی ہڈی، کالر کی ہڈی اور دو چار پسلیاں نظر آتی رہیں ــــــ جیسے ــــــ جیسے ــــــ" میں چپ ہو گیا۔ میں سیمی کا نام نہیں لینا چاہتا تھا۔

"مدقوق لڑکیاں Under Nourished" امجد نے سوال کیا۔

"ہاں تو اور کیا کھیتوں میں کام کرنے والی صحت مند لڑکیاں اچھی لگتی ہیں۔ توبہ کرو، وہ تو پینڈو لگتی ہیں پینڈو۔"

ہمیں تو اطالوی تصویروں کی لڑکیاں پسند ہیں ڈی ونچی اور رافیل کی لڑکیاں۔"

"وہ عورتیں تھیں ــــــ عورتوں کا زمانہ گزر گیا ہے۔"

"سیمی جیسی لڑکیاں؟ ــــــ" امجد نے بالآخر اس کا نام لیا۔

"بالکل ویسی ــــــ جس کی ہنسلی کی ہڈی نظر آئے ــــــ ہاتھوں کی نسیں ابھری ہوں۔ گالوں کی ہڈی اوپر کو اٹھی ہوئی دکھائی دے۔"

"لعنت بھیجو ——— میں تو ان کو اشتہاروں میں برداشت نہیں کر سکتا، زندگی میں کیا پسند کروں گا۔"

"اس لئے کہ تم تو پینڈو ہو ——— تمہاری بیک گراؤنڈ دیہاتی ہے۔ آفتاب بھائی کی بوٹی ہے پتہ نہیں اسے یہ مریل سیمی کیوں پسند ہے۔"

امجد نے لمبا کش لگایا اور بولا ——— "اور آفتاب کون سا آکسفورڈ کا پڑھا ہوا ہے ——— بھائی کی بوٹی کو سیمی پسند ہے۔"

یکدم آسمان سے بجلی گرجی اور میرے پرائز بانڈ پر غلط نمبر پرنٹ ہو گیا۔

"آفتاب کو ———"

"اچھا اب بننے کی کوشش مت کرو۔ تم اس کے روم میٹ ہو تم کو پتہ ہو گا۔"

"وہ مجھ سے ذرا بھی فری نہیں ہے۔"

"بابا ان کا عشق تو آخری مرحلے میں داخل ہو گیا ہے۔"

"کیا مطلب؟ ———" میں نے اپنے حسد کو چھپاتے ہوئے کہا ——— "اتنی جلدی۔ کیسے کیسے؟"

"یار آفتاب تو سیمی کو اپنی ماں سے بھی ملانے لے گیا تھا لیکن غالباً کشمیرن بڈھی نے پسند نہیں کیا سیمی کو ——— میں بھی اس کی جگہ ہوتا تو ناپسند کرتا۔"

میرا جی چاہتا تھا کہ کراٹے کا ایک ہاتھ اس کے جبڑے پر ماروں لیکن اس وقت امجد مجھ سے بے حد دوستی کا اظہار کر رہا تھا۔

"تم اس قدر غائب مت رہا کرو قیوم ——— کچھ کلاس والوں کے حالات پتہ ہونے چاہئیں۔ ایک روپیہ ہے۔"

میں نے جیب میں ہاتھ مارا۔

"یار منی بس والے ذرا لحاظ نہیں کرتے۔ ساری بڑی بسیں دس پیسے لے کر سوار کر لیتی ہیں لیکن یہ روپیہ لیتے ہیں پورا ماڈل ٹاؤن کا ——— اس پاکستان کا کیا بنے گا۔"

وہ روپیہ لے کر چلا گیا، لیکن میں نہ پاکستان کے بارے میں سوچ سکا نہ بسوں کے متعلق ———

ان دنوں مجھ پر سیمی کے عشق کا دورہ پڑا ہوا تھا۔ جب عشق اظہار سے ناواقف ہو تو اس میں اندر ہی اندر بہت زیادہ تبخیر پیدا ہو جاتی ہے۔ سیمی کی ہر بات کو غلط سمجھنا آسان تھا۔ وہ ہر لڑکے کو دلچسپی اور تجسس سے دیکھنے کی عادی تھی۔ جنس مخالف سے ایک خاص حد تک دوستی کو وہ اپنا پیدائشی حق سمجھتی تھی۔ وہ ان لڑکیوں میں سے تھی جو گھر آئی محبت کو سوغات کی طرح سمجھ کر تھینک یو کر کے رکھ لیتی ہیں۔ مشکل یہ ہے کہ کبھی کبھی ایسے رویئے سے معتوب عشق اس وہم میں مبتلا ہو جاتے ہیں کہ دونوں طرف برابر آگ لگی ہوئی ہے حالانکہ وہ صرف نائیس Nice ہو رہی ہوتی ہیں۔

ہم دونوں ایک ہی کلاس میں پڑھتے تھے لیکن میری فیملی بیک گراؤنڈ کچھ ایسی تھی کہ میں نہ تو از خود کبھی اس کی ساتھ والی سیٹ پر بیٹھنے کی جرات کر سکا نہ ہی باتوں میں اپنی قلبی کیفیت بیان کر سکا، میں اپنی جماعت کا فلاسفر تھا۔ وہ بڑی بڑی دیر تک میرے پاس بیٹھ کر باتیں کرتی رہتی۔ —— لیکن یہ تمام گفتگو علمی نظریات پر بالکل غیر ذاتی ہوتی، اسی لئے میرا معمول تھا کہ میں کالج جانے سے پہلے ایک خط تحریر کرتا۔ اس میں اپنی تمام محبت کو کھلم کھلا ظاہر کرنے کی کوشش ہوتی۔ کالج سے واپسی پر یہ خط پھاڑ دیتا اور اپنی ڈائری میں احتیاط سے وہ تمام باتیں رقم کرتا جو اس کے اور میرے درمیان ہوتی رہتی تھیں —— میں سیمی کے رویئے سے کسی تشکیک کا شکار نہیں تھا۔ میں تو الٹا اس نشاط کے سہارے زندہ تھا کہ جو کچھ مجھے کہنا ہے سیمی کا خاموش رویہ اس پر صاد ہے۔

امجد کے جانے کے بعد مجھے سمجھ نہ آ رہی تھی کہ پچھلے تمام وقفے کو کس کھاتے میں ڈالوں۔ کرسمس کی چھٹیوں میں صرف چند دن تھے۔ میں ان چھٹیوں سے ویسے ہی خوفزدہ تھا کہ اس خوف میں یوں اضافہ ہوا۔ امجد کے جانے کے بعد سیمی آ گئی، ہم دونوں دیر تک کیفے ٹیریا میں بیٹھے رہے۔ وہ کچھ کہنا چاہتی تھی —— میں بھی کچھ کہنا چاہتا تھا۔ لیکن ہم ادھر ادھر کی باتیں کرتے چلے گئے اور کوئی بھی اندر کی بات نہ کر سکا۔ امجد کی باتیں سن کر اب مجھے سمجھ آ گئی کہ دراصل وہ کیا کہنا چاہتی تھی، جب ہم اٹھنے والے تھے تو وہ بولی۔

"میں پڑھائی چھوڑ دینا چاہتی ہوں قیوم۔"

"ہیں ہیں؟ یہ کیا عقل ہے؟"

"بس مجھے دلچسپی نہیں رہی۔"

"فائنل میں وقت کون سا رہ گیا ہے۔"

وہ آج ملک شیک کے ساتھ آلو کے چپس نہیں کھا رہی تھی، حالانکہ یہ دونوں چیزیں وہ ہمیشہ اکٹھی اندر ڈالتی تھی۔

"میں سوشیالوجی کے قابل نہیں ہوں —— نہ سوشیالوجی میرے قابل ہے —— یہ ایک جھوٹا سبجیکٹ ہے۔"

"اچھا منہ بند کرو۔"

"میں سوچتی ہوں اگر میں پنڈی چلی جاؤں تو؟"

"وہاں جا کر کیا کرو گی۔"

"صاف ستھرا شہر ہے —— وہاں کوئی Job مل جائے گا۔ میں اب ہوسٹل لائف سے بور ہو گئی ہوں۔"

ہر ماڈرن لڑکی بہت جلدی بور ہو جاتی ہے، اس لئے میں نے اس کی بات کو سنجیدگی سے نہ لیا۔

لیکن وہ سنجیدہ تر ہوتی گئی۔

"قیوم —— میں تمہیں ایک بات بتاؤں —— جب کوئی آدمی ناکام ہو جاتا ہے تو پھر وہ اپنے آپ کو analyze کرتے کرتے فلاسفر بن جاتا ہے —— میں بھی اپنے پرائے کا فرق بھول گئی ہوں۔ کبھی کبھی لگتا ہے اگر میں ہوسٹل چھوڑ کر اپنے گھر جا کر کال بل بجاؤں تو گھر والے مجھے ایسے ملیں گے جیسے اپنے ہوں۔ کبھی لگتا ہے اگر میں اپنے گھر کے برآمدے میں جا کر کسی کو آواز دوں گی تو کوئی باہر نہیں نکلے گا —— سب میری شکل دیکھ کر لوٹ جائیں گے —— مجھے پہچان نہیں سکیں گے —— کیا میں جنسی طور Frustrated ہوں قیوم۔"

"کون کہتا ہے ——" میں نے محبت سے سوال کیا۔

"کوثر کہہ رہی تھی کہ میں بہت زیادہ Frustrated ہوں۔"

میں نے اسے پیار سے دیکھ کر کہا۔

"جب تمہارا گھر یہاں ہے لاہور میں تو تم ہوسٹل میں کیوں رہتی ہو سیمی؟"

اس نے ملک شیک کی نلکی دو حصوں میں توڑ کر میز پر پھینکی پھر لمبی آہ بھری، اور بولی ——"وہ گھر میرے خرچ کا بوجھ تو اٹھا سکتا ہے —— میرا بوجھ نہیں اٹھا سکتا۔"

"کیا مطلب؟"

"اوہ ہو —— زیادہ سوال مت کیا کرو۔ بڑے پینڈو لگتے ہو۔"

"میں کسی تجسّس کے زیر اثر تو نہیں پوچھتا سیمی ——" میں نے اپنا ہاتھ اس کے ہاتھ پر رکھ دیا۔

"میں جانتی ہوں —— میں جانتی ہوں تمہارا دل بڑا ہمدرد ہے —— کبھی کبھی مجھے لگتا ہے جیسے تم میری زندگی میں بڑا اہم رول ادا کرو گے —— پتہ نہیں کیوں مجھے Feelings ہیں اس قسم کی! تم مجھے بچاؤ گے کبھی نہ کبھی کسی آفت سے۔"

یہ لمحہ اظہار محبت کا تھا۔ لیکن وہ اس جملے کے باوجود بہت تھکی ہوئی اور پریشان نظر آرہی تھی۔ میں خاموش رہا۔

"کل رات میں نے خواب دیکھا کہ ہم دونوں ہوائی جہاز سے سفر کر رہے ہیں۔ اچانک ہوائی جہاز Crash ہو گیا۔ کچھ باقی نہیں بچا نہ جہاز کا نہ ہم دونوں کا۔"

"اچھا خواب ہے —— اگر کچھ بچ جاتا تو بُرا خواب ہوتا۔"

وہ چُپ ہو گئی، پھر اس نے اپنے کینوس کے تھیلے میں ہاتھ مارا۔

"قیوم مجھے ایک پیکٹ لے دو —— چیونگ گم کا۔"

خوش قسمتی سے میرے پاس پیسے تھے میں نے اسے چیونگ گم خرید دی۔

اس روز وہ بہت قریب ہو کر دُور دُور تھی۔ جیسے پتنگ کی ڈوری ہاتھ میں ہو اور تکل دُور دُور ڈول رہی ہو۔

"تم سوشیالوجی کے سٹوڈنٹ ہو قیوم —— کبھی تم نے سوچا کہ پاکستان کی اصل بدنصیبی کیا ہے؟"

ایسے وقت میں یہ سوال بہت عجیب تھا۔ لیکن وہ اس طرح باتیں کرنے کی عادی تھی۔ یکدم بہت جذباتی ہو کر وہ بات موڑنے کی غرض سے بہت ہی معروضی بن جاتی۔

"دراصل پاکستان کی سب سے بڑی ٹریجڈی وہ Generation ہے جنہوں نے پاکستان بنایا۔ ایک آئیڈل کی خاطر —— اور اب وہ خود نظریۂ پاکستان تلاش کر رہے ہیں

بے چارے تاکہ ہم کو سمجھا سکیں کہ پاکستان کیوں بنا ہے ——— بے چارے لوگ! ہمارے پاس تو پاکستان ہے ہم نظریہ پاکستان کو کیا کریں گے۔"

اب ہم دونوں خالص طالب علموں کی طرح دیر تک پاکستان، نظریۂ پاکستان، موجودہ پود اور پچھلی نسل پر باتیں کرنے لگے۔ ابھی کچھ دیر پہلے وہ بے جان تھی، اس نے اپنی ٹانگیں سامنے میز پر رکھی ہوئی تھیں اور گلابی چشمے کو کینوس کے بیگ پر لاپروائی سے ڈال چھوڑا تھا۔ اب وہ گردن آگے کئے دونوں ہاتھوں کے اشاروں سے باتیں کر رہی تھی اور ایسی تار کی طرح زندہ تھی جس میں سے کرنٹ گزر رہا ہو۔

"یار قیوم ——— پاکستان صرف دو نسل کی کارگزاری ہی تو ہے ——— یہ پچھلے پچیس سال جس میں ہمارے ماں باپ بوڑھے ہوئے اور ہم جوان ——— یہ وقفہ یہ ایک کڑا ہے میں گزرا ہے۔ سب نے اس میں اتنا کچھ ڈالا ہے ——— ہماری Generation نے، ہمارے ماں باپ نے ——— اور آج تک نہ کچھ میٹھا پکا ہے نہ نمکین۔ ہے نا۔"

"میرا سوال وہیں ہے سیمی ——— تم گھر کیوں نہیں چلی جاتیں۔"

"تم سوشیالوجی کے طالب علم ہو کر میری بات میں دلچسپی نہیں لے رہے لعنت۔"

"لے رہا ہوں۔"

"غور کرو ——— سوچو ذرا ——— تجزیہ کرو ساری سچویشن کا۔ پاکستان کا جو امیر طبقہ ہے وہ 47ء میں جوان تھا اور غریب گھرانوں سے تعلق رکھتا تھا۔ اس نے ادھر آکر یعنی ادھر پاکستان میں Migrate کرنے کے بعد سوسائٹی کے ہر خلاء کو پُر کیا، چونکہ ہندو سے مقابلہ نہ تھا۔ اس لئے یہ طبقہ یہ Ambitious طبقہ بہت آگے نکل گیا۔ اس نے قیوم ——— ذرا غور سے سوچو اس طبقے نے افسر شاہی کی وہ روایتیں اپنائیں جو انگریز کی تھیں۔ اس نے وہ تجارت پیشہ پیدا کیے جو آج Business Magnets ہیں۔ اس نے ان بینکروں کو جنم دیا جنھوں نے سارے ملک کو نوٹ زدہ کر دیا ——— اس طبقے سے وہ پروفیسر اٹھے جنہیں تعلیم سے زیادہ گریڈوں کی فکر تھی۔ وہ ڈاکٹر سامنے آئے جو بیرونی ممالک میں اس لئے عمریں گزارتے ہیں کہ وہاں پیسہ زیادہ ہے ——— اس طبقے ہی سے وہ

دانشور پیدا ہوئے جن کی اپنی کوئی Conviction نہیں- ان کی سوچ چاہے سرخ چین سے آئے یا سرمایہ دارانہ نظام سے ان کی اپنی نہیں ہوتی- Greed میں مبتلا یہ لوگ ہمیں ایک ہی میراث دے سکتے ہیں conflict، اندر کا تضاد، حالات کا تضاد، شخصیتوں کا تضاد—— تم کیوں چاہتے ہو کہ میں واپس اس گھر میں چلی جاؤں جہاں سے اور کچھ نہیں مل سکتا، تضاد کے سوائے-"

"وہ آخر تمہارے ماں باپ ہیں-"

"جانے دو قیوم—— تم کو ایسے ماں باپ سے پالا نہیں پڑا- تم کو پتہ نہیں ambitious لوگ کیسے ہوتے ہیں-"

"پھر بھی-"

"پھر بھی پھر بھی کیا—— تم دینیات تو نہیں پڑھتے رہے کہ مجھے اخلاقی قدریں سکھانا چاہ رہے ہو-"

"ایک دوست کی حیثیت سے-"

"یہ لوگ—— یہ پاکستان بنانے والے میرے ماں باپ جب ادھر آئے- پاک سرزمین پر—— تو یہاں آکر ان لوگوں نے جفاکش محنتی بیویاں بیاہیں—— نیا ملک بسانے کے لئے—— اپنے آپ کو مضبوط بنانے کے لئے—— یہ عورتیں مردوں کو مجازی خدا سمجھتی تھیں- انہوں نے مردوں کا ساتھ دیا- غریبی دور ہوتی گئی—— جیسے روشنی قریب آتی جائے تو سایہ چھوٹا ہوتا جاتا ہے—— لیکن ambitious آدمی کو یہ مار ہوتی ہے قیوم، وہ کسی جگہ جاکر حد مقرر نہیں کر سکتا- ان لوگوں کے بینک بیلنس بیرونی ممالک میں ہیں- لیکن یہ مرض الحرص میں مبتلا لوگ کمائے جاتے ہیں- ان کی بیویاں گھروں میں ہیں- پر یہ عشق کئے جاتے ہیں—— تمہیں پتہ نہیں- I have gone through all.

سن 47ء والی بیویاں بوڑھی ہوگئی ہیں- شوہروں کو کسی مقام پر پہنچانے کے بعد اب وہ ناکارہ ہیں- پرانے صوفے کی طرح ان کا ہر سپرنگ ڈھیلا ہے—— اور مجھ جیسی لومڑیاں پھرتی ہیں شہر میں اور ان کے لئے ہر انگور کا گچھا میٹھا ہے—— واہ، کیا dramatic بات ہے—— ہے نا-"

"آج تمہیں ہو کیا گیا ہے سیمی۔"

"کوثر ٹھیک کہتی ہے میں frustrated ہوں —— دراصل میں —— میرے ماں باپ —— میں کیسے تمہیں سمجھاؤں قیوم —— میرا باپ پاکستان بنانے والی پود کی طرح بوڑھا ہو رہا ہے۔ اس نے اپنی بوڑھی مردمیت کے سامنے دولت، کار، بنگلے، بینک بیلنس کی سکرین لگا کر اپنے آپ کو بہت potent کر لیا ہے —— اس کا وقت لومڑیوں کے لئے ہے —— بیٹی بڑا بوجھ لگتی ہے اُسے۔"

"تمہیں اپنے باپ کے متعلق ایسی باتیں نہیں سوچنی چاہئیں۔"

"اور میری ماں کے ہاتھ پلے کچھ نہیں۔ وہ اپنے آپ کو نہیں بچا سکتی، مجھے کیا بچائے گی۔ تم نے شہر کی لومڑیاں دیکھی ہیں۔ جنہیں ہر بیوٹی شاپ فارن ایڈ پہنچاتی ہے۔ ان کے پاس نقلی پلکیں ہیں کئی کئی ہیر پیس ہیں —— میک اپ کے علاوہ آزادی ہے ان سے میری ماں کیا لڑے گی۔"

"تمہاری ماں نے اجازت کیسے دی ہوسٹل میں رہنے کی۔"

"اوہ چھوڑو جی —— میری ممی کسی بات کی اجازت نہیں دیتیں وہ کسی بات سے agree نہیں کرتیں اور سب کچھ مان جاتی ہیں —— وہ شراب نہیں پیتیں لیکن کاک ٹیل پارٹیوں میں شریک ہوتی ہیں۔ وہ میرے باپ کے مشاغل سمجھتی ہیں۔ لیکن اعتراض اس لئے نہیں کر سکتیں کہ وہ ڈیڈی کو مجازی خدا سمجھتی ہیں۔ وہ بیوٹی پارلر سے حسن کاری کرواتی ہیں لیکن دل سے ان کا عقیدہ ہے کہ کوئی بوڑھی عورت عمر سے لڑ نہیں سکتی —— بھائی صاحب ہم تو ایسے گھر میں رہتے آئے ہیں جہاں ایک ماں کو بوڑھا ہونے کی اجازت بھی نہیں ملتی۔ مجھے جوان ہونے کی اجازت کب ملے گی —— تم کو کیا پتہ ایسا گھر کیا ہوتا ہے۔ میری ماں بوڑھے ڈھانچے کے ساتھ نوجوان لومڑیوں کے برابر بھاگ رہی ہے —— اوہ یہ سب کچھ، یہ میرے ماں باپ ان کی زندگی اتنی مضحکہ خیز ہے —— اتنی بچگانہ ہے کہ میں —— میں اس میں نہیں جا سکتی واپس —— کبھی نہیں —— بتاؤ جب ماں ہی بیٹی سے ڈرتی ہو تو اجازت کون دے گا —— میں کس سے اجازت لے کر ہوسٹل آتی —— بتاؤ ناں ——"

"کبھی ماں ڈری ہے بیٹی سے —— حد کرتی ہو تم۔"

"ڈرتی ہے ہر وہ ماں —— جو 47ء میں جوان تھی۔ آج اپنی بیٹی سے ڈرتی ہے۔اب گھروں میں بیٹیاں حکومت کرتی ہیں —— ڈیڈی کی کار، ڈیڈی کی توجہ —— ڈیڈی کی چیک بک سب کچھ بیٹی کے لئے ہے، بیٹی کی سہیلی کے لئے ہے، سہیلی کی سہیلی کے لئے۔ میں —— اپنی ماں سے پیار کرتی ہوں قیوم —— تم کو کیا پتہ میں اس کو ملک کا صدر بنا کر خود پرائم منسٹر بننا نہیں چاہتی۔"

بڑی دیر وہ خاموش رہی۔

"گھروں میں کچھ جھوٹا سچا دبدبہ ہونا چاہئے —— جھوٹا سچا پیار —— ورنہ ہوسٹل بہتر ہے۔"

وہ یکدم اُٹھ کھڑی ہوئی پھر اس نے اپنا ہاتھ میرے کندھے پر رکھا —— "آج میں نے تمہیں بہت بور کیا —— ہے نا۔"

ذرا بھی نہیں —— میں تو صرف یہ سوچ رہا تھا کہ تم کتنی صاف اردو بولنے لگی ہو ——"

"ہاں وہ بھی —— ہے۔" وہ اُٹھ کھڑی ہوئی۔

"جا رہی ہو سیمی؟"

"ہاں —— میں سوچتی ہوں سوشیالوجی ایم اے کا بھی کچھ فائدہ نہ ہو گا۔ یہ بھی بڑا Hoax ہے۔ میرے ممی ڈیڈی کی طرح ——" کچھ دیر وہ کھڑی رہی اور پھر بولی۔ "دیکھو آفتاب ملے تو میرا سلام کہنا۔"

جس وقت سیمی رخصت ہوئی۔ میرے وہم و گمان میں بھی نہ تھا کہ وہ کالج سے ہمیشہ کے لئے جا رہی ہے۔ جس وقت اس نے سلام بھجوایا، تب بھی مجھے شبہ نہ گزرا کہ کوئی عجیب بات ہونے والی ہے۔ حتیٰ کہ جس وقت میں نے آفتاب کو سیمی کا سندیسہ دیا۔ اس وقت بھی مجھے خیال نہ آیا کہ یہ سیمی کا کالج میں آخری دن تھا اور میرے ساتھ آخری دوپہر تھی۔

"سیمی تمہیں سلام بھجوا رہی تھی۔"

"اچھا —— ؟" لاتعلقی سے آفتاب نے کہا۔

ہم دونوں نے ایک دوسرے کو لمحہ بھر کے لئے دیکھا اور پھر چپ ہو گئے۔ شاید

آفتاب کو بھی معلوم نہ تھا کہ یمی ہوسٹل چھوڑ کر پنڈی جا چکی ہے۔

کچھ دن یمی کا چرچا رہا۔ ہم جماعت اس کا ذکر کرتے رہے۔ لیٹ فیس والوں کے ساتھ بورڈ پر اس کا نام نظر آتا رہا، پھر اچانک آفتاب کی منگنی ہو گئی۔ کلاس کو ایک نیا موضوع ہاتھ آگیا۔ یہ منگنی اس لئے انوکھا ٹاپک تھا کیونکہ اب تک یمی آفتاب کا سکینڈل عام ہو چکا تھا۔ لڑکیاں آفتاب کی غیر موجودگی میں اس عشق کی بڑی تفصیلات بہم پہنچاتی تھیں۔ لیکن آفتاب کے سامنے سب یمی کا نام لینے سے گریز کرتے تھے۔

فائنل امتحان سے ٹھیک ایک ماہ پہلے آفتاب نے بھی ہوسٹل چھوڑ دیا، پھر ایک دن وہ اپنی شادی کے کارڈ بانٹنے آیا اور مستقل غائب ہو گیا —— امتحانوں کی وجہ سے بہت دن تک ہم اسے بھی یاد نہ کر سکے۔

امتحانوں سے پہلے دن اور رات کی سمتیں بدل جاتی ہیں۔ کبھی گھنٹہ میلوں میں کٹتا ہے اور کبھی سارا دن ملی میٹر میں سکڑ جاتا ہے۔ امتحان سے قبل ہونے والی چھٹیاں ہو چکی تھیں۔ آفتاب کی شادی کا کارڈ ان چھٹیوں سے دو دن پہلے آیا تھا۔ ہم سب نے اپنے اپنے کارڈ لئے اور کوثر نے یمی کا کارڈ بھی لے لیا۔ آفتاب کے جانے کے بعد کچھ دیر تک اس کی شادی، دولہن کا نام، کارڈ کی پرنٹنگ، لفافے کا سائز آفتاب کی شخصیت زیر بحث رہی، پھر امتحان ڈیٹ شیٹ نوٹس کی باتیں ہونے لگیں۔ کسی نے یمی جیسی بونگی لڑکی کا نام نہ لیا۔

امتحانی چھٹیوں سے پہلے گلاب کے سفید پھول جو کالج کی سڑک کے ساتھ ساتھ نظر آتے تھے روانہ ہو چکے تھے۔ بہار ختم تھی، بھرپور گرمی ابھی آئی نہ تھی۔ صبح اٹھنے کو جی نہ چاہتا تھا۔ رات کو پڑھائی کرنے سے دل بھاگتا تھا۔ سہ پہر کو اچانک ٹمپریچر بڑھ جاتا اور قیلولہ کرنے کو جی چاہتا۔ امتحانوں میں وقت کم رہتا جا رہا تھا، لیکن اب ساتھ پڑھنے والی لڑکیوں کی باتیں زیادہ یاد آنے لگی تھیں۔ دماغ میں امتحان کی گھنٹی بجتی رہتی، جس سے guilt میں اضافہ ہوتا۔ حسن اتفاق سے ہر فلم ہاؤس میں اب دھڑا دھڑ اچھی فلموں کی نمائش شروع ہو گئی تھی۔ جمال، امجد اور میں ہوسٹل میں رہ گئے تھے —— لڑکیاں

گھروں میں مقید ہو چکی تھیں۔ ہر اچھی فلم دیکھنے کے بعد ہم تینوں قسم کھاتے کہ امتحانوں تک کوئی فلم نہیں دیکھیں گے، لیکن خبر ملتے ہی خدا خبر کیسے پروگرام بن جاتا۔ کورس کے علاوہ سب کتابیں دلچسپ اور پر از معلومات نظر آتیں۔ ہم تینوں قریباً ہر روز مختلف بک ڈپوز، کتاب گھروں کے چکر لگاتے۔ ان کتابوں کو جو بک سٹالوں پر بکتی تھیں، خریدنے کی ہم میں استطاعت نہ تھی، لیکن اصلی پڑھائی سے جان بچانے اور ضمیر سے چھٹکارا حاصل کرنے کا اور کوئی طریقہ نہ تھا۔ بک سٹالوں پر پھرنے سے یہ تسلی رہتی کہ ہم تیاری کر رہے ہیں۔ جمال اور امجد نے تو یو ایس آئی ایس کا کارڈ بھی بنوالیا تھا۔ وہ اپنے آپ کو جُل دینے وہاں بھی چلے جاتے۔ میں انار کلی میں فٹ پاتھ پر بکنے والی پرانی کتابیں دیکھتا رہتا، پھر پبلک لائبریری چلا جاتا ——— ان مشاغل سے مجھے سیمی کے متعلق سوچنے میں بڑی مدد ملتی تھی۔ اپنی میز کرسی پر دلجمعی سے پڑھنے میں یہ قباحت تھی کہ پھر شدت سے توجہ لگانا پڑتی اور سیمی کے خیالوں کا انحد باجا فیڈ آؤٹ ہونے لگتا۔ بک سٹالوں پر، فٹ پاتھ کنارے اور پبلک لائبریری میں دماغ کو کسی جہت پر لگانا نہیں پڑتا تھا۔ جوں جوں امتحان قریب آرہے تھے۔ گھبراہٹ زیادہ اور پڑھائی کا گراف گر رہا ہے۔ اب ہم تینوں نے داڑھیاں رکھ لی تھیں ——— لیکن میں شیو سے زیادہ خط بنوانے میں وقت صرف کرتا۔ جب بھی ہم تینوں ملتے پڑھائی کے متعلق ناآسودہ گفتگو ہوتی۔ ہر روز ہم تینوں فیصلہ کرتے کہ گھر ہی چلے جانا بہتر ہے۔ لیکن دوسرے دن سب ہوسٹل میں ہوتے۔

میں اپنے گاؤں چندرا نہیں جاسکتا تھا۔ کیونکہ وہاں ماں بھی نہیں تھی اور بجلی کا بھی انتظام نہیں تھا۔ سانده کلاں میں بڑے بھائی مختار رہتے تھے لیکن میں کبھی ان کے پاس نہیں رہا۔ اس لئے میں امتحان کی تیاری کے لئے کسی نئے ماحول میں جانے کو تیار نہ تھا ——— چندرا میں بغیر بجلی کے تیاری ہوسکتی تھی۔ بشرطیکہ ماں زندہ ہوتی۔

چندرا میں پڑھائی ممکن تھی ——— اگر دسویں کے بعد میں گھر چھوڑ کر قصور نہ چلا گیا ہوتا، ذہنی طور پر چندرا سے کٹ کر اب امتحانی چھٹیاں گزارنے میں وہاں کیسے جاسکتا تھا۔ کئی بار مجھے خیال آیا کہ ماموں کے پاس قصور چلا جاؤں ——— وہ مجھے اوپر والی منزل میں کمرہ دیں گے۔ رات کو بلھے شاہ کے مزار سے قوالیوں کی آواز آئے گی۔ صبح صبح ماموں گرم گرم پوریوں کا ناشتہ لائیں گے ——— سب میری پڑھائی کا فکر مجھ سے زیادہ

کریں گے —— لیکن اب مجھے ایسے ماحول سے وحشت ہوتی تھی۔

دراصل میں کسی ایسے ماحول میں جانا نہ چاہتا تھا، جہاں میں زیادہ وقت سیمی کے متعلق سوچ نہ سکوں —— پتہ نہیں کیوں مجھے احساس ہوتا تھا کہ اگر میں نے ہوسٹل کا کمرہ چھوڑا تو کہیں اس کے در و دیوار کے ساتھ ہی سیمی بھی پیچھے نہ رہ جائے۔

آفتاب کی شادی سے ایک رات پہلے کا واقعہ ہے۔

میں بنیان پاجامہ پہنے، اپنا بستر گول کر کے کمر کے پیچھے لگائے پڑھ رہا تھا، کہ دروازے پر دستک ہوئی۔ میرا خیال تھا کہ دستک گول کر جاؤں کیونکہ ہوسٹل کے لڑکے کافی وقت ضائع کر دیتے تھے لیکن پھر آواز آئی۔

"قیوم —— !"

میں نے دروازہ کھولا —— وہ سامنے کھڑی تھی۔

سیمی کو دیکھ کر میں پسینہ میں نہا گیا۔ وہ پہلے سے زیادہ دُبلی، لمبی اور زرد لگ رہی تھی۔ آج اس کے کٹے ہوئے سُرخ بال کھلے تھے اور کینوس کا بیگ اس کے ساتھ نہ تھا۔ وہ پہلے جیسی نہ تھی —— گو ظاہرا طور پر اس میں کوئی خاص تبدیلی بھی نہ آئی تھی۔

"آپ کب آئیں —— آئیے ناں ——"

"ابھی آٹھ بجے کی فلائیٹ سے —— اپنا سامان وائی ڈبلیو سی اے میں رکھا —— اور یہاں ——"

"گھر نہیں گئیں آپ؟ ——" میں نے تکلف سے پوچھا۔

"کون سا گھر؟ —— ابھی تک تم میرا گھر نہیں بھولے۔"

وہ رول کئے ہوئے بستر پر بیٹھ گئی —— اس کے کولہے کی ہڈیاں تنگ جینز میں بہت نمایاں تھیں۔

"ویک اینڈ کے لئے آئی ہوں —— وائی ڈبلیو میں میری ایک دوست رہتی ہے۔ ویک اینڈ کے لئے رکھ لے گی مجھے۔"

مجھے سمجھ نہ آ رہی تھی کہ اس سے کس موضوع پر بات کروں۔

"آپ تو کالج سے ہی گئیں —— بغیر ملے ملائے۔"

"جانا پڑتا ہے۔"

میں نے اس بونگی، ٹیڑھی، کم شکل، عاشق غیر کو دیکھا —— کوئی خاص بات قابلِ ذکر نہیں تھی۔ لیکن پتہ نہیں میں ہر قیمت پر، ہر موسم میں، ہر قسم کے حالات میں اُس کا اسیر تھا۔

"تم بہت دُبلے ہو گئے ہو —— اب تم بانڈ فلمز میں ہیرو نہیں بن سکتے۔"

یہ لمحہ عرضِ حال کا تھا —— لیکن جتنی جلدی اس نے میرے متعلق یہ جملہ کہا اتنی ہی سرعت سے وہ غائب ہو گئی۔

"تم نے پوچھا نہیں کہ میں —— کیوں آئی ہوں لاہور۔؟"

مَیں نے اب بھی سوال نہ کیا، میرا دل کہتا تھا کہ وہ آفتاب کی شادی پر آئی ہو گی۔

"کون کون جا رہا ہے شادی پر۔"

"جمال اور امجد ——" مَیں نے جواب دیا۔

"اور تم"

"آفتاب میرا روم میٹ تھا —— میرا دوست نہیں تھا —— شاید میں تمہیں پہلے بھی بتا چکا ہوں۔"

"مجھے کوثر نے کارڈ بھیجا تھا —— کمینی —— کبھی خط نہیں لکھا اور کارڈ پوسٹ کر دیا۔ قیوم —— تم مانو گے تو نہیں —— لیکن مجھے پتہ چل گیا تھا۔ پہلے ہی کہ اس کی شادی کس دن ہو گی۔ مَیں نے کارڈ ملنے سے بہت پہلے کل کی تاریخ اپنی نوٹ بک میں لکھی تھی ——" اس نے نوٹ بک دکھانے کے لئے بیگ تلاش کیا ——

"افسوس میں نوٹ بک کینوس والے بیگ میں بھول آئی ہوں۔"

"تمہیں کیسے شک تھا —— کیسے۔؟"

"بس مجھے معلوم تھا —— کہ وہ چودہ تاریخ کو شادی کرے گا چودہ تاریخ —— اتوار کا دن —— آسمان پر ہلکے ہلکے بادل ہوں گے اور اس کی شادی کی رات کو بارش ہو گی گرج چمک کے ساتھ —— تم جاؤ گے نا اُس کی شادی پر۔"

"کس لئے —— ؟ میں وہاں کسی کو نہیں جانتا —— میں وہاں جا کر کیا کروں گا۔"

"تمہیں جانا پڑے گا قیوم ـــــ میری خاطر ـــــ دیکھو میں پنڈی سے محض اس لئے آئی ہوں ـــــ تم مجھے آکر بتانا اس کی دولہن کیسی ہے؟"

"تم خود چلی جاؤ تمہارے پاس کارڈ ہے ـــــ کوثر کا بھیجا ہوا ـــــ بلکہ تم تو دولہن کو زیادہ قریب سے دیکھ سکتی ہو۔"

"ہاں جاسکتی ہوں، دیکھ سکتی ـــــ ہوں لیکن ـــــ"

"لیکن کیا ـــــ"

"بس قیوم میں بہادر لگتی ہوں لیکن صرف لگتی ہوں اندر سے نہیں ہوں ـــــ قیوم پلیز فار مائی سیک ـــــ آفتاب کی بیوی کو دیکھ کر آنا ـــــ مَیں نے سنا ہے وہ بہت خوبصورت ہے۔"

"تمہیں کس نے بتایا۔"

"وہ آفتاب کی کزن ہے ـــــ ویسی ہی ہوگی آفتاب جیسی ـــــ" سیمی کی اندر دھنسی ہوئی آنکھوں میں آنسو آگئے۔

"تم جاؤ گے ناں ـــــ میں نے اس کی کوٹھی دیکھی ہے۔ کل ڈیوس روڈ کی اس کوٹھی میں کتنی روشنی ہوگی ـــــ آفتاب دولہا بن کر باہر نکلے گا تو ـــــ تو ـــــ تم اسے دیکھنا قیوم ـــــ وہ وہ ـــــ" یکدم سیمی چپ ہو گئی۔

"چلو ہم اکٹھے چلیں گے۔"

وہ ڈر گئی۔

"ناں جی ـــــ بھلا میں کیسے جاسکتی ہوں وہاں ـــــ اس کی بے بے مجھے قتل کردے گی فوراً ـــــ کون جانے آفتاب بھی بُرا مان جائے۔"

مَیں نے سیمی کا ہاتھ پکڑا اور محبت سے کہا ـــــ "سنو سیمی ـــــ گو اپنی نصیحت پر خود عمل نہیں کرسکتا، لیکن میرا فرض ہے کہ ایک بار میں صورت حال سے تمہیں اچھی طرح روشناس کراؤں۔"

"مثلاً؟"

"تم کیا کر رہی ہو پنڈی میں۔"

"ایک ایئر ٹریول ایجنسی ہے ـــــ اس میں ملازم ہوں۔"

"تم ایم اے کرو واپس آ کر مکمل کرو اپنی تعلیم۔"

وہ اونچے اونچے ہنس دی۔

"میں تعلیم یافتہ ذہین عورتوں سے نفرت کرتی ہوں۔ کم بخت بلا کی جھوٹی ہوتی ہیں۔ اور پھر جب تک آفتاب لاہور میں ہے میں یہاں کیسے آ سکتی ہوں ـــــ سب کچھ پھر سے شروع ہو جائے گا۔"

"ذرا غور سے سوچو ـــــ آفتاب کی شادی ہو رہی ہے تم کیوں خودبخود دیس نکالا لے رہی ہو ـــــ اپنے ماں باپ سے سمجھوتہ کر لو سیمی ـــــ مشرق میں سب اولاد سمجھوتے کے لئے پیدا ہوتی ہے۔"

وہ چپ چاپ بستر کی چادر میں سے تاریں نکالنے لگی۔

"قیوم بڑی مشکل ہے، میں تو سمجھوتہ کر لوں لیکن ـــــ لیکن میری وجہ سے ان دونوں کو آپس میں بڑے سمجھوتے کرنے پڑتے ہیں۔ ڈبل بیڈ پر سونا پڑتا ہے۔ اکٹھے تقریبات میں جانا پڑتا ہے، جب بھی میں گھر پر رہوں ان دونوں کو میری خاطر محبت کی فضا کا انتظام کرنا پڑتا ہے۔ بجلی، گیس، ہاٹ کولڈ واٹر کی طرح بڑا بل آتا ہے محبت کا ـــــ وہ دونوں بے چارے بڈھا بڈھی جوان جوان بننے کی کوشش کرتے ہیں۔ الگ الگ میری خوشامدیں کرتے ہیں ـــــ میں ان دونوں سے محبت کرتی ہوں قیوم ـــــ جب وہ دونوں میری وجہ سے سمجھوتے کرتے ہیں تو مجھے بڑی تکلیف ہوتی ہے۔"

"شاید وہ اب بھی سمجھوتے کرتے ہوں ـــــ اب بھی"

"شاید ـــــ لیکن اب میں دیکھ نہیں سکتی۔"

مَیں نے سوال کرنے کے لئے منہ کھولا اور پھر چپ ہو گیا۔

"پوچھو ـــــ پوچھو ـــــ پوچھو ناں؟"

میں بڑی دیر چپ رہا۔ اصل سوال ہمیشہ نکٹائی کی گرہ بن کر میرے ہی حلق کا ناطقہ بند کرتے رہے ہیں۔

"آفتاب کو بھی بڑے سمجھوتے کرنے پڑتے تھے میری وجہ ـــــ سے! اسی لئے تو میں نے کالج چھوڑ دیا۔ مجھے بڑا ترس آتا تھا آفتاب پر۔"

"کیوں؟ ـــــ کیوں آخر؟"

ایک بار پھر میں نمکین پانی تھا اور وہ مجھ سے سلور نائٹریٹ کے تلچھٹ کی طرح بغیر ملے ہوئے بیٹھتی جا رہی تھی۔

"کالج میں اسے مجھ سے محبت کرنی پڑتی تھی۔ گھر جا کر اپنی کشمیرن بے بے کے ساتھ شادی کے امور میں دلچسپی لینی ہوتی تھی۔ پھر شام کو اپنی کزن کے گھر بھی جانا ایک معمول تھا اس کا — اللہ جانے وہ مجھ سے محبت کرنے میں زیادہ مجبور تھا کہ کزن کے ساتھ شادی کروانے میں — اب تو یہ باتیں میں اس قدر سوچ چکی ہوں کہ اگر مجھے جواب بھی مل جائے تو میں عادتاً یہی کچھ سوچتی رہوں گی باقی ساری عمر —"

آفتاب کی محبت سیمی کی عادت بن گئی تھی۔

اور میری محبت! — اس کے اظہار کا بھی ابھی تک مجھے موقعہ نہ ملا تھا۔

سیمی نے مجھے آستین سے پکڑ کر التجا کی — "سنو قیوم تمہیں شادی پر جانا ہوگا — جانا پڑے گا دیکھو تم انکار نہیں کر سکتے — وعدہ کرو — پرومس۔"

"وعدہ۔"

"ایسے نہیں ہاتھ ملا کر — وعدہ!"

مَیں نے سیمی کا ہاتھ گرفت میں لے لیا۔

جلتی استری پر چھن سے جیسے پانی کی بوند پڑی۔ اس کا ہاتھ میرے ہاتھ میں پڑتے ہی غائب ہوگیا۔

"زیبا کے ہونٹ پر تل ہے — غور سے دیکھنا قیوم بائیں طرف گہرے سبز رنگ کا تل۔"

"تمہیں کس نے بتایا؟"

"مجھے کوئی کچھ نہیں بتاتا — بس مجھے پتہ ہوتا ہے — یاد رکھنا قیوم ہونٹ پر —"

اس کا چھن سے غائب ہو جانے والا ہاتھ میرے گرم ہاتھ میں تھا۔

پہلی بار میں نے سوچا کیا میں جنسی طور پر Frustrated ہوں؟

شادی انٹرکونٹی نینٹل میں تھی، گہری شام کی ہائی ٹی ——— سارا انتظام سوئمنگ ٹینک کے اردگرد کی غلام گردشوں میں تھا۔ مجھے کوئی مجبوری نہ تھی لیکن میں جمال اور امجد سے بہت پہلے وہاں پہنچ گیا۔ یہ تاجر پیشہ لوگوں کی شادی تھی۔ اس میں شرکت کرنے والے لوگ شہر کے Elite تھے۔ قالین فروشوں نے اونچے افسروں سے لے کر فلمی ایکٹرسوں تک سب قابل ذکروں کو بلا رکھا تھا۔ کچھ لوگ میری طرح تھے۔ ان کی آفتاب کے گھروالوں سے جان پہچان نہ تھی۔ وہ سب وقت کٹی کے لئے سگریٹ پینے، بیروں کو دیکھ کر مسکرانے اور بے مصرف چکر لگانے میں مصروف تھے۔ ابھی دولہن اپنے آرائشی منڈپ میں نہیں آئی تھی۔ خوش لباس کشمیری لڑکیاں، اور فربہ جسم عورتیں شادی سے پوری طرح لطف اندوز ہو رہی تھیں۔

پھر آفتاب برات سمیت پہنچا۔ اس کے ساتھ جمال اور امجد بھی تھے۔

براتوں کو لُوٹنے کا عہد گزر چکا۔ لیکن آفتاب کو آگے آتے دیکھ کر میرا جی چاہا کہ اسی وقت کوئی چھ فٹا نوجوان کہیں سے آجائے پھر آفتاب کو قتل کرکے وہ اس کی زیبا کے ساتھ فرار ہو ——— سارے سندھوری میزپوش ان پر سجے ہوئے بھاری بھاری کانسی کے برتن، پیسٹری سٹینڈ، ایش ٹرے تربتر ہوں ——— کاریں سفید کشمیری لڑکیوں کو پک کرکے موٹی فربہ عورتوں کو بھگا کر نکل جائیں۔

نیلے سوئمنگ ٹینک میں تیرنے والی امریکی اور جرمن لڑکیاں چیخیں مار کر اوپر والے کمروں کو دوڑیں۔ آفتاب کی لاش، کمخواب کی شیروانی اور تلے کی جوتی سمیت سوئمنگ ٹینک پر تیرتی رہے ——— ہوٹل کا عملہ پولیس کے آنے تک اندر چھپا رہے اور چودھویں رات کے چاند کے علاوہ اس لاش کو دیکھنے والا اور کوئی نہ ہو ——— پھر میں وائی ڈبلیو پہنچوں اور سیمی کو بتاؤں کہ زیبا کے سابق عاشق نے آفتاب کو قتل کر دیا اور دولہن کے ساتھ فرار ہو گیا، سیمی نڈھال ہو کر میرے سینے سے آ لگے۔

پچھلے باب کا اختتام ہو ——— اور آہستہ آہستہ دھیرے دھیرے جب سیمی دوبارہ زندہ ہو تو اس کی ہر خوشی ہر غم مجھ سے وابستہ ہو جائے!

خواب جب اس قدر فاسد قسم کے ہوں تو ان کے دیکھنے والے عموماً خوش نہیں رہ سکتے۔

اسی لئے عین وقت پر نکاح ہوا۔

تمام مہمان گو مغربی تہذیب میں سنے ہوئے تھے۔ لیکن انہوں نے شوق سے نکاح کے چھوہارے کھائے ——— پھر منڈپ میں دولہا دولہن ایک ساتھ بیٹھے۔ پریس فوٹوگرافر کے علاوہ امجد نے بھی تصویریں کھینچیں، سلامیاں دی گئیں ——— سب کچھ ٹھیک ٹھاک ہوتا رہا۔ پتہ نہیں کیوں آفتاب کی شادی مجھے ٹیلی ویژن کا فلور شو لگ رہا تھا۔ مجھے شبہ تھا کہ ابھی یہ سارا سیٹ ایکٹرا ایکٹرسوں سمیت اپنے گھر چلا جائے گا۔ پھر نہ کوئی شادی ہوئی ہوگی نہ کوئی دعوت۔

لیکن منڈپ میں دولہن بیٹھی تھی ——— نتھ کے نیچے ہونٹ پر تل لئے وہ مسکراہٹیں دبانے کی کوشش کر رہی تھی۔ اس کے پاس آفتاب دونوں نتھنوں سے ہنس رہا تھا۔ اس کی کسی حرکت سے تاسف، غم یا ملیامیٹ ہونے والی کسی کیفیت کا سراغ نہیں ملتا تھا۔ میں سیمی کو اس غنڈے آفتاب کی شکل کیسے دکھاتا؟ کاش اس وقت میرے پاس کوئی پولورائیڈ کیمرہ ہوتا تو میں بھی آدھ گھنٹے میں اس کی تصویریں بنا لیتا پھر شاید سیمی یقین کرتی کہ ——— جو کچھ ہونا تھا ہو چکا!

مَیں چونکہ آفتاب کا روم میٹ تھا۔ اس لئے اس سے بہت بعد میں ملا۔ بیرے چائے کے برتن اٹھانے میں مصروف تھے۔ کچھ اہم مہمان جانا چاہتے تھے۔ آفتاب کی بھاری بھرکم ماں انہیں مسکراہٹوں کے ساتھ رخصت کر رہی تھی۔ اب بھی جوان لڑکیاں بجلیاں گرانے کے لئے بالیاں، بال اور چوڑیاں درست کئے جا رہی تھیں۔ مرد بظاہر سیاست پر گفتگو کرتے ہوئے ان ہی زہرہ جبینوں کو تحسین بھری نظروں سے خراج ادا کر رہے تھے۔

میں نے زیبا کے ہونٹوں کا تل دیکھ لیا تھا۔ اور باقی شادی میں میرے لئے اب کوئی نظر فریب بات نہ تھی۔ پھر امتحان کا خیال بھی تھا۔ میں کھسک جانے کا راستہ بھانپنے میں مشغول تھا۔ جب آفتاب میرے پاس آ کر بیٹھ گیا۔

واقعی آفتاب میں وہ سب کچھ تھا جس کی آرزو لڑکیاں کرتی ہیں۔

"لڑکی کوئی نہیں آئی ———" آفتاب نے کہا۔

پتہ نہیں وہ کس لڑکی کے بارے میں پوچھنا چاہتا تھا؟

"لڑکیاں یار پڑھاکو ہوتی ہیں، وہ کیوں اپنا ٹائم ویسٹ کریں گی۔"

"باقی سب کا کیا حال ہے؟"

باقی سب سے خدا جانے اس کا کیا مطلب تھا؟

"خوب پڑھائیاں ہو رہی ہیں——" اس نے سوال کیا۔

"کہاں یار—— پتہ نہیں میجیکٹ واہیات ہے کہ ہم لوگ بیہودہ ہیں۔"

کچھ دیر خاموشی رہی—— پتہ نہیں میں نے کیوں محسوس کیا کہ آج وہ مجھ سے فروعی باتیں نہیں کرنا چاہتا۔

"سیمی آئی ہے——" پتہ نہیں میں نے کیوں کہا۔

"کہاں؟——" یکدم اس نے سارے میں نظر دوڑائی۔

"یہاں نہیں آئی—— ویسے آئی ہوئی ہے۔"

آفتاب جیسے مایوس ہو گیا۔

"اچھا—— کب؟——"

"کل شام۔"

"کچھ دن رہے گی؟"

"صرف ویک اینڈ——"

آفتاب کا رنگ پھیکا پڑ گیا۔ اس کا سارا دولہاپن، خوبصورتی، مسکراہٹ رخصت ہو گئی—— سیمی کے ذکر نے یکدم ہمیں اس قدر قریب کر دیا جیسے ہم ہمیشہ کے دوست تھے، روم میٹ نہیں تھے۔ آفتاب کے چہرے سے لگتا تھا جیسے وہ ٹیپ ریکارڈر کی طرح بولنا چاہتا ہے لگاتار—— انتھک گول گول چکروں میں—— کبھی ٹون گرا کر کبھی Volume بڑھا کر—— ایسے خاموش لڑکے سے اتنی باتوں کی مجھے اُمید نہ تھی۔

"عجیب بونگی لڑکی ہے وہ حالات سے، اپنے آپ سے، کسی دوسرے سے سمجھوتہ کرنے والی نہیں۔"

سپرنگ بورڈ پر ایک امریکی لڑکی چڑھی۔ اس نے ہوا میں سمرسالٹ لگایا اور سرخ لباسِ غسل سمیت پانی تلے غائب ہو گئی—— اس لڑکی اور سیمی میں بلا کی مشابہت تھی۔ میں نے سانس روک لی اور آرزو کی کہ جلدی سے وہ پانی کی سطح پر واپس نکل آئے۔

آفتاب نے منڈپ کی طرف دیکھا۔ دولہن میں اب عمومی دلچسپی کم ہو چکی تھی، اور اسے اسی کے گھر والی عورتیں، سہیلیاں اور چھوٹی بچیاں گھیرے میں لئے بیٹھی تھیں۔ شاید آفتاب کو زیبا سے بھی محبت تھی۔

"سیمی کبھی نہیں سمجھ سکتی —— وہ بہت زیادہ زندہ ہے —— محبت کرتی ہے جی جان سے —— زندگی حساب کا سوال نہیں ہے لیکن وہ اسے کسی فارمولے سے حل کرنا چاہتی ہے ——" نمبر ایک۔ نمبر دو —— تین والا بے تکان بول رہا تھا---

"سب کا اپنا اپنا طریقہ ہے آفتاب —— ہم کسی پر اپنا طریقہ ٹھونس نہیں سکتے۔"

اس نے گلے سے تمام ہار اتار کر سامنے میز پر رکھ دیئے اور پھر ٹنڈ منڈ ہو کر کرسی سے پشت لگا دی۔ آفتاب کم گو تھا —— وہ صرف امجد کے ساتھ سیمی کے ٹاپک پر باتیں کر سکتا تھا۔ لیکن اس وقت پتہ نہیں کیوں وہ اس قدر بھاری بھرکم باتیں کرنے لگا۔

زندگی سے موت تک کئی راستے ہیں۔ جس راستے پر بھی جاؤ قیوم اس کی کچھ راحتیں ہوتی ہیں۔ اس میں کچھ تکلیفیں پیش آتی ہیں۔ کچھ اس راہ پر چلنے کے تمغے ہوتے ہیں۔ کچھ قیمتیں ادا کرنی پڑتی ہیں۔ دراصل کوئی راہ اختیار کر لو —— کسی راستے پر پڑ جاؤ وقفہ اتنا لمبا ہے کہ مسافر کا سانس اکھڑے ہی اکھڑے---"

کیا آفتاب ہمیشہ سے ایسا تھا؟

یا کسی واقعے نے اس کی طبیعت کو بدل دیا تھا —— مجھے وہ دن یاد آ گیا۔ جب پہلی بار ہم سب نے اپنا اپنا تعارف پروفیسر سہیل کی کلاس میں کرایا تھا۔ اس روز آفتاب کس قدر مقدس، کنوارا اور خوبصورت نظر آتا تھا۔

وہ بولے گیا —— "دیکھو ناں قیوم جب مسافر کا دم اکھڑتا ہے تو پہلی سوچ اس کی یہ ہوتی ہے کہ —— کہ مسافت میں تھکا دینے والا بنیادی نقص اس کی پسند کا تھا، اگر اس نے کسی دوسری راہ کو پسند کیا ہوتا تو شاید راستہ آسانی سے کٹتا---"

"کبھی کبھی درست انتخاب راستے کی طوالت کو کم کر دیتا ہے۔" میں نے کہا۔

"غلط میرے بھائی غلط —— جھوٹ بکواس! کسی راہ پر چلے جاؤ —— کم وقت نہیں لگے گا —— اسی لئے تو کوئی پسند کی راہ درست نہیں ہوتی بالآخر ——"

یہ باتیں ایک دولہا کے منہ سے اچھی نہیں لگتیں۔ دولہا تو شرماتا پان چباتا اور مسکراتا ہی پیارا لگتا ہے۔

"فرض کرو ایک راستہ ہے پتھریلا' آسمان پر سورج' موسم خط استوا جیسا —— اس راستے پر چلنے والا ضرور سوچ گا کہ وہ لوگ کتنے خوش نصیب ہیں جو تاکستانوں کی چھاؤں میں انگوروں کے خوشے کھاتے چل رہے ہیں' اگر تاکستان والی راہ پر نکلو تو وہاں کے چلنے والے بتائیں گے کہ ہر خوشے میں کالی وردیوں والے کابلی برےئ ہیں شہد کی مکھیاں ہیں۔ اس کے جسم پر ہر جگہ بھڑوں کے کاٹے کی سوجن ہے —— پھر یہ تاکستانوں میں چلنے والا سوچتا ہے کہ وہ شخص جو لکڑی کا بھٹہ ڈالے بن پتوار اترائی کے رُخ پانی کے بہاؤ کے ساتھ ساتھ جا رہا ہے خوش نصیب ہے۔ اس کی راہ آسان ہے۔ بن پتوارے سے پوچھو تو وہ کہتا ہے —— خبردار یہاں کی مچھلیاں آدم خور ہیں —— سنسار منہ کھولے پڑے ہیں' اور ڈھلوان پر جانے والے پانی میں از خود بھنور پڑتے ہیں۔"

"اگر ہر راہ پُرخطر ہے —— تو پھر پسند کیسی —— یہ پسند کا شوشہ چھوڑ کر تو فطرت نے انسان کو احمق بنایا ہے۔"

"اور سیمی جیسے احمق اپنی Choice پر ڈٹے رہیں گے کیونکہ ان کا خیال ہے کہ راہ کے انتخاب سے وہ زندگی کی راحتوں میں اضافہ کرسکتے ہیں۔ حالانکہ وہ صرف ادل بدل سکتے ہیں راحتوں کو —— اضافہ نہیں کرسکتے نہ غم میں نہ خوشی میں۔"

"یہ تم آج کیسی باتیں کر رہے ہو آفتاب۔"

"میں نے کبھی اپنی پسند سے زندگی نہیں گزاری اور بڑی آسودگی' میں وقت گزارا ہے' مجھے دولت' محبت' آسودگی طمانیت سب اتفاقاً ملی —— یہی —— یہی بات اسے سمجھ نہیں آئی۔ میں اگر اپنی پسند کو زندگی میں شامل کرتا تو بڑی مشکلات پیدا کر لیتا اپنے لئے —— دوسروں کے لئے۔"

یہ شخص یا تو انتہا کا خودغرض تھا یا بلا کا بے غرض —— میں اندازہ نہ لگا سکا۔

"تمہارا کیا خیال ہے؟ لوگ اہم فیصلے کیسے کرتے ہیں۔ ساری زندگی کے تمام فیصلے؟ پسند ناپسند کے راستے یہ کیسے ہوتے ہیں۔ اگر نتیجہ نہیں نکلتا تو فیصلے ہوتے کیوں ہیں آخر۔ نیچر ہمارا وقت ضائع کرنا چاہتی ہے؟ ہمیں بے وقوف بنانا اس کی منشا ہے؟" میں نے

پوچھا۔

آفتاب اب مجھے مکمل طور پر پروفیسر سہیل کی کاپی لگ رہا تھا۔ اس نوجوان سے میری کوئی واقفیت نہ تھی۔

"دیکھو فیصلے ہم میں شروع سے ڈال دیئے جاتے ہیں۔ چوری چوری ہماری مرضی پوچھے بنا۔ ہر انسان کے اندر ایک خمیر ہوتا ہے۔ سرسوں کے بیج میں یہ فیصلہ ہوتا ہے۔ اس کا زرد رنگ ہوگا۔ تربوز کاٹو تو اس کے ہر بیج میں یہ فیصلہ ہوتا ہے کہ اس سے جنم لینے والا تربوز سرخ ہوگا—— دیکھو قیوم نہ تربوز اپنی خوشی سے سرخ ہوتا ہے نہ چنبیلی اپنی مرضی سے خوشبودار—— سب بیج کا خمیر ہے۔ جو آدمی چور بنتا ہے اس کے وجود کو غارت گری کا خمیر لگا ہوتا ہے کہیں—— نیک سازگار ماحول میں شاید ساری عمر اس کی یہ خوبی نہ کھلے لیکن جس کے اندر غارت گری کا خمیر نہیں ہوگا—— وہ ناسازگار ماحول میں بھی کچھ نہیں کر پائے گا—— کبھی چور نہیں بن سکے گا—— یار میرے سیدھی بات ہے سیب کو تم بھی گرتا دیکھتے ہو نیوٹن نے بھی دیکھا تھا۔ تم کشش ثقل ایجاد نہیں کر سکے کیونکہ تمہارے بیج میں وہ راستہ نہیں تھا جو ایک سائنسدان کا ہوتا ہے۔ میں---- پروفیسر سہیل کی کمپنی میں اگر نہ رہتا تو شاید یہ باتیں مجھے سمجھ نہ آتیں اور—— شاید میں اپنی پسند کی زندگی بسر کرنا چاہتا—— لیکن اب میں سمجھ گیا ہوں۔"

کیا واقعی وہ سمجھ گیا تھا!

کیا سیمی سے بچھڑ کر وہ ایسی باتیں کرنے پر مجبور تھا!

کیا یہ پروفیسر سہیل کی باتوں کا اثر تھا!

کیا وہ ہمیشہ سے خاموشی کے غلاف تلے ایسی ہی باتیں سوچتا تھا!

کیا لڑکیوں کی باتیں ایک حجاب تھیں—— میرے اور اس کے درمیان!

"اب میں احتجاج کرنے کے خلاف ہوں۔ تہلکہ مچانے والے صرف اپنا نقصان ہی نہیں کرتے سب کو برباد کرتے ہیں۔ سارے ماحول کو—— سیمی سمجھتی ہے کہ وہ اپنے رویئے سے، اپنی سوچ سے، اپنی پسند سے خوشی اور غم لانے کی ضامن ہے—— تو وہ ایسی ضدی ہے کہ اپنی آرزو کے سامنے اللہ کی ساری کائنات توڑ پھوڑ سکتی ہے۔"

"میں بھی ایسی ہی سمجھتا ہوں۔"

"بیکار ہے فضول ہے ——— میں جانتا ہوں وہ خود ٹوٹ جائے گی اچانک۔"

"تمہیں سیمی سے محبت ہے؟"

وہ بڑی دیر خاموش رہا۔

"آفتاب ——— میں نے ایک سوال کیا ہے تم سے۔"

"محبت ہونے نہ ہونے سے میرا راستہ نہیں بدل سکتا۔"

"کیوں؟"

"سیمی سمجھتی ہے میں نے اس سلسلے میں کچھ سوچا نہیں ——— بہت سوچا ہے میں نے قیوم بہت زیادہ ——— سیمی کے ساتھ زندگی میں کچھ راحتیں ہوتیں کچھ غم ہوتے ——— زیبا کے ساتھ رہنے میں بھی کچھ راحتیں ہوں گی کچھ غم ملیں گے ——— زندگی کسی کے ساتھ گزار لو قیوم آخر میں میزان برابر رہتا ہے۔"

"ایسی منفی سوچ کی وجہ سے تم نے اس کی زندگی تباہ کر دی۔"

"اگر میں اس کی زندگی تباہ نہ کرتا ——— تو کچھ اور لوگوں کی زندگی تباہ کر دیتا۔ یہ فیصلہ بھی کہیں پہلے سے میرے اندر ہو چکا ہے۔"

"تمہیں یہ فیصلہ سیمی سے محبت کرنے سے پہلے کرنا چاہئے تھا۔"

"میں نے کبھی کوئی فیصلہ نہیں کیا ——— کیونکہ ہر فیصلہ میرے بیج میں پہلے سے موجود تھا اور اس کے بیج کے فیصلے سے مڑا نہیں جاسکتا۔ باقی تمام فیصلے اس پہلے فیصلے میں موجود ہوتے ہیں۔ قیوم۔"

"مجھے خدا کے لئے بتاؤ تمہیں سیمی سے محبت ہے کہ نہیں۔"

اس نے اِدھر اُدھر نظر دوڑائی ——— چند ثانیے اپنی نوبیاہتا کو دیکھا اور بولا۔

"محبت چھلاوہ ہے قیوم ——— اس کی اصل حقیقت بڑی مشکل سے سمجھ آتی ہے۔ کچھ لوگ جو آپ سے اظہار محبت کرتے ہیں۔ اتصال جسم کے خواہاں ہوتے ہیں۔ کچھ آپ کی روح کے لئے تڑپتے ہیں۔ کسی کسی کے جذبات پر آپ خود حاوی ہو جانا چاہتے ہیں۔ کچھ کو سمجھ سوچ ادراک کی سمتوں پر چھا جانے کا شوق ہوتا ہے ——— محبت چھلاوہ ہے لاکھ روپ بدلتی ہے ——— اسی لئے لاکھ چاہو ایک آدمی آپ کی تمام ضروریات پوری کر دے یہ ممکن نہیں ——— اور بالفرض کوئی آپ کی ہر سمت ہر جہت

کے خلاء کو پورا بھی کر دے تو اس بات کی کیا گارنٹی ہے کہ آپ بھی اس کی ہر ضرورت کو ہر جگہ ہر موسم میں ہر عہد میں پورا کر سکیں گے—— انسان جامد نہیں ہے، بڑھنے والا ہے اوپر، دائیں، بائیں—— اس کی ضروریات کو تم پابند نہیں کر سکتے—— لیکن سیمی بڑی ضدی ہے—— بہت زیادہ—— وہ محبت کو کسی جامد لمحے میں بند کرنا چاہتی ہے۔"

شاید آفتاب اور میں ابھی اور کچھ دیر باتیں کرتے رہتے لیکن اس وقت امجد اور جمال آگئے اور وہ بہت خوش نظر آرہے تھے۔

امجد نے آتے ہی آفتاب کے کندھے پر ہاتھ مارا۔

"کیا راز و نیاز ہو رہے ہیں۔"

آفتاب ابھی جواب بھی دینے نہ پایا تھا کہ جمال بولا—— "یار ادھر چلو شالیمار میں اتنی پیاری تین پوپٹیں بیٹھی ہیں—— خدا قسم ذرا ہائے اوئی کرنے والی نہیں۔ بڑے آرام سے تبادلۂ خیالات کرتی ہیں۔"

"ہاں سچ یار بڑی ڈیسنٹ لڑکیاں ہیں۔ ایسے آرام سے باتیں کرنے لگیں ہم سے۔ چلو۔" امجد بولا۔

"چونکہ تم سے باتیں کرنے لگیں اس لئے ڈیسنٹ ہوئیں——؟" آفتاب نے مسکرا کر پوچھا۔

امجد نے آنکھ مار کر کہا—— "سچی یار ہمیں تو وہی ڈیسنٹ لگتی ہیں۔ جو خواہ مخواہ ہمیں، یہ احساس نہ دلائیں کہ ہم کوئی خاص قسم کے غنڈے ہیں جو ان کی عصمت دری کئے بغیر دم نہ لیں گے—— اندر سے چاہے ہم ویسے ہی ہوں لیکن احساس نہ دلائے تب لڑکی ڈیسنٹ ہوتی ہے اٹھو قیوم—— اٹھو——"

آفتاب نے مسکرا کر کہا—— "جاؤ بھائی—— ہم تو نتھی ہو گئے۔"

"اس کے ساتھ——" جمال نے میری طرف اشارہ کر کے پوچھا۔

"نہیں اُس کے ساتھ۔"

ابرو کے اشارے سے آفتاب نے زیبا کی طرف اشارہ کیا—— جمال اور امجد بڑے نرت کاروں کی طرح کمریں لچکاتے کرسیوں میں بیٹھی ہوئی جنس مخالف کو ایکسکیوز

کرتے ہوئے اندر کی طرف چلے گئے۔

اس وقت پانی کی تہہ سے سرخ لباسِ غسل والی امریکن لڑکی نے سر نکالا اور ڈولفن کی طرح سر اٹھا کر جھٹکا —— لڑکی کی نیلی آنکھوں پر پانی کی تہہ میں تیرنے کی وجہ سے ہلکی سی سُرخی چھا گئی تھی —— آفتاب نے سامنے پڑے ہوئے گُل دان میں سے ایک گیندے کا پھول توڑا اور اس کی طرف پھینکا۔ لڑکی ایک انجانے راستے پر یوں تعریف ملتے دیکھ کر معصومیت اور خوشی سے مسکرائی، پھر اس نے پھول کو فاختہ کی طرح منہ میں اٹھایا اور پانی کی تہہ میں چلی گئی۔

آفتاب میں وہ سب کچھ تھا جس سے لڑکیاں محبت کیا کرتی ہیں۔

ہوٹل سے نکل کر مجھے سارا راستہ کالج کی تعارفی کلاس یاد آتی رہی۔ پتہ نہیں کیوں ساری شام آفتاب کی باتوں سے پروفیسر سہیل کی خوشبو آتی رہی تھی، جیسے میں آفتاب سے نہیں پروفیسر سہیل سے مل کر آ رہا تھا۔

جمال اور امجد سے بہت پہلے میں شادی سے لوٹ آیا۔

رات کے پہلے پہر ہوسٹل بالکل اُجاڑ تھا۔ کمروں میں سے پنکھوں کی آوازیں آ رہی تھیں اور سڑک پر چلنے والے ٹریفک کی دبی دبی سی آواز ایک مسلسل سرگوشی تھی۔ میں ہوسٹل کی زندگی سے مطمئن نہ تھا۔ اپنے کمرے میں پہنچ کر میں نے پھر دل ہی دل میں فیصلہ کیا کہ ان قلیل چھٹیوں میں مجھے کیسے پڑھائی کرنی چاہیے۔ کیا میں بھائی کے پاس سانده چلا جاؤں؟ کیا قصور میں دلجمعی سے پڑھائی ہو سکتی ہے یا پھر مجھے نیا ٹائم ٹیبل بنا کر یہیں ہوسٹل میں رہنا چاہیے؟

ہوسٹل کی ایک بڑی مشکل یہ ہوتی ہے کہ پڑھنے والے لڑکوں کی عادتیں اور پڑھائی کے اوقات ایک دوسرے سے بالکل مختلف ہوتے ہیں۔ کچھ نوجوان ساری رات سمادھی لگا کر پڑھتے ہیں اور صبح نیند کی گولیاں کھا کر مگرمچھ کی طرح بے سُدھ لیٹ جاتے ہیں، کچھ خائف رہتے ہیں۔ اپنے حافظے کے ہاتھوں، ان کو زیادہ پڑھنے کے بعد نروس ہو کر دوسروں کے پاس اخلاقی جرأت، اعادہ سبق اور خوف کا علاج کرنے جانا پڑتا ہے۔ ان

کے علاوہ ایک جماعت خود غرضوں کی بھی ہوتی ہے۔ وہ کوٹا بھر پڑھائی کرکے دوسروں کے پاس خوش گپی کے لئے اس وقت جاتے ہیں، جب ابھی دوسرا بے چارہ پڑھائی کا سٹارٹ ہی لے رہا ہوتا ہے۔ میں دن میں کئی مرتبہ پڑھائی کی کلّی دبانے کی غرض سے جھوٹے سٹارٹ لیتا اور ہر بار کوئی نہ کوئی ہوسٹل کا باسی بریک لگانے پر مجبور کر دیتا۔ جمال کی عادت تھی کہ شہزادہ سات گھنٹے پڑھنے کے بعد حالیہ حالات پاکستان اور پاکستان کو ترقی یافتہ ملکوں کی صف میں لانے کے پروگرام بڑی تفصیل سے زیرِ بحث لا کر دو ڈھائی گھنٹے میرے پاس صرف کرتا۔

"بیٹھ جاؤ جمال——" میں کرسی پیش کرتا۔

"میں بس جا رہا ہوں——" وہ کھڑا رہتا اور بولتا چلا جاتا۔

"یار بیٹھ جاؤ——" میں پونے گھنٹے کے بعد اصرار کرتا۔

"ناں بھائی—— تمہارا ابھی ٹائم ویسٹ ہوگا—— میرا بھی—— بیٹھنا ویٹھنا نہیں ہے۔"

میں اس کے سامنے کئی بار گھڑی دیکھتا۔ کئی پنسلیں گھڑ کر رکھ لی جاتیں۔ پن دھوئے جاتے۔ ان کی سیاہی بدلی جاتی، کاغذوں کے نوٹ بنانے کے لئے پن لگاتا—— جن کتابوں سے مختلف Topics پر Reference ملنے کی اُمید ہوتی۔ ان کتابوں میں جابجا کاغذ کی پرچیاں رکھ کر ان کو اینٹوں کے چھٹّے کی طرح جما کر رکھتا—— میرے مشاغل نے کبھی جمال کو پریشان نہیں کیا۔ وہ سٹیل مل لگانے سے لے کر دہی بلونے والی چھوٹی رئی تک ان گنت فیکٹریاں پاکستان کے مختلف شہروں میں لگاتا رہتا۔ اس کی گفتگو سے سارا پاکستان کالا شاہ کاکو بن جاتا اور فضا میں سے بدبودار شیرے، ریان اور ٹینٹری کے خام چمڑے کی بُو آنے لگتی——

جمال کے جانے کے بعد فضا میں فیکٹریوں کا دھواں اس قدر پھیلا ہوتا کہ میں سانس برابر کرنے کے لئے تھوڑی دیر کے لئے باہر چلا جاتا۔ واپسی پر پڑھائی کے سٹارٹ میں کئی اوگھٹ گھاٹیاں آتیں۔ ان کو پار کرنے کے بعد ابھی میں نے سپیڈ ہی پکڑی ہوتی کہ امجد آجاتا—— امجد ہنگامی آدمی تھا۔ وہ صرف پندرہ منٹ ٹھہرتا—— لیکن اس کے ضمیمے کے بعد توجہ کتاب کی سکرین پر ٹھہر ہی نہ سکتی تھی۔

جس وقت میں آفتاب کی شادی سے لوٹا، میرا ارادہ شہر سے بھاگ جانے کا تھا۔

جو کچھ آفتیں اوپر بیان کر چکا ہوں ان کی سردار مصیبت سیمی تھی۔ آفتاب کی شادی نے پتہ نہیں کیوں دل میں سیمی کی محبت پا لینے کے خواب کو از سر نو ہوا دے رکھی تھی۔ ساتھ ہی ساتھ کوئی ایسا خوف بھی تھا جو میٹرونوم پر بتا رہا تھا کہ اب بیٹا تم پاس ہی نہ ہو سکو گے، اس لئے اسی میں عافیت ہے کہ شہر، ہوسٹل، کالج چھوڑ کر کسی چھوٹے سے گاؤں میں بھاگ جاؤ، وہاں مقامی نمبردار سے دوستی لگا کر ایک چھوٹا سا سکول کھولو اور باقی ماندہ زندگی ان بچوں کو پڑھاؤ جو پڑھنے کے لئے پیدا ہی نہیں ہوئے۔

بالآخر میں نے پھر ایک جھوٹا سٹارٹ لیا۔ اپنی چارپائی سے بستر رول کر کے سرہانے کی جانب رکھا اور سوشیالوجی کے دوسرے پرچے کی تیاری کرنے لگا۔

اس وقت دروازے پر کسی نے انگوٹھی کے ساتھ دستک دی۔

دروازہ کھولا تو سیمی کھڑی تھی۔ اس کا چہرہ مجھے بانس پر ٹنگا ہوا نظر آیا۔

"آجاؤں؟ —— کہ نہیں۔"

"اس وقت —— تمہیں اجازت کیسے ملی اندر آنے کی؟"

"بس مل گئی۔ آجاؤں؟"

وہ چارپائی پر جوتے اتار کر بیٹھ گئی۔ اس سے پہلے میں نے کبھی کٹے ہوئے بالوں والی کسی لڑکی کو فلیپر پہن کر الانی چارپائی پر ننگے پاؤں بیٹھتے نہیں دیکھا تھا۔ اس نے رول کئے ہوئے بستر پر اپنی کہنی جمائی اور نظریں جھکا کر پوچھا۔

"تو ہو گئی شادی؟"

شاید وہ مجھ سے نفی میں جواب کی آرزو مند تھی۔

"ہاں —— ہو گئی ——"

بڑی دیر تک وہ سرہلاتی رہی۔

پھر جیسے اس نے اپنے آپ پر قابو پا لیا۔ وہ بڑے سادہ گھریلو انداز میں باتیں کرنے لگی۔

"بہت مہمان تھے —— ہے نا ——"

"نہیں زیادہ نہیں تھے —— یہی کوئی تین سو کے قریب ——"

"جمال اور امجد بھی گئے ہوں گے——" جیسے وہ شادی پر ہمارے ساتھ ہی تھی۔

"ہاں——"

"اور——؟ اور فرزانہ کوثر وغیرہ——"

"وہ پڑھ رہی ہوں گی اس وقت—— ان کم بختوں نے فسٹ ڈویژن لینی ہے۔ ہماری طرح کوئی اپنا آگا تھوڑا مارنا ہے۔"

"ہاں—— سمجھ دار ہیں وہ چاروں—— کاش خدا ہمیں بھی عقل دیتا! اینجلا بھی نہیں آئی——؟"

وہ چپ ہو گئی۔

اس وقت ایک بار اُمید نے مجھے بڑے بھرپور قسم کے سبز باغ دکھائے۔ دراصل ہر شخص کو اپنے ملک کی لوک کہانیوں پر اندر ہی اندر بڑا اعتبار ہوتا ہے۔ وہ بہت سمجھدار ہونے کے باوجود کبھی ان کہانیوں کے چنگل سے نکل نہیں سکتا۔ ملک کی مجموعی سائیکی ان ہی کہانیوں میں ہوتی ہے اور میں بھی ان ہی کہانیوں کا ایک حِصہ تھا۔ اس وقت مجھے یقین تھا کہ چونکہ ویلن کی شادی ہو گئی ہے اس لئے نیچرل نتیجہ یہی ہے کہ اب سیمی پوری قوت سے مجھ پر عاشق ہو جائے گی۔ راستے کی چٹان کٹتے ہی اسے میرے سوائے اور کچھ نظر نہیں آنا چاہئے۔ لیکن سیمی کچھ شوقیہ گلابی گلاسز نہیں پہنتی تھی۔ واقعی اس کی بصیرت کمزور تھی۔ اسے آفتاب کے بعد کوئی شخص نظر نہ آیا۔

"انتظام کیسا تھا؟——" اس نے یونہی پوچھا۔

دراصل وہ کچھ اور پوچھنا چاہتی تھی اور میں کچھ بھی بتانا نہیں چاہتا تھا۔

میں اس سے وہ باتیں کیوں کرتا جو تالاب کنارے آفتاب نے مجھ سے کی تھیں۔

شاید میرے بیان کے ردوبدل سے وہ ان باتوں کو آفتاب کی محبت پر محمول کرتی۔

بڑی دیر بعد میں نے جواب دیا—— "اچھا تھا جیسے ہوٹلوں کے انتظام ہوتے ہیں۔"

"پھر بھی——"

"نکاح سے پہلے ڈرنکس تھیں—— کوکا کولا وغیرہ۔"

یکدم اس کا رنگ پھر فق ہو گیا۔ دوپہر کی دھوپ میں چمکتی سفید ریت کی طرح۔

"نکاح سے پہلے—— نکاح سے پہلے—— نکاح سے پہلے——" وہ الاپنے لگی۔

اس وقت مجھے شبہ ہونے لگا کہ شاید سیمی اب بھی مجھ سے محبت نہ کر سکے۔

"اور---- اور----"

"چائے تھی—— نکاح کے بعد وہی معمول کی چیزیں، چیز فنگرز، مچھلی، پیسٹری اور ایک ٹرائفل قسم کی سویٹ تھی۔"

یکدم وہ بھڑک کر بولی—— "نکاح کے بعد کبھی ٹرائفل نہیں ہوتا—— ہمیشہ نکاح سے پہلے ٹرائفل ہوتا ہے۔"

اس کی آنکھوں میں موٹے موٹے آنسو آ گئے جنھوں نے میرے اظہار محبت کو شارٹ سرکٹ کر دیا۔

"کیسی ہے؟——" گلابی گلاسز کے پیچھے دھنسی ہوئی آنکھیں تھیں، آنکھوں میں آنسو تھے اور ان پردوں کے پیچھے کہیں سیمی کھڑی تھی۔

"کون—— ؟——"

"وہی ٹرائفل——"

"خوبصورت ہے—— جیسے کشمیری لڑکیاں ہوتی ہیں——" میں نے لہجے کو خشک رنگ دے کر کہا۔

"قد—— ؟——"

"لمبا——"

"آنکھیں؟——"

"نیلی!—— لیکن میک اپ زیادہ تھا، میں نقلی پلکوں کی وجہ سے دیکھ نہیں سکا اچھی طرح۔"

"رنگ—— ؟——"

"گورا—— گائے کے دہی جیسا۔"

اب آنسو اس کی گالوں پر بلا تکلف گرنے لگے۔

"اور وہ ـــــ"

"وہ کون ـــــ؟ ـــــ"

تھوڑی دیر کے لئے میں بھول گیا تھا کہ سیمی آفتاب سے محبت کرتی ہے۔

"دولہا؟ ـــــ آفتاب؟"

"ٹھیک تھا ـــــ جیسے دولہا ہوتے ہیں۔ کمخواب کی شیروانی، ملتانی کھسہ، سرپر سرحدی پٹکا ـــــ سہرا ـــــ ہار ـــــ"

"یہ نہیں ـــــ یہ نہیں ـــــ بتاؤ قیوم وہ خوش تھا، خوش نظر آ رہا تھا؟" اسے خوش ہونے کا کوئی حق نہیں پہنچتا ـــــ مجھ سے بچھڑنے پر کم از کم اسے خوش تو نہیں ہونا چاہئے ـــــ ہے نا؟"

مَیں نے سیمی کی خوشنودی کے لئے کہا ـــــ "نہیں بابا۔ تم سے کس نے کہا وہ خوش تھا ـــــ مجھے تو وہ کچھ اداس سا نظر آیا۔"

اس کے خیال کے ساتھ اتنی آسانی کے ساتھ مطابقت کرنے پر وہ خالص افسروں کی طرح بگڑ گئی۔

"جھوٹ مت بولو ـــــ خوشی کوئی اس کے چہرے پر تھوڑی ہو گی ـــــ وہ تو اس کے دل میں ہو گی، اندر، یہاں ـــــ"

"شاید ـــــ" میں نے شرمندگی کے ساتھ کہا۔

اب اس نے رول کئے ہوئے بستر پر سر ٹکا دیا اور دھاری دار گدے پر اس کے تمام بال بکھر گئے۔

"مانا اس کی بڈھی بے بے مجھ سے شادی پر رضامند نہ تھی، لیکن کیا کچھ سال اور وہ رک نہ سکتا تھا ـــــ کم از کم ہم دونوں ایم اے ہی اکٹھے کر لیتے ـــــ ساتھ ساتھ ـــــ لیکن اسے شوق تھا شادی کا ـــــ اسے اپنی بچپن کی منگیتر سے محبت ہے قیوم ـــــ تم نہیں جانتے وہ بے حد دوغلا ہے ـــــ اس کی دو شخصیتیں ہیں ـــــ مٹر کے چھلکوں کی طرح۔"

اس وقت میرا جی چاہا کہ اسے وہ ساری باتیں بتاؤں جو آفتاب نے سوئمنگ پول کنارے کی تھیں۔

"تم جو وہاں گئے تھے تو کیا کھانے پینے گئے تھے؟"

میں چپ رہا۔

"لڑکیاں تاڑنے؟" اُس نے پوچھا۔

"چھوڑو یار۔"

"پھر تم اتنا بھی پتہ نہ کر سکے کہ زیبا کے متعلق اس کا Reaction کیا ہے۔"

میں نے اس جلالی افسر سے جان بچانے کی خاطر کہا —— "میں نے انہیں باتیں کرتے تو نہیں دیکھا لیکن غالباً آفتاب کے ماں باپ نے زبردستی یہ لڑکی اس کے گلے باندھی ہے۔"

"چھوڑو قیوم چھوڑو —— تم بھی مجھے فریب دینا چاہتے ہو آفتاب کی طرح۔ وہ اُلو کا پٹھا بھی چاہتا ہے کہ خود تو بڑے مزے کی خوشگوار شادی شدہ زندگی گزارے اور میں یہ یقین رکھوں کہ وہ دل ہی دل میں مجھ پر مرتا ہے اس لئے ساری عمر میں شادی نہ کروں؟۔"

اُمید نے پھر سر اُٹھایا۔

"نہیں تمہیں شادی ضرور کرنی چاہئے بلکہ جلد از جلد۔"

"مائی فٹ —— شادی! میں لعنت بھیجتی ہوں شادی پر —— میں تو امتحان نہیں دے سکی اس کے بغیر —— میں شادی کیا کروں گی!"

میں نے آہستہ سے اس کے کندھے پر ہاتھ رکھا۔ سیمی کے جسم کو چھونا میرے لئے حجرِاسود کو چومنے سے کم نہ تھا۔ میرا رواں رواں رِقت اور عقیدت سے بھر گیا۔ دیر تک میرا ہاتھ اس کے کندھے پر پڑا رہا۔ اس نے کوئی مزاحمت نہ کی۔ شاید وہ اس بات ہی سے آگاہ نہ تھی کہ میرا ہاتھ اس کے کندھے پر لرز رہا ہے۔

"اس کے گھر میں چاہے کوئی رہے، دل میں ہمیشہ تم رہو گی۔"

سیمی نے لمبی آہ بھری۔ اس کی ہنسلی کی ہڈی اور اُبھر آئی۔

"جانے دو قیوم جانے دو —— دل کی پوسٹ تو میں نے پنڈی جانے سے پہلے خالی کر دی۔"

میرا بھی یہی خیال تھا کہ پوسٹ خالی ہو چکی ہے اور یہ موقع افسر کی میز پر اپنی

عرضی رکھنے کا ہے۔ میں نے ہاتھ اس کے زانو پر رکھا۔ وہ پہلے کی طرح بے دھیانی بیٹھی رہی۔

"سنو سیمی! —— میں---- میں ایک دوست کی حیثیت سے تمہیں بتا رہا ہوں---- آفتاب اس وقت اسی فیصد خوش ہے —— بیس فیصد خوشی اسے رفتہ رفتہ مل جائے گی —— کیونکہ وہ زیادہ شدید نہیں ہے —— مسئلہ تمہارا ہے، تمہیں خوش رہنے کے لئے کوئی بندوبست کرنا چاہئے۔"

وہ کسی قسم کے بندوبست کے لئے تیار نہ تھی۔

"وہ اس قدر بے رحم نہیں ہو سکتا —— وہ ایسا بے وفا نہیں ہے قیوم —— ہم دونوں تو ایک دوسرے کے علاوہ کسی کے ساتھ خوش رہ ہی نہیں سکتے تھے---- پھر یہ کیسے ہوا کہ وہ تو زیبا کو پا کر خوش ہو گیا اور میں —— اور میرے لئے خوشی ایک مسئلہ بن گئی —— کیسے؟"

"تمہیں بھی اپنے لئے خوشی کی کوئی راہ تلاش کرنی ہو گی سیمی---- پیچھے رہ جانے والوں کے لئے اور کوئی صورت نہیں ہوتی!"

وہ محبت کے ترازو میں برابر کا تلنا چاہتی تھی اور دوسری طرف کے پلڑے میں مجھے ایسا کوئی بٹہ رکھنا نہیں آتا تھا جس کی وجہ سے اس کا توازن ٹھیک ہو جاتا۔ اگر میں آفتاب کو خوش ظاہر کرتا تو وہ تنفر کی صورت میں بے قابو ہو جاتی۔ اگر میں اسے اداس ظاہر کرتا تو بے یقینی، ناامیدی اور شدید غم تلے دب کر آہیں بھرنے لگتی، محبت کا آرا اوپر تلے برابر اس کے تختے کاٹتا چلا جا رہا تھا۔

میں سوشیالوجی کے طالب علم کی طرح سوچنے لگا کہ جب انسان نے سوسائٹی کو تشکیل دیا ہو گا تو یہ ضرورت محسوس کی ہو گی کہ فرد علیحدہ علیحدہ مطمئن زندگی بسر نہیں کر سکتے۔ باہمی ہمدردی میل جول اور ضرورت نے معاشرہ کو جنم دیا ہو گا۔ لیکن رفتہ رفتہ سوسائٹی اتنی پیچ در پیچ ہو گئی کہ باہمی میل جول، ہمدردی اور ضرورت نے تہذیب کے جذباتی انتشار کا بنیادی پتھر رکھا۔ جس محبت کے تصور کے بغیر معاشرے کی تشکیل ممکن نہ تھی، شاید اسی محبت کو مبالغہ پسند انسان نے خدا ہی سمجھ لیا اور انسان دوستی کو انسانیت کی معراج ٹھہرایا۔ پھر یہی محبت جگہ جگہ نفرت، حقارت اور غصے سے زیادہ لوگوں کی زندگیاں

سلب کرنے لگی۔ محبت کی خاطر قتل ہونے لگے —— خودکشی وجود میں آئی —— سوسائٹی اغوا سے، شبخون سے متعارف ہوئی۔

رفتہ رفتہ محبت ہی سوسائٹی کا ایک بڑا روگ بن گئی۔ اس جن کو ناپ کی بوتل میں بند رکھنا معاشرے کے لئے ممکن نہ رہا۔ اب محبت کے وجود یا عدم وجود پر ادب پیدا ہونے لگا —— بچوں کی سائیکالوجی جنم لینے لگی۔ محبت کے حصول پر مقدمے ہونے لگے۔ ساس بن کر ماں ڈائین کا روپ دھارنے لگی۔ معاشرے میں محبت کے خمیر کی وجہ سے کئی قسم کا ناگوار Bacteria پیدا ہوا۔

نفرت کا سیدھا سادا شیطانی روپ ہے۔ محبت سفید لباس میں ملبوس عمر عیار ہے۔ ہمیشہ دوراہوں پر لا کر کھڑا کر دیتی ہے۔ اس کی راہ پر ہر جگہ راستہ دکھانے کو صلیب کا نشان گڑا ہوتا ہے۔ محبتی جھمیلوں میں کبھی فیصلہ کن سزا نہیں ہوتی ہمیشہ عمر قید ہوتی ہے۔ جس معاشرے نے محبت کو علم بنا کر آگے قدم رکھا وہ اندر ہی اندر اس کے انتشار سے بری طرح متاثر بھی ہوتی چلی گئی۔ جائز و ناجائز محبت کے کچھ ٹریفک رولز بنائے —— لیکن ہائی سپیڈ معاشرے میں ایسے سپیڈ بریکر کسی کام کے نہیں ہوتے کیونکہ محبت کا خمیر ہی ایسا ہے —— زیادہ خمیر لگ جائے تو بھی سوسائٹی پھول جاتی ہے۔ کم رہ جائے تو بھی پیپڑی کی طرح تڑخ جاتی ہے۔

شکست و ریخت۔

بدبختی و سوختہ سامانی۔

آج تک سوسائٹی جرائم کی بیخ کنی پر اپنی تمام قوت استعمال کرتی رہی ہے۔ اس نے اندازہ نہیں لگایا کہ کتنے گھروں میں کتنے مسلکوں میں سارا نقص ہی محبت سے پیدا ہوتا ہے۔ سوسائٹی کا بنیادی تضاد ہی یہ ہے کہ ابھی تک وہ محبت کا علم اٹھائے ہوئے ہے، حالانکہ وہ اس کے ہاتھوں توفیق بھر تکلیف اٹھا چکی ہے۔ جب تک یہ جن دوبارہ بوتل میں بند نہیں ہو جاتا اور اس کے ٹریفک رولز مقرر نہیں ہوتے، تب تک شانتی ممکن نہیں۔ کیونکہ محبت کا مزاج ہوا کی طرح ہے، کہیں ٹکتا نہیں اور معاشرے کو کسی ٹھوس چیز کی ضرورت ہے۔

محبت میں بیک وقت توڑنے اور جوڑنے کی صلاحیت ہے۔ سوسائٹی کا رنگ اسی

کی بدولت نکھرتا ہے اور اسی جذبے کی وجہ سے شدید کالک بھی منہ پر لگتی ہے۔ میں اور سیمی اگر اب بھی ہم جماعت ہوتے تو محبت کے اس پہلو پر کئی گھنٹے بحث کرتے رہتے۔ پھر وہ ابن خلدون، ڈرخائم، کومٹ اور مارکس کے نقطۂ نظر پیش کر کے بحث کو بڑا Objective اور خوبصورت بنا دیتی۔ ہم کسی نئی تھیوری کے سرے پر پہنچ کر اپنے آپ کو بہت ذہین تصور کرنے پر مجبور ہو جاتے ——— ایسی بحثیں جو عام طور پر ہم کیفے ٹیریا میں کیا کرتے تھے ہمیں ایک دوسرے سے کس قدر دور لے جایا کرتی تھیں اور ان ہی کی وجہ سے ہم نے کتنے فاصلے طے کئے تھے۔ لیکن اس وقت وہ میری ہم جماعت نہ تھی۔ وہ مائی توبہ توبہ کی پتلی تھی۔

میرے گاؤں چندرا میں ایک پرانا بھٹہ تھا۔ اینٹیں بنانے والے یہاں سے کبھی کے جا چکے تھے۔ لیکن جابجا ٹوٹی اینٹوں کے چھٹے، لال گیروے رنگ کی پکی مٹی اور گہری کھائیاں تھیں جن سے مٹی کھود کھود کر اینٹیں بنائی جاتی ہوں گی۔ برسات میں ان کھائیوں میں برساتی پانی بہہ کر اکٹھا ہو جایا کرتا۔ پرانے بھٹے کے پاس مائی توبہ توبہ کی جھگی تھی۔ پتہ نہیں اس کا اصلی نام کیا تھا۔ لیکن اب سارے گاؤں میں اسے سب مائی توبہ توبہ کہتے تھے۔ سارے گاؤں میں مشہور تھا کہ وہ کالا علم جانتی ہے۔ لیکن دو ایک بار میری موجودگی میں کسی نے اس سے استفسار کیا تو وہ کانوں پر ہاتھ رکھ کر توبہ توبہ کرنے لگی۔ ایک روز میں شام گئے گھر نہ لوٹ سکا۔ باہر امرود کے باغ میں کچے پکے امرود توڑتے مجھے دیر ہو گئی۔ پتہ نہیں میرے باقی ساتھی کیا ہوئے لیکن جس وقت میں باغ سے باہر نکلا تو ہلکی ہلکی بوندا باندی ہو رہی تھی۔ پرانے بھٹے تک پہنچتے پہنچتے بارش کا یہ عالم تھا کہ مجھے لگا پانی کا ریلا مجھے زمین میں میخنا چاہتا ہے۔ اس روز میں نے مائی توبہ توبہ کی جھگی میں پناہ لی۔

جس وقت میں جھگی میں داخل ہوا مائی توبہ توبہ نے منہ پر اُنگلی رکھ کر مجھے چپ رہنے کا اشارہ کیا۔ میں پھوس کی دیوار کے ساتھ کھڑا ہو کر سہم گیا۔ مائی اس وقت ایک آٹے کا پُتلا بنا رہی تھی۔ اس نے بڑی توجہ سے ایک گٹھ مٹھیا آٹے کا اندھا بونا بنایا۔ پھر چولہے میں من چھٹیوں کی آگ جلائی۔ اب وہ اس آٹے کے پتلے میں سُوئیاں کھبونے لگی۔ ہر سوئی پتلے میں فٹ کرنے کے بعد وہ آنکھیں پھراتی اور دیر تک چھو چھو کرتی۔ جس وقت اس نے اس آٹے کے پتلے کو آگ میں ڈالا، بجلی اس زور سے کڑکی کہ بھٹے

سے لے کر امرود کے باغ تک ساری دھرتی سفید ہو گئی۔ میں نے جلدی سے دروازہ کھول کر بھاگنا چاہا لیکن اس وقت کسی نے پیچھے سے میرا کُرتا پکڑ کر کہا —— "دیکھ اگر کسی سے بات کی تو سُوئیاں چبھو کر تجھے بھی آگ میں جھونک دوں گی —— کسی کو بتایا تو مجھ سے بُرا کوئی نہ ہو گا۔"

اس وقت میرے سامنے میری ہم جماعت نہیں تھی جس سے میں سوشیالوجی کی بحثیں کیا کرتا تھا، بلکہ وہ مائی توبہ توبہ کی پتلی تھی جس میں پتہ نہیں کتنی ان گنت سوئیاں چبھی ہوئی تھیں اور وہ بھٹی میں اترنے کا انتظار کر رہی تھی۔

"کیا سوچ رہے ہو قیوم؟"

"کچھ نہیں۔"

اُسے میرے خیالات میں دلچسپی نہ تھی۔

"آفتاب کیسا آدمی ہے؟"

"مجھے کیا پتہ؟"

"وہ تمہارا روم میٹ تھا۔"

میں نے نثری انداز میں بولنا شروع کر دیا۔ "وہ اکتوبر کے مہینے کی پیداوار ہے اس ناطے سے وہ Libra ہے۔ ایسے لوگوں میں ایک قدرتی توازن ہوتا ہے۔"

"اور —— اور ——"

"تین بہنوں کا اکلوتا بھائی ہے۔ سونے کا چمچ منہ میں لے کر پیدا ہوا ہے۔"

"یہ تم مجھے کیا بتا رہے ہو —— یہ تو مجھے بھی پتہ ہے۔"

"جو کچھ تم جانتی ہو، میں اس سے زیادہ اور کچھ نہیں جانتا۔"

"اس نے کیسے وہ سب کچھ بھلا دیا میری محبت —— ہمارا —— میل جول وہ —— سب کچھ۔"

"یہ تم نے کیسے اندازہ لگایا کہ اس نے سب کچھ بھلا دیا ہے۔"

"پھر یہ سب —— کیا ہے؟ —— یہ شادی —— یہ زیبا —— یہ ماں باپ کی فرمانبرداری —— یہ سب کچھ؟"

ہم دونوں خاموش ہو گئے۔

میں اسے آفتاب کی ایسی کوئی بات بتانا نہ چاہتا تھا جو اس کی محبت کو اور پختہ کرتی اور پھر بھی میں اسے تسلی دینے پر مجبور تھا۔

"وہ کون ہے؟——— کیا ہے؟——— کیسا آدمی ہے؟——— خدا کے لئے تم تو اتنے اچھے تجزیئے کیا کرتے تھے——— بتاؤ ناں——— اس کی اصلیت کیا ہے؟"

میں نے سر کھجلایا اور دانشور بن کر بولا——— "دنیا میں رنگ رنگ کے لوگ ہیں ان کی سٹڈی کے الگ الگ علوم ہیں——— تمہارا کیا خیال ہے کہ آفتاب۔"

"تبت کے لوگ سمجھتے ہیں کہ ہر انسان کے گرد رنگ کا ایک ہالا ہوتا ہے اور یہ ہالا اس کی اصلی سائیکی کا Index ہوتا ہے۔ کچھ لال ہیں کچھ پیلے کچھ سبز------ جن کے گرد نیلا ہالا ہوتا ہے وہ لوگ ہمدردی کرنے والے ہوتے ہیں، سُرخ رنگ والے شدید ہوتے ہیں——— سوسائٹی سے یوں بھڑ جاتے ہیں جیسے ماتا دور کا سُرخ مینٹل سانڈ کے سینگوں سے اُلجھتا ہے۔ جذبے کے غلام جنس کے غلام یہ لوگ توڑ پھوڑ کرتے ہیں۔ تمہارے آفتاب کا ہالا بادل کے رنگ کا ہے——— اس پر سورج کی شعاعیں پڑیں تو اس کا رنگ سُرخ ہو جاتا ہے۔ زمین کا عکس پڑے تو مٹی رنگا ہو جاتا ہے۔ تمہارے آفتاب کے کئی جلوے ہیں کئی رنگ ہیں۔"

"ہاں——— ہاں——— اب اس بادل پر زیبا کا رنگ چڑھنے لگا ہے۔"

میں اسے جان سے نہ مارنا چاہتا تھا۔

"زیبا خود بہت بے رنگ ہے——— اس کا کیا رنگ چڑھے گا۔"

"وہ بہت خوبصورت ہے———" سیمی نے میری طرف اس اُمید سے دیکھا کہ میں اس جملے کی تردید کر دوں۔

"ہاں خوبصورت ہے لیکن بے رنگ ہے۔"

"وہ اس کی بیوی ہے——— وہ اس کی محبت کی زیادہ مستحق ہے——— ہے نا۔ ہے نا بولو؟"

خدا جانے محبت کا دراصل مستحق کون ہوتا ہے؟ میں نے دیکھا ہے کہ بگڑے دل رئیس جنہیں بہت محبت ملتی ہے عموماً اسی محبت کی مٹھاس کا مزہ زائل کرنے کے لئے اپنی پشتوں کی عزت اتروانے طوائفوں کے پاس جاتے ہیں——— شہر کے مشہور دانشور ایسی

عورتوں کے پیروں پر نماز پڑھتے ہیں جو انہیں کتے کے باسن میں کھلاتی ہیں۔ انسان کا دل ہمیشہ محبت کا متلاشی نہیں ہوتا۔ جب محبت کی گیس سے اس کا غبارہ پھٹنے لگتا ہے تو اس کی آرزو ہوتی ہے کہ کوئی سوئی ہلکا سا چھید کر کے اس کی انا کو کم کر دے۔ جو لوگ ہماری عزت اتارتے ہیں، دُرے دُرے دفع دور رکھتے ہیں وہ ہماری انا کو کترنے والی قینچی ہوتے ہیں۔ جب انا کا سائز بہت بڑا ہو جاتا ہے تو ایسی قینچی کہیں نہ کہیں سے پیدا ہو جاتی ہے۔ انسان ہمیشہ محبت کی فضا میں زندہ نہیں رہ سکتا۔ ہمیشہ فرعون بنے رہنا اس کے لئے ممکن نہیں۔ وہ خدا سے لے کر معمولی عبد تک ہر سٹیج پر اترتا چڑھتا رہتا ہے۔ جیسے سات سُروں پر انگلیاں پھرتی ہیں۔ جب مختلف طریقوں سے کئی بار یہ پھرت ہو چکتی ہے تو ایک انسان کا گیت مکمل ہوتا ہے۔ اسی لئے زندگی کے لئے محبت بھی ضروری ہے اور نفرت بھی ـــــ جب نفرت پاتال میں لے اُترتی ہے تو پھر کہیں سے محبت اوپر اٹھاتی ہے۔ اتنا اٹھائے لئے جاتی ہے کہ آدمی غبارہ بن کر آسمانوں کو چھونے لگتا ہے۔ جب یہ غبارہ اور اوپر نہیں جاسکتا لیکن اس کی آرزو کم نہیں ہوتی تو کہیں سے حقارت ـــــ نفرت کی سوئی گیس کم کرنے کو آنکلتی ہے۔ یہ عمل مسلسل ہے ـــــ زندگی کے ساتھ ساتھ ہے ـــــ خدا سے لے کر عبد تک کا عمل۔

فرشتے سے لے کر شیطان تک کی منزل۔

ان مٹ سے لے کر ناپائیدار تک۔!

"تم کیا سوچتے ہو ـــــ کہاں چلے جاتے ہو تم قیوم ـــــ تم کو اپنی پڑھائی کی اس قدر کیوں فکر ہے؟"

میں چُپ رہا۔

"مجھے بتاؤ ـــــ سمجھاؤ مجھے خدا کے لئے ـــــ جس طرح تم مجھے ڈرخائم کی تھیوری سمجھایا کرتے تھے خودکشی کی ـــــ بتاؤ قیوم محبت کہاں ملتی ہے؟ ـــــ کن کو ملتی ہے؟"

میں اسے کیا بتاتا۔

میں تو خود بچپن سے محبت کی تلاش میں سرگرداں رہا تھا مجھے کیا معلوم تھا کہ محبت کہاں ملتی ہے، کن کو ملتی ہے اور کن وجوہات کی بنا پر ملتی ہے لیکن جب کبھی وہ مجھ

سے بات کرنے کی توقع رکھتی میں بولتا جاتا۔

"محبت کا تحفہ سیمی عموماً دو قسم کے لوگوں کے لئے ہوتا ہے —— ایک وہ فرعون صفت لوگ جو اپنے جیسا کسی کو نہیں سمجھتے۔ جو چلتے نہیں اُچھلتے ہیں۔ ان کی انا کو پر قینچ کرنے کے لئے ان کی زندگی میں کوئی شخص محبت کا گلدستہ لے کر داخل ہوتا ہے۔ گلدستہ وصول کرتے وقت فرعون شکل لوگوں کو معلوم نہیں ہوتا کہ اس میں کانٹے بھی ہیں اور چیونٹیاں بھی —— عموماً ان ہی چیونٹیوں کے ہاتھوں بڑے بڑے ہاتھی جاں بحق ہوجاتے ہیں۔"

"میں تمہاری بات سمجھی نہیں قیوم —— یا شاید آج میرا دماغ درست نہیں۔"

"ایک وہ لوگ جو خدا سے بھی نہیں ڈرتے۔ اُن کو انسان بنانے کے لئے —— عبد بنانے کے لئے محبت عطا ہوتی ہے ان کی حیثیت سمجھانے کے لئے —— ان کا قد عام انسانوں جتنا کرنے کے لئے —— یا پھر محبت ان لوگوں کو ملتی ہے جو مرنے کی آرزو میں جیتے ہیں۔ جاں بلب ہوتے ہیں، ان کے لئے محبت کا تریاق آتا ہے غیب سے۔ یکدم ان مردہ لاشوں میں زندگی کے آثار اجاگر ہوتے ہیں۔ وہ درختوں کو پرندوں کو چاند ستاروں کو ازسرنو دیکھنا شروع کرتے ہیں۔ بچے کی حیرت کے ساتھ------ موسم ان پر اثر انداز ہوتے ہیں۔ ایک بار پھر------"

"کیا کیا کیا؟"

"سنو سیمی سنو —— محبت مارتی بھی ہے اور زندہ بھی کرتی ہے —— پھنکارتی انا کو مارنے کے لئے بھی محبت کا زہر ہے اور قریب المرگ زندگی کو زندہ کرنے کے لئے بھی محبت ہی کا تریاق ہے۔"

اب وہ بھر گئی۔

"تم سے بھی کچھ نہیں ہوگا —— تم بھی ایویں ہی ہو —— واہیات —— صرف کچے پکے فلاسفر۔ بالکل ڈاکٹر سہیل کی کاربن کاپی۔"

"تمہاری تسلی کیسے ہوگی۔"

"محبت سے —— صرف محبت سے۔"

میں ہنس دیا۔

"اس میں ہنسی کی کیا بات ہے؟"

میں نے دُکھی دل سے کہا —— "تمہیں محبت نہیں چاہئے سیمی —— تمہیں صرف آفتاب درکار ہے —— سب کا یہی حال ہے —— سب کا —— سب کو محبت چاہئے لیکن صرف اس شخص کی جسے اس کا اپنا دل شدت سے چاہتا ہے —— باقی سب محبتیں کیلے کا چھلکا ہیں وافر واہیات —— غیر ضروری —— ایویں۔"

"تم نے کبھی محبت کی ہو —— تو تمہیں پتہ ہو آدمی کس کرب سے نکلتا ہے۔ تم کو تو ہر وقت پڑھائی کی پڑی رہتی ہے —— اپنی تھیوریاں بنانے میں لگے رہتے ہو۔ پروفیسر سہیل کے ساتھ سوشلزم کی بحث کرنے میں وقت گزرتا ہے تمہارا —— جاؤ جا کر مارکس پڑھو —— اینگلز پر سر کھپاؤ —— تم کو کیا پتہ کہ ایک ایسا وقت انسان پر آتا ہے جب وہ خوب پیٹ بھر کر کھانا کھانے کے باوجود خودکشی کر لیتا ہے —— تم کو کیا پتہ —— سب کچھ معاشرہ نہیں ہوتا۔ معاشیات سے انسان کی فلاح مکمل طور پر بندھی ہوئی نہیں ہے —— تمہیں کیا پتہ۔"

"مجھے پتہ ہے —— پتہ ہے۔" میں چلایا۔

اس نے اپنا پرس اٹھایا لکڑی کی ہیل والے جوتے تلاش کئے اور اُٹھ گئی۔

"تمہیں میری بات سننا ہو گی —— میں نے بھی محبت کی ہے کسی سے —— شدت کے ساتھ —— آج تمہیں میری طرف کی کہانی بھی سننا پڑے گی سیمی۔"

"سنوں گی قیوم —— ضرور سنوں گی لیکن آج نہیں —— دیکھو ناں آج میرا ذہنی توازن ٹھیک نہیں۔"

میں نے اس کا ہاتھ پکڑ کر التجا کی —— "صرف ایک جملہ۔"

"آج نہیں قیوم۔ پتہ ہے آج ہی تو اس کی شادی ہوئی ہے —— آج ہی تو لینڈ سلائیڈ ہوا ہے زبردست قسم کا۔"

وہ چپ چاپ باہر نکل گئی۔ صرف اس کا چھوٹا سا پھولدار رومال الانی چارپائی پر پڑا رہا۔

اسے میرے اظہار محبت میں کوئی دلچسپی نہیں تھی —— میں اسے کیسے بتاتا؟

کہ میرے سارے فلسفے، میرے تمام تجزیئے۔ پروفیسر سہیل کے ساتھ ہونے والے مباحثے اس ایک ناآسودہ جذبے کی وجہ سے پیدا ہوئے تھے۔

کیا میں جنسی محرومی کا شکار تھا۔ کیا میں صرف Frustrated تھا؟

کیا میری ذہانت ان محرومیوں کی وجہ سے سان پر چڑھی تھی؟

سیمی کے جانے کے بعد مجھے فوراً کتابوں کی طرف متوجہ ہونا چاہئے تھا۔ لیکن اس کی باتیں، ہونٹوں کو خم دے کر باتیں کرنے کا ڈھنگ —— بستر پر پھیلے ہوئے کٹے بال۔ پھولدار رومال —— کئی چیزیں! جیسے شہد کی مکھیاں میرے تعاقب میں تھیں اور میں ان سے بھاگ کر کہیں جا نہ سکتا تھا۔ کئی بار باتیں کرتے کرتے وہ اپنی بائیں گال کے تل کو جڑ سے اکھاڑنے کی ایسی کوشش کرتی کہ مجھے اس کی کیوٹکس لگے ناخنوں سے نفرت ہو جاتی —— سیمی جا چکی تھی صرف اس کی خوشبو باقی تھی —— تار پر سوکھنے والے کپڑوں کی طرح چارپائی پر رومال پڑا تھا اور اس سے جانے والی کی ذات کا کمپیوٹر چل رہا تھا۔

میں نے پہلے تو اس رومال کے باوجود پڑھنے کی کوشش کی۔ پھر مجھے خیال آیا کہ جب تک وہ ایک لاوارث بچے کی طرح چارپائی پر بلکتا رہے گا، میں توجہ سے نہ پڑھ سکوں گا۔ میں نے رومال اٹھایا۔ سونگھا۔ اس کی تہیں کھولیں۔ پھر اس کی تہیں بالکل ویسے جمائیں جیسے پہلے تھیں۔ پھر اسے پاس رکھ کر پڑھنے لگا۔ لیکن اب رومال بلی کے بچے کی طرح بڑا جاندار ہو گیا تھا۔ وہ پنکھے کی ہوا میں پھول رہا تھا۔ شکلیں بدل رہا تھا۔ فضاء میں اپنی خوشبو کو آنسو گیس کی طرح پھیلائے جاتا تھا۔ اس کی وجہ سے بار بار میری آنکھیں نمناک ہو جاتی تھیں۔ اور جب میں آنکھیں پونچھ کر دوبارہ اُسے میز پر رکھتا تو وہ پہلے سے زیادہ نڈر اور کھلنڈرا ہو جاتا۔

اس رومال کو ٹھکانے لگانے کے لئے میں کواڈرینگل سے نکل کر انارکلی کی طرف چلا گیا۔ دن کے وقت انارکلی کا کچھ اور رنگ ہوتا ہے۔

گاہکوں کی سرگرمیاں، دکانداروں کی گرم جوشیاں اور بکاؤ مال کی وافر نمائش کچھ

دیکھنے نہیں دیتی- کچھ کار والے، سائیکل والے، پیدل، سکوٹر سوار، بازار میں خرید وفروخت کے لئے نہیں آتے فقط، اضافی آمد و رفت بن کر آتے ہیں- انہیں اس راستے کہیں اور مثلاً رنگ محل یا شاہ عالمی جانا ہوتا ہے- اس مجمع سے بھیڑ بھاڑ میں اور اضافہ ہوتا ہے- کچھ ان لونڈوں کا ٹریفک ہوتا ہے جن کا خرید وفروخت سے کوئی تعلق نہیں ہوتا- وہ محض دکانوں پر چائے یا بوتلیں لے جانے یا واپس کرنے میں مصروف ہوتے ہیں- ان کے کندھوں پر مکسڈ چائے کی پیالیاں، نان چھولے، کباب یا بوتلیں ہوتی ہیں---- طرارے بھرتے لوگوں میں راستہ بناتے وہ بھونرے سے نکل جاتے ہیں- لیکن چونکہ وہ ٹریفک کے بہاؤ کے ساتھ نہیں ہوتے اس لئے ان سے بھی آمدورفت کا تار ٹوٹتا ہے- پھر کالج کے طالب علموں کی وہ ٹولیاں بھی ہوتی ہیں جو لڑکیاں تاڑنے دکانوں کے تھڑوں کے پاس کھڑے ہوتے ہیں- ان کا بھی براہ راست بازار سے کوئی تعلق نہیں ہوتا- وہ بڑے پتھروں کی طرح نظروں سے بازار کے بہاؤ کو روک لیتے ہیں- اس کے علاوہ دکانداروں کے بچے رشتہ دار اور بوڑھے بازار میں ملنے کی غرض سے آتے ہیں- ان کا بھی خریداری سے تو کوئی سروکار نہیں ہوتا لیکن ان کی وجہ سے انارکلی کا راستہ تنگ پڑ جاتا ہے- ٹریفک رُک رُک جاتا ہے اور انارکلی کی شکل داتا دربار کے عرس جیسی ہو جاتی ہے-

میں رومال کو انارکلی کے اس سرے سے لے کر شاہ عالمی تک بہلانے لے گیا- لیکن پتہ نہیں وہ کیوں آنسوؤں سے بھیگتا جا رہا تھا؟ رات کے پچھلے پہر امتحانوں سے قریب سونی انارکلی میں بلاتکلف روتے جانے میں کوئی قباحت نہ تھی- دکانوں پر جستی پھاٹک چڑھے تھے- اور ان کے دونوں طرف دوہرے دوہرے تالے تھے------ لوگ تھڑوں پر سوئے ہوئے تھے—— ٹریفک اب بھی تھا—— لیکن اتنی رات گئے اِکا دُکا آنے والوں کو پروا نہ تھی کہ کوئی لیڈیز رومال سے آنکھیں پونچھتا کہاں جا رہا ہے-

آج رات سیمی نے میرے دل کے بازار سے کچھ خریدے بغیر اس میں ساری انارکلی کا ٹریفک بند کر دیا تھا—— جیسے اس نے اپنا تھری ٹنز گلی کے ناکے پر لا کھڑا کیا- اب پچھلی گاڑیاں ہارن بجا رہی تھیں- پی پی پاں پاں کر رہی تھیں- کچھ بے چین کاروں سے اُتر اُتر کر اس کھڑے ملٹری کے تھری ٹنز کو دیکھ رہے تھے- لیکن وہ گلی کے دہانے پر

جما کھڑا تھا ـــــــ اس کی بریکیں فیل ہو گئی تھیں۔ سلف جواب دے گیا تھا۔

یمی اس رومال کی صورت میں میرے اندر ایک تھری ٹننز کھڑا کر گئی تھی۔ میں اس رومال کے ہوتے ہوئے نارمل آمد و رفت کا حامل نہ ہو سکتا تھا۔ ہوسٹل پہنچ کر میں نے پہلے اسے تکیئے تلے رکھا۔ پھر میز کی دراز میں ابن خلدون کی کتاب کے بائیسویں صفحے کے اندر چھپایا۔ ابھی میں تین صفحے بھی پڑھنے نہ پایا تھا کہ میں نے اسے وہاں سے نکال کر اپنی جیب میں رکھ کر اطمینان کی سانس لی۔ جب تھوڑی دیر بعد جیب تننے لگی تو میں نے اسے سوٹ کیس میں بند کر دیا۔

پہلا بوسہ، پہلا تحفہ ـــــــ پہلی مرتبہ اقرار محبت میں گرمیوں کی اولین بارش جیسی کیفیت ہوتی ہے۔ سارے میں مٹی کی سوندھی سوندھی خوشبو پھیل جاتی ہے۔

حالانکہ یہ رومال نہ تحفہ تھا، نہ بوسہ، نہ اقرار محبت ـــــــ پھر بھی یمی سے وابستہ پہلی چیز میرے ہاتھ آئی تھی۔ کچھ دیر بعد میں نے رومال کو سوٹ کیس سے بھی نکال لیا ـــــــ اچانک وہ بہت غیر محفوظ ہو گیا تھا۔ اس کے بعد پڑھائی، رومال اور میں آنکھ مچولی کھیلنے لگے ـــــــ میں ہر پانچ منٹ کے بعد اس کی جگہ تبدیل کرنے لگا ـــــــ کبھی اس کی باری مفلر تلے آتی ـــــــ کبھی میں اسے بش شرٹوں کے اوپر رکھتا ـــــــ یہاں سے نکال کر پتلون کی اندرونی تہہ اس کا پڑاؤ بنتی ـــــــ آخر میں بہت سوچنے کے بعد میں نے اسے سوٹ کیس کے نیچے بچھے ہوئے اخبار تلے بچھا کر سوٹ کیس کو تالا لگا دیا۔

بچپن میں ہمارے گاؤں میں اسی طرح میرے چچا ایک نیا سائیکل لے کر آئے تھے ـــــــ ابھی اس کے ڈنڈوں پر خاکی کاغذ چڑھا تھا اور پچھلے مڈگارڈ پر لگا ہوا تالا بڑی مشکل سے کھلتا تھا ـــــــ چچا کی سائیکل نے میری راتوں کی نیند حرام کر دی تھی۔ سائیکل پر چڑھنا میرے مقدر میں نہ تھا۔ میں صرف اسے صاف کر کے باہر والی حویلی میں کھڑا کر دیتا تھا۔ چچا کے اٹھنے سے بہت پہلے میں اسے ہتھی والے نلکے کے پاس لے جاتا۔ سائیکل صاف کرنے کا سارا سامان میرے پاس ہوتا۔ پرانے ٹوتھ برش، گریس کا ڈبہ، صاف اور گندے چیتھڑے، ڈھبریاں کسنے کے پیچ کس، ہتھوڑی، موم ـــــــ میں نے سائیکل صاف کرنے کے لئے جو سامان اکٹھا کر رکھا تھا۔ وہ کار کی سروس کے لئے کافی ہوتا۔ ایک

بار سائیکل صاف ہو جاتی تو پھر کبھی آنگن میں کبھی گھڑونجی کے پاس کبھی برآمدے میں اس کے پارک کرنے کی مشکل پیش آتی۔ جس طرح ماڈرن لڑکیاں دھوپ سے بچتی ہیں اور اپنی جلد کا خیال رکھتی ہیں ـــــ میں سائیکل کے پینٹ کے لئے فکر کرتا رہتا۔

پھر چچا اٹھتے باہر کی حویلی سے سائیکل اُٹھاتے۔ کچی مٹی سے بھری سڑکوں پر اونچی نیچی منڈیروں پر، کھلیانوں میں، بنجر گزرگاہوں پر ببول کے کانٹوں سے بھری پٹڑیوں میں نہر کنارے والی سڑک پر یہاں وہاں جانے کہاں کہاں سائیکل لئے پھرتے۔ واپسی پر جب وہ گھر لوٹتے تو سائیکل گرد کی وجہ سے پہچانی نہ جاتی۔

بازار سے واپسی پر میں کافی دیر اپنے نئے ٹائم ٹیبل کے مطابق خالص انداز میں بظاہر پڑھتا رہا لیکن اندر ہی اندر سوچ کی ٹکٹکی کہیں اور لگی ہوئی تھی۔ جیسے گھڑی کی بیرونی سُوئیاں منٹ گھنٹے دکھاتی ہیں لیکن اندر کی گراریوں کی رفتار سے یہ اندازہ نہیں ہوسکتا۔ گو میں بظاہر بیڈ لیمپ جلا کر اس کی روشنی میں رات کے تین بجے تک سوشیالوجی پڑھتا رہا لیکن میرے اندر بار بار آفتاب کی شادی ہوتی رہی، کبھی کاروں سے بڑے تکلف کے ساتھ اترتی عورتیں نظر آنے لگتیں، کبھی بیرے چائے کے ٹرے اٹھائے نظروں میں گھوم جاتے، کبھی آفتاب صاف دکھائی دیتا، اس کی اچکن شلوار سر سے بندھا ہوا سنہری تاروں والا سہرا اور گلے میں پڑے ہوئے بڑے بڑے نوٹوں کے ہار ـــــ کس طرح وہ فرنٹ سیٹ کا دروازہ کھول کر اندر بیٹھا تھا اور کس طرح اس نے اپنی اچکن اور ہار بیٹھنے کے بعد درست کئے تھے۔

"لڑکی کوئی نہیں آئی ـــــ" اس نے بہت آہستہ مجھ سے پوچھا تھا۔

پتہ نہیں وہ کس لڑکی کے بارے میں پوچھنا چاہتا تھا۔

آفتاب کی شادی کے پلے بیک پر سیمی کی آہوں کا مسلسل میوزک سُوپر امپوز ہوچکا تھا۔ کوئی بینڈ کوئی ڈھولک کوئی گیت میرے ذہن میں نہیں اُبھر رہا تھا۔ بلکہ مسلسل سیمی کا رونا آہستہ آہستہ بیک گراؤنڈ میوزک کی طرح ساتھ ساتھ چل رہا تھا----

سوشیالوجی کی کتاب میرے سامنے کھلی تھی۔ رات کا پچھلا پہر تھا اور میں ماسٹر

غلام رسول کی طرح اڑا ہوا تھا کہ پڑھ کر دم لوں گا۔

سونے، پڑھنے، پریشان خواب دیکھنے کا یہ تیسرا Phase تھا جب دروازے پر دستک ہوئی اور جمال داخل ہوا۔

"کون ہے؟ ——" میں نے کئی خوابوں کو توڑ کر پوچھا۔

"جمال —— جمال رشید —— دروازہ کھولو ——"

جب میں نے دروازہ کھولا تو تھوڑی دیر کے لئے وہ بھی مجھے اپنی سوچ کا ہی ایک حصہ نظر آیا۔

"کیا ہے —— کیا چاہیئے؟"

جمال نے اپنے ہونٹ کاٹے، بکھرے بالوں میں انگلیاں پھیریں اور بولا "یار امجد کا Accident ہو گیا —— مجھے ابھی ابھی اطلاع ملی ہے۔"

"کس کا —— کس کا ——"

"امجد کا۔"

وہ آفتاب کی شادی سے میرے ساتھ واپس آیا۔ بیوقوف کی عقل ملاحظہ ہو، موٹر سائیکل پر پنڈی گیا۔ راستے میں اینٹوں سے لدے ہوئے ٹرک سے اس کا موٹر سائیکل ٹکرا گیا —— وہیں Finished پھڑک گیا---- یار ہم سب اس کی ذہانت سے کتنا گھبراتے تھے؟ —— ہم سب اس کو Beat کرنے کی کتنی کوشش کرتے تھے —— کیا شہزادگی سے منہ کی مار گیا —— خدا قسم مجھے اس وقت بڑی Guilt ہو رہی ہے۔"

"یار ابھی تو وہ ہمارے ساتھ تھا —— آفتاب کی شادی پر —— کیسے —— کیوں؟"

"کئی بار میں نے آرزو کی تھی کہ —— کہ اگر وہ امتحان نہ دے تو میں فسٹ آسکتا ہوں —— یار میری آرزو نے اس کی جان لے لی۔"

"احمق نہ بنو —— ایسی آرزو کبھی پوری تھوڑی ہوتی ہے —— لیکن اسے مصیبت کیا تھی کہ آدھی رات کو موٹر سائیکل پر ——"

"وہ فسٹ آنا چاہتا تھا —— کہنے لگا یہاں ہوسٹل میں میرا ٹائم ویسٹ ہوتا ہے۔ راتوں رات پہنچ جاؤں گا —— صبح سے تیاری کروں گا سنجیدگی کے ساتھ۔"

وہ یہ کہتے ہی پھرکی جیسا گھوم کر واپس چلا گیا۔

میں واپس آکر سوشیالوجی کی کھلی کتاب کو پڑھے بغیر دیکھنے لگا۔

ہر منزل پر پہنچنے سے پہلے عموماً راہ گیروں کے ساتھ یہی کچھ ہوتا ہے۔

کرسمس کی چھٹیوں سے بعد اور امتحانوں سے کچھ پہلے عموماً عجیب عجیب واقعات ہونے لگتے ہیں۔ کرسمس کی چھٹیوں کے بعد سیمی کالج میں نہیں لوٹی۔ فائنل کے امتحانوں سے اس قدر قریب آفتاب کی شادی کا ہو جانا حادثہ تھا۔ پھر اب سپورٹس مین امجد کی موت!

کیا ہر امتحان سے پہلے نیچرل سلیکشن بھی ہوتی ہے؟

کیا فطرت کچھ افراد کے فیل ہو جانے سے خود ڈرتی ہے۔؟

کیا پاس ہو جانے کی خوشی کچھ پر پیش از وقت اثر انداز ہوتی ہے؟

ہر منزل پر پہنچنے سے پہلے ہر امتحان گاہ میں جانے سے پہلے نفری کم ہو جانے کی آخری وجہ کیا ہے؟

آفتاب کی شادی سے بہت پہلے سیمی لاہور چھوڑ کر کیوں چلی گئی تھی؟

ایم اے سوشیالوجی کا امتحان دینے کے بعد میں اپنے بڑے بھائی کے پاس سانده کلاں چلا گیا۔ میرے پاس جانے کے لئے اور کوئی جگہ نہ تھی۔ میرے بڑے بھائی مختار سیکرٹریٹ میں ملازم تھے اور ان کے لئے یہ رہائش گاہ دفتر سے قریب تھی۔ کرشن نگر کے آخری بس سٹاپ تک ہم بسوں میں آتے اور وہاں سے چل کر سانده پہنچتے۔ راستے میں بوچڑ خانہ، گندے نالے سے سیراب کھیت، گدھے، اور تعفن ہر روز ملتا۔

سانده کلاں کا یہ گھر دو منزلوں پر مشتمل تھا۔ نچلی منزل میں بھائی مختار ان کی ایف اے پاس بیوی صولت اور دو بیٹے رہتے تھے —— اوپر والی منزل کے اکلوتے کمرے میں کاسنی رضائی، سیکنڈ ہینڈ کتابیں، تیل سے جلنے والے سٹوو لیمپ اور میں رہتے تھے —— باقی ضروریات کی چھوٹی چھوٹی چیزیں بھی تھیں لیکن کاسنی رضائی کتابیں اور سٹوو لیمپ میری طرح جاندار تھے۔ ان میں حدت تھی اور وہ اپنی گم سم زندگی بالکل میری طرح چپ

چاپ بسر کرتے تھے۔

بھابھی صولت کم گو، کم آمیز اور تیوری دار عورت تھی۔ اُسے خوش گپی خوش گفتاری اور ہنسوڑبازی سے کوئی تعلق نہ تھا۔ چھوٹی سی عمر میں اس کے چہرے پر مردنی کا ایک غلاف چڑھ گیا تھا۔ پھلبہری جیسے سفید چہرے پر براؤن تتلیوں جیسی چھائیاں پڑی ہوئی تھیں۔ صولت بھابھی کے چہرے کے بجائے ان کے بازو اور پاؤں زیادہ جاذب نظر تھے، ان کے ساتھ رہنے میں سب سے بڑی سہولت یہ تھی کہ وہ کام کی بات کرنے کے بعد جھٹ روپوش ہو جاتی تھیں۔

"تمہارے کپڑے دھوبی کو دے دیئے تھے۔"

"اچھاجی۔"

"کھانا نعمت خانے میں دھرا ہے۔"

"اچھاجی۔"

"رات دیر سے آؤ گے؟"

"اچھاجی۔"

ہم دونوں کی گفتگو میں ہر دس قدم کے فاصلے پر خود بخود بریک لگ جاتی، اس لئے رفتہ رفتہ ہم نے ایک دوسرے سے ضروری باتیں کرنا بھی چھوڑ دیں۔ بھابھی کے دو لڑکے کرشن نگر کے کسی سکول میں پڑھنے جاتے تھے، ان کی نیکریں ڈھیلی، کف گندے اور بٹن ہمیشہ پھٹے ہوتے تھے، کبھی کبھی وہ مجھے گھر سے باہر ایک پیڈل پر سائیکل چلاتے نظر آجاتے تھے۔ پتہ نہیں وہ واقعی بھابھی صولت کی طرح کم گو تھے کہ ان کے دل میں اپنے چچا کا تہور بیٹھ گیا تھا۔ گھر پر وہ اول تو محسوس نہ ہوتے اور اگر کبھی پڑھائیوں سے فارغ ہو بھی جاتے تو انہیں ایک ہی کھیل آتی تھی۔ برآمدے میں رکھے ہوئے ایک تخت پوش پر چڑھ کر وہ گھنٹوں ڈیڑھ فٹ نیچے فرش پر چھلانگیں لگاتے رہتے اور ہر چھلانگ کے بعد ان کو پہلے سے زیادہ حظ حاصل ہوتا۔

بھائی مختار درمیانے درجے کے ایسے افسر تھے جن کی ذہنیت کلرک کی ہوتی ہے۔ آفس ڈاک، پالیسی، فائیل، کیس ڈی او وغیرہ ان کا روزمرہ تھا۔ وہ ایم۔اے پاس تھے۔ اپنے وقت کے ذہین آدمی تھے لیکن اب نوکری ان پر مسلط ہو گئی تھی۔ وہ نوکری

کے علاوہ اور کسی چیز کے متعلق جانداری کے ساتھ سوچنے کے اہل نہ رہے تھے۔

اوپر والی منزل میں رزلٹ آنے تک میں اور میرے خیالات دست پنجہ ملا کر رہے۔ کالج کے تمام ساتھی آخری پرچے کے بعد غائب ہوگئے۔ کبھی کبھی اچانک کسی دکان پر، کسی بس میں کوئی آشنا چہرہ مل جاتا۔ رسمی سی گفتگو ہوتی اور پھر راہیں علیحدہ ہو جاتیں۔ میرا معمول تھا کہ ہر روز صبح کے اخبار میں نوکریوں کی تلاش کرتا۔ سینما پیج اور Wanted دیکھنے کے بعد میں تھک کر پلنگ پر جالیٹتا۔

یہ برساتوں کا موسم تھا۔

بارش نہ ہوتی تو حبس ہوتا —— بارش ہوتی تو سلاخوں والی کھڑکی سے ہوا اور بارش اچانک آکر پرانی کتابوں سے لدی ہوئی میز پر حملہ کر دیتی۔ امتحانوں کے بعد کا موسم چاہے کوئی بھی ہو لیکن برساتوں کا موسم خاص کر فریب خیال کا موسم ہوتا ہے۔۔۔۔ سیمی کرسمس کی چھٹیوں کے بعد سے کالج نہیں آئی تھی۔ لیکن اب خدا جانے کیوں اور کیسے ہر بارش کے ساتھ وہ اندر آجاتی۔ اس نے تو مون سون کے ساتھ ٹھیکہ کر لیا تھا۔ خوش آئند خوابوں سے لے کر نسیاں تک اور سیمی کے پوتے نواسے پرورش کرنے سے لے کر جنگل تھل بیلے میں الف پھرنے تک ہر دشت میں پھر چکا تھا۔ کبھی کبھی اپنی جنون آمیز سوچوں کی وجہ سے میں پہروں بغیر پنکھے کے لیٹا رہتا۔ میرا سارا جسم پسینے میں شرابور ہو جاتا۔ گردن کے نیچے نمکین سُوئیاں سی چبھنے لگتیں۔ پھر سلاخوں والی کھڑکی خود بخود کھل جاتی اور برسات کی پھوار کے ساتھ سیمی کمرے میں داخل ہو کر سب کچھ بھگو دیتی۔

اس روز اخبار میں ایک نوکری کا اشتہار دیکھ کر میں نے درخواست لکھی، گو مجھے یقین تھا کہ میں مر رہا ہوں اور مجھے نوکری کی حاجت نہیں ہوگی، پھر بھی میں نے بھائی مختار کو خوش کرنے کے لئے ایک عرضی لکھی اور اسے رجسٹرڈ کرانے کے لئے جی پی او چلا گیا۔

یہاں ہی اچانک سیڑھیوں پر میری ملاقات آفتاب سے ہوئی۔ وہ کچھ خط لفافے اٹھائے برآمدے میں آرہا تھا۔ گو وہ کافی دیر میرا روم میٹ رہا، لیکن ہم دونوں میں دوستی تو ایک طرف بے تکلفی بھی نہ تھی۔ یکدم وہ مجھ سے بغل گیر ہوگیا اور بیرونی ممالک سے آئی ہوئی ڈاک کے نیلے لفافے اس کے ہاتھ سے چھوٹ گئے۔

"واہ قیوم کیا خوش نصیبی ہے میری۔ کیا بروقت ملاقات ہوئی۔"

"کیا کر رہے ہو —— آج کل —— ؟" میں نے پوچھا۔

"یہاں پوسٹ بکس ہے میرا —— ڈاک لینے آیا تھا —— " آفتاب نے فرش سے لفافے چنتے ہوئے کہا۔

"میرا یہ مطلب نہیں —— کر کیا رہے ہو آج کل؟ نوکری، بزنس یا عیش۔"

"تاجر کا بیٹا کیا کرے گا تاجری —— ابّے کا کاروبار ہے —— ہم بھی دھنس گئے ہیں قالینوں میں۔"

وہ میرا ہاتھ پکڑ کر دیر تک باتیں کرتا رہا —— میں اپنا ہاتھ چھڑانا چاہتا تھا لیکن آفتاب کی مسکراہٹ ہمیشہ سے ایسی رہی کہ اس کی ہر بات مان لینے کو جی چاہتا۔ ایک دوسرے کو خدا حافظ کہنے کے بعد جب میں بائیں برآمدے کی جانب بڑھا تو پھر آواز آئی۔

"قیوم —— " مَیں رُک گیا۔

آفتاب میرے پاس آیا اور کندھے پر ہاتھ رکھ کر بولا —— "یار میں لندن جا رہا ہوں۔"

"بزنس مین ہو تمہارے لیے یہ عام بات ہے۔"

"نہیں یہ بات نہیں ہے —— میں ہمیشہ کے لیے جا رہا ہوں میری immigration کے تمام کاغذات پورے ہو چکے ہیں، بس اب سٹیٹ بینک کا تھوڑا سا کام رہ گیا ہے۔"

"کب؟"

"ہفتے کو شام چار بجے کی فلائیٹ سے —— پہنچ جانا ایئرپورٹ پر میں تمہارا انتظار کروں گا —— خدا حافظ۔"

میں آفتاب کا دوست نہیں۔

میں ایئرپورٹ جانا نہیں چاہتا تھا۔

اس کے باوجود میں وہاں گیا، کیونکہ آفتاب کا سیمی سے گہرا تعلق رہا تھا۔ آفتاب کو دیکھ کر کئی قسم کے جذبات سے دوچار ہونے کی مجھے عادت تھی۔ یہ تمام جذبات تکلیف دہ تھے، مجھے نچوڑتے تھے، میرا سانس بند کرتے تھے پھر بھی میں ایئرپورٹ جانے سے اپنے آپ کو بچا نہ سکا۔

بڑے ہال میں داخل ہوا تو دور دور تک آفتاب کہیں موجود نہیں تھا۔ مسافریوں کھچا کھچ بھرے تھے جیسے یہ ریل کا پلیٹ فارم ہو۔ سیلنگ فین بکثرت چل رہے تھے۔ لیکن اتنے جسموں کی گرمی کے باعث ہوا کہیں نہیں لگ رہی تھی۔ ایک گرم ترکی حمام تھا جس میں لوگ Baggage ٹکٹ اور سیٹ نمبر لئے آ جا رہے تھے۔ لوگوں کے ٹخنوں سے لوہے کی ریڑھیاں بچا بچا کر خاکی وردی والے پورٹر آڑے ترچھے راستے تلاش کر رہے تھے ـــــ سیاہ لیدر کے صوفوں کے ارد گرد سوٹ کیس ٹوکریاں وینٹی بکس اپنی اہمیت کی وجہ سے کچھ پھولے پھولے سے تھے۔ اندر جنگلے کی جانب قطاروں میں کھڑے ایسے مسافر جو اکانومی میں سفر کرنے والے تھے، اس کوشش میں مصروف تھے کہ انہیں ہوائی جہاز میں وہاں جگہ ملے جہاں سے فسٹ کلاس شروع ہوتا ہے اور ٹانگوں کی جگہ خوب کھلی ہوتی ہے۔ غالباً کراچی جانے والے جہاز کی ایک اناؤنسمنٹ میرے آنے سے پہلے ہو چکی تھی۔ کیونکہ کچھ مسافر جنگلے کے پاس کھڑے الوداعی بغل گیریوں میں مشغول تھے۔ پھر ان کے ملنے والے جپھیوں کے فرائض سے سبکدوش ہو کر بغلی راستے سے باہر اس طرف جانے لگے جہاں جنگلے کے ساتھ کھڑے ہو کر کھلا ایئرپورٹ نظر آتا ہے۔ میں نے سب طرف نظر دوڑائی لیکن آفتاب کا کہیں پتہ نہ تھا کہ اس کے ملنے والے بہت امیر ہیں۔ لڑکیاں کٹے بالوں سے ہوں گی چہروں پر سکوئیر گلاسز، پیروں میں لڑکیوں کی ہیل والی بدہیت جوتیاں اور ان پر آہستہ آہستہ ہاتھی کے کان ہلاتے بل باٹم ـــــ یا نیلی جینز۔

دور پار آفتاب کا پتہ نہ تھا۔

میں ہر گروپ کو غور سے دیکھتا رہا۔ لیکن کوئی چہرہ مجھے آفتاب کا مشابہہ نظر نہ آیا۔ ایئر ہوسٹس لڑکیوں کی وردیاں ابھی کچھ دیر پہلے ہی بدل گئی تھیں۔ وہ آتشی گلابی کرتے گہری سبز شلواریں اور پرنٹڈ دوپٹے پہنے اپنے آپ کو پاکستانی کم اور فرانسیسی زیادہ محسوس کر رہی تھیں۔ ان کے آنے جانے میں خوش اعتمادی اور نیا پن تھا۔ جو بھی پائیلٹ مسافروں کی جانب آتا سفید وردی میں اصیل مرغے کی طرح ذرا ذرا سا ٹیڑھا چلتا دکھائی پڑتا۔ پی آئی اے کا عملہ اس احاطے میں کتنا اہم محسوس کر رہا تھا اس کا انداز ان جمع دارنیوں سے لگانا چاہئے جو بڑے بڑے ڈنڈوں کے ساتھ بندھی ہوئی رسیوں کے ساتھ جگہ بناتی موروں کی طرح تھرکتی فرش صاف کرتی پھر رہی تھیں۔

میں سیون اپ پینے کے لئے کیوریو شاپ کے پاس چلا گیا۔

یہاں سے سارا ہال نظر آرہا تھا——— لیکن آفتاب کا کہیں پتہ نہ تھا اور اناؤنسمنٹ ہو چکی تھی۔ بیرونی ممالک کو جانے والے مسافروں کی مائیں رو رہی تھیں، بیویاں آنسو پونچھتی سوچ میں مبتلا تھیں کہ وہاں سویڈن میں تو آزادی بہت ہے جانے یہ خط بھی لکھیں کہ بھول جائیں، خرچہ بھی بھیجیں کہ نئی میم بیاہ لیں؟ باپ اپنے جھوٹے پڑتے ہوئے اعضاء کو گھسیٹ کر بہادر بننے کی کوشش میں آنسو روک رہے تھے، ان کی آرزو تھی کہ جلدی سے الوداعی رسم ختم ہو اور وہ واپس جا کر چارپائی پر لیٹیں ---- بھائیوں کے دلوں میں حسد تھا، آرزو تھی تو اتنی کہ کب وہ وقت آئے جب ان کی جیب میں بھی پاسپورٹ ہو، Vaccination کارڈ ہو اور وہ بھی باربار اپنا ٹکٹ نکال کر دیکھیں اور واپس بریف کیس میں رکھیں۔ چچا اپنے بھائی کی اولاد کے ساتھ اپنی اولاد کا موازنہ کر رہے تھے۔ یکدم انہیں اپنی بیوی پر خدا جانے کیوں غصہ آنے لگا تھا، جس نے بچوں کی اچھی پرورش نہ کی ورنہ آج وہ بھتیجے کو خدا حافظ کہنے نہ آتے بلکہ اپنے بیٹے کو دعاؤں کے ساتھ رخصت کرنے کے لئے حاضر ہوتے ---- ماموں برادری اداس تھی۔ ہر بھانجے بھانجی کے ساتھ گزارے ہوئے لمحے فلم کی طرح آنکھوں کے سامنے پھر رہے تھے۔ یکدم انہیں احساس ہونے لگا تھا کہ ان کی بہن بوڑھی ہو گئی ہے اور بھانجے بھانجیاں جواں ہو گئے ہیں۔

ایئرپورٹ کا ہال بچھڑنے اور ملنے کی وجہ سے جذبات سے بوجھل ہو رہا تھا۔ میں شاید اور نہ ٹھہرتا لیکن اچانک دونوں کندھوں پر بیگ لٹکائے، سیاہ چشمہ پہنے، آفتاب جلدی جلدی چلتا ہوا داخل ہوا۔ اس کے پیچھے زیبا تھی۔ تھوڑی تھوڑی صوفیہ لورین ---- ذرا ذرا سی فردوس ایکٹرس اور کچھ کچھ سکول کی استانی۔

یکدم لیدر کے تین سیاہ صوفوں پر سے بھاری بھرکم سفید عورتیں اٹھیں۔ ایک چھوٹا سا دائرہ بن گیا اور آفتاب اور اس کی بیوی اس دائرے میں بوسہ بازی اور بغل گیری کرنے لگے۔ وقت کم تھا، ملاقاتی زیادہ تھے۔ رومال سے آنسو پونچھنے والی نوعمر لڑکیاں دوپٹوں کے کنارے بھگونے والی عورتیں، عینکوں کے پیچھے بھیگی آنکھوں والے مرد، خوشی خوشی جپھی ڈالنے والے لڑکے اور دائرے کے باہر سے اندر والوں کا منظر دیکھنے والے

لوگوں کا کافی ہجوم تھا۔

میرا ارادہ اس وقت کھسک جانے کا تھا اور شاید میں چلا بھی جاتا۔ اگر یکدم آفتاب کی نظر مجھ پر پڑ نہ جاتی۔ وہ دائرہ توڑ کر مجھ تک آیا۔ زور سے مجھے سینے سے لگا کر بولا ---- "یار دیر ہو گئی تم وہاں جنگلے کے پاس پہنچو۔"

Baggage کارڈ بنوا کر وہ جنگلے کی دوسری طرف آگیا۔ اس وقت ہم دونوں کے درمیان پھر جنگلا حائل تھا اور اس کی بیوی وینٹی بکس اٹھائے آہستہ آہستہ لاؤنج کی طرف جا رہی تھی۔ وہ تھوڑی تھوڑی دیر کے بعد اپنے سسرال والوں کو رومال ہلا کر الوداع کہتی اور پھر آفتاب کی طرف دیکھ لیتی۔

ہم چپ چاپ کھڑے تھے، پتہ نہیں کہ وہ کیا کہنا چاہتا تھا۔

پتہ نہیں مجھے کیا کہنا چاہئے تھا۔

بالآخر میں نے کہا ---- "یار تمہیں دیر ہو گئی ہے اب اندر چلے جاؤ۔"

"گھر پر ایک جم غفیر تھا ---- دراصل ہم کشمیری لوگ کوئے ہوتے ہیں ---- ذرا سی بات ہو تو اکٹھے ہو جاتے ہیں۔ ان ہی کی وجہ سے دیر ہو گئی۔ کبھی لندن آؤ تو میرے پاس ٹھہرنا۔"

"ضرور ----"

"اچھا بھائی ----" اتنا کہہ کر وہ چپ ہو گیا۔

"اچھا بھئی ----"

"ایسے ہی ہے۔"

"ہاں بس ایسے ہی ہے۔"

"وطن بھی چھوٹ جاتا ہے آخر ----"

میں چپ رہا ---- مجھے وطن سے محبت کرنے کی عادت نہ تھی۔

اسی وقت اس کے ملنے والے گروپ میں سے ایک نوجوان ہمارے پاس آیا۔ وہ جوانی کی اس سٹیج میں تھا جہاں آواز بدلتی ہے اور ایک جملے میں دو تین Tones بدلتیں ہیں۔

"چاچا جی ---- بہت دیر ہو گئی ہے ابا جی کہتے ہیں اب آپ چلے جائیں۔"

"ہاں دیر ہو گئی ہے ---- جا رہا ہوں ---- بس ابھی گیا۔"

آفتاب کھویا ہوا تھا، جیسے ایئرپورٹ پر نہ ہو دھند میں راستہ تلاش کر رہا ہو۔ فاصلے پر ایک ہاتھ میں وینٹی بکس اور دوسرے میں رومال پکڑے زیبا آفتاب کو دیکھ رہی تھی۔

"جاؤ آفتاب دیر ہو گئی ہے۔"

"ہاں ----"

"خدا حافظ ----" میں نے ہاتھ بڑھایا۔

"تم سیمی سے ملے ----؟ ----" نظریں جھکا کر اس نے پوچھا۔

"تمہاری شادی کے روز ملا تھا، پھر وہ پنڈی چلی گئی۔"

"کیسی ہے؟"

"ٹھیک ہی ہو گی۔"

"میں کوشش کروں گا۔"

"کیسی کوشش؟ ----" میں نے پوچھا۔

"کہ ---- پاکستان کبھی نہ آؤں ---- شاید وقت ---- فاصلے ---- شاید دوری --اچھا خدا حافظ -"

"سنو آفتاب ـــــ سنو وہ جب بھی مجھ سے ملے گی ضرور پوچھے گی ـــــ" پتہ نہیں یکدم میں نے کیا سوچ کر کہا۔

"کیا؟"

"بس پوچھے گی سب کچھ ـــــ تمہاری بیوی سے لے کر تمہارے متعلق۔"

"مثلاً کیا ـــــ" اب اسے بیگ وزنی لگنے لگے تھے اور وہ کندھے جھٹکنے پر مجبور ہو گیا تھا۔

"مثلاً یہی ـــــ یہی کہ ـــــ کہ کیا آفتاب خوش تھا؟"

وہ ہنس دیا ـــــ قالین فروش باپ کا بیٹا ـــــ تازہ ٹیشو پیپر جیسی تازہ مسکراہٹ والا آفتاب۔

"قیوم آگے جانے والے پیچھے رہے ہوئے لوگوں کی طرح کبھی یاد نہیں کرتے۔

گھر سے بندھی ہوئی گائے اور طرح یاد کرتی ہے اور تانگے میں جتا ہوا گھوڑا اور طرح سے یاد کرتا ہے۔ جس کو کچھ مل جائے' اچھا یا بُرا اس کی یادداشت کمزور ہونے لگتی ہے' جن کو سب کچھ کھو کر اس کا ٹوٹا پھوٹا نعم البدل بھی نہ ملے اس کا حافظہ بہت تیز ہو جاتا ہے اور ہر یاد بھالے کی طرح اترتی ہے —— دل میں —— سیمی —— اور —— میری پچویشن میں بہت فرق ہے قیوم ——"

"آفتاب۔"

"کہو۔"

"تمہیں سیمی سے محبت ہے؟ —— بولو —— تمہیں سیمی سے محبت ہے کہ نہیں؟ وہ مجھ سے پوچھے گی —— ضرور ——"

آفتاب نے مڑ کر اپنی بیوی کی طرف دیکھا۔ رشتہ داروں کو ہاتھ ہلا کر الوداع کہا اور کندھوں پر بیگ درست کرتا ہوا بیوی کی جانب مڑ گیا۔

مجھے خدا جانے کیوں شبہ ہوا کہ وہ رو رہا ہے۔

کچھ دیر میں وہیں کھڑا رہا' پھر باہر نکلا۔ بھائی مختار کی موٹر سائیکل سٹینڈ سے لی اور ایئرپورٹ سے باہر نکل آیا۔

پتہ نہیں میں ایئرپورٹ کیوں گیا تھا۔

آفتاب میرا دوست نہیں تھا۔ اس سے میری کوئی بے تکلفی نہیں تھی' پھر بھی مجھے لگ رہا تھا کہ —— اگر میں کبھی لندن گیا تو اس سے ملے بغیر نہ رہ سکوں گا —— دنیا میں آفتاب سے زیادہ کوئی میرے قریب نہ تھا۔

کیا اس کی وجہ سیمی تھی؟

کیا ان دونوں کی محبت کی وجہ سے میں انہیں ملنے پر مجبور تھا؟ —— میں سوچتا جا رہا تھا۔

چھاؤنی میں پڑنے والی شام کا سکوت میرے موٹر سائیکل کے شور سے ٹوٹ رہا تھا۔

عجیب بات ہے شام کے وقت بجلی کی روشنی کے باعث غروب آفتاب کو کوئی نہیں پہچانتا' پر ہمارے اندر رہنے والے پتھر اور دھات کے زمانے والے انسان کے ساتھ

بہت کچھ بیت جاتی ہے—— تہذیب کے ہر قیدی کے اندر ہر سانس کے ساتھ شام داخل ہوتی ہے۔ شام چاہے سردیوں کی ہو چاہے برساتوں کی۔ چاہے اس میں گرمی کی لو شامل ہو یا خزاں دیدہ پتوں کی سرسراہٹ—— شام کا انسان کے ساتھ بڑا گہرا تعلق ہے—— کندھے پر شکار کیا ہوا بارہ سنگھا لٹکائے ہزاروں سال پہلے غار کا رہنے والا جس طرح گھر کو بھاگتا تھا۔ آج بھی اپنی اپنی جان کو کندھے پر مشکیزے کی طرح لٹکائے سب شہری لوگ پناہ کی طرف بھاگتے ہیں۔

سب شام سے بدکتے ہیں۔

اندھیرے سے ڈرتے ہیں۔

ان ہونی ان دیکھی ان کہی سے سب کے ہونٹ سوکھتے ہیں۔

شام کو بسوں کا رنگ، تانگوں کی رفتار، کاروں کا مڑنا، دو کانوں کے شوکیس، سائیکلوں کی گھنٹیاں، رکشا کے گیئر—— سب—— سارا شہر خطرے کی گھنٹیاں بجانے لگتا ہے بے جان عمارتیں اپنی کھڑکیاں دروازے کھولنے بند کرنے کے عمل میں مصروف ہو جاتی ہیں۔ خوفزدہ لوگ گھروں سے کافی ہاؤس، کلب، سینما ہوٹل میں پناہ لیتے ہیں—— کسی آشنا کا چہرہ، کسی محبوب کا لمس، کسی دوست کی غم آشنا آنکھیں، کسی بچے کی کھلی بانہیں، کسی عورت کے ڈھیلے قدموں کی چاپ، بریک لگنے کی آواز، کسی سٹینڈ پر سائیکل کھڑی کرنے کا شور—— بُلانے بٹھانے قریب ہونے کی گھڑی—— یہ سب کچھ اور اس سے سوا اور بہت کچھ——

یہ سب شام کو اجالنے کا عمل ہے—— کیونکہ شام رات سے زیادہ غمگین ہوتی ہے۔ جب اتنا اندھیرا نہیں ہوتا کہ سب کچھ چھپ جائے، ایسے نظر نہیں آتا جیسے دن کو سب کچھ دکھائی دیتا ہے، سارے مناظر یوں لگتے ہیں جیسے بارش کھڑکی پر پڑ رہی ہو اور آپ دوسری منزل کی کھڑکی سے دیکھیں کہ آپ کا رقیب چھتری کھول کر آپ کی محبوبہ کو بارش سے بچاتا لے جا رہا ہے—— کبھی آپ کو شبہ ہو کہ یہ آپ کا رقیب نہیں ہے کبھی آپ کو گمان گزرے کہ یہ آپ کی محبوبہ نہیں ہو سکتی—— شام خوف اور گمان سے بھری چلی آتی ہے۔

رات آنے سے پہلے—— لحاف کی کوکھ میں چھپنے سے بہت پہلے اور نیند کے

گھٹنے پر سر رکھنے سے بہت بہت پہلے سب ذی روح سورج سے بچھڑنے کا سوگ کرتے ہیں۔ نظام شمسی کا تعلق سورج سے بہت پرانا ہے۔ وہ دور رہ کر ایسے گرم کرتا رہتا ہے کہ موسموں کے آنے جانے کی چھاپ دل پر نہیں رہتی۔ سورج غروب سے پہلے زمین کا روشن حصہ ہر روز شعلہ رو ہو کر سلگتا ہے، پھر اس کے کناروں کو آگ لگ جاتی ہے جیسے ستی ہونے والی عورت کے پلو آگ پکڑلیں۔ کچھ سورج گنوانے کا غم کچھ آفتاب کا کسی اور خطے میں طلوع ہونے کا حسد روشن زمین کے حصے کو کانسی جیسا روپ عطا کرتا ہے۔ بچھڑنا رفتہ رفتہ یقینی ہو جاتا ہے تو شام بیراگنوں جیسا لباس پہن لیتی ہے۔ جیسے بجھی ہوئی راکھ ہو۔ روشنی رہتی ہے لیکن نور نہیں رہتا۔ اندھیرے میں سیاہی پوری طرح حلول نہیں کر پاتی، پھنکیاں بن کر سب طرف بکھر جاتی ہے۔

یہ وقت شام کے سمے ہر شخص کے لئے بڑا اداس ہوتا ہے۔

لوگ دفتروں کو چھوڑ کر سڑکوں پر نکل آتے ہیں۔ عورتیں گھر چھوڑ کر دہلیزوں، پھاٹکوں اور دروازوں پر جا رُکتی ہیں۔ بوڑھے سیر کا بہانہ بنا کر چار دیواری سے باہر بھاگنا چاہتے ہیں، بچے پارکوں، پلے گراؤنڈوں سے بھاگ کر ماؤں کی طرف سرپٹ آتے ہیں۔ سب وہاں نہیں رہنا چاہتے، جہاں وہ پہلے موجود ہوتے ہیں۔

موسموں کے تغیر سے کہیں زیادہ رات کی آمد انسان کو خوفزدہ کرتی ہے۔ انسان کی سائیکی سے، نباتات کی روئیدگی سے، جانداروں کی نشوونما سے، جمادات کی پوشیدہ طاقت و پختگی کے ساتھ، ہواؤں، سمندروں، چاند ستاروں سے سورج کا رشتہ بہت پرانا ہے۔ اگر کبھی کوئی شخص کھلی جگہ میں ہو، دریا کا کنارہ، پہاڑ کا دامن، کھیتوں کی پگڈنڈی، کھلے کھلیان میں اگر وہ سورج سے بچھڑے تو اس کی سائیکی پر گونگا پن چھا جاتا ہے۔ اس طرح فرد فرد کی سائیکی کا یہ گونگا پن اجتماعی سائیکی کے گونگے پن کو جنم دیتا ہے۔ ایسی جگہوں میں جہاں لوگوں کا ہجوم ہو، جیسے سینما گھر، ہسپتال، ہوٹل ان میں بھی شام کے وقت عجیب قسم کی خاموشی ٹھہر ٹھہر کر وارد ہوتی ہے۔ بولتے ہوئے چہرے اجتماعی گونگے پن سے نجات حاصل کرنے کے لئے بولتے چلے جاتے ہیں اور خاموش لوگ اور اندر دھنستے جاتے ہیں اور اندر —— اور اندر محفلوں میں تنہائیوں کی نسبت بڑھنے لگی ہے —— جلوت خلوت کا روپ دھارتی ہے اور لوگ الگ الگ محسوس کرتے ہیں کہ ان کا یہ احساس کہ

وہ مجلس میں رہ کر کس قدر تنہا ہیں بڑھتا جاتا ہے۔

مجھے شام اس پل پر ملی جو چھاؤنی کو شہر سے ملاتا ہے۔ اس پل کے عقب میں سٹیڈیم تھا اور سامنے دو رویہ سڑک تھی۔ لاہور شہر تھا۔ پل کے نیچے ایک ڈیزل انجن شنٹ کرنے کی حالت میں آجا رہا تھا۔ کچھ آفتاب سے ملنے کا اثر تھا۔ کچھ پل پر اچانک شام سے ملاقات ہو گئی، پھر پل کے نیچے شنٹ کرتے ہوئے انجن نے احساس دلایا کہ میں بھی ایک ایسا ہی انجن ہوں۔ میری منزل کوئی نہیں، صرف میں آتا جاتا رہتا ہوں ——— ان ساری باتوں نے یک لخت مجھے اداس کر دیا۔

ان دنوں میری عادت تھی کہ جب بھی میں خود ترسی کا شکار ہوتا تو ہمیشہ لارنس باغ چلا جاتا۔

پتہ نہیں لارنس باغ کا نام بدل کر کیوں جناح باغ کر دیا گیا؟ ——— کچھ شہر والوں کی صلاح سے ملکہ وکٹوریہ کا بت اٹھوایا جا چکا ہے۔ یار دوستوں نے سڑکوں کے نام اسلامی کر دیئے ہیں۔ پرانے شہروں کو نئے ناموں سے نواز دیا، تاکہ پچھلی تاریخ کا نشان نہ رہے۔ نئی نسل پرانے مظالم کے نشانات نہ دیکھ سکے، پھر ان کے دل میں وہ نفرت نہ جاگ سکے جو ایسے سمبل دیکھ کر عموماً جوان سال لوگوں میں جاگتی ہے۔ اس طرح بچے اپنی تاریخ سے بھی کٹے رہیں اور روایت کا حصہ بھی نہ بن سکیں۔

میں منٹگمری ہال کی طرف سے باغ میں داخل ہوا۔ چھوٹے سے ٹی سٹال کے پاس میں نے اپنی موٹر سائیکل پارک کی۔ ایک ڈبیا سگریٹ خریدی۔ پلٹ کر ان چیڑھ کے درختوں پر نظر ڈالی جو پہاڑوں کو چھوڑ کر شرمندہ شرمندہ میدانوں میں آباد ہو گئے تھے، لیکن جن کے دل میں ابھی تک پہاڑوں کو دیکھنے کی آرزو اتنی شدید تھی کہ وہ آسمان کی طرف بہت اوپر نکل گئے تھے۔

باغوں سے محبت کرنے والے لوگ بنچوں پر، سڑکوں پر، گھاس کے ٹکڑوں پر موجود تھے۔ کہیں دور ریستوران کے سپیکر سے گانے کی آواز آرہی تھی۔ کھلی لانوں میں اب اِکا دکا کوئے موجود تھے۔ اگر میں گھنٹہ بھر پہلے یہاں پہنچتا تو کوؤں کی ٹولیاں ہزاروں کی تعداد میں لانوں کے کھڑے پانیوں میں نہاتی نظر آتیں۔

میں بار بار آفتاب سے ملاقات کی جگالی ذہن میں کر رہا تھا۔

سیمی کہاں تھی؟ کیا اسے معلوم تھا کہ آفتاب ملک چھوڑ کر جا چکا ہے، وہ پنڈی میں کس کے پاس رہتی تھی ——— کیا کرتی تھی۔ سیمی جیسی لڑکیاں کس قدر بے وقوف ہوتی ہیں۔ جو پچھتاتیں نہیں۔ عشق لاحاصل کی قلابازی کھا کر۔

ملک التجار کا بچہ!

وہ اپنے آپ کو سمجھتا کیا ہے؟

کیا لوگوں کے دل اس لئے ہوتے ہیں کہ اپنے دل بہلاوے کے لئے استعمال کئے جائیں۔

کہیں دور باغ میں ایک کوئل بار بار بلک رہی تھی۔

میں آہستہ آہستہ بابا ترت مراد کے مزار کو جانے والی سڑک پر جا رہا تھا، پھر میں نے سیمی کو دیکھا، کافی فاصلے سے ——— وہ کافور کے درخت تلے زانوؤں پر سر دھرے چپ چاپ بیٹھی تھی۔ کافور کا درخت ——— سیمی ——— اور شام مجھے میرے خوابوں کا حصہ لگے ——— میں آہستہ آہستہ چلتا ہوا اس کے قریب گیا اور دست بستہ اس کے پاس بیٹھ گیا۔

اس نے آنکھیں نہ کھولیں۔ صرف آنسو اس کی گالوں پر بہنے لگے۔ وہ چغتائی کی تصویروں میں بنی ہوئی غزال رو لڑکیوں کی طرح اس وقت عشق بلب تھی۔ اس کی روح کا ہر مولی کیول زخمی تھا اور وہ عشق کے پانیوں میں یوں اتر رہی تھی جیسے شہر سیلاب کے پانیوں میں غرقاب ہوتے ہیں۔

"تم پنڈی سے کب آئیں سیمی؟"

سیمی نے جواب نہ دیا۔

"تم ——— تم آفتاب کو الوداع کہنے آئی تھیں کہ ———"

وہ پہلے سے زیادہ خاموش ہو گئی۔ یعنی جو آنسو بہہ رہے تھے وہ بھی خشک ہو گئے۔

غالباً یہ وقت راجہ گدھ کا وقت تھا۔ شاید میں نے اس مرتی ہوئی سیمی کو چھاؤنی والے پل پر سے دیکھ لیا تھا۔ شاید اس متعفن لاشے کی خوشبو میرے نتھنوں میں ایئرپورٹ پر پہنچی تھی۔ وہ اس قدر دبلی ہو چکی تھی کہ اس کی ناک کا تختہ اب چہرے کو دو حصوں

میں تقسیم کرتا نظر آتا تھا۔ ماتھے کی ہڈی ابھرواں ہوکر آنکھوں پر چھجے کی صورت باہر نکل آئی تھی۔ لپ سٹک سے آشنا ہونٹ آج پھیکے، بے رنگ اور جھڑبیری کے بیروں کی طرح جھریوں سے بھرے ہوئے تھے۔ سارے چہرے کا ہاتھوں کا رنگ یرقان زدہ تھا۔

میں نے اس لاش کو ہاتھ لگایا۔

"تم ہوناں قیوم —— " اس نے آنکھیں کھولے بغیر کہا۔

"ہاں —— "

"میں جانتی تھی تم آؤ گے —— مجھے پتہ تھا تم ویسے نہیں ہو۔"

"تمہیں کیسے پتہ تھا یمی —— " میں نے حیران ہو کر کہا۔

"بس پتہ ہوتا ہے —— پتہ چلتا رہتا ہے۔"

"لیکن پھر بھی —— کیسے؟"

"مجھے پتہ تھا تم پہلے ایئرپورٹ جاؤ گے پھر یہاں آؤ گے۔"

"لیکن کیسے کیونکر؟ —— کیا تم Clairvoyant ہو۔"

"میں نے —— ہی تو تمہیں ایئرپورٹ بھیجا تھا قیوم —— جب تم —— موٹر سائیکل پر واپس آ رہے تھے —— تو میں نے ہی تو تمہیں آواز دی تھی —— بلایا تھا زور سے پوری طاقت سے۔"

"کیا —— کیا کہہ رہی ہو؟ —— تمہیں کیسے پتہ چلا کہ میں —— میں —— "

"تمہیں شاید معلوم نہ ہو —— کہ آج صبح آفتاب نے جب شیو کی تو اس کی ٹھوڑی پر گہرا کٹ لگ گیا تھا —— تم نے دیکھا نہیں اس کی ٹھوڑی پر زخم تھا جاتے وقت۔"

میں ہکا بکا رہ گیا —— جب آفتاب رخصت ہوا تو واقعی اس کی ٹھوڑی پر تازہ زخم کا نشان تھا۔

"تمہیں کیونکر پتہ چلا یمی —— بولو بتاؤ۔"

یمی نے کوئی جواب نہ دیا۔ دونوں بازو ڈھیلے چھوڑ دیئے اور کافور کے درخت سے کمر لگا کر بیٹھ گئی۔

میں دم دبائے کتے کی طرح اس کے پاس بیٹھا تھا —— اس کی آنکھیں بند تھیں۔ پر وہ حیات کی دنیا سے پرے بھی بہت کچھ جانتی تھی۔ میں کھلی آنکھوں پاس تھا اور یہ بھی نہ جانتا تھا کہ اسے میرے آنے کی خوشی ہوئی ہے کہ غم —— دراصل مجھے کبھی علم نہ ہو سکا کہ کسی کے پاس کس وقت جانا چاہئے اور کس وقت اس کے پاس سے اٹھ جانا بہتر ہے۔ کس وقت وہ میری صحبت سے اُوب جاتی ہے اور کس وقت اسے میرے پاس رہ کر لطف ملتا ہے۔ دوطرفہ محبت میں گومگو کی حالت نہیں ہوتی۔ وہاں ہمیشہ لوہے اور مقناطیس کا میل ہوتا ہے۔ خفگی ناراضگی غم کوئی بھی منفی موڈ کیوں نہ ہو۔ ملاقات احساس خوشی کا باعث بنتی ہے۔ ایسے عاشق بن بلائے مہمان کی طرح میزبان کے گھر میں داخل ہوتے وقت اندر باہر نہیں ہو رہے تھے۔

ڈرتے ڈرتے میں نے اس کے گھٹنے پر ہاتھ رکھا۔

"تمہاری اس خوبی کا کالج میں تو پتہ نہیں تھا کسی کو ——"

"تب مجھ میں یہ خوبی تھی ہی نہیں —— یہ Sensitivty مجھ میں اب پیدا ہوئی ہے —— آفتاب کو کھو کر۔"

"لیکن کیسے کیسے —— کیسے تمہیں ان باتوں کی اطلاع ہوتی ہے۔"

"محبت کرنے والے دلوں پر کئی بھید کُھلتے رہتے ہیں آپی آپ قیوم —— آپی آپ ——"

یکدم اس نے آنکھیں کھول دیں۔

اندر دھنسی ہوئی پُر کشش آنکھیں۔

"پھر چھوڑ آئے اسے؟"

"تم —— تم کیوں نہیں آئیں؟"

"آ تو گئی ہوں —— پنڈی سے۔"

"اسے ایئرپورٹ چھوڑنے کیوں نہیں آئیں۔"

وہ کافور کے پتوں کو مٹھی میں لے کر مسلنے لگی۔

"کیا کرتی ایئرپورٹ پر آکر —— اس کی زنجیر اس کی بیوی کے ہاتھ میں ہوتی۔ میں تو اس کے رشتہ داروں کے سامنے رو بھی نہ سکتی کھل کر۔"

ایک موٹا سا آنسو اس کی گال پر لڑھک آیا۔ میرا خیال تھا کہ یہ آنکھیں اپنے کوٹے کے تمام آنسو بہا چکی ہیں۔

"بیوی —— آفتاب کی بیوی —— کیسا عجیب لگتا ہے کہ —— کہ کوئی اور آفتاب کی بیوی ہو —— زیبا آفتاب —— زیبا آفتاب۔"

وہ زیبا کے لفظ کو یوں دوہراتی رہی جیسے نئے کنچے لے کر کوئی بچہ انہیں ہتھیلیوں میں پھراتا رہے۔

میری عقل داڑھ سیکنڈ ایئر میں نکلی تھی —— ان دنوں ماموں کے گھر کے لئے یہ ایک بہت بڑا مسئلہ تھا —— پچھلے مسوڑھے سوج کر چھوٹی چھوٹی گلابی پلاسٹک کی گلٹیاں بن گئے تھے۔ ڈاکٹروں کا خیال تھا کہ چیرہ دیئے بغیر عقل داڑھ کا نکلنا ناممکن ہے۔ میں راتوں کو لیٹے لیٹے ان سوجے ہوئے مسوڑھوں پر زبان پھیرتا، گلٹیوں میں درد ہوتی۔ اس درد میں ہلکی سی لذت ہوتی، پھر یہ خوف مسلط ہو جاتا کہ جب ڈاکٹر چیرہ دے گا تو کیسی درد ہو گی۔ باربار آفتاب کی بیوی کا نام لے کر سیمی بھی ایسی ہی خوفزدہ لذت سے آشنا ہو رہی تھی۔

"وہ لندن میں اس کے ساتھ رہے گا کسی Apartment میں —— ہیں ناں قیوم۔"

میں چپ رہا۔

"اس کے گھر کی کھڑکی کے آگے تین جرنیم کے گملے ہوں گے۔ دروازے کی کال بل ڈھیلی ہو گی۔ جب کبھی آفتاب کال بل پر اپنی انگلی رکھے گا۔ زیبا اندر سے جا کر اس کے لئے دروازہ کھولے گی۔ لندن میں ٹھنڈ شروع ہو گئی ہو گی۔ زیبا آفتاب کا ٹھنڈا ہاتھ اپنے گرم ہاتھوں میں پکڑ لے گی۔"

"جو اذیت تم نے دیکھی نہیں سیمی —— اسے تخیل کی مدد سے کیوں اس قدر جان لیوا کر رہی ہو۔"

اس نے میری بات کا نوٹس نہ لیا۔ وہ کافور کے پتے مسلتی ہوئی بولے جا رہی تھی ——

"سردیوں میں —— لمبی راتوں میں ایک ہی تکیے پر سر دھرے وہ آدھی آدھی

رات تک باتیں کریں گے اور آفتاب اسے میرے متعلق ایسے سب کچھ بتائے گا جیسے —— میں حقیقت نہیں تھی ایک وہم تھی —— ایک Infatuation"

"شاید اپنی بیوی کے ساتھ ایک ہی تکیے پر سر رکھ کر کبھی سوتے ہوں لیکن کوئی بھی اس سے آدھی رات تک باتیں نہ کرتا ہو۔"

"سب اسی طرح سوتے ہیں سب اسی طرح باتیں کرتے ہیں —— تم چپ رہو تمہاری کوئی شادی ہوئی ہے!"

میں نے پورے دو سال اس لڑکی سے یکطرفہ محبت کی تھی —— ایسی یکطرفہ محبت جس میں اتنی امید بھی نہ تھی کہ میری محبت کو قبول ہی کر لیا جائے گا۔ اب آفتاب درمیان سے نکل گیا تھا۔ ہو سکتا ہے یہ کافور کے درخت کا اثر تھا یا شاید جان بلب سیمی کے جسم کی خوشبو تھی۔ ہو سکتا ہے کہ سارے باغ میں گرمی میں جھلسا ہوا اندھیرا چھا گیا تھا۔ پتہ نہیں کیا چیز تھی، جس نے بغیر اُمید کے میرے حوصلے بلند کر دیئے تھے۔ اس وقت میری جسمانی، جذباتی اور قلبی اشتہا بہت بڑھ گئی تھی۔ میں کبھی ہنستے چہروں سے پیار نہ کر سکا۔ شاید بہتے آنسو دیکھ کر میری روح میں کسی خاص قسم کا عمل جاری ہو جاتا ہے۔

میں نے اس سارے عشق کے اظہار کا ارادہ کر لیا جو ایک عرصہ سے میرے دل میں دفن تھا۔ مجھے علم تھا کہ اس اظہار سے مجھے کچھ حاصل نہ ہو گا —— نہ ہمدردی، نہ محبت۔ وہ کسی اور نیوکلس کے گرد کسی اور محور پر گھوم رہی تھی —— میں جانتا تھا کہ جب تک میں اس کی خاطر اپنی ذات کو مٹاتا رہوں گا وہ میرے وجود کو برداشت کرتی رہے گی، لیکن جہاں سے میری ذات کے تقاضے شروع ہوں گے وہ دریا کنارے کھڑی سیاہ چشمہ لگائے ڈوبنے والی کشتی کا منظر دیکھ کر ہاؤ سویٹ کہے گی اور پیٹھ موڑ لے گی۔ میں اس کا کریڈٹ کارڈ تھا جسے دکھا کر، بھنوا کر وہ ہمیشہ آفتاب حاصل کرتی تھی۔ میں ہز ماسٹرز وائس تھا۔ جونہی اس کی سوئی مجھ پر پڑتی، میں آفتاب پکارنے لگتا۔ اس سے پرے کچھ نہ تھا۔

اتنا سب کچھ جاننے کے باوجود میں اس کے سامنے بالکل مجبور تھا۔

میں نے اس کا چہرہ اپنے دونوں ہاتھوں میں اٹھا کر پوچھا —— "کیا تمہارے لئے یہ کافی نہیں —— کہ کبھی آفتاب کو تم سے محبت تھی؟؟"

وہ ہنس دی —— اس کا چہرہ مجھ سے اس قدر قریب تھا کہ باسی چیونگ گم کی

خوشبو کے بھبھاکے میری طرف آنے لگے۔

"محبت پانے والا کبھی اس بات پر تو مطمئن نہیں ہو جاتا کہ اسے ایک دن کے لئے مکمل طور پر ایک شخص کی محبت حاصل ہوئی تھی۔ محبت تو قیوم ہر دن کے ساتھ اعادہ چاہتی ہے۔ جب تک روز اس تصویر میں رنگ نہ بھرو تصویر فیڈ کرنے لگتی ہے ——— روز سورج نہ چڑھے تو دن نہیں ہوتا۔ اسی طرح جس روز محبت کا آفتاب طلوع نہ ہو رات رہتی ہے ——— تم ان باتوں کو نہیں سمجھ سکتے ——— مجھے غم نے فلسفی بنا دیا ہے ——— تمہیں کیا پتہ زمین کا ہر قطعہ سورج کیوں مانگتا ہے ——— جس شخص سے محبت ملے ہمیشہ اسی کے پاس رہنے کو کیوں جی چاہتا ہے ———" وہ خدا جانے کب اور کیسے اتنی اُردو سیکھ گئی تھی۔

"اب ——— اب وقت ہے ——— اتر راجہ گدھ اب وقت ہے ———" میں نے جی کی بات سن کر اندر ہی اندر کہا۔

"کچھ لوگوں کو ایک دن کے لئے بھی اپنا من چاہا ——— آفتاب نہیں ملتا۔ سیمی ان اندھیروں کے متعلق کیا ارشاد ہے جو ہمیشہ روشنیوں سے ہٹ کر رہتے ہیں۔" میں نے پوچھا۔

اس نے مجھ پر نظر ڈالی اور پھر لاتعلق ہو گئی ——— اسے میرے اندھیروں سے کوئی دلچسپی نہ تھی۔ میرے اظہار عشق سے اس کا وقت ضائع ہوتا تھا۔ دراصل وہ کوئی ایسی بات سن ہی نہیں سکتی تھی، جس کا اس کی اپنی ذات کے ساتھ تعلق نہ ہو۔ اس کے اندر کہیں ایسا کٹ آؤٹ لگا تھا جو اپنا ذکر بند ہوتے ہی فوراً ساری بجلی کا کرنٹ بند کر دیتا ———

"اسے مجھ سے بڑی محبت تھی قیوم ——— اب تو ——— میں کوئی ثبوت بھی نہیں دے سکتی ——— لیکن نفتھ ایئر میں وہ مجھ سے بڑی شدید محبت کرتا تھا ——— کبھی کبھی مجھے لگتا میرے بغیر وہ مر جائے گا ——— یا شاید ——— یا شاید یہ بھی میرا وہم تھا۔"

"ان باتوں سے حاصل سیمی؟ اس توڑ پھوڑ سے کیا بنے گا۔"

"مجھے اب اپنا کچھ نہیں بنانا قیوم۔"

"تم اسے خط لکھنا چاہو گی۔"

"نہیں۔"

"کیوں؟"

"کیا ملے گا خط لکھ کر؟ میرے خط تو شاخوں پر ہی سوکھ گئے، نہ میں نے انہیں گلدان میں سجایا نہ کسی نے انہیں گلے کا ہار کیا۔"

میں نے اس کے کندھے پر ہاتھ رکھا۔ وہ اس طرح کسمسائی جیسے غلطی سے ٹھنڈے پانی کا شاور سردیوں میں اپنے اوپر کھل جائے۔

"سنو سیمی تم ماڈرن لڑکی ہو ——— تمہارے کٹے ہوئے بال ہیں۔ لباس چال ڈھال سب ماڈرن ہے۔ تم نے آفتاب کی نقل میں اپنے آپ کو مشرقی کر لیا۔ اردو سیکھ لی۔ یہ اور بات ہے ——— لیکن اندر سے تم Liberated لڑکی ہو۔ خدا قسم ایسی لڑکی قتل کرتی تو اچھی لگتی ہے قتل ہوتی کچھ اوپری سی لگتی ہے۔"

"پھر میں کیا کروں کیا کروں قیوم ——— اس نے زیبا کو مجھ پر کیوں ترجیح دی۔ کیوں کیوں کیوں؟"

"آج کا ماڈرن مرد اور عورت سمجھوتہ کرتے ہیں، ماحول سے، اپنی غلطیوں سے، اپنی Genetics سے۔"

وہ اب رات کے پہلے اندھیروں میں کھو رہی تھی۔ صرف اس کی آنکھوں کی دھنسی ہوئی چمک جگنوؤں کی طرح اندھیرا روشن کرنا چاہتی تھی۔

"اس کی خاطر میں نے ایم اے چھوڑا ——— گھر چھوڑا ——— اور وہ مجھے چھوڑ کر چلا گیا۔ میرا دل ملنے بھی ——— دل ملتا ہے تو مر جانے کو جی چاہتا ہے ——— آفتاب چلا گیا اب کچھ ہو تھوڑا سکتا ہے۔"

میں اس کو سمجھانے کے انداز میں بولا ——— "سنو سیمی ان باتوں سے کچھ نفع نقصان نہیں ہوتا کبھی ——— یہ باتیں ہر جگہ ہر سمے ہر رُت میں یہاں وہاں ہوتی رہتی ہیں۔ تمہیں کبھی اس اعتقاد سے نہیں ہٹنا چاہئے کہ جیسی محبت اس نے تم سے کی پھر کبھی کسی سے نہ کر سکے گا۔"

"تمہیں کیسے پتہ چلا؟ ——— کوئی ثبوت ہے تمہارے پاس؟"

"وہ ——— بڑا شرمیلا اور محتاط تھا سیمی ——— میں نے کسی لڑکی سے اسے بات

کرتے کبھی نہیں دیکھا لیکن تمہاری جانب وہ خود بخود کھنچتا جاتا تھا۔ اس کی روح ——
اس کی سائیکی اس کا جسم سب تمہارے تابع تھے —— اسے نہ بدنامی کا ڈر تھا —— نہ بربادی کا —— بس وہ کھنچا رہتا تھا خود بخود —— خود بخود ——"

"مائی فٹ' او تم چھوڑو قیوم —— اچھا خود بخود تھا اسی لئے اتنی آسانی سے چلا گیا۔"

ایسی یسی کو میں کیا بتاتا کہ میں اس سے پورے دو سال عشق کرتا رہا ہوں' شاعروں کا سا عشق —— مجذوبوں کی سی لگن کے ساتھ —— میں ایسی لڑکی کو کیا بتاتا کہ کچھ لوگ پہاڑوں کی اس جانب ہوتے ہیں۔ جہاں سورج کبھی نہیں چمکتا —— جو سورج کی حدت کو ہواؤں سے اخذ کرتے ہیں۔ کچھ لوگ اپنے جسم پر خوشبو نہیں لگاتے۔ دوسروں کے لباس میں لگی خوشبو کو سانسوں سے اپنے اندر پہنچاتے ہیں۔

"مجھے تم سے محبت ہے —— یسی —— کیا یہ تمہارے لئے کافی ہو سکتی ہے؟" میں نے لجاجت سے کہا۔

"آئی ایم سوری لیکن میں تمہاری محبت کو کیا کروں قیوم —— اس کا تو نکاح ہو گیا —— پورا اور اصل —— پکے کاغذ والا۔"

کسی نوبیاہتا بیوہ کی طرح وہ میرے کندھے سے لگ کر ہولے ہولے کراہنے لگی میں نے اس کے سر کو بوسہ دیا —— یہ بوسہ میری روح کا تحفہ تھا۔

پھر میں نے اس کے ماتھے کو چوما —— اس التفات میں میرے دل کا نذرانہ تھا۔

آہستہ سے میں نے اس کی گال پر اپنے ہونٹ ثبت کئے' میری ذات دست بستہ جھکی' لیکن جس طرح وہ میرے الفاظ سے بے نیاز رہی اسی طرح میرے لمس سے بھی اس میں کوئی حدت پیدا نہ ہوئی۔

"ہائے میں مر جاؤں سیدھا نکاح —— دو گواہوں والا —— برات والا —— ہم میں تو کبھی لڑائی بھی نہیں ہوئی —— ہم تو کبھی ایک دوسرے سے ناراض بھی نہیں ہوئے۔ پھر یہ کیسی سزا دی مجھے —— کیوں قیوم کیوں؟"

"سنو یسی نہ شادی کا محبت سے تعلق ہے نہ محبت کا شادی سے —— ساختہ کو

بے ساختہ سے کیا میل۔"

وہ یکدم سیدھی بیٹھ گئی۔ کبھی کبھی سوشیالوجی کی کلاس میں وہ کسی پروفیسر سے بھڑنے لگتی تھی تو اس کے چہرے پر ایسے ہی اتار چڑھاؤ آجاتے تھے۔

"لیکن شادی کا رفاقت سے تو تعلق ہے ——— ایک پلنگ ایک چھت ——— ایک گھر سانجھے بچے ——— ان چیزوں کو تم پورے طور پر Ignore بھی نہیں کر سکتے قیوم۔"

میں چپ رہا ——— وہ دیر تک میرا چہرہ دیکھتی رہی، لیکن اس دیکھنے میں میری پہچان نہ تھی۔ وہ مجھ سے پرے پروفیسر سہیل کی نگاہ سے ایک اہم مسئلے کو ایک تعلیم یافتہ لڑکی کی نگاہ سے دیکھ رہی تھی۔ وہ اس وقت الفاظ تلاش کر رہی تھی جیسے کم بیلنس والے لوگ چیک لکھتے وقت ذہن میں پڑتا لگاتے ہیں کہ کتنی رقم کا چیک لکھیں تو پیسے مل جائیں گے۔ وہ بار بار منہ کھولتی اور بند کر لیتی۔ اس کے اندر کا پریشر کھلنے کے لئے بے قرار تھا لیکن نکاس کی کوئی صورت نہ تھی۔

شاید اسے یہ بھی معلوم نہیں تھا کہ میں اس کے سر ماتھے اور گالوں کو چوم چکا تھا!

"میں پنڈی واپس جانا نہیں چاہتی، حالانکہ وہاں مجھے ایک ٹریول ایجنسی میں نوکری مل گئی ہے۔"

"چلی جاؤ۔"

"نہیں جا سکتی۔"

"پھر!"

"یہاں لاہور میں میرے Parents ہیں۔ میں ان کے پاس جا سکتی ہوں۔"

"تو چلو ——— میں تمہیں چھوڑ آؤں گا۔"

"نہیں جا سکتی۔"

"تو کہاں جاؤ گی اتنی رات گئے۔"

"یہیں رہوں گی۔"

"اتنی گرمی میں ساری رات۔"

"جب تک مجھے سمجھ نہ آجائے قیوم —— کہ —— اس نے مجھے کیوں چھوڑا۔ یا میرا دل نہ مان جائے کہ یہ سب کچھ جھوٹ تھا، میں کہاں جا سکتی ہوں بھلا؟ بتاؤ ناں ——"

مجھے کچھ سمجھ نہ آتی تھی کہ میں کیا کروں۔ اب گورنمنٹ ہاؤس کے سامنے مال روڈ کے ٹریفک کی آواز بھی کم ہو چلی تھی۔

گرمی تھی حبس تھا —— اور سارے میں کافور کی اندھی خوشبو تھی، ایک کونونٹ کی پڑھی لکھی لڑکی کا منہ زور عشق تھا۔

"تم آفتاب کو نہیں جانتیں۔ وہ کسی پریشر تلے کچھ بھی کرنے کا عادی نہ تھا —— اس نے تمہیں کسی دباؤ تلے نہیں چاہا اور کسی پریشر تلے اس نے شادی نہیں کی ہے۔ اس بات سے تمہیں سمجھوتہ کرنا ہو گا بی بی —— آفتاب کا جسم ضرور زیبا کا ہے لیکن اس کا دل۔"

وہ اب پھر کلاس میں بیٹھی تھی —— اس کے چہرے پر سوال بھی تھے اور جواب بھی —— جیسے وہ سوشیالوجی کی کوئی دقیق کتاب ساری رات —— پڑھتی رہی ہو۔

"جانے دو قیوم —— انسانوں کے حصے بخرے نہیں ہو سکتے —— آدمی دولت بانٹ سکتا ہے، مراعات میں انصاف کر سکتا ہے لیکن اپنے اندر کو ٹکڑے ٹکڑے کر کے کتوں کے آگے نہیں ڈال سکتا، پتہ نہیں تم میری بات سمجھ بھی رہے ہو کہ نہیں —— سنو —— ینگ مین —— ٹکڑے ٹکڑے انسان سے کسی کی سیری نہیں ہوتی۔ اگر میری اس سے شادی ہو جاتی تو کیا میں برداشت کر لیتی کہ دل میں وہ کسی اور کی پرستش کرتا رہے اور جسمانی طور پر میرا رہے —— کبھی گاڑی آدھے یا پونے پہیے پر بھی چلی ہے؟ آدمی پورا مل جائے تو خلا نہیں بھرتا تم آدھے پونے کی بات کر رہے ہو۔"

میں نے سیمی پر نظر ڈالی۔

میں نے محسوس کیا کہ مجھے کچھ سودا ہے جو میں اس گرمی میں جب کہ زمین اور آسمان دونوں حبس میں لرز رہے ہیں، گہری رات کے وقت ایک اجنبی لڑکی کے ساتھ بیٹھا ہوں۔ ایسی لڑکی جس کا محبوب اسے چھوڑ کر لندن چلا گیا اور جو اس کے فراق میں آگے

پیچھے دائیں بائیں کچھ نہیں دیکھ سکتی۔

لیکن ہم تو کرگس جاتی کے لوگ ہیں۔ ہم تو ازل سے ان مُردوں پر پلے تھے۔ ہم گدھ برادری کے لوگ سیمی کو آدھے پونے کی بات کیا سمجھاتے —— ہم تو گرم خون کے عادی ہی نہ تھے، ہم اسے کیسے سمجھاتے کچھ لوگوں کو صرف جسم کے سہارے زندہ رہنے کا حکم ہوتا ہے۔

"جب آفتاب نے مجھ سے کہا کہ وہ شادی کر رہا ہے تو —— تو میں نے اس سے پوچھا تھا —— کیوں؟ —— کیوں آفتاب ؟ —— پر اس نے میری کسی بات کا جواب نہیں دیا۔"

"شاید اس کے پاس ایسا کوئی جواب نہ تھا جو اس کی اپنی تشفی کر سکتا ہو۔"

"اس روز اس نے آسمان کے رنگ سے بھی ہلکی چیز کلاتھ کی قمیص پہن رکھی تھی۔ میں نے اسے کالروں سے پکڑ کر اتنی بار پوچھا کہ اس کے کالر کی سلائی نکل گئی قیوم ——"

"کیا پوچھا۔"

"دل ساتھ نہ ہو تو شادی کا فائدہ آفتاب —— جسم ساتھ نہ دے تو ہمیشہ کے سنجوگ سے حاصل —— میں اسے کھینچتی رہی پوچھتی رہی اور وہ کہتا رہا کیا لنگڑے زندہ نہیں رہتے کیا اندھے چلتے پھرتے نہیں —— میں مر رہی تھی اور وہ کمینہ میری بات کا جواب بھی نہ دیتا تھا ——" یہ کہتے ہوئے وہ دوبارہ مر رہی تھی۔

اس وقت ریستوران سے آنے والی موسیقی کی آواز بند ہو گئی۔ دیر سے جانے والوں کی چاپ بھی سنائی نہ دیتی تھی۔ کبھی کبھی دور سے کسی سپاہی کی سیٹی اچانک سر سے نکل کر درختوں پر سوئے پرندوں کو جگا دیتی اور تھوڑی دیر کے لئے درختوں پر پھڑپھڑانے کی ہلچل ہوتی اور پھر سب خاموش ہو جاتا۔

ستمبر کی گرم رات کا پچھلا گرم پہر۔

میں نے اپنا سب کچھ داؤ پر لگا دیا۔ اس کے دونوں کندھے جھنجھوڑ کر میں نے پوچھا —— "تمہیں محبت چاہئے —— وفا چاہئے —— رفاقت ؟"

"ہاں —— ہاں —— ہاں —— میں بچپن سے بہت Pampered ہوں

قیوم- میں محبت کے بغیر زندہ نہ رہ سکوں گی، لیکن—— لیکن اب زندہ رہنے کی ضرورت بھی کیا ہے—— " باربار متعدی بیماری کی طرح مایوسی اس پر حملہ کر دیتی۔

میں تمہیں زندہ رکھوں گا، جس طرح سات ماہ کے بچے کو ہسپتال کے Incubator میں زندہ رکھتے ہیں-"

"اچھا قیوم؟—— تم بچا لو گے—— اس سے یمی سے؟—— میں جانتی ہوں تم بھی مجھے مرنے کے لئے چھوڑ دو گے کسی دن-"

"نہیں نہیں یمی میں تمہیں اپنی روح کی حدت سے زندہ رکھوں گا—— خدا قسم میں تمہیں مرنے نہیں دوں گا Never"

یہ صرف گدھ جاتی کی عقل ہے کہ وہ مرے ہوؤں سے زندگی کا وعدہ کرتے ہیں-

اس وقت میرے پاس کچھ نہ تھا صرف ہمدردی کا ست رنگا جال—— آفتاب نے یہ غزالِ شہر شکار کیا تھا- مجھے اس مُردہ لاش کو کھانے کا حکم تھا- وہ نربل نڈھال کافور کے درخت تلے نیم مُردہ پڑی تھی- یہ لارنس باغ کا وہ حصہ تھا جہاں شام پڑتے ہی جنات کا پہرہ ہو جاتا ہے- کئی صاحب دل لوگوں کو یہ جنات خود مل چکے ہیں- کچھ نے ان کو مشعلیں جلائے درختوں میں غائب ہوتے دیکھا ہے- کچھ ان کے گنجے سر، نوگزے قد دیکھ کر باغ سے سرپٹ بھاگے ہیں- اس وقت ان ہی جنات کے خوف—— سے کوئی مالی چوکیدار سپاہی ادھر نہیں آتا-

سارے میں جگنو مقیش لگے دوپٹے کی طرح چمک رہے تھے اور یمی کافور کے پتوں پر ہلکے ہلکے پسینے میں ٹھنڈی بوتل کی طرح ہولے ہولے بھاپ چھوڑ رہی تھی-

یہاں یمی سے میرا ایک نیا تعلق پیدا ہوا- جسمانی رفاقت کا بانجھ سفر- یمی کو اپنی پرواہ نہ تھی- وہ آفتاب کے بعد کسی کی تھی، کیوں تھی؟ اس بات کی اسے خبر نہ تھی- دراصل مغربی تعلیم نے اس کے اندر ایک خاص قسم کی منفرد وفا پیدا کر دی تھی جس کا تعلق صرف روح سے تھا- اسے جسمانی تعلقات کی رتی برابر بھی پرواہ نہ تھی- کافور کے درخت تلے یمی سے میں ہمیشہ کے لئے منسلک ہو گیا- جیسے اسی کے جسم کا حصہ تھا اور وہ اپنے آپ کو میری تحویل میں دینے کے باوجود بالکل الگ تھلگ رہی—— جیسے بنک کا

ٹوکن ـــــ آپ کی مٹھی میں ضرور ہوتا ہے لیکن آپ کی ملکیت نہیں ہوتا۔

جب آفتاب کو اس کے جسم کی ضرورت نہ تھی تو اس کا جسم کوڑے کا ڈھیر تھا۔ اب اسے فکر نہ تھی کہ اس کوڑے کے ڈھیر پر کون اپنی غلاظت پھینکتا ہے۔ اپنا جسم میرے سپرد کرنے سے کچھ لمحے پہلے وہ ملامتیہ فرقے میں شامل ہو گئی اور دیکھتے ہی دیکھتے شہریار سے بے دیار ہو گئی۔ سیمی میں اتنی قوت نہ تھی کہ وہ میرا مقابلہ کر سکتی۔ وہ مرنے سے بہت پہلے مرنے کا راز پا گئی تھی۔ اس نے منہ سے ایک لفظ نہ کہا۔ کھلی آنکھوں سے مجھے ایسے دیکھتی رہی جیسے میں موجود نہیں تھا۔ میرا خیال تھا کہ اگر آنکھوں کے راستے دل میں داخل ہونے کا راستہ نہ ہو تو دل تک جانے کے اور بھی کئی راستے ہو سکتے ہیں۔ اس وقت مجھے معلوم نہ تھا کہ دل کو صرف ایک راہ جاتی ہے اور وہ جسم کا راستہ نہیں ہے۔ جسم کے جنکشن پر انجن رُک سکتا ہے، کوئلہ، پانی درست کر سکتا ہے، لیکن ہمیشہ جنکشن پر کھڑا نہیں رہ سکتا۔ جسموں کے اتصال سے ایک نیا جسم ایک نئی روح جنم لے سکتی ہے، لیکن ایک روح دوسری روح سے نہیں مل سکتی، بشرطیکہ ان کی روحیں پہلے ہی یک رنگی اختیار نہ کر چکی ہوں۔ ویسی صورت میں یہ ملاپ بندوق کی لبلبی کا کام دیتا ہے۔ تڑاہ تڑاہ کی آواز بھی نکلتی ہے، فائر بھی چلتا ہے اور دو شکار ایک وقت میں مرتے ہیں۔ روحوں کا اتصال پہلے نہ ہو چکا ہو تو جسمانی تعلق احساس گناہ بھی ہے ـــــ اور ہمہ شکستگی بھی۔

جب میں نے اس کا کف دوبارہ بند کیا تو وہ آنکھیں بند کئے چپ لیٹی تھی۔ وہ نہ میرے ساتھ تھی نہ میرے مخالف۔ وہ کسی ایسے شرابی کی بیوی تھی جو ہزار مجبوریوں کے باعث مدافعت کے قابل نہیں رہتی۔

یہ بھی عجیب رابطہ تھا۔ مُردار کو گدھ ہڈیوں تک شفاف کر چکا تھا لیکن وہ اپنی بے عزتی کا نظارہ کرنے کے لئے موجود ہی نہ تھی۔ وہ تو اس وقت کہیں اور تھی کسی اور کے ساتھ تھی۔ یہ بھی اپنی نوعیت کا رابطہ تھا۔ اُدھر سے کوئی مدافعت نہ تھی۔ سومناتھ کا مندر کھُلا پڑا تھا۔ صرف ارد گرد ایک بھی پجاری نہ تھا۔ سیمی قسم کی کوئی روح کوسوں میل تک موجود نہ تھی۔

جس وقت ہم دونوں ایک دوسرے سے جدا ہوئے، ہم مکمل طور پر کھوکھلے تھے، میں جانتا تھا کہ سیمی کبھی میری نہ ہو سکے گی۔ وہ غالباً سمجھتی تھی کہ اپنے ساتھ میری لعنت

لگا کر اس نے آفتاب سے بدلہ لے لیا ہے۔ شاید وہ اپنے آپ کو ذلیل کر کے ہی اپنی ذات کو کچھ دیر کے لئے بچا سکتی تھی۔

رات کے پچھلے پہر کا چاند چیڑھ کے درختوں پر قرص بن کر ٹنگا ہوا تھا۔

"چلیں؟——" سیمی نے بالآخر پوچھا۔

"کہاں——"

"ڈرو نہیں میں وائی ڈبلیو سی اے جاؤں گی۔"

"میں نہیں ڈرتا کسی چیز سے۔"

"اگر میں تمہارے گھر جانا چاہوں تو——"

"تو چلو ناں——" میں نے اس کا بازو گھسیٹ کر کہا۔

"نہیں قیوم میرا کوئی گھر نہیں ہے مجھے وائی ڈبلیو سی اے تک پہنچا دو۔ وہاں میری ایک سہیلی رہتی ہے۔"

"اتنی رات گئے۔"

"وہ جانتی ہے میں پاگل ہوں Assignment لکھتے وقت تو مجھے معلوم نہیں تھا لیکن آج میں پروفیسر سہیل کو بتا سکتی ہوں دیوانے پن کی اصلی وجہ۔"

جس وقت ہم ٹک شاپ نما کیفے کے پچھواڑے پہنچے تو سیمی نے میرے بازو کو ہاتھ سے پکڑ لیا۔

"قیوم۔"

"ہاں۔"

"موٹر سائیکل مت چلانا باغ میں—— مال پر جا کر سٹارٹ کرنا۔"

"کیوں۔"

"اس وقت ہمیں کسی سپاہی نے دیکھ لیا تو تھانے لے جائے گا۔ مجھے اپنی تو فکر نہیں ہے کوئی مجھے تھانے لے جائے کہ جہنم لے جائے لیکن تمہارا رزلٹ نکلنے والا ہے۔ پھر تمہیں نوکری چاہئے ہو گی۔"

"مجھے پروا نہیں۔"

"ہونی چاہئے ناں پروا—— سپاہی نازیبا حرکتیں کرنے والوں کو تھانے لے

جاتے ہیں۔ گندے بچے ــــــ نقصِ امن ہے یہ بھی۔"

وہ ہلکا سا مسکرائی۔ پہلی بار۔

میں نے محسوس کیا یہ مسکراہٹ دُکھ میں ڈوبی ہوئی تھی۔ میری محبت نے۔ میری جسمانی وارفتگی نے اس کے وجود کو ذرا سا بھی ڈرائی کلین نہیں کیا تھا۔

وائی ڈبلیو سی اے سے میں باہر نکلا تو شہر پوری طرح سویا ہویا تھا ــــــ سینٹ انتھونی کے گرجے کی سیاہی مائل عمارت کے پیچھے چاند میری موٹر سائیکل کی رفتار کے ساتھ ساتھ سفید روسی کتے کی طرح بھاگتا چلا آرہا تھا۔

دن کے وقت مال کی شکل کچھ اور ہوتی ہے، لیکن اس وقت عمارتیں بہت گرانڈیل سڑکیں کشادہ اور بتیاں بہت زیادہ روشن تھیں۔ اِکا دُکا کاریں آجا رہی تھیں۔ پر ان کے رنگ اور رفتار کچھ اجنبی سے نظر پڑتے تھے ــــــ پوسٹ آفس کی گلابی عمارت سے لے کر کرشن نگر کے آخری بس سٹاپ تک سارا دن قریباً باٹل نک رہتا ہے، لیکن رات گئے یہاں صرف بتیاں پلکیں کھولے کھڑی تھی اور کسی کسی راہ گیر کو حیرانی سے تک رہی تھیں، جس وقت میں کرشن نگر سے نکل کر بوچڑ خانے کے پہلو میں بائیں ہاتھ کو مڑا تو مجھے دودھ کے بلٹوھے لادے ہوئے ایک گوجر کے ریڑھے نے کراس کیا۔ ابھی صبح کاذب بھی نہیں ہوئی تھی، لیکن میں نے اندازہ لگایا کہ شہر کے بیدار ہونے میں اب تھوڑی ہی دیر ہے۔

ساری رات سیمی کے ساتھ کافور کے درخت تلے گزارنے کے بعد مجھے اپنا کمرہ، پرانی زندگی، رات سب کچھ غیر مرئی لگ رہا تھا۔ جب آدمی کافی دیر تک جاگتا رہے اور نیند کو غالب نہ ہونے دے تو اس کے اعضاء ست پڑ کر یا تو بہت ہلکے ہو جاتے ہیں اور یا بہت بھاری محسوس ہونے لگتے ہیں۔ اس کے سر سے کچھ بوجھ سا اتر جاتا ہے ــــــ حقیقتوں کا بوجھ اور وہ جاگتے میں خواب تو نہیں دیکھتا لیکن اس کی نقل و حرکت کچھ Slow Motion جیسی ہو جاتی ہے۔

مجھے یوں لگتا ہے جیسے میں شہ نشین پر بیٹھا بیٹھا اونگھ گیا ہوں۔ لیکن آنکھ کھلی تو

سامنے مختار بھائی کھڑے تھے۔ ان کے سر پر پورا سورج چمک رہا تھا اور وہ تعجب سے مجھے دیکھ رہے تھے۔

"یار ساری رات یہاں ہی بیٹھے رہے ——— ؟" انہوں نے اپنی عینک کے ڈبل شیشے صاف کرتے ہوئے پوچھا۔

"جی نہیں میں تو بہت صبح یہاں آکر بیٹھا تھا۔"

"موٹر سائیکل کہاں ہے۔"

"نیچے گلی میں۔"

میں عموماً جب کبھی ان کی موٹر سائیکل مستعار لیتا تو اسے آنگن کی اس بغلی گلی میں کھڑا کر دیتا ——— جس میں میرے کمرے کی اوپر آنے والی سیڑھیاں کھلتی تھیں۔

"اچھا ——— تم پاس ہو گئے ہو ——— رزلٹ آگیا ہے ——— اخبار میں ———"

سیمی کے عشق میں فیل ہو کر مجھے پاس ہونے کی خبر عجیب سی لگی۔

"نیچے اپنی بھابھی سے اخبار لے لینا ——— مبارک ہو۔"

بھائی مختار رومال سے منہ پونچھتے ہوئے بیرونی سیڑھیوں سے باہر اتر گئے۔

جب رات میں گھر میں داخل ہوا تو مجھے پورا یقین تھا کہ اب میں سیمی سے کبھی نہیں ملوں گا ——— اس کے بہت قریب رہ کر مجھے علم ہو گیا تھا کہ اس کے دل میں میرے لئے کوئی جگہ نہیں ہے ——— لیکن ہمیشہ کی طرح سارا دن میں رزلٹ کے بجائے اسی کے خیالوں میں الجھتا رہا ——— رہ رہ کر اس کی باتیں، بیٹھنے کا طریقہ اس کے بے طور بہنے والے آنسو، آفتاب سے اس کی بے ساختہ اور وارفتہ محبت میرا محاصرہ کرتی رہی۔

جس وقت دھوپ ڈھلے میں وائی ڈبلیو سی اے کے سامنے پہنچا تو مجھے معلوم نہیں تھا کہ میں سیمی سے ملنے جا رہا ہوں۔ زیادہ سے زیادہ میرا یہ ارادہ تھا کہ اپنی ایک ہم جماعت کو سوشیالوجی کا رزلٹ سنا دوں۔ وہ بغیر پھاٹک والے بڑے ستون کے پاس کھڑی تھی۔ میں نے مختار بھائی کا ہنڈا اس کے پاس روکا ——— یوں لگتا تھا کہ ساری رات

جاگنے کے بعد وہ دن بھر بھی نہیں سوئی۔

"آ گئے —— مجھے معلوم تھا کہ تم آؤ گے۔"

"کیسے؟"

"مریض کو معلوم ہوتا ہے کہ ڈاکٹر آئے گا۔"

"تم کو اتنا کچھ کیسے معلوم ہوتا ہے سیمی۔"

اس نے آج اپنے ابرو pluck نہیں کئے تھے اور چھوٹے چھوٹے نئے بال چیونٹوں کی شکل میں دکھائی دے رہے تھے۔

"ہوتا ہے معلوم —— تعلق ہو تو سب کچھ پتہ لگ سکتا ہے —— رزلٹ نکل آیا؟"

"ہاں —— تم نے اخبار دیکھا۔؟"

"نہیں —— لڑکیاں کہہ رہی تھیں کہ رزلٹ نکل آیا ہے سوشیالوجی کا —— میں اخبار دیکھ کر کیا کرتی۔"

"میں پاس ہو گیا ہوں۔"

"اچھا؟ —— مبارک۔"

صبح بھائی مختار نے دن چڑھے بھابھی صولت نے اور اب سیمی نے ایک سے لہجے میں مبارکباد دی تھی۔

ان تینوں کا تعلق ایک جیسا تھا۔

"کون سی ڈویژن؟"

"سیکنڈ۔"

"اچھا ہے —— میں اور آفتاب تو یہ بھی حاصل نہ کر سکے۔"

وہ چپ کھڑی تھی۔

آج پھر اس نے جینز پر سفید وائل کا کرتہ پہن رکھا تھا —— لیس کی باڈس صاف نظر آ رہی تھی —— کٹے ہوئے بال اس نے تجاہل کے ساتھ ربر بینڈ سے باندھ رکھے تھے۔ کندھے سے لٹکا ہوا کینوس کا تھیلا اس کے گھٹنوں تک تھا اور وہ اس وقت تھوڑی سی فقیرنی تھوڑی سی ہپی تھوڑی سی فرانسیسی لڑکی نظر آ رہی تھی۔

"چلیں؟ــــــ" میں نے سوال کیا۔

"چلو۔"

"کہاں؟"

"کسی ہوٹل میں۔"

"میری ابھی نوکری نہیں لگی ــــــ میں زیادہ پیسے نہیں خرچ کر سکتا۔"

"میری تنخواہ جو ہے ــــــ بل میں ادا کروں گی ــــــ" اس نے کینوس کے تھیلے پر ہاتھ رکھ کر کہا۔

"پھر کسی روز سہی۔"

"تو پھر آج کہاں چلیں۔" اس نے پوچھا۔

"وہیں؟"

"وہیں کہاں؟ــــــ" جیسے وہ رات کو، کافور کے درخت کو اور باقی سب کچھ کو یکسر بھول چکی تھی۔

اب ہمارا معمول ہو گیا کہ ہم دونوں شام گئے جناح باغ میں چلے جاتے۔ اس خطے میں جہاں جنات کا پہرہ تھا اور روحیں آدھی رات کو لالٹین لے کر پھرتی تھیں۔ یہاں بیٹھ کر ہم آدھی رات تک پچھلی باتیں کرتے رہتے۔ سیمی میرے متعلق کچھ جاننا نہیں چاہتی تھی۔ اس لئے میرے تمام دروازے بند رہتے۔ صرف وہ بولتی رہتی ــــــ اپنی محرومی کی تمام باتیں ایک ایک کر کے مجھے بتاتی رہتی۔ اپنے بچپن کے واقعات، آفتاب سے ملاقاتیں، آفتاب کے ساتھ گزارے ہوئے لمحے ــــــ باتیں وہی تھیں لیکن وہ تاش کے پتے کچھ اس طرح پھینٹتی کہ ہر بار ہم دونوں کے ہاتھوں میں نئے پتے آ جاتے ــــــ میرے پاس اور کوئی چارہ نہ تھا کہ میں ان ہی باتوں کی سیڑھی لگا کر اس تک پہنچوں۔ جب میں اس کے بہت قریب ہو جاتا اور اس کی آستین کو رول کرنے لگتا تو وہ ہمیشہ آنکھیں بند کر لیتی ــــــ اس کے بعد وہ آفتاب کی آغوش میں ہوتی۔

جسمانی تعلق کے عین تین سیکنڈ بعد وہ ہمیشہ آفتاب کا نام لے کر اٹھ بیٹھتی

——— یہ نام میری کنپٹی میں گولی کی طرح لگتا۔

"آفتاب تمہارا دوست تھا؟ ——— "ایک رات اس نے مجھ سے سوال کیا۔

"بہت ——— "میں اپنے خیالوں میں گم ہو گیا۔

میں اس وقت سیمی کو بتانا چاہتا تھا کہ مجھ جیسوں کا یہاں ——— وہاں کوئی دوست نہیں ہے، ہماری کوئی محبوبہ نہیں ہوتی، ہم صرف لوگوں سے ملتے رہتے ہیں۔ جیسے کچی لپائی دیوار سے جھڑ جاتی ہے۔ ایسے ہم لوگوں کے دلوں سے اتر جاتے ہیں، پھر ایسے لمحے میں اسے کیسے سمجھایا جا سکتا تھا کہ ضروری نہیں روم میٹ دوست بھی ہو۔ ہر شام امجد آفتاب سے ملنے آیا کرتا تھا۔ گو سیمی کا ذکر کوئی راز نہ تھا۔ لیکن وہ دونوں آفتاب کی چارپائی پر بیٹھ کر بڑی دبی دبی آواز میں باتیں کرنے لگتے۔ میں کبھی ان کے اندرونی دائرے میں شامل نہیں ہوا۔ کبھی تو میں مخل نہ ہونے کی غرض سے کواڈرینگل سے باہر چلا جاتا۔ کبھی یہ دونوں امجد کی موٹر سائیکل پر سوار غاں غاں کرتے ہاسٹل سے باہر چلے جاتے، پھر جانے کسی ریستوران میں انہیں پناہ ملتی، وہ فٹ پاتھوں پر بیٹھ کر باتیں کرتے، ہو سکتا ہے اسی جگہ اسی باغ میں اسی درخت تلے بیٹھ کر وہ سیمی کو Discuss کرتے ہوں، لیکن ان باتوں کا مجھے علم نہیں، کیونکہ آفتاب صرف میرا روم میٹ تھا۔

لیکن ایک ہی کمرے میں رہنے کے ناطے سے مجھے آفتاب پر کافی دسترس بھی حاصل ہو گئی تھی، وہ کھبچو تھا ——— بائیں ہاتھ سے اسے شیو بناتے دیکھ کر مجھے عجیب الجھن سی ہوتی۔ اس کے قالین فروش باپ کی بہت لمبی چوڑی بزنس تھی۔ وہ امریکہ، سویڈن، فرانس اور انگلستان میں قالین ایکسپورٹ کرتے تھے۔ ان کی فیکٹری میں ایسے فیل پا قالین تیار ہوتے تھے کہ ایرانی کاریگر بھی دیکھ کر عش عش کر اٹھیں۔ گو آفتاب کے باپ کی دلی آرزو تھی کہ آفتاب جلد سے جلد بزنس میں لگ جائے لیکن جب آفتاب نے ایم اے سوشیالوجی میں داخلہ لے لیا تو قالین فروش باپ میں قالین جیسی لچک پیدا ہو گئی۔ اس نے نہ صرف داخلے پر اعتراض نہ کیا بلکہ ہوسٹل میں رہنے کی اجازت بھی دیدی۔

آفتاب کو دراصل ایک ٹاپک پر دسترس تھی ——— وہ کالج کے باقی لڑکوں کی طرح ٹائم اور نیوز ویک کی باتیں نہیں کرتا تھا۔ پروفیسروں کی شکایتیں، مستقبل اور کیریئر کی کوئی فکر نہ تھی۔ وہ ہم سب میں پرانی Generation کا ترو تازہ گورا چٹا کشمیری تھا،

لیکن اسے اپنے ٹاپک پر بڑا عبور حاصل تھا۔ وہ صرف امجد کے ساتھ لڑکیوں کی باتیں کرتا ـــــ کرتا چلا جاتا اور کبھی نہ تھکتا، لیکن اس طرح جیسے کوئی جوہری موتیوں میں ڈورا پروتا ہے۔ اس کی گفتگو سے کسی قسم کی آوارگی جنسی بھوک یا حرص ظاہر نہ ہوتی تھی ـــــ وہ ہر Day Scholar لڑکی کے گھر کا پتہ خاندان کا اتہ پتہ جانتا تھا بلکہ لڑکی کا مکمل انسائیکلو پیڈیا تھا، حالانکہ نہ کلاس میں نہ باہر کبھی کسی نے اسے کسی لڑکی سے بات کرتے نہیں دیکھا۔ بس فاصلے سے ساری انفرمیشن اس تک پہنچ جاتی تھی۔

آفتاب اور سیمی نے پہلے ہفتے میں ہی ایک دوسرے کے گلے میں جے مالا پہنادی تھی۔ ابھی باقی یار لوگ تعارفی جملے ہی سوچ رہے تھے کہ سیمی آفتاب کی ہپ پاکٹ میں پہنچ گئی ـــــ سیمی باقی چار لڑکیوں سے خوبصورت تو نہ تھی لیکن اسے کپڑے پہننے کا، بات کرنے کا، چلنے پھرنے کا سلیقہ ان سب سے زیادہ تھا۔ شروع شروع میں جب وہ گلابی رنگ کے گول گول گلاسز اتار کر لیکچر سننے بیٹھتی تو سارے لڑکے پروفیسر کے بجائے اس کی طرف دیکھنے پر مجبور ہو جاتے۔

سیمی آسانی سے قابو آنے والی لڑکی نہ تھی۔ وہ خودسر، ضدی، خوب پڑھی لکھی اور فیشن ایبل تھی ـــــ اس کی باتوں میں واشنگٹن ڈی سی کا دبکا تھا۔ اپنی رائے، چاہے وہ کیسی بھی دور پار یا انوکھی کیوں نہ ہو، اس کے اظہار کو وہ اپنا پیدائشی حق سمجھی تھی۔ یونین کے ایلکشنوں میں اس نے پوسٹر بنائے، تقریریں کیں، ووٹروں کے ساتھ گھومی پھری، جھنڈے اٹھا کر نعرے لگائے ـــــ وہ اصلی معنوں میں ماڈرن تھی، کیونکہ ہر ننگے لباس میں وہ ڈھکی ہوئی رہتی - اس نے جو کچھ مغرب سے لے کر اپنا لیا تھا۔ اب اس کی ذات کا حصہ تھا، پھر پتہ نہیں وہ صبح نہاری اور شام سری پائے کھانے والے آفتاب کی محبت میں کیسے مبتلا ہو گئی۔ بھنڈی کے پھولوں جیسے زرد رنگ کی آڈری ہیبرن نے خدا جانے بھاری بھرکم شلوار قمیض پہننے والے پنجابی سے اونچی اونچی باتیں کرنے والے آفتاب کے ساتھ اٹھنا بیٹھنا کیوں اختیار کیا؟

شاید آفتاب کی ساری کشش اس بات میں تھی کہ خدا نے نہ اسے سرکش بنایا تھا نہ سرشار ـــــ وہ اونچے شملے والوں میں پیدا ہوا تھا لیکن گھنائے ہوئے لوگوں سے اسے کوئی نفرت نہ تھی۔ وہ کنول کے پھول کی طرح پانی اور کیچڑ دونوں سے بنا تھا۔ شاید

یہی وجہ تھی کہ وہ ہر ماحول میں ہر انسان کے ساتھ بڑی جلدی ہم آہنگی اختیار کر لیتا۔

ایک روز وہ اپنا صابن تولیہ اور برش لے کر کمرے سے رخصت ہوا، لیکن چند لمحے بعد ہی واپس آگیا۔ میں اس وقت اٹھنے کی سوچ رہا تھا۔

"یار قیوم —— ٹیوب ہوگی —— ٹوتھ پیسٹ۔"

میں نے الماری میں رکھی ٹیوب کی طرف اشارہ کیا۔ اس نے ٹیوب سے لمبا سا سفید گُل نکالا اور احتیاط سے اپنے برش پر جما لیا۔ کندھے پر تولیہ رکھے اس وقت وہ مجھے خدا خبر کیوں کسی پنجابی فلم کا ہیرو لگ رہا تھا۔ میرا خیال تھا کہ اب وہ اتنی تیزی سے ہی لوٹ جائے گا جتنی جلدی وہ آیا تھا، لیکن وہ دہلیز کے ساتھ کندھے جوڑ کر کھڑا ہو گیا —— کشمیری آدمی پتہ نہیں کیوں صبح سویرے ڈِھیلا ہوتا ہے۔

"یار یہ ہماری چوکھٹ کو دیمک لگ گئی ہے —— یہ دیکھو۔"

میں نے پلٹ کر چوکھٹ کی طرف دیکھا۔

"رپورٹ کرنی چاہئے وارڈن صاحب کو۔"

"ہاں کرنی تو چاہئے۔"

وہ مسکرایا —— "لیکن کیا فائدہ؟ بڑے بڑے عالی شان قالین بودے ہو جاتے ہیں یہ تو پھر لکڑی ہے۔ دیمک نہ لگے گی تو ویسے اس کی نیچ لائف ختم ہو جائے گی۔ آدمی اپنی احتیاط سے تھوڑی دیر کے لئے اس کے آگے بندھ باندھ سکتا ہے سارے PROCESS کو ختم نہیں کر سکتا۔"

"تو کیا پھر رپورٹ نہیں کرنی چاہئے۔" میں نے سوال کیا۔

"نہیں نہیں کرنی چاہئے —— کرنی چاہئے لیکن اس کے بعد یہ نہیں سمجھنا چاہئے، کہ ہم اس چوکھٹ کو ہمیشہ اسی ثابت و سالم حالت میں رکھ سکتے ہیں۔"

"اچھا۔"

وہ کھڑا رہا چپ چاپ۔

"میں ہاسٹل چھوڑ رہا ہوں۔"

"کیوں؟"

وہ تھوڑی دیر تک سر کھجلاتا رہا —— پھر بولا —— "یار میرا خیال تھا کہ میں

پڑھ لکھ کر کوئی Job کروں گا۔ ایک بڑا افسر بنوں گا، لیکن اب مجھے پتہ چلا ہے کہ یہ سب کچھ یہ Put on میرے لہو میں نہیں ہے۔ میرے باپ دادا قالین بیچتے آئے ہیں۔ کشمیری چائے پیتے رہے ہیں ـــــ کلچے کھاتے رہے ہیں۔ میں پتلون کوٹ اور ٹائی پہن کر بہت اوپرا لگوں گا۔ اپنے آپ کو ٹکٹکی پر لگالوں گا گورے صاحب کی طرح ـــــ"

"کیا پڑھائی بھی چھوڑ دینے کا ارادہ ہے۔"

"ہاں کچھ ہی۔"

"کیوں؟"

"بھئی کچھ فرق نہیں پڑتا ہماری ٹریڈ میں۔"

میں چپ ہو گیا۔ اس کے چلے جانے سے تھوڑی سی اُمید بندھتی تھی۔ میں دل ہی دل میں خوش تھا۔

"عجیب بات ہے کچھ لوگوں کو محبت پائیدار کرنے کا بہت شوق ہوتا ہے۔ خاص کر لڑکیوں کو ـــــ" اس نے سر کھجلا کر کہا۔

وہ شاید سیمی کا نام لینا چاہتا تھا۔

"ایسے لوگوں کو وہم ہوتا ہے کہ وہ ہمیشہ جوان رہیں گے، ہمیشہ محبت کر سکیں گے ـــــ ان لڑکیوں کے دماغ میں اس قدر بھوسہ کیوں بھرا ہوتا ہے۔

"تو کیا آدمی کسی سے ہمیشہ محبت نہیں کر سکتا۔"

"کر سکتا ہے، کر سکتا ہے لیکن ہر آدمی نہیں ـــــ آج کل کی Generation تو بالکل بالکل نہیں۔ ہمیشہ کی محبت بڑا مشکل کام ہے۔"

"تھوڑا وقت تو رہ گیا ہے اگر امتحان دے دیتے تو کوئی خاص ہرج بھی نہ تھا۔"

"لندن والی برانچ کا مینجر استعفیٰ دے گیا ہے۔ ابا جی آفر دے رہے ہیں۔ اگر میں سوچتا رہا تو پھر یہ جگہ پر ہو جائے گی۔"

اس وقت میرا خیال تھا کہ وہ سیمی کو ساتھ لے جائے گا، جس روز کلاس میں یہ افواہ پھیلی کہ آفتاب نے نہ صرف کالج چھوڑ دیا ہے بلکہ وہ اپنی کزن سے شادی بھی کر رہا ہے تو مجھے بڑا تعجب اور سکون ہوا۔

"تم کیا سوچ رہے ہو قیوم۔"

"کچھ نہیں —— کالج کی پرانی باتیں۔"

پھر اس نے میرا ہاتھ اٹھا کر لبوں سے لگایا۔ دُبلے پن کی وجہ سے اس کے ہاتھوں پر کتنی ہی نسیں ابھری ہوئی تھیں اور تیسری انگلی میں فیروزے کی انگوٹھی آگے پیچھے ڈھلک رہی تھی۔

"اگر تم بھی نہ ہوتے قیوم —— ذرا سوچو تم بھی نہ ہوتے اس رات میں اس درخت تلے مرجاتی Joke نہیں خدا قسم مرجاتی —— پھر دوسری صبح میرے ممی ڈیڈی میری لاش شناخت کرنے تھانے آتے۔"

"سیمی تم اپنے والدین کے پاس واپس کیوں نہیں چلی جاتیں۔"

"گلبرگ تھری میں —— امریکی ہسپتال کی پشت پر۔"

"ہاں وہیں۔"

"جیسے اس وقت میں اٹھنا چاہتی ہوں لیکن اٹھ نہیں سکتی —— اسی طرح میں وہاں جانا چاہتی ہوں لیکن جا نہیں سکتی۔"

"لیکن کیوں آخر کیوں؟"

وہ زار زار رونے لگی۔ اس کے رونے میں ایک ایسے چشمے کی آواز تھی جو پتھریلی جگہ سے سر پھوڑ کر گزر رہا ہو۔

"آؤ آفتاب کی باتیں کریں۔" میں نے اسے دلاسہ دے کر کہا۔

یکدم وہ مکمل دلچسپی بن گئی۔

"وہ تمہارا دوست تھا ناں؟ بتاؤ تمہیں اس سے محبت تھی؟ ضرور ہو گی۔ میں نے سنا ہے ہوسٹل میں لڑکے Homosexual ہوتے ہیں، سچ سچ بتانا۔ کیا تمہارا اس کا جسمانی تعلق تھا۔"

میں دنگ رہ گیا —— بھنڈی کے زرد پھولوں جیسی رنگت پر اس وقت ہلکی ہلکی سرخی چھا رہی تھی —— میں سوچنے لگا۔ شاید مجھ سے جسمانی تعلقات استوار کرنے کی بھی یہی وجہ نہ ہو کہ اسے اپنے جسم کی پروا نہیں بلکہ شاید میرے توسط سے اب بھی وہ آفتاب تک پہنچنا چاہتی ہو۔"

میں چپ ہو گیا —— وہ بہت خطرناک پانیوں میں بغیر لائف سیونگ بلٹ کے

تیر رہی تھی۔

"اچھا نہ سہی —— تم مجھے اپنے متعلق کچھ بتانا نہیں چاہتے۔ میں نے تو تم سے کچھ نہیں چھپایا قیوم —— اندر سے اندر کی باتیں بھی تمہیں بتا دیں، نہ بتانے والی بھی ——"

اس وقت میں نے سیمی کو جو کچھ بتایا وہ میری آپ بیتی تھی، لیکن میں نے اپنی کہانی لمحہ بہ لمحہ جذبہ بہ جذبہ اور واقعہ در واقعہ آفتاب سے منسوب کر کے اسے سنائی۔ آفتاب کا نام میں نے اس لئے لیا، کیونکہ مجھے معلوم تھا کہ میری کوئی بات وہ غور سے نہیں سنے گی۔ اس کا کٹ آؤٹ کام آئے گا اور بجلی کا کرنٹ اس کے دل تک نہ پہنچ سکے گا۔

میں نے اسے بتایا ذرا ذرا احوال —— جب پہلی بار وہ کلاس میں آئی تھی۔ اس نے کس سے پہلے بات کی تھی اور وہ کب رخصت ہو گئی۔ میں نے اسے وہ سارے خط سنائے جو میں لکھتا رہا لیکن پوسٹ نہ کر سکا۔ میں نے وہ تمام واقعات بیان کئے جب میں نے اس کا تعاقب کیا اور اسے مل نہ سکا۔ اپنی ڈائری کے صفحات بیان کرنے میں آسمان کا رنگ پرانی چاندی جیسا ہو گیا اور مجھے شبہ ہوا کہ دن چڑھنے والا ہے۔

"لیکن یہ ساری باتیں تو مجھے آفتاب نے کبھی نہیں بتائیں۔"

"وہ جذبات کے اظہار میں گونگا آدمی تھا —— ایسے آدمی کچھ نہیں بتایا کرتے۔"

"لیکن —— ہم دونوں تو گھنٹوں باتیں کرتے تھے —— تمہیں بھی تو اس نے سب کچھ بتایا —— اتنی ساری محرومیوں کی مجھ سے تو کبھی اس نے شکایت نہیں کی۔ مجھے تو معلوم نہیں کہ وہ مجھے خط لکھتا تھا بغیر پوسٹ کئے۔"

میں اندر ہی اندر —— ہنسا اور بولا —— "میرا تو وہ دوست تھا سیمی —— دوست —— ہومو۔"

"آہ ان باتوں کا فائدہ —— اور ان سے حاصل —— ؟ شاپنگ گم ہو جائے تو رسیدوں سے فائدہ؟"

میں نے بازو پھیلا کر اسے اپنے وجود کے ساتھ لپٹا لیا۔ راجہ گدھ کو ایسے لمحوں

کا بہت انتظار رہتا ہے، جب کوئی شخص دنیا کو بے فائدہ سمجھ کر اس سے منہ موڑنے کی کوشش کرے۔ اس نے اپنے اعضاء ڈھیلے چھوڑ دیئے جیسے طوفان کے بعد ٹوٹی ہوئی کشتی اپنے تختے ساکت پانیوں پر چھوڑ دیتی ہے۔ اس گلدستے میں میرے لئے ان گنت کانٹے تھے۔ لیکن ان کانٹوں کے باوجود اسے سینے سے لگانے پر مجبور تھا۔

"سیمی ـــــ محبت کی فریم میں کبھی کبھی تصویر بدلنا پڑتی ہے۔"

اس نے آنکھ کی جھری سے دیکھا۔ وہ اس وقت میرے ساتھ نہیں تھی، اندر دھنسی ہوئی آنکھوں میں، فیروزی مائل سیاہ آئی شیڈ والے پپوٹوں کے نیچے ان آنکھوں میں آفتاب کی شکل گھوم پھر رہی تھی۔

"جانے دو ـــــ مجھے جانے دو ـــــ میں ان تصورات سے ختم ہو جاؤں گی۔"

"کیسے تصورات سیمی ـــــ ؟ کیسے؟"

"وہ دونوں ـــــ ایک ڈبل بیڈ پر ہیں۔ وہ میرا آفتاب ـــــ میرا اسے چوم رہا ہے زیبا کو ـــــ تم نہیں سمجھ سکتے قیوم ـــــ یہ تصورات مجھے ختم کر دیں گے۔ پتہ نہیں سارا سارا دن مجھے کیا کچھ نظر آتا رہتا ہے۔"

میں نے خفگی سے کہا ـــــ "ہم بھی ایک دوسرے کو چوم رہے ہیں سیمی۔"

اس نے ندامت سے سر جھکا لیا اور لجاجت سے بولی ـــــ "یہ اور بات ہے قیوم ـــــ اسے اپنی زیبا سے محبت ہو گئی ہے ـــــ وہ بے وفا ہے ـــــ بے وفا ـــــ اتنی جلدی میرے بعد اسے محبت بھی ہو گئی ـــــ وہ زیبا کے لئے سردھڑ کی بازی لگا دے گا ـــــ ہمیں کوئی محبت تھوڑی ہے؟ ـــــ ہیں قیوم ـــــ ؟"

میں چپ رہا۔

جہاں تک سیمی کا تعلق تھا۔ وہ مجھے چومتی ضرور تھی لیکن اسے مجھ سے محبت نہ تھی، کم از کم یہاں تک وہ سچی تھی۔

سیمی باوفا تھی کیونکہ وہ صرف احساس تشکر میں آ کر قیوم کے وجود کو برداشت کرتی تھی ـــــ اور میں ـــــ میں ان دونوں کے درمیان کیا تھا؟ ـــــ میں اپنے آپ کو کس طبقے کس کلاس کس گریڈ میں رکھتا؟ ـــــ شاید کرگس جاتی کے لوگوں کی

کوئی Category نہیں ہوتی۔ وہ تو محض لائن ہوتے ہیں۔ نہ دائرہ نہ چوکور نہ مستطیل —— محض لائن —— جوان دائروں کی مستطیلوں کی سرحدیں متعین کرتی ہے۔

اس وقت سفید سفید چادر میں ملبوس نوفٹ کا ایک آدمی مشعل لئے سامنے ایک جھاڑی سے نکلا۔ اس کے سر پر کوئی بال نہ تھا اور وہ دائرے میں چلتا تھا۔ اس نے تین مرتبہ اپنی مشعل اونچی کی اور پھر واپس جھاڑی میں گھس گیا —— اس وقت پتہ نہیں کیوں میرے اندر ایک گہرا گیان پیدا ہوا۔ جیسے استخارہ کر لینے کے بعد گومگو کی حالت ختم ہو جاتی ہے۔ میرے اندر آفتاب نے گھس کر دو چار ہاتھ کراٹے کے مارے اور قیوم کو ختم کر دیا۔ اس کے بعد میرے اندر آفتاب ایسے بھرتا گیا جیسے بوتل میں پانی —— سر کی اخروٹی ہڈی سے لے کر پیروں کی پیچیدہ ہڈیوں تک آفتاب بیٹھ گیا۔ اس کے بعد اس آفتاب کے آنے جانے کا کوئی وقت مقرر نہ تھا —— جس وقت وہ چاہتا چلا جاتا اور قیوم سٹینڈ ٹو ہو جاتا۔ جس وقت وہ آتا قیوم خود ہی ڈرائیور کی سیٹ چھوڑ کر پچھلی نشست پر جا بیٹھتا۔

اس رات کے بعد مشعل والے جن کو کھلی آنکھوں دیکھنا اور آفتاب اور قیوم کی ادبی بدلی سے لطف اٹھانا میرا محبوب مشغلہ بن گیا —— اس آفتاب کو سیمی جانتی تھی —— پہلے میں نے قیوم بن کر اس کے دل میں داخل ہونے کی کوشش کی تھی —— لیکن وہ یلغار بے سود تھی، اب میں نے آفتاب بن کر بھیس بدل کر اس پر شب خون مارا اور اس کی ایک ایک بوٹی اتار لی —— میں نے اس کی اداسیوں کو چوم چوم کر اس کے وجود سے اکھیڑنا چاہا، لیکن جو بیمار عشق ہوتے ہیں ان پر اس انٹی بائیوٹک کا اثر نہیں ہوتا —— ان کی اداسی کوئی بوسیدہ پینٹ نہیں جسے کھرچ کر نئے پینٹ کی تہہ جمادی جائے —— جوں جوں میں اسے چومتا، وہ ہر ہر اداسی کے ساتھ اپنے وجود کی ایک ایک اینٹ بھی اتار کر پھینکتی جاتی۔ حتیٰ کہ صبح کے قریب وہ صرف ملبہ رہ جاتی۔ پرانی اینٹوں کا تتر بتر ملبہ۔

عموماً محبت میں ناکامی کے بعد لوگ اپنی ہی نفی اور اپنی ذات کی تذلیل میں مصروف ہو جاتے ہیں —— جب بند سیپی سے برآمد ہونے والے آبدار موتی کو اصل

خریدار نہیں ملتا—— تو پھر موتی اپنا آپ ریت کے حوالے کر دیتا ہے۔ یہاں لہروں کے ساتھ رُلنے کے علاوہ اس کی اور کوئی وقعت نہیں ہوتی۔ ناکام عاشقوں کو جسم پر جملہ حقوق محفوظ لکھوانے کی حاجت نہیں رہتی—— وہ ہر کس و ناکس کے ہو کر کسی کے نہیں رہتے—— رفتہ رفتہ اپنے جسم کی تذلیل میں انہیں لذت محسوس ہوتے لگتی ہے—— زندگی کا ہر وہ رنگ جو انہیں اپنے آپ پر ہنسنے کا موقع دے انہیں دل سے مرغوب ہو جاتا ہے—— شراب عورت جواء کئی ذلتوں کی پریس سے مرد نکلتا ہے۔

محبت میں ناکام ہو کر عموماً عورت کے دل سے جسم کی حرمت، عصمت اور عزت کا تصور جاتا رہتا ہے۔

کئی بار سیمی جیسی ماڈرن لڑکی کو علم بھی نہیں ہوتا کہ وہ اپنے اوپر لعنت بھیج رہی ہے۔

لیکن آہستہ آہستہ دھنستی وہ بھی چلی ہی جاتی ہے۔

سیمی کو بھی معلوم نہ ہو سکا—— کہ وہ میری داشتہ بن گئی ہے۔

اور میں بھی پوری طرح سمجھ نہ سکا کہ میں ہی اس کے کفن کا آخری کیل ہوں۔

میں کوٹھے کے فرش پر دری بچھائے پڑا تھا کہ بھائی کے دونوں لڑکے اوپر آئے۔ ان کی نیکریں اور قمیضیں ایک سی تھیں۔ شاید یہ توام بھائی تھے، کیونکہ ان کی شکلیں—— عادتیں، کپڑے بول چال سب ایک طرح کا تھا۔ وہ تخت پوش سے ایک ہی سٹائل میں چھلانگ لگاتے تھے۔

"آپ کو اماں بلا رہی ہیں۔"

پتہ نہیں کیوں بھابھی صولت—— بہت کم کوٹھے پر آتی تھیں؟

"کیا کام ہے؟"

"پتہ نہیں——" بڑے بھائی نے کہا۔

"ادھر آؤ مسعود——" میں نے محبت سے کہا۔

"ہم جا رہے ہیں——" مسعود بولا۔

"ہم جا رہے ہیں——" فرید نے بھی کہا۔

وہ دونوں باغ والے نوگزے کی طرح زن سے غائب ہو گئے۔ تھوڑی دیر کے بعد سفید طباق چہرے پر چھائیوں کی تتلیاں سجائے بھابھی صولت آئیں۔ یہ عورت اگر اس قدر سنجیدہ نہ ہوتی تو مزے دار ہو سکتی تھی۔

"قیوم۔"

"میں آ رہا تھا جی—— وہ ذرا——"

"کوئی بات نہیں۔"

"بیٹھیے بھابھی۔"

بھابھی صولت کھڑی رہیں۔

"تم جانتے ہو۔ ابا جی کی زمینوں سے اب کچھ نہیں ملتا—— مختار صاحب مجھے یہ اخبار دے گئے ہیں۔ اس میں جو نوکری ہے اس کے لئے عرضی دے دینا آج ہی۔"

"آپ—— آپ چاہتی ہیں—— میں یہاں سے چلا جاؤں——" میں نے سوال کیا۔

"ہے نا پاگل—— ہم تو صرف یہ چاہتے ہیں کہ اب تم بے کار نہ رہو، نوکری کر لو——"

میرے سامنے اخبار رکھ کر بھابھی صولت چپ چاپ نیچے چلی گئی۔

اخبار میں ریڈیو سٹیشن کی طرف سے پروڈیوسر کی آسامی کا اعلان چھپا تھا۔ اس نوکری کے لئے میری تعلیمی سند کافی تھی۔ لیکن پتہ نہیں یہ دن اور راتیں کیسے گزر رہی تھیں۔ میں کہیں پارٹ ٹائم نوکری تو کرنا چاہتا تھا، لیکن کسی مستقل نوکری کے لئے ابھی ذہنی طور پر تیار نہ تھا۔

رات گئے تک میں کوٹھے کے بیرونی صحن میں ٹہلتا رہتا—— چاند رات میں گھر کی چھت سے لگ کر جب چاند مجھے دیکھتا تو لمبے کُرتے میں میرا سایہ گدھ کی طرح نظر آتا۔ میری انگلیاں ہونٹ دانت سب مسلسل سگریٹ نوشی کے باعث براؤن ہو چکے تھے۔ میں نے ان لمبی راتوں میں کیمی سے لے کر Abiogenesis تک ہر مسئلے پر دماغ کو کھپایا تھا۔ ان سوچوں کی وجہ سے میرے وجود کی حالت بھوسے سے بھرے ہوئے مردار

چیتے جیسی ہو جاتی ــــــ جسے دیکھ کر بچے ڈرتے ہیں اور جو بالکل بے ضرر ہوا کرتا ہے۔

بھائی مختار اور ان کا گھرانہ بڑے سکھی لوگ تھے۔

بھائی مختار اپنے گھر، بیوی اور بچوں سے پیار کرتے تھے۔ انھیں اپنی ساری ملکیت سے پیار تھا۔ متوسط عقل، متوسط اخلاقی قدریں، ڈیمو کریسی کی پرستش اور سرمایہ دار نظام کی برکتوں کے سہارے ان کا گزارا چلتا تھا ــــــ بھائی مختار کی ساری منزلیں مادی تھیں ــــــ وہ سانڈے سے گلبرگ تک پہنچنا چاہتے تھے ــــــ ان کے سامنے بچوں کی اعلیٰ تعلیم کا گول تھا۔ موٹر سائیکل سے جاپانی کار تک کا سفر، بیوی کے کپڑے زیورات کی فکر، سوسائٹی میں اچھی پوزیشن اور ساکھ کے لئے کوشش، اپنی نوکری میں سالانہ رپورٹ کی عمدگی اور سال بہ سال ترقی کے امکانات کے لئے جدوجہد ــــــ نچلی منزل میں کبھی چاند نے شکل نہ دکھائی تھی ــــــ وہاں دن چڑھتے ہی چیونٹیوں کا سفر شروع ہو جاتا۔ مختار بھائی تفریح کے وقت ٹرانسسٹر سنتے، جس طرح کاسٹیم جیولری سے عورت میں کچھ ٹین پن کچھ سنتھیٹک فائبر شامل ہو جاتا ہے اسی طرح زیادہ ریڈیو سننے والوں کے نکتہ نظر بڑے عقلی، مادی، جمہوریت پسند ہو جاتے ہیں۔ وہ ریڈیو پر ہونے والے مباحثوں سے ضمنی مسائل چن کر باتیں کرتے ہیں ــــــ ان کی زندگیوں سے چاند کا سفر ختم ہو جاتا ہے۔ صرف چیونٹیوں کی منزلیں باقی رہ جاتی ہیں۔

میرا خیال تھا کہ مجھے زیادہ دیر تک نوکری کی ضرورت نہ ہو گی، کیونکہ اندر ہی اندر مجھے شبہ تھا کہ جس طرح میں رات رات بھر تصور جاناں کئے ہوئے بیٹھا رہتا ہوں، یہ کیفیت مجھے زیادہ دن زندہ رہنے کی مہلت نہیں دے گی۔ پکی نوکری، ترقی، پھر اس نوکری کی دیکھ ریکھ یہ سب کچھ میرے حالیہ پروگرام کی مکمل نفی تھا۔ اس کے باوجود بھائی مختار کو خوش کرنے کے لئے میں نے ریڈیو سٹیشن کی نوکری کے لئے درخواست بھیج دی۔

سیمی کچھ دنوں کے لئے لاہور آئی تھی۔ لیکن جلد ہی اس نے پنڈی استعفیٰ بھجوا دیا اور وائی ڈبلیو سی اے میں اپنا کمرہ لے کر رہنے لگی۔ جب بھی میں اس سے پوچھتا کہ اب اس کا کیا ارادہ ہے؟ تو وہ بیزار ہو کر جواب دیتی ــــــ "کوئی ارادہ نہیں ــــــ"

"پھر بھی —— کوئی نوکری کوئی —— اور پروگرام —— "

وہ چپ رہتی —— اندر ہی اندر اس نے کوئی پروگرام بنا رکھا تھا لیکن وہ اسے مجھے بتانا نہ چاہتی تھی۔

ایک روز میں نے بہت عملی بن کر کہا —— "آج کے اخبار میں ایئر ہوسٹس کا Job نکلا ہے، تم اس کے لئے اپلائی کیوں نہیں کر دیتیں؟"

وہ مسکرائی پھر تھوڑی دیر بعد بولی "اچھا Idea ہے۔"

"سچ میں سنجیدگی سے کہہ رہا ہوں۔ تمہارا فگر اچھا ہے انگریزی خوب بولتی ہو۔ تمہیں بہت جلد Select کر لیا جائے گا۔"

اس نے آنکھیں بند کر لیں اور کہتی گئی —— "پھر میں فارن فلائٹ پر لگ جاؤں گی —— کراچی، بیروت، لندن —— لندن فرانک فرٹ تہران کراچی۔"

پھر کسی روز آفتاب میرے طیارے میں چڑھے گا اپنے چھوٹے سے بیٹے کی انگلی پکڑ کر —— اس کی زیبا کے ہاتھ میں وینٹی بکس ہو گا —— وہ دونوں ساتھ ساتھ سیٹوں پر بیٹھیں گے اور میں ان کے سامنے ناشتے کی ٹرے لگاؤں گی —— کافی کی پیالی بنا کر دوں گی۔ آفتاب مجھ سے کہے گا ذرا اس ہفتے کا ٹائم تو پکڑا دیجئے —— میں جب اسے ٹائم پکڑانے کیلئے ہاتھ بڑھاؤں گی تو اس کی بیوی پہلے رسالہ مجھ سے پکڑے گی اور کہے گی دیکھئے ہمارے نومی کو ذرا باتھ روم لے جایئے۔"

"چپ کرو یہ بکواس۔"

"اور جب میں نومی کو باتھ روم میں لے جاؤں گی تو وہ مجھے کہے گا۔ "آپ مجھے چوم کیوں رہی ہیں مس —— "

"تم اپنے آپ کو اذیت دینے کے لئے کیا کچھ سوچتی رہتی ہو۔"

وہ بولتی چلی گئی —— "اور جب میں نومی کی نیکر کے بٹن بند کر کے اس کے چھوٹے چھوٹے ہاتھ کو لون سے بھیگے ہوئے ٹیشو سے پونچھوں گی تو وہ پوچھے گا، مس آپ رو کیوں رہی ہیں —— بتائیں ناں کسی نے کچھ کہا ہے؟"

"خدا کے لئے یہ —— باتیں چھوڑو۔"

"ٹھیک ہے —— ٹھیک ہے مجھے ایئر ہوسٹس لگنا چاہئے۔ یہی میری سزا ہے

یہی یہی یہی۔"

میں اپنے مشورے پر عجیب طرح شرمندہ ہو گیا۔

دراصل آفتاب سے بچھڑ کر سیمی کشش ثقل سے آزاد ہو گئی تھی —— لیکن کشش ثقل سے آزاد ہونے اور آزاد رہنے کے بعد جو بے سمتی پیدا ہوتی ہے اس سلسلے میں اسے کوئی ٹریننگ نہ دی گئی تھی۔ خلابازوں کو فضائی سفر میں جہاں اور بہت سی تربیت دی جاتی ہے وہاں دو طرح کی ٹریننگ کا خاص خیال رکھا جاتا ہے۔ جب وہ فضا سے نکل کر خلاء میں جاتے ہیں اس وقت جسم کا اندرونی پریشر تو رہتا ہے لیکن اس کو کاؤنٹر بیلنس کرنے کے لئے بیرونی دباؤ نہیں رہتا۔ ایسے میں تمام شریانوں کے پھٹ جانے کا اندیشہ ہوتا ہے۔ اندر اور باہر کے پریشر برابر رکھنے کے لئے خاص قسم کے Space Suit بنائے جاتے ہیں اور ان کے استعمال کا طریقہ سکھایا جاتا ہے۔ دوسرا مسئلہ کشش ثقل سے آزاد ہو کر بے سمت وقت گزارنے کی ٹریننگ ہوتی ہے، اس کی ٹریننگ کے لئے خلاء بازوں کو ایک Capsule میں بند کر کے چھوٹی چھوٹی ڈھیریاں گننے، روٹی کھانے، خلائی جہاز میں آنے جانے کی ٹریننگ دی جاتی ہے۔

سیمی کے اندر کا پریشر بہت بڑھا ہوا تھا۔

سیمی کشش ثقل سے آزاد ہو چکی تھی۔

لیکن بے سمت زندگی گزارنے کی ابھی تک اسے کوئی ٹریننگ نہیں ملی تھی۔

وہ گویا ان دنوں مورفیا تلے سانس لے رہی تھی، جہاں بیٹھ جاتی پہروں بیٹھی رہتی، کہیں جب اس کی نظر جم جاتی تو پھر چینی کی گڑیا کی طرح اسی طرف دیکھے جاتی۔ ایسے میں آفتاب کے نام کے علاوہ اور کوئی ٹیکہ کارگر نہ ہوتا۔ اس خلائی دور سے کئی کیفیتیں وابستہ ہوئیں۔ خود ترسی، بیزاری، تنہائی پسندی، مردم گزیدہ محرومی —— غرضیکہ آفتاب کی کشش باقی نہ رہی تو کئی سمتیں پیدا ہوئیں۔ لیکن ہر سمت کے آگے ہمیشہ خلاء ہوتا۔ خاموشی ہوتی —— اندر کا پریشر بڑھتا چلا جاتا۔

ہم دونوں گھنٹوں پہروں، دنوں آفتاب کی باتیں کرتے رہتے۔ اس کا ہاتھ میرے ہاتھ میں رہتا۔ میں تسلی آمیز محبت کے ساتھ اسے چومتا رہتا۔ وہ کبھی مدافعت نہ کرتی، بلکہ کبھی کبھی شکر گزاری کے ساتھ مجھے دیکھ لیتی، لیکن جونہی آفتاب کی باتیں ختم ہو

جاتیں۔ وہ یکدم اندر کی لفٹ بند کر کے کہیں اوپر چلی جاتی۔

ان دنوں وہ خود ترسی سے حسد کی طرف مائل تھی۔ میں آپ کو پہلے بتا چکا ہوں، کہ سیمی کے ساتھ جو بھی وقت گزرا وہ ایک طرح سے بہت عجیب تھا۔ بیرونی وقت کے مطابق کوئی قابل ذکر واقعے نہ ہوئے لیکن اندر جو ایک ریگستانی کا سفر جاری تھا، اس میں ہم پڑاؤ پڑاؤ ٹھہرتے پتہ نہیں کہاں آنکلے تھے۔ شاید یہ جگہ پاکستان تھی ہی نہیں بلکہ شمالی امریکہ کے جنوب میں کہیں رایو گرینڈ کے اردگرد کا پڑاؤ تھا، جہاں پر ریڈ انڈین کے شامین قبیلہ کی روحیں اپنے اکتارے پر دریا کی روح کو بلا رہی تھیں——— سیمی باہر بالکل بے حس تھی لیکن جذباتی سیڑھی پر اس کا سفر بہت تھکا دینے والا تھا۔ اسی سفر میں اس کا ساتھ دینے کی وجہ سے میرا بدن چُور چُور رہتا۔ وہ اپنی محبت میں کئی ریگستان چھان چکی تھی۔

اب وہ حسد کی تپتی ہوئی سفید ریت پر بھاگ رہی تھی۔ آفتاب سوا نیزے پر تھا، پیاس سے اس کے ہونٹ خشک تھے۔ فاصلے سے جپسم کے تودے جمی ہوئی برف کی طرح نظر آتے، لیکن قریب پہنچنے پر سب کچھ سفید ریت میں ڈھل جاتا تھا۔

ہر طرف جلا دینے والی پھونک دینے والی راکھ کر دینے والی حسد کی سفید ریت پھیلی تھی اور اس ریت پر سیمی سسی کی طرح ننگے پیر ننگے سر بھاگ رہی تھی بے سمت———

ان دنوں سیمی مجھ سے ملتے ہوئے کتراتی تھی——— وہ کسی فیصلے پر خود ہی پہنچنے کی کوشش میں مبتلا تھی۔

جس وقت میں ریگل کے چوک میں بس پر سے اترا تو مجھے معلوم تھا کہ سیمی مجھے آج وائی ڈبلیو سی میں نہیں ملے گی۔ اس کے باوجود میں آہستہ آہستہ اس کے ہوسٹل کی طرف چلنے لگا۔ دھوپ میں اب حدت نہ رہی تھی اور سینٹ انتھونی سکول سے ملحق گرجا آج سورج کی کرنوں میں دُھلا ہوا نظر آتا تھا۔ ایک فادر سیاہ چغے میں ملبوس گرجے کے مرکزی پھاٹک کو کھول کر اندر چلا گیا۔ گرجے کا دروازہ بند ہو گیا اور میں سوچتا رہ گیا کہ اندر جانے والا کون تھا؟ ——— دیسی عیسائی——— امریکی فادر——— یا ڈچ برادر———؟ لوگ اپنے دیس کو چھوڑ کر کیوں پردیس میں جا بیٹھتے ہیں———؟ پردیس

میں کیا چیز انہیں باندھے رکھتی ہے ـــــــ؟ عقیدہ؟ ـــــــ محبت؟ ـــــــ عمارت ـــــــ یا انا؟

اس مختصر سڑک کے اختتام پر پیڑول پمپ کے پاس میں دائیں ہاتھ کو مڑ گیا۔ لیکن پیڑول پمپ سے شارٹ کٹ کرنے سے پہلے میں نے پلازہ سینما کی جانب مڑ کر دیکھا۔ اس وقت میں چاہتا تو سیدھا باغ جناح جا سکتا تھا۔ لیکن پھر میں نے سوچا شاید سیمی ابھی وائی ڈبلیو سی اے میں موجود ہو۔ پلازہ سینما میں ابھی ساڑھے تین بجے کا شو ٹوٹا تھا۔ فری میسن کی بلڈنگ سے لے کر پیڑول پمپ والے چوراہے تک کاریں، رکشا سائیکلیں، پیدل سب بڑی افراتفری کے ساتھ جلدی گزر جانے کی آرزو میں ٹریفک کے لئے اڑچنیں پیدا کر رہے تھے۔

میں نے ساری بھیڑ کی طرف نگاہ دوڑائی اور جی میں سوچا ـــــــ اس ساری خلقت کو علم نہیں کہ وائی ڈبلیو سی اے میں ایک دبلی پتلی لڑکی ـــــــ ایک ماڈرن لڑکی اپنے آپ پر تیل چھڑک کر مرنے کے لئے تیار کھڑی ہے۔ ہم شہر والے ایک دوسرے سے کتنے بے خبر تھے۔ پیڑول پمپ کے سامنے بڑے سائن بورڈ پر ایک پنجابی فلم کا اشتہار لگا تھا۔ ہیروئن کی آنکھیں حیران کن حد تک سیمی جیسی تھیں۔ آفتاب کا نام سنتے ہی جیسی کیفیت سیمی کی ہوتی ویسی ہی سائن بورڈ والی لڑکی کی آنکھوں سے عیاں تھی۔ میں نے ہاتھ ہلا کر فلم والی کو خدا حافظ کہا اور وائی ڈبلیو سی اے چلا گیا۔

یہ ہوسٹل بھی چمگادڑوں کی آماجگاہ تھی۔

اس ہوسٹل سے لے کر فاطمہ جناح تک آزاد عورتوں اور لڑکیوں کا ٹریننگ کیمپ تھا۔ گھروں سے بیزار، روزگار کی تلاش میں پریشان، ڈاکٹر بننے اور مستقبل سنوارنے کی آرزو میں بے قرار، عاشقوں سے رنجیدہ، شوہروں کی تلاش پر مصر، گھر والوں سے کٹی ہوئی، گھر والوں کی یاد میں بے قرار بہت سی عورتیں بہت سی لڑکیاں رہتی تھیں۔ رات کے پچھلے پہر جب کبھی میں یہاں سے گزرا ہوں۔ مجھے فاطمہ جناح کالج سے لے کر وائی ڈبلیو سی اے کے ہوسٹل تک اور حضرت حسین زنجانی کے مزار تک آہوں کا ایک مرغولہ اس رقبے پر معلق نظر آیا۔ خاموشی ہوتی ہے تو ہلکی ہلکی سرگوشیاں اور آہیں بھی سنائی دیتی ہیں جیسے ایک ساتھ کئی چپو ٹھہرے ہوئے پانیوں میں ہولے سے اتریں۔

ڈاکٹری سیکھنے والیاں چوک کے اس پار رہتی ہیں ٹائپ کی کلاسوں میں حاضرباش رہنے والیوں سے کئی بار میرا ٹاکرا ہوا۔ وائی ڈبلیو سی اے میں پلازہ سینما کے شو کے ساتھ ساتھ یہاں بھی کلاس ٹوٹا کرتی تھی ـــــ سب خوش لگتی تھیں ـــــ سب کی سب خوش فہمیوں میں مبتلا تھیں ـــــ شام کے باوجود اکثریت کے چہرے پر سیاہ چشمے ہوتے، جو سائیکلوں پر تھیں، وہ اپنے آپ کو زیادہ ماڈرن سمجھ رہی تھیں، جو پیدل تھیں وہ اپنے آپ کو زیادہ باحیا سمجھنے پر مجبور تھیں ـــــ لیکن سب کے چہرے پر کسی نہ کسی طرح کی Disillusionment ـــــ ہلکی سی گرد ـــــ ازالہ سحر کی عدم میلان طبیعت ـــــ کی ـــــ ہلکی سی میک اپ کی تہ ـــــ

یہ تمام عورتیں لڑکیاں کسی نہ کسی طرح مردوں کے نارمل نیوکلس سے کٹی ہوئی تھیں۔ ہو سکتا ہے ان میں بیشتر عورتوں کو مردوں کا قرب زیادہ ملتا ہو، لیکن معاشرے کے رسمی طریقے کے مطابق وہ Carrier گرلز تھیں۔ ایسی مینڈکیاں جن کو ہلکا ہلکا زکام ہو چکا تھا۔ وہ اعلانیہ سگریٹ پیتی تھیں۔ کماؤ سپوت کی طرح گھروں میں پیسے بھیجتی تھیں۔ ان کے بھائی چچا ماموں نہ جانے کون تھے ـــــ کہاں تھے اور اگر تھے تو کس حد تک ان کی زندگیوں پر اثرانداز ہو سکتے تھے؟ ـــــ یہ سب تو چھپکلی کی کٹی ہوئی دم کی طرح پھڑک رہی تھیں ـــــ تڑپ رہی تھیں اور اپنے اصلی رسمی نیوکلس کی تلاش میں تھیں۔

سیمی بھی ان ہی چہروں میں سے ایک تھی ـــــ اس کے چہرے پر بھی ہلکی سی گرد رہتی تھی میک اپ کی ـــــ ازالۂ سحر کی ـــــ عدم میلان طبیعت کی ـــــ فریب آرزو کی ـــــ

میں نے پورچ میں کھڑے ہو کر دوسرا سگریٹ پیا ـــــ اندر پیام بھجوایا اور گو مجھے معلوم تھا کہ سیمی اندر نہیں ہے، پھر بھی میں منتظر رہا اور جب تصدیق ہو گئی کہ وہ صبح کی کہیں گئی ہوئی ہیں تو میں ٹائپ سیکھنے والی لڑکیوں میں راستہ بناتا جناح باغ کی طرف چل دیا۔

مین پھاٹک میں داخل ہونے سے پہلے میں نے ایک نگاہ ہمایوں رسالے کے مسکن پر ڈالی ـــــ بڑے بڑے درختوں سے گھرا ہوا گھر ـــــ یہاں سے کبھی ہمایوں رسالہ نکلتا تھا۔

ہمایوں رسالہ —— اودھ پنچ؟ —— ادبی دنیا —— یہ سب کہاں تھے، ان کے خالق کہاں تھے؟ ہر عہد میں کچھ ایسے لوگ ضرور پیدا ہوتے رہتے ہیں، جو اپنے عہد کے لوگوں کو بڑے فلک پیما لگتے ہیں، پھر رفتہ رفتہ وقت انہیں یوں ڈھانپ لیتا ہے، جیسے اونچی پرانی قبروں میں اونچی اونچی گھاس اگ آئے اور کتبے گر جائیں۔ قبریں باقی رہیں لیکن دیئے جلانے والے کسی اور قبرستان میں جاکر رت جگا کریں۔ کچھ بڑے لوگ تو اپنا نام وقت کی لہروں پر ثبت کر جاتے ہیں۔ کچھ سیمی کی طرح کوئی نشان چھوڑ کر نہیں جا سکتے۔

سسی کا عشق سیمی کے عشق سے کیسے بہتر تھا؟

اگر سیمی مرگئی میں نے پہلی بار سوچا تو کیا میرے علاوہ کوئی جان سکے گا کہ اسے کیا بیماری تھی —— میرے پاس تو نہ کوئی ہمایوں تھا نہ اودھ پنچ نہ ادبی دنیا۔ پھر میں تو اس کے لئے اپنے عہد والوں تک بھی کوئی داستان چھوڑ کر نہ جاسکوں گا۔ اپنے عہد میں بھی اس کے عشق کی داستان فلک پیما نہ ہوسکے گی —— یہ بھی کیسا المیہ تھا؟

باغ میں بہت رونق تھی۔ منٹگمری ہال پر شام کی آخری روشنی پڑ رہی تھی۔ بار بار کہیں سے پاپڑ بیچنے والے کی آواز باغ کی خاموشی پر گرتی اور برف کی طرح چکنا چور کر دیتی تھی۔ لذت کا باغوں کے ساتھ گہرا تعلق ہے۔ جب گھروں کی گھٹن بہت بڑھ جاتی ہے۔ جب مرد کسی عورت سے بند کمرے میں مل نہیں سکتا یا ملنا نہیں چاہتا تو پھر وہ باغوں کا رخ کرتا ہے۔ باغوں میں انتظار، وصل، بجوگ اور نیوگ کے بونے جھاڑیوں کے پیچھے بیٹھے ملتے ہیں۔ درخت پودے گھاس پھول سب ان عفریتوں کی کھیلوں میں برابر کے شریک رہتے ہیں۔ اسی لئے باغوں کی خوشبو میں ایک سحر ہوتا ہے۔ یہاں کئی کہانیاں ایک ساتھ بولتی ہیں —— ستار کے اوپر والے تار مضراب سے چھیڑو تو تربیں آپی بول اٹھتی ہیں۔

میں نے سارے میں تلاش کیا لیکن سیمی کہیں نہیں تھی —— میں نے تیسرا سگریٹ سلگایا اور کافور کے درخت تلے بیٹھ گیا۔ لوگ شاید اپنے گم شدہ وجود، اپنی سائیکی، آزادی اور جبلی آرزوؤں کی تلاش میں گھوم رہے تھے، کیونکہ آج خلاف معمول سڑکوں پر بہت ہجوم تھا۔ لوگ کس خوشی سے باغوں کا رخ کرتے ہیں اور کتنی جلدی کیسی مایوسی

کے ساتھ لوٹ جاتے ہیں- شاید مصنوعی باغوں میں باڑھوں سے، فواروں میں، بنچوں پر، کیاریوں سے کیفے کی میز کرسیوں کے اوپر نیچے باغ میں پھیلی پکی سڑکوں سے مہذب شہری زندگی کا بلاوا آتا رہتا ہے- ہمارے اندر کا ریڈیو اس آواز کو ہوا سے پکڑتا رہتا ہے- ایسے میں سیر کرنے والے دو سمتوں میں گھسٹتے ہیں- فطرت سے رشتہ بحال کرنے والے بادل، درخت پھول ہریاول، پرندے سب اسے جنگلوں کی طرف کھینچتے ہیں اور مصنوعی فوارے، سڑکیں، کیفے، موزیک کی پتھریلی بنچیں، اسے تہذیب، کلچر اور شہر کی طرف موڑتی ہیں- اسی کشمکش میں کئی بار اندر سے انسان بدکے ہوئے گھوڑے کی طرح الف ہو جاتا ہے لیکن چھوٹ نہیں سکتا-

باغوں کی سائیکی بہت اداس ہوتی ہے- رُکے ہوئے آنسو، بند خیالات، جمی ہوئی آہیں —— قدرتی اداسی پولن کی طرح جھڑتی ہے- اسی لئے کسی عہد، کسی قوم، کسی شہر کی سائیکی کو سمجھنے کے لئے اس کے باغوں میں بیٹھنا بہت ضروری ہے-

جس وقت رات گئے سیمی آئی تو مجھے پہچانے بغیر میرے پاس سے گزر گئی —— میں نے سگریٹ کی خالی ڈبیا درخت تلے پھینکی اور اس کے تعاقب میں چلنے لگا، حالانکہ میں اس سے صرف دو قدم پیچھے تھا- لیکن میں نے اسے آواز نہ دی- بابا ترت مراد کے مزار کے پاس جاکر وہ اچانک رک گئی- اس نے جوتیاں اتاریں- سر پر ایک پھولدار رومال باندھا اور مزار کی دیوار کے پاس جاکر کھڑی ہو گئی- بڑی دیر تک وہ وہاں ایک ٹورسٹ کی طرح کھڑی قوالی سنتی رہی- پھر سر سے پھول دار ریشمی رومال اتار کر اس نے اس کینوس کے تھیلے میں رکھا- چہرے سے گلابی شیشوں والا چشمہ اتارا اور لکڑی کی ہیل والی جوتیاں پہن لیں- میں نے اسے بلانا چاہا لیکن کوئی شے مجھے بھی مانع رکھ رہی تھی-

وہ بجری کو اپنی کڈھب جوتیوں سے کوٹتی آہستہ آہستہ چل رہی تھی- پھر اس نے رک کر دیہاتی لوگوں کی طرح ہاتھ سے ناک صاف کیا تو میں نے آگے بڑھ کر اسے رومال پیش کر دیا-

"تم کب آئے قیوم؟"

"میں تمہارے ساتھ ساتھ تھا-"

"کب سے-"

"کافی دیر سے۔"

"پھر بھی؟ —— تم مجھے نظر کیوں نہیں آئے"

"کیونکہ نظر آنے اور نظر نہ آنے کی کوئی خاص وجہ نہیں ہوتی۔"

اس کا چہرہ زرد پڑ گیا۔ لب خشک تھے اور میک اپ کی ہلکی تہہ کے باوجود وہ تمام تر بے رونق تھی۔

"تم کو معلوم ہے مجھے لگتا ہے آج کل میں زلزلہ آئے گا لاہور میں۔"

"کیوں؟"

"بس لگتا ہے بڑی دیر ہو گئی زلزلہ آئے۔"

"زلزلے کی یہ کوئی خاص وجہ نہیں۔"

وہ کافور کے درخت کے پاس پہنچ کر عادتاً گراؤنڈ میں اتر گئی۔

"کیا ہی اچھا ہو اگر اس باز زلزلے میں گورنمنٹ کالج کا ٹاور گر جائے۔"

"کیوں کیوں —— کیوں۔"

"ہائے کچھ تو گر جائے اس سال کرسمس سے پہلے پہلے۔"

"کرسمس کی کیا شرط ہے یمی۔"

"پچھلے کرسمس کو میں آخری بار آفتاب سے ملی تھی —— قائداعظم کی سالگرہ والے دن —— اس سال بھی کچھ ہونا چاہئے بخدا —— اور کچھ نہیں تو گورنمنٹ کالج کا ٹاور ہی گر جائے۔"

"یا بخاری آڈیٹوریم —— میں آگ لگ جائے۔"

"ہاں کچھ تو ہو —— کچھ تو ہو پرانی یادوں کی یاد تازہ کرنے کو۔"

بڑی دیر تک ہم سو مرتبہ دہرائی ہوئی باتیں از سر نو یاد کرتے رہے۔ آفتاب کا پوسٹمارٹم ہوا، لیکن آج اس پر حسد غالب تھا۔ اس کا لب و لہجہ زہریلا اور باتیں کڑوی تھیں۔ حسد کی گیس پیلے رنگ کی ایسی مسموم گیس ہے جس میں کاربن مونو آکسائیڈ کی تمام خوبیاں موجود ہیں۔ جہاں یہ موجود ہو انسانی پھیپھڑے متاثر ہوئے بغیر نہیں رہ سکتے۔ پچھلی ملاقات سے اب تک اس گیس کے اثر تلے وہ بہت بدل گئی تھی۔ ماتھے پر سوچوں کی وجہ سے ایک نس ابھری ہوئی تھی۔ لہجے میں قطعیت اور لب ٹیڑھے تھے۔ ہاتھوں

میں ہلکا ہلکا پسینہ تھا جیسے وہ نوکری کا انٹرویو دینے آئی بیٹھی ہو۔

یہ مجھے ہوا کیا ہے —— میں تو کبھی حسد سے آشنا نہ تھی۔ بتاؤ قیوم کیا ہوا ہے؟ اب مجھے آفتاب کا خیال کیوں نہیں آتا —— میں سارا دن زیبا کی متعلق کیوں سوچتی رہتی ہوں —— ایک بات بتاؤ۔

"کہو ——"

"زیبا حاملہ ہے۔"

"تمہیں کیسے پتہ چلا۔"

"بس مجھے پتہ چل جاتا ہے۔ پہلے ہی —— مجھے ہوتا ہے ناں پتہ —— وہ آج کل سونف کھاتی ہے سارا دن —— ہتھیلی پر لئے پھرتی ہے سونف۔"

"چپ کرو۔"

"مجھے نظر آتی ہے زیبا —— میں اسے دیکھ سکتی ہوں پانچ مہینے کی Pregnancy کے ساتھ۔"

"لیکن تم نے تو اسے کبھی نہیں دیکھا۔"

"دیکھا ہے دیکھا —— ہے میں تو اسے فوراً پہچان لوں لاکھوں میں۔"

وہ چپ چاپ ہاتھ مروڑنے لگی۔

سامنے جھاڑی میں سے ایک نوگزا آدمی نکلا۔ اس نے بدھ مت کے بھکشوؤں جیسا لباس پہن رکھا تھا۔ ہاتھ میں اونچا بانس تھا۔ اس بانس پر ایک سبز رنگ کی مشعل روشن تھی۔ وہ دائرے میں چلتا رہا اور پھر مشعل کو نگل کر جھاڑیوں کے پیچھے چلا گیا —— تھوڑی دیر مشعل سمیت جھاڑی چکر لگاتی رہی اور پھر جھاڑی، مشعل، نوگزا سب کچھ غائب ہو گیا۔

"یہ سب کیا ہے؟"

"جو سامنے ہو رہا ہے؟"

"نہیں جو میرے دل میں پھوٹ رہا ہے لاوے کی طرح۔"

"حسد میں یہ خوبی ہے یہی کہ انسان اس میں کھو کر محبوب کے تصور کو کھو بیٹھتا ہے۔ پھر رقیب کے خیالات غالب رہتے ہیں۔ یہ خیالات اس قدر غصیلے زہر آلود اور وہم

انگیز ہوتے ہیں کہ محبت کی نازک سوچیں اس گیس بھری فضا میں سانس نہیں لے سکتیں۔ ایسے میں انسان محبت کرتا ہے لیکن بازگشت سے ـــــ اصل آواز سے نہیں ـــــ اصل محبوب تو کہیں اندر ہی اندر گم ہو جاتا ہے۔ حسد کا محبت سے کیا تعلق؟"

وہ احسان مندی سے بولی ـــــ "تم بڑے ذہین ہو قیوم ـــــ سوشیالوجی کی کلاس میں بھی سب تمہاری تعریف کرتے تھے ـــــ لیکن ـــــ لیکن پتہ نہیں تمہاری ان باتوں سے میری تسلی کیوں نہیں ہوتی۔"

اس کے ماتھے پر چڑھی ہوئی نس پر میں نے انگلی پھیری۔

"یہ بتاؤ اب میں کروں تو کیا کروں۔"

اس کی آنکھوں میں آنسو آگئے ـــــ "تمہیں کیا پتہ قیوم ـــــ تم میری کتنی بڑی کمزوری بن گئے ہو۔ اگر میں تمہیں نہ ملوں ـــــ اگر میں کسی سے آفتاب کی باتیں نہ کرسکوں تو اس کی یادوں کے پریشر تلے میں پھٹ جاؤں میں ـــــ سارے شہر میں اس کی باتیں کس سے کروں قیوم ـــــ بتاؤ ناں؟"

میں نے کمینگی کے ساتھ کہا ـــــ "تم مجھے صرف اس لئے ملتی ہو ـــــ یہی کہ تم مجھ سے اس کی باتیں کرسکو۔"

چور سپاہی کے کھیل میں وہ اچانک پکڑی گئی۔

"اور بھی وجہ ہے ـــــ وجہ ہے ایک اور ـــــ پر پر ـــــ"

" اور کیا وجہ ہے یہی ـــــ "میں نے امید سے پوچھا۔ میرا خیال تھا کہ اس وقت وہ اعتراف کرلے گی کہ رفتہ رفتہ وہ میری محبت میں مبتلا ہو گئی ہے اور اب وہ آفتاب کا نام بھی لینا نہیں چاہتی لیکن اس کی بات سن کر میرے اندر پہیہ جام سٹرائیک ہونے لگی ـــــ

"اگر تم نہ ہوتے قیوم ـــــ اگر تمہاری ہمدردی، محبت نہ ہوتی تو میں کبھی کی خودکشی کرلیتی۔ تمہاری محبت نے مجھے یہ قدم اٹھانے نہیں دیا۔ جب مجھے پورا یقین ہو جاتا ہے کہ میں کسی قابل نہیں ـــــ تو یہ تمہاری ہمدردی ہے تمہاری محبت جو مجھ میں خود اعتمادی بحال کرتی ہے۔ تم سمجھ نہیں سکتے قیوم میری انا کس حد تک مجروح ہو چکی

ہے۔ مجھے اپنی شکل، عقل، عادات، گھرانے اپنے مکمل وجود سے نفرت ہے—— مجھ میں اگر کچھ بھی اچھا ہوتا تو کیا آفتاب مجھے چھوڑ کر جاتا؟—— جا سکتا؟—— بتاؤ ناں قیوم—— بولو——. کبھی وہ مجھے چھوڑ سکتا؟"

گفتگو کا کرونا میٹر پھر آفتاب کی ٹک ٹک بجانے لگا۔

"میں شدید احساس کمتری کا شکار ہوں ان دنوں—— میں آئینے میں اپنا چہرہ دیکھتی ہوں تو کچھ بھی اچھا نہیں لگتا—— پھر بتاؤ ناں—— تم میرے محسن نہیں تو اور کیا ہو—— تم نے تمہاری محبت نے—— مجھے روک رکھا ہے اس دنیا میں۔"

نفتھ ایئر کی سیمی سے یہ لڑکی کتنی مختلف تھی۔ گفتگو میں—— لباس میں، کردار میں۔

"صرف محسن۔" میں نے ڈرتے ڈرتے پوچھا۔

"اور اور—— کیا؟" لاتعلقی سے اس نے منہ پھیر لیا۔

میری آنکھوں میں آنسو آگئے۔ وہ اگر اوپرے دل سے بھی ان کا وجود مان لیتی تو بھی میرے لئے بہت کافی ہوتا۔

"قیوم کیا وہ بھی ایسی باتیں کرتا ہوگا زیبا سے؟"

میں اس نام سے اچھی طرح آشنا تھا۔ بارش سے پہلے چلنے والا جھکڑ—— بجلی کے کھمبے، چھتنارے درخت بوسیدہ دیواریں گرانے والی ہائی وولٹیج کی بجلی۔

"کیسی باتیں سیمی؟"

"ویسی باتیں بیڈ روم ٹون میں آنکھوں میں آنکھیں ڈال کر—— کرنے نہ کرنے والی سب باتیں——"

"کیا تم بے وفا ہو سیمی؟"

"نہیں قیامت تک نہیں—— مجھے آفتاب سے محبت ہے اور قیامت تک رہے گی لیکن وہ بے وفا ہے۔"

میں نے کہنا چاہا کہ اچھی وفا ہے کہ تم میرے ساتھ ہوتے ہوئے بھی اپنے آپ کو اس کا سمجھ رہی ہو۔ لیکن کوئی چیز میرے اندر بتا رہی تھی کہ وہ سچی ہے اور درست کہہ رہی ہے۔

"شادی کا خوشی سے اور محبت کا اختیار سے کوئی تعلق نہیں —— حقوق و فرائض کی وارفتگی سے کیا ناطہ؟"

اس وقت میں اسے بتانا چاہتا تھا کہ میں نئے بوٹ پہن کر سیدھا سانده کلاں سے چلا آ رہا ہوں۔ میرے انگوٹھے کے قریب گٹھے پڑ گئے ہیں۔ جن میں اس وقت بہت درد ہو رہا ہے۔ لیکن وہ کب سنتی۔ کب سمجھتی؟

"کچھ کہو ناں —— کوئی فیصلہ کن بات جس سے یہ حسد کی آگ ٹھنڈی پڑ جائے قیوم بولو —— تو سہی —— اپنے جوتوں کو پھر Admire کر لینا۔"

میں نے لمبی سانس لی اور اس کی تشفی کے لئے کہا۔ "ہر شخص کی یہی مجبوری ہوتی ہے سیمی۔ وہ ساری عمر ایک ہی سزا نہیں بھگت سکتا۔ ایک ہی خوشی کے سہارے زندہ نہیں رہ سکتا۔ پھانسی کے تختے سے اتر کر بجلی کی کرسی پر بیٹھنا —— بجلی کی کرسی سے اٹھ کر صلیب چڑھنا۔ تہہ آب ہونا اور نہ مرنا۔ پانی کی گہرائیوں سے نکل کر سر کوہسار سے چھلانگ لگا جانا۔ سیمی جان ہم سب ایک کرب سے نکل کر کسی دوسری تکلیف کے حوالے ہو جانا چاہتے ہیں۔ ایک خوشی سے منہ موڑ کر کسی اور خوشی میں ڈوبنا چاہتے ہیں۔ یہ انسان کے لئے اتنا ہی نیچرل ہے جیسے وہ ایک ٹانگ پر ہمیشہ کے لئے کھڑا نہ رہ سکے۔ آفتاب بھی تمہارے نا آسودہ لاحاصل عشق کے کرب سے نکلنا چاہتا تھا۔ شاید اس تکلیف سے نکل کر وہ پہلے سے بھی زیادہ مصیبت میں ہو لیکن انسانی دل ایک ہی مصیبت ایک ہی غم ایک ہی بوجھ ساری عمر نہیں اٹھا سکتا۔ کرب میں بھی رنگ بدلتا ہی رہے تو قابل برداشت رہتا ہے۔"

"تمہارا بہت بڑا دل ہے قیوم —— ہپو پوٹمس جتنا ——" "میں تم سے محبت نہیں بھی کرتی پھر بھی تم مجھے تسلیاں دیتے رہتے ہو —— تھینک یو —— تھینک یو —— تھینکس؟"

اس وقت میں سیمی کا کف اوپر کر رہا تھا۔

معاً میرے دل میں خیال آیا کہ قلب کا راستہ جسم سے ہو کر نہیں گزرتا۔ قلب تک پہنچنے کے لئے صرف ٹیلی پیتھی، وجدان، ہپنوٹزم مسمریزم کی ضرورت ہے۔ جسم روحانی عمل کو زمین میں ارتھ کر دیتا ہے۔ میں نے بڑے تقدس سے سیمی کے کف بند

کئے اور دل میں عہد کیا کہ اب میں اس سے کبھی نہیں ملوں گا ——

انسانی روح کے لئے سب سے زیادہ معطر اور طیّب محبت کی ضرورت ہوتی ہے۔ لیکن جب سے بنی قابیل بنی ہابیل پر غالب آئے اصلی اور صادق محبت کا چشمہ قریب قریب سوکھ گیا۔ اب جابجا ہوس تھی —— جنسی تجربات تھے —— معکوس رابطے، نافراہمی اور ناآسودگی کی محبت تھی۔ لوگ ایک دوسرے کو ٹشو پیپر کی طرح استعمال کرتے اور چھوڑ جاتے، محبت میں کجی اور کم فہمی کا رواج عام ہو گیا۔

محلوں میں ان کی ناآسودہ کہانیاں پھرنے لگیں۔ اخباروں میں بے امن قصے بیان ہونے لگے۔ جب سے بنی قابیل غالب آئے تھے۔ سچی اور پاک محبت کی بارش کے لئے کوئی دعا نہ مانگتا۔ سب ہی جنسی محرومی، قلبی تھکن اور روح کے خلاء کی وجہ سے دیوانے ہو رہے تھے۔ ہر وہ شخص جس کی روح میں حرام مال پہنچ رہا ہو، چہرے بشرے سے راجہ گدھ بن جاتا ہے —— اس کی آنکھیں دھنسی ہوئی، چہرہ سبزی مائل پیلا، بال بکھرے ہوئے اور ہڈیاں نمایاں ہوتی ہیں۔ روح کا حرام کھانے والا ہزاروں میں پہچانا جاتا ہے۔ ہزاروں میں لاکھوں میں پھر کیا عجب تھا کہ میرا ہم شکل سانده کلاں میں دوسرا کوئی نہ تھا۔

میں اپنے محلہ کا اپنے کالج کا سب سے بڑا راجہ گدھ تھا!

سیمی کی ناآسودہ محبت اب اپنے اثرات دکھانے لگی تھی —— گو اسے ملے مجھے کئی دن ہو چکے تھے لیکن میں ابھی تک اس کے مورفیا تلے پھرتا تھا۔ چاند راتوں —— کے پچھلے پہر مجھے Visions دکھائی دینے لگے، Hallucination کا یہ عالم تھا کہ کبھی کبھی مجھے اپنا سر گھومتا نظر آتا —— گلاس کے پانی میں مجھے چھوٹے چھوٹے مائیکروسوپ سے نہ نظر آنے والے جرثومے صاف صاف نظر آتے —— پھر بجلی کی تار پر آنے والی چھپکلی ڈائنا سور جیسی بڑی اور مہیب دکھائی دیتی۔ آسمان پر بادلوں کے رنگ آپس میں جڑ کر بڑی بڑی مایۂ ناز شاندار عورتوں کی تصویریں بن کر لٹک جاتے اور اخبار کی اصلی سرخیوں کے اندر اور الفاظ اور ان الفاظ کے اندر اور تصویریں پرنٹڈ نظر آتیں۔ ان دنوں میں تلاوت الوجود میں مبتلا تھا۔ بچپن سے لے کر اب تک کے تمام

واقعات اور ان واقعات سے منسلک تمام لوگوں کی ورق گردانی میں دن کا زیادہ حصہ گزرتا۔ میں بظاہر شیو کرتا، کپڑے بدلتا، بھائی مختار کی موٹر سائیکل مانگ کر ریڈیو سٹیشن جاتا وہاں اپنی درخواست کی پیروی کرتا —— اور جو کچھ لکھا جاتا تھا وہ اتنا ہی بے ربط تھا جیسے بندروں کا ایک جتھہ ٹائپ رائٹروں پر کتاب لکھنے کی کوشش کر رہا ہو ——

یہ راجہ گدھ کی زندگی ہے۔

بیرونی کوائف سے کٹی ہوئی —— اندرونی ہیجان میں الٹی صراحی کی طرح معلق —— ایسی صراحی جس سے قل قل کی آواز تو آتی رہے لیکن ایک بوند پانی بھی کبھی نہ گر سکے۔

شاید ہمارا سارا گھر ہی بن باسیوں کا تھا۔

ہم پرانے گدھ جاتی کے وہ راجپوتی لوگ تھے، جنہوں نے راجستھان میں پناہ لی تھی اور جو کھیتی باڑی کو منفعت بخش کام سمجھ کر اب پنجاب کی سرزمین میں آباد ہو گئے۔ ہم راجپوتی لوگ اب غیرت اور آن کی تمام کہانیاں بھول چکے تھے۔ وہ تلواریں خدا جانے کہاں تھیں۔ جنہیں میدان کارزار بلاتا رہتا تھا۔ اب محبت غیرت جیالی ساری غیر مرئی باتوں پر کٹ مرنے کی روایات ختم ہو گئی تھیں۔ صرف تھوڑا تھوڑا دیوانہ پن رہ گیا تھا۔ اسی لئے کچھ کچھ وارداتیں اب بھی ہو جاتیں —— ہماری ناکیں عقاب جیسی اور مونچھوں کے بال گرگٹ کے پٹھوں کے طرح تنے ہوتے۔ تلوار کی بچی زبان ہمیں بھول چکی تھی، لیکن اس کے باوجود لمبی چوڑی بحث، کٹ حجتی اور بے ہودہ گوئی میں ہم نے پناہ نہ لی تھی۔ بس خواب ہمیں پریشان کرتے تھے ہر دیوانے کی طرح خوابوں میں ہمیں زیادہ حقیقت نظر آتی۔ ماڈرن آدمی پر تہذیب اور تعلیم کا شہری زندگی کا جو بھی بوجھ ہے۔ وہ ہمارے ہم قوم لوگوں پر بھی پڑ رہا تھا۔ ہماری اندر کی جبلت ہمیں مارنے مرنے پر اکساتی تھی۔ کھلی ہوا چوڑے میدان کی طرف کھینچتی تھی اور معاشرہ ہمیں تال میل سمجھوتے پر اکساتا تھا۔ اسی لئے ہم بھی کئی صدیوں سے چوراہے پر کھڑے تھے ایک ایسی اندھی بتی کے نیچے جس کی بجلی فیوز ہو چکی تھی، لیکن ہم اشارے کے منتظر تھے۔ ہمیں پتہ نہیں چلتا تھا کہ چاروں راستوں میں سے کونسا بہتر ہے، ہم کو کس راستے پر چل کر نجات ملے گی؟

ایک راہ گاؤں کو جاتی تھی —— جہاں دن لمبے ہوتے ہیں، نیند سکون سے آتی

ہے لیکن غریبی میں تفریح کے بغیر قناعت کی ڈھال نہ ہوتے ہوئے یہ سفر بہت لمبا اور تھکا دینے والا ہوتا ہے، جہاں آدمی ہر روز کے اطمینان سے گھبرا جاتا ہے ــــــ

دوسرا راستہ شہر کو جاتا ہے۔ چھوٹے شہر کی سڑکیں بڑے شہروں کو بڑے شہروں کے ہوائی جہاز اور بڑے شہروں کو اور وہاں سے جانے والے راستے کئی اور ملکوں میں نکلتے ہیں۔ نئے کلچر، نئی تعلیمات، نئے لباس، نئی زبانیں، نئے چہرے نئی آگاہی ــــــ اس راستے کے ہر سنگ میل پر نہ صرف اپنے اعتقادات، مذہب، کلچر اور سوچ کا پٹرول ہی جلتا ہے بلکہ ہر موڑ پر سیاح بے اطمینانی کی سوغاتیں سوہان روح یادوں کے بیگج ٹکٹ اپنے پرس میں اکٹھے کرتا جاتا ہے۔ ہر جگہ اسے اپنی ذات، مذہب، ملک اور قوم کا ٹریولر چیک بنوانا پڑتا ہے اور دوسرے ملک کی نعم البدل کرنسی حاصل کرنا ہوتی ہے۔

تیسری پگڈنڈی جنگل کو نکلتی ہے۔

یہاں ساری طرف اونچی اونچی گھاس ہے جس میں انسان کی اپنی جبلی آرزوئیں پھن اٹھائے کھڑی رہتی ہیں۔ ہر آرزو دل آویز بھی ہوتی ہے اور سر پر کلہاڑی مار کر ختم کرنے کی صلاحیت بھی رکھتی ہے۔ آرزوؤں کا یہ جنگل بڑا طلسماتی ہے۔ اس میں اپنے مرنے اور دوسرے کو مارنے کا کھٹکا ساتھ ساتھ رہتا ہے۔ تہذیب کی زنجیروں میں جکڑے انسان کو یہاں پہنچ کر بھی ہارا کیری کرنے کے سوائے اور کچھ نظر نہیں آتا۔ کیونکہ یہ راستہ بھی منزل نا آشنا ہے۔ صرف اسی گرینڈ ٹرنک میں اور کئی راستے آکر ملتے ہیں۔ سڑک اور چوڑی ہو جاتی ہے، لیکن ہمیشہ جنگل میں ہی چلتی ہے۔ اس راستے میں اتنے پل، آبشاریں، نشیب، اونچائیاں آتی ہیں کہ جبلت کی تلوار ہاتھ میں رہ جاتی ہے اور آہنی زرہ کے بوجھ تلے آدمی مر جاتا ہے۔

چوتھا راستہ غاروں کی طرف جا نکلتا تھا اور کسی کو معلوم نہیں کہ یہ غاریں کہاں جا نکلتیں ہیں۔ سب ان بدروحوں، جنوں اور آسیبی رنگوں سے ڈرتے ہیں۔ جن میں ڈبو ڈبو کر انسان ہر پڑاؤ پر رنگ بدلتا رہتا ہے ــــــ یہ مافوق الفطرت راستہ گو مشکل نظر آتا ہے، لیکن غاروں کے اندر کبھی کبھی پناہ بھی ملتی ہے اور ٹھنڈک بھی۔

ہم راجپوت تھے اور آج تک اسی چوراہے پر کھڑے تھے، کچھ بھی فیصلہ نہ کر سکنے کی وجہ سے ہم سب کے اندر خواب اور حقیقت گڈمڈ ہو گئی تھی۔

بھابھی صولت کا چہرہ؟

بھائی مختار کی شکل؟

اماں —— ؟ ابا —— کیا ہم سب انسانوں میں سے تھے؟

کیا ہماری شکلیں گدھوں سے مشابہہ نہ تھیں۔

ہم لوگ ضلع شیخوپورہ کے چندرا گاؤں میں رہتے تھے۔ جس طرح چندرے آدمی کا ساتھ بالآخر چھوڑنا پڑتا ہے اسی طرح بالآخر ہم سے بھی یہ گاؤں چھوٹ گیا۔ پتہ نہیں چندرا چندر ماں سے بگڑا ہوا لفظ تھا، کیونکہ جب بھی ہم گاؤں سے نکلے اس کی یاد چاندی کی طرح دمکنے لگتی۔

چندرا کو جانے والی کچی سڑک جس کے اردگرد ڈیلے کی خود رو خاردار جھاڑیاں تھیں —— بہت لمبی تھیں۔ گاؤں میں غریب غربا کے استعمال کی چیزیں بیچنے والی دکانیں، آٹا پیسنے والی خراس، تال میں ڈوبی بھینسیں، مٹی اڑانے والے یکے، چارہ کترنے والی مشینیں، دو تنور اور بہت سی یادیں تھیں جو فاصلے کی وجہ سے خوبصورت ہو گئی تھیں۔ بی اے کے بعد ان ساری یادوں کو تازہ کرنے میں دوبارہ چندرا گیا۔

مجھے معلوم نہیں تھا کہ سارا گاؤں سیم اور تھور کی وجہ سے اس حد تک برباد ہو چکا ہو گا۔ پورے چار سال گاؤں سے باہر رہنے کی وجہ سے میں ان خبروں کی عینی شہادت نہ رکھتا تھا جو کبھی کبھار ابا کے خطوں میں درج ہوتی تھیں۔ ماں کے مرنے کے بعد ہم دونوں بھائی چندرا نہیں گئے۔ پہلے بھائی مختار نے ایک رسالے میں سب ایڈیٹری کی اور پھر جب وہ سیکرٹریٹ میں ملازم ہوئے تو اپنے خاندان سمیت وہ سانده میں آ گئے۔

گاؤں میں ماں جو نہیں تھی!

گرمیوں کی چھٹیاں گزارنے میں ہمیشہ ماموں کے پاس قصور چلا جاتا۔ کبھی مجھے چندرا کا خیال نہیں آیا۔

جس وقت میں بیگ اٹھائے گاؤں پہنچا، میں نے دیکھا۔

اردگرد بڑے بڑے شور کے ڈھیر تھے۔ کلر کے تختوں میں پرانے مرے ہوئے جانوروں کے ڈھانچے تھے۔ کہیں کہیں زمین میں دلدل تھی۔ کھارے پانی کے جوہڑ تھے، جن کے کنارے سبز گاچنی رنگی مٹی میں پیاسے جانوروں کے کھروں کے نشان گہرے ہو کر

خشک ہو چکے تھے۔ یہ جانور پانی کی تلاش میں آئے تو ضرور لیکن پیاسے لوٹ گئے۔

سارا گاؤں بے آباد پڑا تھا، کسی کسی آنگن سے دھواں اٹھ رہا تھا۔ لیکن گلیاں سونی تھیں۔ بہت سے کچے پکے گھروں کے دروازے جانے والے مکینوں کی یاد میں کھلے پڑے تھے۔ اب ان گھروں میں چرانے کو بھی کچھ باقی نہ رہا تھا۔ اول تو جانور کم تھے اور جو باقی تھے بھی ان کی ہڈیاں کو لیے نکلے ہوئے تھے۔ بیلوں کی آنکھوں میں اداسی تھی اور بھینسیں ہراس کی وجہ سے آنکھیں نہ ملاتی تھیں، بچے دہلیزوں پر چپ چاپ بیٹھے وقت گزرنے کی راہ دیکھ رہے تھے، ان کی آنکھیں اور گھٹنے بہت نمایاں ہو چکے تھے۔

یہ وہ چندرا نہیں تھا جس سے چار سال پہلے میں رخصت ہوا تھا۔

تب تو ہرے ہرے کھیتوں میں تانگہ جاتا ہوا نظر بھی نہ آتا تھا۔ تب تو ہماری حویلی میں بڑی رونق ہوا کرتی تھی۔ قیام پاکستان کے بعد اس گاؤں میں کئی رنگ کے پکھیرو آباد ہو گئے۔ بڑے لونگ اور ستواں ناک والی راجپوتنیاں، گول گول دہنوں والی کشمیرنیں، چوڑے طباق چہروں پر سرمے کی بندیاں لگانے والی پٹھانیاں، خوبصورت سیاہ آنکھوں والی مٹی رنگی جاٹ عورتیں، چکنی جلد پر نارنگی کے چھلکے ملنے والی مغل زادیاں، خوشامد سے دوہری ہو جانے والی میراثنیں، پل میں صحن کا رنگ بدل دینے والی گگے زینیں، ناپ تول کر تکڑی کے باٹ جیسی زندگی بسر کرتی شیخانیاں، جلدی ڈھل جانے والی زرد زرد آرائیں استریاں، کھلی بیسن سے نہائی دھوئی گجریاں، چوڑے چھنکانے اور طعنے دینے والی مسلنیں —— ماں زندہ تھی تو چندرا کا گاؤں اور پھر ہماری حویلی کچھ اور ہی چیز تھی۔

سارے درخت ہرے بھرے تھے۔ سب کھیت لہلہاتے تھے۔ ہر کنویں میں میٹھا پانی تھا۔ ہر کسان کے گھر میں دانے تھے۔ اب سارے میں کلر ہی کلر تھا۔ موت ہی موت تھی۔ اور ماں کہیں بھی نہیں تھی۔

جب میری ماں زندہ تھی تو حویلی کے آنگن میں ہر سمے میلے کی سی کیفیت رہتی۔ دو آ رہی ہیں دو جا رہی ہیں۔ میری ماں ان عورتوں میں نظر نہ آتی، پھر بھی اس کی وجہ سے میلہ لگا رہتا۔ وہ جہاں بیٹھی وہی جگہ آباد ہو گئی اور کچھ نہیں تو اس چارپائی تلے چیونٹیاں ہی راستہ بنا لیتیں۔ ماں عام طور پر حویلی میں کسی جگہ بھی نہ ہوتی تھی۔ پر اس کے کیے ہوئے کام ہر جگہ اس کی گواہی دیتے۔ کہیں چارہ کٹا ہوا ملتا، کہیں نارنگیوں کے چھلکے

سوکھنے کے لئے پڑے ہوتے، سوتی کپڑوں کی رنگین کترنیں، مکئی کے خالی تکے، گنوں کے چھلکے —— بادام کی تازہ کھلی —— ماں تھی تو آنگن آباد تھا۔ گاؤں زندہ تھا۔

اب ہماری حویلی کے تمام دروازے کھڑکیاں کھلی تھیں —— میں نے ابا کو آواز دی —— "ابا" —— اندر والے کمرے سے ایک کبڑا بوڑھا کچھ پہچانتا کچھ بھلاتا میری طرف بڑھنے لگا۔

اس بڈھے گدھ کو دیکھ کر میری آنکھوں میں آنسو آگئے۔

آنگن کے سارے فرش کی اینٹیں کلر چاٹ گئی تھیں اور اب جب ان پر پاؤں پڑتا تو پھک سے سفید ذرات اوپر کو اٹھتے تھے۔ ٹوٹی ہوئی ربڑ کی ہوائی چپل میں جو شخص مجھے بھولتا اور پہچانتا ہوا آگے بڑھ رہا تھا۔ جس کے سر کے تمام بال سفید تھے اور جبڑے کی ہڈیاں کسی ہوئی تھیں۔ یہ شخص میرا باپ تھا۔

چار سال سے میں نے کبھی اس کا پتہ نہیں لیا تھا۔ مجھے تو یہ بھی معلوم نہیں تھا کہ زمین کلر زدہ ہو جانے پر اب وہ کیسے گزر بسر کرتا ہے۔

آنکھوں کا چشمہ ناک پر جماتے ہوئے وہ بڑھتا آرہا تھا —— "کون ہے کون ہے بھئی بولتے کیوں نہیں؟"

میں سوٹ کیس ہاتھ میں لئے کھڑا رہا۔ حویلی کے کئی طاق کھلے تھے۔ کئی دروازے ہوا میں جھول رہے تھے —— ہوا میں ایسا نمک تھا جو پسینے والے بدن سے چپک کر خارش میں بدل جاتا ہے۔

"کون ہے بھئی۔" ابا نے پاس آکر کہا۔

پھر اور قریب آکر اس نے بازو پھیلائے۔ لمحہ بھر کو بازو پھیلے رہے، پھر شرمندہ ہو کر اس نے میرے کندھے پر ہاتھ رکھ لیا اور بولا —— "آؤ قیوم آؤ کھڑے کیوں ہو۔"

ہم دونوں چپ چاپ اس تخت پوش پر بیٹھ گئے جس پر بیٹھ کر کبھی اماں سارے گاؤں میں حکم چلایا کرتی تھی۔

"ابا —— بھائی مختار نے کہا ہے۔"

"کس نے؟"

وہ اونچا سننے لگا تھا۔

"بھائی مختار نے کہا ہے ——— کہ اب تو چندرا چھوڑ دے میں تجھے لینے آیا ہوں۔"

"آ میرے ساتھ ——— آ ——— ذرا ———"

میں ابا کے ساتھ چلنے لگا۔ وہ مجھے ساری حویلی میں لئے پھرا ——— گھر کی حالت خستہ تھی، کہیں رنگین پائے کا پلنگ آخری دموں پر تھا، کہیں جستی ٹرنک کلر میں ڈوبے تھے ——— ساری جگہ آسیب زدہ تھی۔ وہ گھوم پھر کر میرے ساتھ باہر آگیا اور پھر تخت پوش پر بیٹھ کر بولا ——— "دیکھتا نہیں تیری ماں کی کتنی نشانیاں ہیں یہاں ——— کس کس کو چھوڑ کر جاؤں؟"

میں چپ ہو گیا۔

"ابا بھائی مختار سانده کلاں میں رہتے ہیں۔"

"رہے جم جم جی صدقے۔"

"بھابھی صولت نے بھی ہاتھ جوڑ کر کہا ——— ہے ——— تو میرے ساتھ تو چل ابا ——— میری پڑھائی کے بھی دو سال باقی رہ گئے ہیں۔"

وہ کھانسنے لگا۔ مدافعت کے طور پر ——— شرمندگی کے احساس تلے۔ وہ اس وقت مجھے اپنا باپ نہیں بلکہ ایک چھوٹا سا جانور لگ رہا تھا ——— معصوم جانور جس نے سونے کے فریم کی عینک پہن رکھی تھی۔

"تو نہیں سمجھتا ناں ——— یہاں وہ اور میں باتیں کرتے رہتے ہیں سارا دن وہاں شاید شہر میں وہ میرے ساتھ جانا پسند نہ کرے۔"

میں نے غور سے ابا کی طرف دیکھا۔

جب ماں زندہ تھی تو ہم نے ان دونوں کو کبھی باتیں کرتے نہیں دیکھا تھا لیکن جب اماں مر گئی تو پھر ابا اس کے شیشے لگے بڑے پلنگ پر لیٹ کر پہروں منہ میں باتیں کرتا نظر آتا۔ اماں کے ہوتے ہوئے ابا ہمیشہ کھیتوں میں رہتا تھا۔ اندر صحن میں رنگ رنگ کی عورتوں کا میلہ دیکھ کر گھر لوٹنے پر بھی وہ حویلی کے باہر ہی مونڈھا منگوا لیتا۔ لیکن اس کے بیٹھنے کا انداز کچھ ایسا تھا جیسے وہ امریکہ کا پریذیڈنٹ ہو۔ اس کے حقے کی نے مونڈھے کی

بٹھاوٹ اور نشست وہاں سے صاف نظر آتی جہاں صحن کے اندر ماں کا تخت بچھا ہوتا۔ دونوں میں شاید کوئی پیغامات جاری رہتے ہوں اس کا ہمیں علم نہیں تھا۔

ماں کے مرنے کے بعد حویلی دم چھوڑ گئی ——— میلہ ٹوٹ گیا ——— گاؤں کے اردگرد تو بہت پہلے سے سیم نالہ بہتا تھا اور زمین شور زدہ ہو رہی تھی۔ لیکن اب ابا بھی پڑ رہا تو آہستہ آہستہ ہماری زمینوں پر بھی کلر رینگنے لگا۔ ابا کی آواز میں خوف پیدا ہو گیا۔ اس کے بازوؤں پر جھریاں نظر آنے لگیں۔ اب ابا جھکتا تو کھڑے ہونے سے پہلے کمر پر ہاتھ رکھ لیتا۔ اس کی آنکھوں میں اب تیل والے خشک چراغ جیسی کیفیت تھی۔ جیسے کبھی جلتا تھا لیکن اب صرف گیلا رہتا ہو۔ دسویں جماعت میں نے قصور میں ماموں کے پاس رہ کر پاس کی۔ اس وقت تک مختار بھائی لاہور میں ملازم ہو گئے تھے۔ ان کی بیوی اور بڑا بیٹا سانده کلاں میں کرائے کا مکان لے کر رہنے لگے تھے۔ میں نے باقی تعلیم ہوسٹل میں رہ کر مکمل کی۔ لیکن ساری چھٹیاں میں ماموں کے پاس قصور میں گزارتا تھا۔ مجھے کبھی چندرا جانے کا خیال نہیں آیا ——— میں اماں کے بغیر چندرا کا تصور بھی نہیں کرنا چاہتا تھا۔

ابا سے ملنے کو جی چاہتا لیکن ہم دونوں بھائی ہمیشہ سے باپ سے دور دور رہے۔ میرے ذہن میں اباساندل بار کا سانڈ تھا جس کا جسم لس لس کرتا ہے، جو کھیتوں میں کھڑا چرتا بے ضرر لگتا ہے، لیکن کوئی کسان اسے کھیت سے نکالنے کی جرات نہیں کرتا۔ پاس جانے پر آمادہ بھی نہیں ہوتا۔ مجھے یہ بھی معلوم تھا کہ ہمارے گاؤں کو کلر نگل رہا ہے۔ لیکن میں نے کلر کھائے گاؤں کو کبھی آنکھوں سے نہیں دیکھا تھا ——— مجھے یہ بھی معلوم نہ تھا کہ ایک کلر ایسا بھی ہوتا ہے جو ساندل بار کے سانڈ کو بھی کھا جاتا ہے۔

"دیکھو قیوم ——— ! یہ میرا گھر ہے ——— میرا ——— اگر میں اسے چھوڑ گیا تو گاؤں والے کیا کہیں گے۔"

میں نے پلٹ کر اپنے باپ کو دیکھا وہ کسان نہیں تھا۔ ساندل بار کا سانڈ نہیں تھا۔ وہ صرف راجا گدھ تھا جو ایک مری ہوئی عورت کے لاحاصل تصور میں اپنی زندگی کی ڈوری لٹکائے بیٹھا تھا۔

میرا باپ دیوانہ ہو چکا تھا ——— اس کی آنکھوں میں کلر نے چھڑکاؤ کر رکھا تھا۔

"ابا یہاں اکیلا مت رہ ناں —— وہاں ہم دونوں ہیں۔ تیری خدمت کریں گے —— چل ناں۔"

وہ ہنسنے لگا۔ ایک تنہا بڈھے کی مجروح ہنسی۔

"اور اس کی قبر کو کلر کے حوالے کر دوں؟ —— یہاں تو روز قبر دیکھنے نہ جاؤ تو چوتھے دن قبر کا منہ پھٹ جاتا ہے۔"

"ابا —— یہاں بڑی مشکل ہے وہاں۔"

ابا نے حویلی پر نظر دوڑائی اور بولا —— "یہاں وہاں کچھ نہیں بیٹے —— مجھے جسم کا آرام نہیں چاہئے —— یہاں میری روح خوش ہے وہ اسی گھر میں آئی تھی۔ یہیں سے اس کا جنازہ نکلا —— اوئے احمق مجھے مرد ہو کر اتنی توفیق نہیں کہ میں اس کے مرنے کے بعد اس کے گھر کا خیال رکھوں؟ —— اس نے تو ساری عمر میرے گھر کی اینٹ اینٹ سے پیار کیا۔"

میں ساری دوپہر ابا کے پاس چپ بیٹھا رہا۔ دھوپ ڈھلنے کے وقت میں نے سوٹ کیس اٹھایا اور سٹیشن کی طرف چلنے لگا۔

آخری بار اس جگہ کھڑے ہو کر میں نے اندر نظر ڈالی جہاں جوانی میں ابا کا مونڈھا ہوتا تھا۔

سارا صحن خالی تھا۔

تین طرف بنے ہوئے کمروں کے کچھ دروازے کھلے کچھ بند تھے۔ لیکن سب کا پلستر کلر کی ہوا چاٹ گئی تھی —— جہاں ماں کا تخت پوش اینٹوں کے پایوں پر پڑا تھا۔ اس کے نیچے دو دو انچ شور کھڑا تھا —— سارے آنگن میں نوکیلی جھاڑیاں اگ آئی تھیں نہ کہیں اناج تھا نہ پانی —— نارنگیوں کے کٹے ہوئے چاند، سوکھے ہوئے گنوں کا انبار، چار پائیاں، گھڑونجی —— چارہ کاٹنے والی مشین اماں کی پیاری بکریاں —— ندیدی بلیاں —— چھوٹے چھوٹے لڑکے —— مینڈھیاں کروانے والی تیل میں سنے ماتھے نکالے لڑکیاں۔

چولہا —— دھواں —— اماں کے سیپی —— اناج تولنے والا ترازو —— تو تکیں اور ان میں نگندے ڈالنے والی عورتیں۔

وہ سارا کاروبار ـــــ وہ ساری زندگی کہاں گئی؟ ـــــ کیا کلر صرف ماں کے جانے کا انتظار کر رہا تھا۔

جب میں گلی میں کافی دور نکل گیا تو میں نے پلٹ کر ایک بار پھر حویلی کی طرف نظر کی۔

ابا اوپر مٹی پر کھڑا تھا ـــــ اس کے دونوں بازو آگے کو بڑھے ہوئے تھے۔

راجہ گدھ ـــــ عمارت کی آخری اونچائی پر مالیخولیا کی لپیٹ میں کھڑا تھا۔

میں نے دل میں سوچا۔ جب بھی روح لاحاصل محبت کرتی ہے یہ دیوانے پن سے کیوں ہمکنار ہو جاتی ہے؟

کیا روح ہمیشہ لاحاصل راستوں پر جانا پسند کرتی ہے۔

کیا اس کے لئے دیوانگی کے علاوہ اور کوئی پناہ نہیں ـــــ ؟ کوئی پناہ نہیں؟

سٹیشن کے سامنے یکے پر سے سامان اتارتے ہوئے غریب کوچوان نے شرمساری سے کہا ـــــ "قیوم بھائی آپ بہت دیر بعد گاؤں آئے ہیں؟"

میں نے اسے پہچاننے کے لئے غور سے دیکھا۔

"میں عزیز گاتن کا چاچا ہوں فضل کریم۔"

"عزیز گاتن؟"

"ہاں عزیز گاتن۔"

میں نے فضل کریم کو جپھی ڈال لی۔ وہ میری گرمجوشی سے واضح طور پر متاثر ہو گیا۔ غالباً پینٹ سوٹ والے سے اس کا یہ پہلا معانقہ تھا۔

"عزیز گاتن کا کچھ پتہ چلا؟"

"کہاں جی ـــــ وہ تو پتہ نہیں کہاں غائب ہو گیا اچانک؟"

فضل کریم مجھے سلام کر کے بڑے مؤدب طریقے سے واپس گاؤں چلا گیا۔ میں پلیٹ فارم پر اکیلا مسافر تھا۔ جب تک گاڑی نہیں آئی میں اپنے اکلوتے سوٹ کیس پر

ہاتھ رکھے سوچتا رہا۔

عزیز گاتن، بھجا، ھبلی نثار، سب کہاں گئے؟ —— گاؤں میں پہنچ کر میں نے ان میں سے کسی کو بھی تو یاد نہیں کیا؟

ہم نے کئی سال اکٹھے ٹیا ٹاپو کھیلا تھا —— کوئلے سے دیواروں پر لکیریں کھینچی تھیں۔ گاؤں کی ہر چھوٹی بڑی پگڈنڈی اور بڑے چھوٹے درخت پر ساتھ رہے تھے۔

یہ وقت کیا کرتا رہتا ہے۔

یہ وقت —— آخر چاہتا کیا ہے؟

"عزیز گاتن؟ —— فضل کریم کا بھتیجا —— عزیز گاتن؟

وہ جھیور تھا۔ گاؤں کے بڑے پیپل تلے اس کی ماں تندور تپایا کرتی تھی۔ سردیوں کے موسم میں سہ پہر کے وقت روٹیاں لگانے سے بہت پہلے جب وہ —— منچھٹیوں کا بالن جلا کر تندور کو ابتدائی سینک دیتی تو گاؤں کی لڑکیاں لڑکے اس سے دانے بھنوانے آیا کرتے، میں بھی دو چار زرد بھٹوں کے دانے اتار کر چھابے میں ڈالتا اور ماسی الفت کے تندور پر پہنچ جاتا۔

عزیز گاتن سے میری بچپن کی دوستی تھی۔ وہ ناٹے قد کا چوڑا چکلا چمکدار لڑکا تھا۔ اس کے سر پر ہمیشہ استرا پھرا ہوتا۔ جو اکنی دونی اس کی ماں اسے خرچنے کے لئے دیتی وہ اپنے کان کے اندر والے کٹاؤ میں پھنسا کر رکھتا۔ اس کی قمیض کو کبھی بٹن نصیب نہ ہوئے۔ اسی لئے سیاہ گانی والا تعویز ذرا سا جھکنے پر آگے کو جھولنے لگتا۔ وہ ایک پاؤں کا پنجہ اندر کو ڈال کر چلتا تھا۔ اسی لئے رات کے وقت اس کی چال میں تھوڑا سال چھلیڈا پن پیدا ہو جاتا۔

عزیز گاتن کا اوپر والا ہونٹ پیدائشی کٹا ہوا تھا —— اسی لئے وہ ہمیشہ ہنستا دکھائی دیتا۔ لیکن میں تو عزیز گاتن کو بچپن سے جانتا ہوں وہ چھوٹی عمر سے غلیظ باتیں سننے کا عادی ہو گیا تھا۔ پرانے بھٹے کے پاس جہاں مائی توبہ توبہ کی جھونپڑی تھی —— وہاں مجھے اور ھبلی کو لے جا کر وہ ایسی ایسی گالیاں سکھاتا کہ ان کے معنی نہ سمجھتے ہوئے بھی ہم دونوں کے کان جلنے لگتے۔

شاید عزیز گاتن ہنستا نہیں تھا۔ بچپن سے اسے اپنی ماں کے متعلق باتیں سننی پڑی

تھیں۔ جب کبھی اس کی ماں کے متعلق گفتگو ہوتی۔ لوگ اچانک ہی بہت بے پرواہ نسوڑ، ننگے اور جنسی ہو جاتے۔ کسی کو خیال بھی نہ رہتا کہ عزیز گاتن سن رہا ہے۔ وہ چونکیل جانور کی طرح ادھر ادھر دیکھتا رہتا۔ ایسے میں اس کے کان میں پھنسی ہوئی اکنی چونی بہت چمکنے لگتی —— پہلے وہ نظروں سے بھاگ جانے کی راہ تلاش کرتا۔ لیکن راہ نہ پاکر کھڑا رہتا —— یوں لگتا جیسے وہ ہنس رہا ہے سب کے ساتھ —— اپنی ماں پر —— ماسی الفت کی ننگی حرکتوں پر۔

شاید اس کی پیدائشی بے بسی تھی جو ہنستی رہتی تھی۔ شاید اوپر والا کٹا ہوا ہونٹ اسے مصنوعی ہنسی ہنسنے میں مدد دیتا تھا!

ماسی الفت موہنجوداڑو کے زمانے کی پتلی تھی۔ اس کا رنگ بھٹی میں پکی ہوئی سرخ اینٹ جیسا تھا۔ ہاتھ روٹیاں گھڑنے میں جتنے تیز تھے، اتنے ہی چٹائی پر دھرے ہوئے، اس کے بھاری کولہے ست تھے۔ وہ ہمیشہ چھینٹ کی شلوار اور ململ کا سیاہ کرتا پہنتی تھی۔ شاید بٹنوں کا اسے کبھی کبھی خیال نہیں آیا کیونکہ جب کبھی وہ رفیدے پر روٹی ڈال کر تنور کے اندر جھکتی تو گلے سے رسنے والا پسینہ اندر جڑے ہوئے پیڑوں پر گرتا نظر آتا۔ میں نویں جماعت میں تھا جب مجھے احساس ہوا کہ ماسی الفت بڑی شے ہے۔ وہ سر پر بھاری کھیس ڈالے روٹیاں نکالنے والی سیخ پھرتی سے تندور میں ڈالتی۔ ایسے میں اس کے ست کولہے کئی زاویے بناتے۔ جب کبھی وہ مجھے چوری چوری اپنی طرف دیکھتا پالیتی تو سادگی سے ہنس دیتی۔ "لے لو —— اب تو حویلی والوں کا قیوم بھی جوان ہو گیا۔"

ماسی الفت کی بہت بکری تھی —— اپنی بھی اور روٹیوں کی بھی۔ اس کے گاہک روٹیوں کی قیمت علیحدہ چکاتے تھے اور اس کے لئے الگ نذرانے لاتے تھے۔ لیکن سنا ہے وہ سارا مال جوڑتی رہتی تھی عزیز گاتن کے لئے۔

یہ ان دنوں کا ذکر ہے جب چندرا کے باہر سیم نالا دور سے نکلا کرتا تھا اور گاؤں کی صرف باہر والی زمینیں سیم سے متاثر ہوئی تھیں۔ چندرا سے کچھ دور شور، دلدل اور پھٹے ہوئے کھیت تھے۔ لیکن گاؤں کے ساری طرف لہلہاتے کھیت تھے۔ جھڑبیریوں کو بیر لگتے۔ نیم کی نمکولیوں سے آنگن بھر جاتے —— اور سیاہ تنے والے کیکروں پر پیلے پیلے پھول اگتے۔ ابھی چندرا میں برسیم کے کھیت اتنے گھنے تھے کہ عزیز گاتن گنا چوستا ان میں

جاتا، دھوتی کھولتا اور دوبارہ باندھ لیتا کسی کو پتہ بھی نہ چلتا کہ کیا ہوا ہے اور کیوں ہوا ہے؟

آج اگر عزیز گاتن چندرا میں ہوتا تو کیا میں اس سے یمی کی محبت سے متعلق کچھ بتا سکتا؟ حالانکہ جب تک میں گاؤں میں رہا۔ ہمارا آپس میں کوئی بھید نہ تھا، وہ بجراں، میبو، باگی، جنتے کی محبت کو تو سمجھ سکتا تھا ——— لیکن یمی کی محبت اسے اب سمجھ نہ آتی، شاید میرے حالات سن کر وہ کہتا ——— "اچھا جب وہ تمہارے ساتھ سو لیتی ہے، تو باقی کیا تکلیف ہے اور کیا چاہئے تمہیں۔"

اگر میں اسے گاؤں میں مل بھی لیتا اس کو اپنی محبت کے متعلق کچھ سمجھا نہ سکتا۔ ایسی محبت جو جبلی تقاضوں کی آسودگی کے باوجود ناآسودہ رہتی ہے جس میں ہر وصل میں ہجر کا مزا ہوتا ہے، جس میں ہاتھ ضرور پڑ جاتا ہے لیکن ایسے ہی جیسے بس میں آدمی ہینڈل کو پکڑ کر سوار ہو جائے اور اندر نہ گھس سکے۔

دیوانگی کی سرحدوں کو چھونے والی محبت کا کچا چٹھہ میں عزیز گاتن کو کیسے سمجھا سکتا ———

لیکن چاچا فضل کریم کا عزیز گاتن تھا کہاں؟

ماسی الفت کی آنکھ کا تارا جانے کہاں چھپ گیا تھا؟ گاؤں سے اچانک غائب ہو جانے کی بھی عجیب داستان تھی۔

اس روز عزیز گاتن حویلی میں داخل ہوا تو اس کے کان میں دس پیسے کا سکہ چمک رہا تھا۔ اس نے کھدر کی قمیض پہن رکھی تھی اور قمیض کی جھولی اس طرح اٹھا رکھی تھی کہ چار خانے والی تہمد کے ڈب اور ناف صاف نظر آتی تھی۔

"اوے قیوم ———" اس نے حویلی میں داخل ہو کر آواز دی۔

کئی عورتوں نے کنکھیوں سے ایک دوسری کو دیکھا۔ ماسی الفت اور عزیز گاتن سارے گاؤں کے لئے تفریح کا باعث تھے۔ پھر اس نے اماں کے تخت پر جھولی کھول کر کچے پکے پیلو ڈھیر کر دیئے، ہم دونوں پکے کچے پیلو علیحدہ کرنے میں مصروف تھے کہ چاچا غلام رسول اندر سے نکلا۔

چاچا غلام رسول ابا کا کچھ ہٹواں سا رشتہ دار تھا، کیونکہ اماں اس سے کانا پردہ کرتی تھی۔ جس وقت چاچا آنگن میں آتا اماں کی ساری کلب منتشر ہو جاتی۔ لونگ والی، چوڑے

والیاں، چھاج پھٹکتی، مسالہ پیستی، آٹا گوندھتی۔ مخلوق میں زلزلہ سا آجاتا ——— اچانک فائر سن کر چڑیاں اڑ جاتی تھیں۔ ایسے ہی ترنت عورتیں چلنے لگتیں۔ لڑکیاں سروں پر آنچل کرلیتیں اور جوان عورتوں کو اپنی چادریں یاد آجاتیں۔

چاچا غلام اشتہاری مجرم جیسا اشتہاری عاشق تھا۔ شروع شروع میں پان سات معاشقے چندرا میں بھی دھڑلے کے ہوئے لیکن دکان کی مشہوری سے بہت پہلے بات پھیل گئی کہ سارا سودا ناکارہ ہے۔ آنگن میں پہنچ کر عموماً چاچا غلام اپنی داڑھی میں انگلیاں پھیرتا۔ کان کی میل نکالتا، کسی چھوٹے بچے کو شیشہ پکڑا کر مونچھوں کے بال تراشتا، جو بھی باورچی خانے میں موجود ہوتی اس سے باسی روٹی اور مکھن مانگ کر کھاتا اور پھر لال نری کی جوتی میں سے لٹھے کی شلوار جیسی شڑاق شڑاق آواز نکالتا، وہ کبھی آنگن میں یہاں جاتا کبھی وہاں ——— چاچا بڑا حکمتی آدمی تھا۔ اسے ہر لڑکی ہر عورت کی پرسنل ہسٹری معلوم تھی۔ کون سیدانی کس میراثی کے سات کتنی دیر پھنسی رہی۔ کونسی شیخانی کا پانچواں بچہ حرامی تھا، کس مغلانی نے اپنے مزارع کے بیٹے سے دوستی لگا رکھی ہے، کونسی آراین گھر سے اودھل گئی تھی ——— ایسے قصے اسے بڑی چٹ پٹی تفصیلوں کے ساتھ یاد تھے۔ ایسی کہانیوں کی وجہ سے جوان لڑکے اس کے پاس بیٹھنا پسند کرتے تھے۔ وہ جوانوں کو محبت کرنے کے طریقے ایسے سکھاتا تھا جیسے پہلوان اپنے پٹھوں کو داؤ پیچ ازبر کراتے ہیں۔

ابا نے ہمیں چاچا کی صحبت میں بیٹھنے کی سختی سے ممانعت کر رکھی تھی۔ اس کے باوجود جب وہ باتیں کیا کرتا ہم کسی نہ کسی بہانے وہیں منڈلایا کرتے ——— باتیں کرتے کرتے وہ یکدم گھر سے نکل کھڑا ہوتا۔ دراصل جونہی کوئی لڑکی اس کی باتیں سن کر ہنستی ہوئی حویلی سے رخصت ہوتی ——— چاچا غلام کو بھی کوئی بہت ضروری کام یاد آجاتا۔

ابا کو چاچا غلام پسند نہیں تھا۔ لیکن اس کے باوجود وہ کئی سال ہمارے گھر رہا۔ چاچا غلام کوئی کام نہیں کرتا تھا، لیکن بیگار لینا خوب جانتا تھا۔ ہم نے اسے کبھی ابا کے ساتھ کھیتوں پر جاتے نہیں دیکھا۔ وہ گھر کے کسی کام میں بھی دلچسپی نہ لیتا، لیکن کوئی ایسی بات ضرور تھی جس کی وجہ سے ابا اس سے بدکتا تھا۔

پتہ نہیں ابا نے چاچا غلام سے کوئی رقم پکڑی ہوئی تھی۔

پتہ نہیں ابا کا کوئی گہرا راز چاچا غلام کے پاس تھا۔

یا شاید وہ دونوں کسی جرم میں شریک رہے تھے؟

ہم چھوٹے تھے ہمیں اصلی وجہ معلوم نہ تھی لیکن ہم دیکھتے کہ چاچا کی تھالی میں ہمیشہ بوٹیاں زیادہ ہوتیں۔ اسے ملائی، مکھن اور پراٹھوں کے علاوہ مکھن میں تلے ہوئے انڈے بھی ناشتے پر ملتے۔ اس کی چارپائی پر کڑھے ہوئے تکیے کے غلاف رہتے، جب بھی وہ کوئی فرمائش کر دیتا تو پھر اماں اور ابا اسے ضرور پوری کرتے۔ ابا چاچا غلام کو پسند نہیں کرتا تھا، لیکن اس کا خیال بہت رکھتا تھا۔

عزیز گاتن اور میں صحن میں اماں کے تخت پوش پر پیلو علیحدہ کر رہے تھے کہ ٹانسے کی دھوتی اور لیس لگا کرتا پہنے چاچا غلام اندر سے نکلا۔ چند منٹوں میں آنگن خالی ہو گیا۔ صرف باورچی خانے میں دو عورتیں ہماری طرف پشت کئے بیٹھی آٹا گوندھتی رہیں ——

عزیز گاتن اس روز بہت خوش تھا۔

"دنیاداراں دے گھر دیندا بیٹے ولی الہی۔ ولیاں دے گھر پیدا کردا میرے وانگ گناہی —— " زور زور سے عزیز یوسف زلیخا گا رہا تھا کہ پیچھے سے آکر چاچا غلام نے اس کی گدی میں دھول ماری۔ عزیز گاتن کی آنکھیں یکدم خوف سے کھل گئیں —— اماں توبہ توبہ سے بھی زیادہ ہم چاچا غلام سے ڈرتے تھے۔

"اوئے تیری ماں کو کچھ عقل ہے کہ نہیں؟ —— پلید کہیں کی۔"

عزیز گاتن مسکرانے لگا۔

جب بھی عزیز گاتن سنجیدہ ہو جاتا، ایسے لگتا کہ مسکرا رہا ہے، کیونکہ اس کے اوپر والے ہونٹ میں پیدائشی شگاف تھا اور منہ سختی سے بند کرنے کی صورت میں وہ مسکراتا ہوا نظر آتا۔

عزیز گاتن اپنی ماں کے متعلق بہت سی باتیں سننے کا عادی تھا۔ ماسی کو بیوہ ہوئے چھ سال ہوئے تھے۔ وہ بالکل آزاد تھی اور اسے اپنی آزادی بڑی پیاری تھی۔ عزیز گاتن تو باتیں سن کر مسکرانے لگتا۔ لیکن میرے ہاتھوں میں پسینہ آجاتا۔

"اوئے بول تیری ماں ہے ناں اجڈ گنوار ناپاک۔"

گاتن چپ چاپ سنتا رہا۔

"سن رہا ہے میری بات بل بھٹیا؟"

"جی۔"

پتہ نہیں کیوں میرا دل رونے کو چاہ رہا تھا۔

"حرامی! اپنی فیشن کی ماری ہوئی ماں کو کہنا پہلے جسم کی صفائی سیکھے —— بتانا اسے جسم کے بال ناپاک ہوتے ہیں۔ اسے میرا یقین نہ آئے تو جا کر ملاجی سے پوچھ لے مسجد میں —— ویسے تو اسے بڑے مسئلے آتے ہیں۔ جسم کے بالوں کا مسئلہ نہیں آتا کوڑو کو ——؟"

"اچھا جی کہہ دوں گا۔"

عزیز نے ہاتھ میں چنے ہوئے پیلو تخت پوش پر رکھ دیئے۔ اس سے پہلے کئی بار میں نے اسے لوگوں کے ہاتھوں ذلیل ہوتے دیکھا تھا۔ لوگ اس کے منہ پر اس کی ماں کو گالیاں دیتے، لیکن وہ کبھی چپ نہ ہوا تھا۔

پہلی بار بل بھٹیا کے چہرے پر مسکراہٹ نہ تھی۔

چاچا غلام نے مٹھی بھر پکے پیلو اٹھائے اور باورچی خانے کے ڈھارے کی جانب مڑ گیا۔ گاتن نے کچھ نہ کہا۔ گلے کے تعویذ کو قمیض کے اندر کیا اور باہر چلا گیا۔ میرا خیال تھا کہ کچھ عرصہ بعد وہ خود ہی لوٹ آئے گا۔ لیکن اس روز کے بعد اسے کسی نے گاؤں میں نہیں دیکھا —— کچھ دن ماسی الفت نے اس کی تلاش کی۔ پھر ایک دن اس کی ماں نے جو گلہ اپنے گاہکوں کو دھونس دے دے کر جمع کیا تھا۔ تندور کے دہانے پر مار کر توڑا اور بڑ کے درخت تلے سارے روپے اٹھنیاں چونیاں، دس پیسے نوٹ یوں پھینکے جیسے عزیز گاتن کی برات پر سے سوٹ کر رہی ہو۔ وہ پیسے پھینکتی جاتی تھی اور کہتی جاتی تھی —— "اٹھالو کتو —— اٹھالو —— میں نے عزیز گاتن پر وارے اٹھالو ——"

اس شام میں پرانے بھٹے پر ہیلی کے ساتھ غلیل لے کر شکار کے لئے گیا ہوا تھا۔ جب شام پڑنے لگی اور ہم نے گھر لوٹنے کا ارادہ کیا تو میں نے دیکھا کہ چندرا کی طرف سے ایک بڑا سا گدھ بھاگتا ہوا آیا اور سیم نالے کے ساتھ ساتھ چلنے لگا۔ اس گدھ نے خاکی رنگ کے کھیس کی بکل مار رکھی تھی اور پیروں میں کچھ نہ تھا۔

پھر راجہ گدھ سیم نالے کے ساتھ گرتا پڑتا چلنے لگا۔ کبھی کبھی اس کے دونوں

بازو آپی آپ آسمان کی طرف اٹھ جاتے اور پھر وہ بغیر ٹھوکر کھائے گر جاتا ـــــــ کچھ فاصلے تک میری نگاہوں نے اس راجہ گدھ کا تعاقب کیا' اس کے بعد ماسی الفت ہمیشہ کے لئے افق میں کھو گئی۔

اچانک ماسی الفت اور عزیز گاتن کے غائب ہونے پر اور تو کچھ نہ ہوا' صرف چندرا گاؤں کے باہر پھیلنے والا کلر گاؤں کے اندر بڑھنے لگا۔ ہر آندھی کے ساتھ ہر بارش کے ساتھ ـــــــ ہر موسم میں اس کی رفتار تیز تر ہونے لگی۔ اونچے اونچے درخت ٹنڈ منڈ ہوئے ـــــــ کھیتوں میں لہلہاتے سبزے کی جگہ دلدل' شور اور نمکین پانی کے جوہڑ بننے لگے۔ کنوئیں کھاری ہو گئے۔ ہتھی والے نلکوں کی نالوں پر قلمی شورا چڑھ گیا۔ گھروں کی دیواروں سے کلر جھڑنے لگا ـــــــ فرش پھول گئے۔ چوگاٹیں ڈھیلی ہو گئیں۔ زنجیروں پر زنگ جھڑنے لگا اور آدمیوں کے چہرے پُرانے سکے بن کر گھسے ہوئے نظر آنے لگے۔

اب رفتہ رفتہ لوگ گاؤں چھوڑ کر جانے لگے ـــــــ گھروں کے چولہے سرد پڑ گئے اور راستوں کی پھولی ہوئی مٹی پر جانور' چھکڑے' ریڑھے تانگے سامان سے لد لد کر جانے لگے۔ اب پیلو کا بور جھڑ جاتا۔ کیکر کے درختوں میں زرد پھول نہ اگتے۔

جب میں ماموں کے پاس قصور گیا ہوں۔ اس سے کچھ پہلے سارے گاؤں میں کلر نے دھاوا بول دیا تھا۔

ٹرین آئی۔ میں سوار ہو گیا۔ چندرا کے پاس سے پُرانے بھٹے کے عقب میں مائی توبہ توبہ کی جھگی سے لے کر اندر تک کلر کا سیلاب تھا۔ ساری زمین انڈے کی سفیدی جیسی پھینٹی ہوئی تھی۔ جس وقت چندرا کی حد ختم ہوئی۔ میں نے دیکھا۔ دو اونچے درختوں پر کئی گدھ بیٹھے تھے۔ نیچے سیم نالے کے پاس ایک بھینس کا ڈھانچہ تھا۔

شام اتر رہی تھی۔ ہوا میں نمک تھا۔

پتہ نہیں مجھے کیوں لگا ـــــــ ایک درخت سے تیزی کے ساتھ ایک گدھ اترا اور ٹرین کے ساتھ ساتھ بھاگنے لگا۔ اس گدھ کو غور سے دیکھنے کی مجھ میں ہمت نہیں تھی۔ لیکن وہ گا رہا تھا۔ بھاگ رہا تھا۔ ٹرین کی آواز کے ساتھ آواز ملا کر بہت اونچے اونچے۔

"دنیا داراں دے گھر دیندا بیٹے ولی الہیٰ، ولیاں دے گھر پیدا کردا میرے وانگ گناہی۔"

صبح گیارہ بجے میری آنکھ کھلی تو ابھی تک میں چندرا میں تھا۔

دانت صاف کرتے ہوئے مجھے خیال آنے لگا کہ کسی نوکری پر لگنے سے پہلے مجھے ایک بار پھر چندرا جانا چاہئے۔ شاید اماں کی قبر کسی نے پکی کروا دی ہو۔ شاید کلر کی وجہ سے قبر پھٹ گئی ہو اور اماں کا ڈھانچہ چاندنی راتوں میں ڈراؤنا لگتا ہو۔ پتہ نہیں بھائی مختار چندرا جانے پر کبھی رضامند کیوں نہ ہوتے تھے۔ میں ابھی دل میں یہ پروگرام بنا ہی رہا تھا کہ کسی نے غسل خانے پر دستک دی۔ عام طور پر اوپر آنے کا رواج کم تھا۔

"قیوم" —— بھابھی صولت کی آواز آئی۔

میں نے دروازہ کھول کر باہر جھانکا۔

"کہیں جا رہے ہو؟"

"جی ریڈیو سٹیشن جاؤں گا۔"

"اچھا؟ ——" وہ پوچھنا چاہتی تھیں کہ مجھے وہاں کیا کام ہے لیکن میری ان کی بے تکلفی نہ تھی۔

"جی —— وہاں مجھے آج ایک سکرپٹ دینا ہے۔"

"سکرپٹ؟"

ریڈیو سٹیشن میں ان دنوں میرا ایک دوست پروڈیوسر لگا ہوا تھا —— وہ بچوں کا پروگرام پروڈیوس کرتا تھا اور مجھ سے عموماً معلوماتی سکرپٹ لکھوا لیتا۔

"ایک کہانی لکھی ہے بھابھی، ٹیپو سلطان پر۔"

"اچھا —— یہ میری ڈرائی کلینز کی چٹ ہے چار دوپٹے رنگنے کے لئے دیئے ہوئے ہیں بانو بازار میں۔ وہ لے آؤ گے نا۔"

"لے آؤں گا —— جی۔"

انہوں نے دس روپے کا نوٹ ڈرائی کلینز کی رسید کے ساتھ میز پر رکھ دیا۔

"نوکری کا کچھ پتہ چلا؟"

"ابھی انٹرویو کے لئے طلب نہیں کیا۔"

"اچھا ــــــ دوپٹے کھول کر دیکھ لینا کہیں کوئی ڈب وغیرہ نہ ہوں۔"

بھابھی صولت جس لاتعلقی سے آئی تھی ویسے ہی چلی گئی۔ ان کا میرا بھابھی دیور کا رشتہ نہ تھا۔ چور سپاہی کی طرح ہم دونوں ایک دوسرے سے بھاگتے تھے۔

جونہی سیمی سے اچانک کنارہ کشی ہوئی تھی۔ میں کبھی کبھی ریڈیو سٹیشن سعید کے پاس جا بیٹھتا۔ اس کے کمرے میں بڑی رونق ہوتی۔ افسر، ڈرامہ آرٹسٹ، مراثی، طوائفیں اناؤنسر آتے جاتے رہتے۔ چھوٹے موٹے اخراجات پورے کرنے کے لئے یہ بہترین جگہ تھی۔ سعید مجھ سے کبھی کبھی کوئی فیچر کوئی اناؤنسمنٹ کوئی کہانی لکھوا لیتا ــــــ بھابھی یا بھائی کے آگے ہاتھ پھیلانے سے یہ بہتر طریقہ تھا، کیونکہ فی الحال میں ذہنی طور پر کسی مستقل ملازمت کے قابل نہ ہوا تھا۔ مانگت لوگوں کی طرح یہاں کام تو بڑی خواری سے ملتا۔ منت سماجت بھی کرنی پڑتی، لیکن میری آزادی میں کوئی خلل واقع نہ ہوتا۔

بھابھی کے دس روپے اور چٹ اٹھا کر میں پیدل کرشن نگر تک پہنچا۔ وہاں سے میں نے سکرٹریٹ تک بس لی۔ چونکہ یہ بس مال پر نہ جاتی تھی۔ اس لئے یہاں سے میں ریڈیو سٹیشن پیدل پہنچنے کا عزم کر کے مال پر چلنے لگا۔ بڑی دیر بعد مجھے پیدل چلنے میں عجیب قسم کی راحت محسوس ہوئی، چلنے کی میکنیکل انرجی نے خیالات کی چھان پھٹک میں واضح طور پر مدد دی۔ بڑے دنوں بعد مجھے اپنا وجود ایک نارمل صحت مند شہری کا لگا۔ اس وقت میرا سایہ میرے بھائی مختار کے خود اعتماد سائے سے مشابہہ تھا۔ سیمی کا عشق ضرور اپنی جگہ تھا لیکن ایک ذمہ دار شہری کی طرح ان جذباتی مسائل کو سلجھانا میرے بس کی بات تھی۔ اس وقت مجھے کئی پلان سوجھے۔ جس وقت میں جی پی او کے سامنے سے گزر رہا تھا تو چوک کی بتی کے سامنے انتظار کرتے ہوئے میں اس نتیجے پر پہنچا کہ مجھے مقابلے کے امتحان میں داخلہ لینا ہوگا۔ اس وقت یہ امتحان مجھے بہت آسان نظر آیا۔ اپنے وہ دو پروفیسر یاد آگئے، جو بالکل نالائق تھے اور اس امتحان کو پاس کرنے کی وجہ سے آج کل اسلام آباد کے فیڈرل سیکرٹریٹ میں بہت بڑے سفید کالر عہدوں پر متعین تھے۔ ریگل کے چوک تک پہنچتے پہنچتے میں بہت جاہ طلب ہو چکا تھا۔ میری سوچ یہاں تک پہنچ گئی تھی کہ میں سویڈن، ہالینڈ یا

سپین میں اپنے آپ کو جینوا میں فسٹ سیکرٹری کے عہدے پر فائز دیکھ سکتا تھا۔ میری ڈاک پاکستان سے جینوا کے تھیلے میں آجا رہی تھی اور میں جینوا، پیرس، فرینک فرٹ، سٹاک ہوم سے پکچر پوسٹ کارڈ خرید خرید کر وطن بھیجنے میں مشغول تھا۔ جس وقت میں واپڈا کی بلڈنگ کے پہلو سے نکل کر فلیٹی ہوٹل والی سڑک پر نکلا۔ کار میں بیٹھی ہر خوبصورت لڑکی مجھے اپنی بیوی نظر آئی اور ہر بڑی کار پر اپنی ہونے کا شبہ ہونے لگا۔

ریڈیو سٹیشن سے پہلے چوک میں پہنچتے پہنچتے میں اپنے آپ کو جسمانی، ذہنی، جذباتی طور پر صحت مند سمجھ رہا تھا۔ اس وقت مجھے شبہ بھی نہ تھا کہ راجہ گدھ کی جاتی سے کوئی بھی زیادہ وقفے تک صحت مند نہیں رہ سکتا۔ پاگل پن، اس پر quantums میں بڑھتا رہتا ہے۔ جب بھی وہ اپنے نیوکلس کے قریب ہوتا ہے، اسے شبہ بھی نہیں گزرتا کہ غیر صحت مند عناصر اس پر اثر انداز ہو سکتے ہیں۔ ذرا سا وہ نیوکلس سے ہٹتا ہے اور وہی سراسیمگی وہی دیوانگی وہی دشت نوردی صحرا پیمائی جو اس کے اندرونی سفر کا حصہ ہے اس پر غالب آجاتی ہے۔

ریڈیو سٹیشن پہنچ کر حسب معمول میں سعید کے دفتر میں چلا گیا۔ وہ کچھ فلمی گیتوں کی ڈسکیں اٹھائے کھڑا تھا اور اس کے سامنے کرسی پر سیمی بیٹھی تھی —— سیمی کے ساتھ والی کرسی پر حیدر تھا اور ان کے ساتھ پروفیسر سہیل چائے پینے میں مشغول تھے۔

"آؤ آؤ سرجی —— آؤ آؤ —— " سعید نے پرتپاک لہجے میں کہا۔

میں نے ہلکے سے اشارے سے سیمی کو سلام کیا۔

"آج تمہاری کہانی یہ پڑھیں گی —— سکرپٹ لکھ لائے ہو —— پہلے مباحثہ ہوگا، پروفیسر سہیل اور حیدر صاحب کے درمیان پھر —— "

"ہاں۔"

"انہیں دے دو —— ذرا یہ ایک نظر اس پر ڈال لیں۔"

میں نے کہانی سیمی کے سپرد کر دی۔ اس نے اپنے چہرے سے گلابی چشمہ اتارا۔ پھر کرسی کی پشت سے لٹکے ہوئے تھیلے میں سے پڑھنے کی عینک نکالی اور کہانی پڑھنے لگی۔

وہ پہلے سے بہت زیادہ دبلی ہو گئی تھی —— اس کی آنکھوں تلے گہرے سیاہ

حلقے تھے اور ہونٹوں کا رنگ کاسنی نظر آتا تھا۔ ہاتھوں کی نسیں بہت اُبھری ہوئی تھیں اور کہانی کا سکرپٹ پکڑتے وقت اس کا ہاتھ تھوڑا سا لرزا تھا۔

پتہ نہیں میری خوش اعتمادی ساری کی ساری کہاں گئی۔۔

"میں ذرا سٹوڈیو کا چکر لگا آؤں——" سعید یہ کہہ کر باہر چلا گیا—— اور پروفیسر سہیل لاتعلقی سے چائے پیتے رہے۔ انہوں نے مجھ سے کوئی بات ہی نہ کی، حیدر ہمارے کالج کا لڑکا تھا۔

جن دنوں ہم سوشیالوجی میں تھے وہ انگریزی میں ایم اے کر رہا تھا۔ میں اس کی بیک گراؤنڈ سے تو آشنا نہیں لیکن وہ انگریزی مباحثوں کی بڑی جانی پہچانی شخصیت تھی۔ لمبا قد، گچھے دار مونچھیں، گھنی سائیڈ برنز، تنگ موری بند جینز، سینے پر تینوں بٹن کھلے، کھلی قمیض، کھلے کف، کھلی مسکراہٹ، آزاد چال—— انگریزی کا خوبصورت لب و لہجہ۔

وہ اپنی وجاہت اور مباحثوں کی وجہ سے کالج میں بڑا مقبول تھا۔ اس کے کئی سکینڈل مشہور تھے حالانکہ گورنمنٹ کالج کی چار دیواری کے اندر میں نے کبھی اسے کسی لڑکی کے ساتھ نہیں دیکھا۔

دیوار کے ساتھ ساتھ ٹہلنے والے قیوم کو اس حقیقت کی سمجھ نہ آرہی تھی کہ سیمی حیدر کی طرف محبت آمیز نظروں سے دیکھ رہی ہے۔ پیدل پیدل ریڈیو سٹیشن پہنچنے والا قیوم اس کو عام ترین واقعہ سمجھتا تھا۔ وہ سارے شہر کو محبت کرتی اس قیوم کو فرق نہ پڑتا۔

سیمی اور حیدر کے باہمی تعلق کو صرف میں سمجھنے کی کوشش کر رہا تھا۔ جب سعید واپس آیا اور سیمی کو اپنے ساتھ سٹوڈیو میں لے گیا تو پروفیسر سہیل اور میں نے تھوڑی سی لنگڑی گفتگو کی، پھر یہ محسوس کرتے ہوئے کہ ہم دونوں ایک ہی تعداد ارتعاش پر نہیں ہیں۔ ہم—— خاموش ہو گئے۔ جب یہ خاموشی میرے لئے زیادہ تکلیف دہ ہو گئی تو میں وہاں سے اٹھا اور ریڈیو سٹیشن کی بیرونی سیڑھیوں سے اتر کر لان میں جا بیٹھا۔

میں حیدر کی بیگ گراؤنڈ سے واقف نہیں تھا۔

لیکن وہ مجھے نئی پود کے ان نمائندہ لڑکوں میں سے لگتا تھا، جن کے والدین پاکستان آکر امیر ہوئے۔ ایسے والدین جن کا تمام تر کلچر مغربی نہیں تھا۔ اب وہ لوگ گھروں

میں کھڈی والے فلش کی جگہ کموڈ استعمال کرتے تھے۔ صوفہ سیٹ، کھانے کی میز، ٹی وی، گیزر، ایئرکنڈیشنڈ، آرائش اور سہولت کے تمام Gadgets کے عادی تھے۔ ان آرام دہ گھروں میں پلنے والے لڑکے لڑکیاں محض فیشن کے طور پر Non conformist تھے۔

حیدر بھی ایک ایسا ہی غیر مقلد —— تھا۔

حیدر اور اس کے ہم خیال پہلے والدین کی گستاخی کرتے ہیں، پھر پرانے زمانے کے لوگوں کی طرح گھر سے بھاگ نہیں جاتے بلکہ آرام دہ زندگی کے یہ عادی لوگ بہت جلد والدین سے معافی مانگ لیتے ہیں۔ گفتگو کی حد تک سوشلسٹ اور رہن سہن کے اعتبار سے بورژوا ہوتے ہیں۔ گھروں میں انہیں آرام دہ سلیپر، کھلے کپڑے، نیم دراز انداز نشست، ہائی فائے میوزک جوس، جنس مخالف کی کمپنی، امریکی رسالوں کی سیر، لمبے لمبے فون، چھوٹی چھوٹی بے معنی باتیں اچھی لگتی ہیں۔ جونہی گھر سے نکل کر وہ اپنے in-group میں پہنچ جاتے ہیں۔ انہیں ہیم برگر، کولڈ کافی، ڈسکو میوزک، موٹر سائیکل سواری، پورنو کتابیں، کلچرل مباحثوں کا شوق ہوتا ہے۔ ان گروپ میں کبھی کبھی وہ اس حد تک غیر مقلد ہوتے ہیں کہ چرس کے سوٹے لگانا اور سٹرپ ٹیز کی باتیں کرنا ان کا محبوب مشغلہ ہو جاتا ہے۔ تجریدی آرٹ، پاپ میوزک، نثری نظمیں اور امریکی ڈرامے سے وہ گفتگو کی حد تک خوب واقف ہوتے ہیں۔ داڑھیاں رکھنا، ہلمٹ جیسی ٹوپیاں پہننا، فارن لہجے میں انگریزی بولنا، قصباتی اور دیہاتی کلچر کو قومی سالمیت کی جان سمجھنا، لیکن قصبات سے دور بھاگنا ان کے محبوب Faits ہیں۔ اگر یہ باپ کے status سے متاثر نہ کر سکیں تو انگریزی کی جیبی پستول خوب استعمال کرتے ہیں۔

یہ لوگ کبھی باغی نہیں ہوتے، کیونکہ انہیں قدم قدم پر ماں باپ کے نام اور دولت کی ضرورت ہوتی ہے۔

یہ اچھے دوست نہیں ہوتے، کیونکہ ان کا خیال ہے کہ وفاداری ایمان کا اصلی جزو نہیں بلکہ یہ پرسنیلٹی کو بے توازن کرنے والی ایک خاصیت ہے۔

محبت ان کو باربار ہوتی ہے۔ کئی محبتیں مل کر ایک جگ سو پزل تیار ہوتی ہے۔ ان کا فلسفہ ہے کہ متفرق محبتوں سے ہی محبت کی وحدانیت پیدا ہو سکتی ہے —— اسی لئے محبت میں نہ تو یہ کسی کے پابند ہوتے ہیں، نہ کسی اور کے پابند رہنے سے انہیں فرق

پڑتا ہے۔

حیدر کے ساتھ سیمی کو دیکھ کر مجھے عجیب قسم کی وحشت ہونے لگی۔ مجھے اس وقت ریڈیو سٹیشن میں کوئی کام نہیں تھا لیکن میں لان میں بیٹھا لاتعلقی سے مالی کو دیکھنے لگا۔ وہ بڑی ہمت کے ساتھ گھاس کاٹنے والی مشین چلانے میں مشغول تھا۔ اس وقت سیمی اکیلی ریڈیو سٹیشن کی سیڑھیوں پر برآمد ہوئی۔ اس نے ادھر ادھر نظر دوڑائی، مجھے ہاتھ ہلا کر اشارہ کیا اور پھر آہستہ آہستہ میری جانب بڑھنے لگی۔

سیمی ان چند مہینوں میں بہت بوڑھی ہو گئی تھی، اس کے کندھے کسی معمر دبلی پلی عورت کی طرح کھوکھلے تھے۔ چہرے پر میک اپ ضرور تھا، لیکن تازگی باقی نہ تھی۔ وہ اس وقت بھی جینز اور کرتا پہنے ہوئے تھی۔ لیکن آج یہ لباس اس پر اوپرا لگ رہا تھا —— کینوس کا تھیلا اس کے کندھے پر بوجھل تھا، حتیٰ کہ گلابی شیشوں والی دھوپ عینک بھی تھکاوٹ کے عالم میں اس کی ناک پر آگے کو کھسکی ہوئی تھی۔

وہ میرے پاس لان میں آکر کھڑی ہو گئی۔

"قیوم ——" وہ خاموشی سے مجھے تکتی رہی۔

"یہاں کیا کر رہے ہو تم۔"

"کہانی لکھ کر دی ہے —— جسے تم پڑھ کر آرہی ہو۔"

"نوکری نہیں ملی؟"

میں نے نفی میں سر ہلایا۔

"کیوں؟"

"ساری عمر نوکری ہی کرنا ہے۔"

"پھر بھی کوشش کیوں نہیں کرتے؟"

میں نے اس کی طرف بامعنی طریقے سے دیکھا۔ نیچے سے اس کی ٹھوڑی پر ننھے ننھے سنہری بال نظر آرہے تھے۔

"چلو بھاگ چلیں۔ جلدی کرو۔"

"کیوں؟"

"اگر ہم پانچ منٹ کے اندر بھاگ نہ گئے تو میں —— مجھے حیدر پھر پکڑ لے

گا۔"

اس نے میری طرف ہاتھ بڑھایا۔ میں نے اس کا ہاتھ پکڑا جو بھیگے ہوئے پھول کی طرح ٹھنڈا تھا۔

"جلدی کرو پلیز ــــــ میں حیدر اور پروفیسر سہیل کو الجھا کر آئی ہوں بڑی مشکل سے۔"

کافور کے درخت تلے بڑی خنکی تھی اور اس کی عقبی پہاڑی پر ٹیوب ویل کا پانی باقاعدگی سے چہ بچہ میں جمع ہو رہا تھا۔

ہم دونوں درخت تلے بیٹھ گئے ــــــ کافوری خوشبو سے لدے ہوئے درخت کے نیچے ــــــ

مجھے سیمی کے ساتھ ریڈیو سٹیشن سے یہاں آنے کیا ضرورت تھی؟

مجھے ازسرنو اس سے رابطہ بڑھانے کی کیا پڑی تھی؟ لیکن میرے اندر ایک قیوم ایسا بھی تھا جو الف گھوڑے کی طرح میرے بس سے باہر رہتا۔

میں اس کے سامنے بیٹھا کینوس کے تھیلے کو تھپک رہا تھا اور مدتوں کے بعد میرے دل میں ان جانی سی خوشی تھی۔

میرے جسم کا میری روح پر کوئی بوجھ نہ تھا۔

"تم کہاں چلے گئے تھے قیوم؟"

"میں ــــــ کہیں نہیں ــــــ تمہیں معلوم ہے۔"

"میں تمہیں بلانا چاہتی تھی ــــــ" اس نے اداس ہو کر کہا۔

"پھر بلایا کیوں نہیں۔ میرا ایڈریس تمہیں معلوم تھا۔"

"میں نے تمہیں کئی خط لکھے قیوم ــــــ" وہ چپ چپ سی بولی۔

"لیکن مجھے تو ایک خط بھی نہیں ملا۔"

امید بھی بڑی دیوانی ہے ــــــ لمحوں میں ریگستانوں میں بل ڈوزر چلا کر ٹیوب ویل نصب کر کے زیتون کے باغ لگا دیتی ہے۔

"وہ خط میں نے پوسٹ نہیں کئے —— کیونکہ وہ تمام شکریئے کے خط تھے، تمہیں انہیں receive کر کے تکلیف ہوتی۔"

میرا دل کلائیوں کے قریب زور زور سے بجنے لگا۔ سیمی نے مجھے ضرور ویسے ہی خط لکھے ہوں گے جیسے میں اسے گورنمنٹ کالج میں لکھا کرتا تھا۔ میری عدم موجودگی نے اس مرتبہ اسے بھی نڈھال کر دیا ہو گا۔

"کیوں؟"

"میں بہت selfish ہوں —— میں تمہیں use نہیں کرنا چاہتی قیوم۔"

"کیا مطلب؟"

"جب میں تمہیں کچھ دے نہیں سکتی تو مجھے کیا حق پہنچتا ہے کہ میں تمہارے سہارے زندہ رہوں۔ مجھے کیا حق پہنچتا ہے کہ میں اپنی تنہائی کی خاطر اپنے کھوکھلے پن کو بھرنے کے لئے تمہیں استعمال کروں —— اور استعمال کے بعد ٹیشو پیپر کی طرح پھینک دوں۔"

میں نے اس کا ہاتھ چوم کر دل میں کہا —— "کچھ لوگ اتنے کو بھی خوش قسمتی سمجھتے ہیں سیمی —— ان کا جی چاہتا ہے کہ اور کچھ نہیں تو ان کا جذباتی استحصال ہی کیا جائے۔"

"ابھی ریڈیو سٹیشن میں —— جب ہم سعید صاحب کے کمرے میں ملے تو میں نے فیصلہ کیا کہ شاید میں حیدر کو بھی صرف use کر رہی ہوں، اس کے ساتھ بھی میں صرف اپنی تنہائی کو پُر کر رہی ہوں ——" سیمی نے اپنا چہرہ دونوں ہاتھوں میں چھپا لیا۔ سفیدی مائل گندمی رنگ بہت بے جان تھا۔

"میرے پاس کیا ہے جو میں حیدر کو دے سکتی ہوں —— آخر وہ بھی تو انسان ہے۔خدا قسم میں اتنی بڑی cheat نہیں ہوں، ہو سکتا ہے کہ کسی وقت وہ سمجھنے لگے کہ میں serious ہوں۔"

"وہ ایسے نہیں سمجھ سکتا —— فکر نہ کرو —— اسے ایسی سوچ کی عادت نہیں۔"

"کوئی بھی کسی وقت سنجیدگی سے محبت کر سکتا ہے —— سٹوڈیو میں میں نے

فیصلہ کیا قیوم کہ اب میں اسے کبھی نہیں ملوں گی کبھی نہیں ——— بے چارہ!"

"تمہیں اسے یوں ——— اس طرح بغیر نوٹس کے نہیں چھوڑنا چاہئے۔ ہو سکتا ہے وہ بھی صرف اپنی تکلیف کی زبان سمجھتا ہو۔"

"کیا مطلب؟"

"جب اپنے آپ کو تکلیف پہنچتی ہے تو کئی بار آدمی اپنے آدرش سے گر جاتا ہے، دراصل کوئی بھی اپنے آئیڈیل جتنا اونچا ہو نہیں سکتا۔ وہ صرف اسی بلندی کو چھو سکتا ہے، جہاں تک اس کی جبلت کے پنکھ اڑا کر لے جا سکیں۔"

"کیا کہہ رہے ہو۔"

"ہو سکتا ہے یوں بھاگ جانے سے حیدر کو تکلیف پہنچے ——— پھر وہ تمہیں معاف نہ کر سکے اور اس تکلیف کی وجہ سے تمہارا پیچھا اور کرے ——— فلموں کے ویلن کی طرح۔"

"نہیں نہیں وہ بے چارہ اچھا آدمی ہے اسے Fads اور فیشن کی ضرورت ہے۔ وہ زندہ ہے، ہنس سکتا ہے، وہ لڑکیوں کے تعاقب میں وقت ضائع نہیں کر سکتا، اس کے لئے لڑکیوں کی کمی نہیں ہے قیوم۔"

"پھر بھی تم نے اچھا نہیں کیا سیمی ہو سکتا ہے اس کی Feeling تمہارے معاملے میں زیادہ گہری ہوں ——— کسی کے متعلق کیا کہا جا سکتا ہے۔"

"پھر اب کیا کریں۔" خوفزدہ ہو کر وہ بولی۔

"تم میرے ساتھ کیوں چلی آئی ہو سیمی؟"

اس نے دونوں جوتے اتارے اور پرے پھینک دیئے۔ موٹے موٹے ڈگ جوتے ——— لکڑی کی پیڑھی کی طرح بھاری بھرکم۔

"تمہاری اور بات ہے قیوم ——— تم جانتے ہو، میں مر چکی ہوں، تم صرف میری قبر سے محبت کرتے ہو۔ حیدر جادوگر ہے۔ میکسیکو کا بروجو ہے۔ وہ سمجھتا ہے اس میں اتنی زندگی ہے کہ وہ مجھے سانس پھونک پھونک کر زندہ کر لے گا۔ میں اب کسی کرائسٹ کے حوالے نہیں کر سکتی اپنا آپ ——— ایک دفعہ آفتاب نے میری مُردہ ممی میں روح پھونکی تھی ——— اب نہیں ——— اب نہیں ——— خدا کے لئے اب

نہیں۔"

"میں بھی تمہیں زندہ کرنے کی کوشش کرتا ہوں سیمی۔"

اس نے ایک مشکور قسم کی بھرپور نظر مجھ پر ڈالی اور پھر مجھے بھول گئی۔

میں وہ فضول ڈبہ تھا جو جنکشن پر پہنچ کر ریل گاڑی سے کاٹ لیا جاتا ہے۔

سارے میں کافور کے پتوں کی موت آشنا خوشبو تھی۔

"تمہیں پکڑنے میں چھوڑ دینے میں کوئی تکلیف کوئی مشکل نہیں۔ تم میرے فرینڈ ہو۔ لیکن حیدر پلے بوائے ہے۔ اس کا دل اور رحم دونوں —— وہ کسی اور کی —— Feelings کو سمجھ نہیں سکتا۔"

میں دیر تک اندر ہی اندر فرینڈ کی جگالی کرتا رہا۔

"بتاؤ قیوم میں نے اچھا کیا ناں۔"

"کیا؟"

"حیدر کو چھوڑ دیا —— بے چارہ —— ایک پلے بوائے کو قید کر لیا تھا میں نے۔"

"ہاں اچھا کیا۔"

"بہت اچھا؟"

"ہاں بہت اچھا۔"

"میں اچھی لڑکی ہوں نا —— بولو قیوم۔"

"بہت اچھی —— بہت ہی اچھی۔"

اس نے انگشت شہادت سے اپنے رخسار پر آئی ہوئی لمبی سی لٹ اٹھائی۔ کالج میں اس ادا پر کئی لڑکے مبہوت رہ جاتے تھے۔ آج اس ادا میں عجیب قسم کا بوسیدہ پن تھا۔

"تم بہت خاموش ہو قیوم۔"

"ہاں —— نہیں ——"

ہم سارا دن بغیر کھائے پیئے باغ میں بیٹھے رہے۔ سیمی نے مجھے ان دو مہینوں کی سرگزشت سنائی جن میں ہم دونوں ایک دوسرے سے نہیں ملے تھے۔ میں نے اسے اپنے

متعلق کچھ نہیں بتایا، کیونکہ میرے پاس سوائے اپنے جذبات کے بیان کے اور کچھ نہیں تھا۔ میں اپنے دن اور راتیں بیرونی ماحول میں گزارنے کا عادی نہیں اور مجھے علم تھا کہ سیمی کو میرے جذبات کی رام کہانی سے کوئی دلچسپی نہ تھی۔ باغ جو دوپہر کے وقت بالکل بے آباد تھا۔ شام کے پڑتے ہی انسانی آوازوں سے بھرنے لگا ـــــــ موٹر سائیکلیں، کاریں منٹگمری ہال کے قریب پارک ہونے لگیں۔ ہم دونوں کی باتیں لامتناہی تھیں ـــــــ ایک ہی بات کو ہم سو سو رنگ میں کرنے کے عادی تھے، پھر شام کے دھندلکوں میں ایک نوجوان کسی لڑکی کو سائیکل کے ڈنڈے پر بٹھائے فوارے کی طرف سے آیا اور بابا ترت مراد کے مزار کی جانب چلا گیا ـــــــ دونوں متوسط طبقے کے تھے۔ غالباً وہ گھر سے بھنٹہ کھا کر آئے تھے۔ لڑکے کی کسی بات پر لڑکی اس قدر بے ساختہ ہنس رہی تھی کہ سائیکل کا بیلنس خراب ہو رہا تھا۔ لیکن دونوں مگن تھے ـــــــ خوش تھے۔ ان کی ساری سرخوشی ایک نقطے پر مرکوز تھی۔

"قیوم ـــــــ مجھے ہنسنے والے لوگ اچھے نہیں لگتے ـــــــ" آنکھ کے کوئے سے آنسو پونچھتی ہوئی سیمی بولی۔

"ہاں ہنسنے والے لوگ اچھے نہیں ہوتے۔"

"تم مجھے اس لئے بھی پیارے لگتے ہو کہ تم کبھی بے تحاشہ نہیں ہنستے۔"

میں اسے کیا بتاتا کہ مجھ پر ہنسی کیوں حرام تھی۔

"اگر میں ایم اے کر لیتی تو آج زندگی اتنی مشکل نہ ہوتی شاید۔"

"اگر تم سمجھوتے کی کوئی صورت نکالنا چاہو تو نکل سکتی ہے ـــــــ اڑچن تو تمہاری ضد ہے سیمی۔"

اس نے میری بات ان سنی کر دی۔

"اگر میں کہیں پروفیسر لگ جاتی تو مجھے ماموں سے پیسے نہ لینے پڑتے۔"

"سیمی اپنے گھر چلی جاؤ ـــــــ خدا کے لئے ـــــــ یا شادی کر لو ـــــــ کسی سے۔"

"مجھ سے میرے گھر والوں کی بات نہ کیا کرو ـــــــ ساری مصیبت ہی ان لوگوں نے پیدا کی ہے۔"

"کیا انہیں معلوم ہے کہ تم وائی ڈبلیو سی اے میں رہتی ہو۔"

"پاپا کو معلوم ہے۔"

"پھر وہ —— اتنے بڑے بیورو کریٹ ہو کر تمہیں کیسے اجازت دیتے ہیں —— وہاں رہنے کی۔"

سیمی زہر خند سے مسکرائی۔

"بیوقوف آدمی —— پاکستان کا اونچا بیورو کریٹ یہ تھوڑی سوچتا ہے کہ اس کی بیٹی کے کچھ مسائل ہیں۔ اس کے اپنے مسائل کی ذاتی کھیپ اتنی زیادہ ہے کہ وہ کسی کے متعلق کچھ سوچ ہی نہیں سکتا۔ جب پاپا صبح اٹھتے ہیں تو ان کے دماغ میں آفس فائلیں، اپنی ساکھ، پوزیشن سٹیٹس —— ان گنت مسئلے ہوتے ہیں۔ دفتر پہنچ کر وہ کام نہیں کر سکتے، وہاں بھی فون کالز، میٹنگیں، میل ملاقاتی، دفتری مسائل میں وقت گزرتا ہے۔ شام کو اپنی برادری کے ساتھ communication فنکشنوں کا جائزہ، اپنی ساکھ کو مزید تقویت دینے کے مسئلے ہوتے ہیں۔ احمق آدمی اتنے سارے ملبے ہیں اگر کبھی اسے مسرت کی تلاش بھی کرنی پڑے تو وہ بیٹی کے پاس بھاگا بھاگا تھوڑا آئے گا —— وہ کسی نوجوان لڑکی کو نہ تلاش کرے گا۔

"تمہاری ماں کچھ نہیں بولتی۔"

مجھے اپنا ابا یاد آگیا —— چندرا کے بڑے آنگن میں ماں کے بغیر بے سہارا گھومتا ہوا ابا۔

"ماں؟ —— وہ کیا بولے —— جہاں تک مالی، مادی اور دنیاوی ساتھ ہے وہ اکٹھے ہیں لیکن وہ ماما کے جذباتی اور روحانی سفر میں ساتھ نہیں دیتا —— دے نہیں سکتا غریب پاپا۔"

"کیا تمہارے پاپا کو معلوم ہے کہ تم ماموں سے پیسے لیتی ہو؟"

وہ کچھ دیر ہنستی رہی پھر بولی —— "غالباً جو پیسے ماموں مجھے دیتے ہیں۔ وہ پاپا ہی سے لے کر دیتے ہیں۔ یہ secret ہے ہم تینوں میں —— مجھ میں پاپا میں اور ماموں میں۔"

"تمہیں اپنے والدین پر ترس نہیں آتا۔"

"آتا ہے ــــــ بہت آتا ہے۔ دراصل تعلیم یافتہ اولاد کبھی والدین کے ساتھ رہ ہی نہیں سکتی ــــــ ہم تینوں اکٹھے رہنے کے process میں ایک saturated پوائنٹ پر آگئے تھے۔"

"یہ کیا فلسفہ ہے۔"

سانجھی فیملی لائف میں ہر روز گھر کا ہر فرد کچھ نہ کچھ pool کرتا ہے۔ مالی جذباتی، روحانی قربانیاں دینا پڑتی ہیں، پھر ایک وقت ایسا آتا ہے جب ہر شخص معذور ہو جاتا ہے، کچھ نہ کچھ pool نہیں کر سکتا۔ یہ saturated کیفیت crystals کو جنم دیتی ہے پہلے خاندان محلول ہوتا ہے پھر دانہ دانہ ہو کر بکھرنے لگتا ہے۔ گھر کی اس حالت کو چھوڑ کر بھاگتا ہے ــــــ افسوس پناہ کہیں بھی نہیں ملتی۔"

"تمہارا جی نہیں چاہتا ماما سے ملنے کو؟"

سیمی دکھ سے ہنسنے لگی۔

"چاہتا ہے ــــــ لیکن جس ماں کو میں ملنا چاہتی ہوں وہ کہیں موجود نہیں ہے ــــــ میں گلبرگ کی ایک بجی سجائی کوٹھی میں کسی بوڑھی خوفزدہ بھتنی سے ملنے نہیں جا سکتی۔"

پتہ نہیں کیوں اس وقت میرا جی چاہا کہ میں سیمی کو چندرا کے متعلق بتاؤں۔ مائی توبہ اور ماسی الفت کی باتیں کروں۔ پرانے بھٹے کے قصے سناؤں، امردوں کے باغ میں جو واقعات ہوئے تھے، ان کے متعلق بات کروں۔ جانے کیا بات ہے لیکن ہر شخص اپنے محبوب کی انگلی پکڑ کر اسے اپنے ماضی کی سیر ضرور کرانا چاہتا ہے۔ جو کواڑ مدتوں سے بند ہوتے ہیں، ان پر دستک دے کر سوئے ہوئے مکینوں سے اپنا محبوب ملانا چاہتا ہے۔ بچپن کی دوپہریں، نوبالغی کی شامیں اور جواں راتوں کی ساری فلم اسے دکھانے کی بڑی آرزو ہوتی ہے۔ جسم بے نقاب کرنا تو ایک آسان سا فعل ہے۔ اصل شناخت تو اپنے ماضی کی برہنگی سے ہی پیدا ہو سکتی ہے۔ ــــــ لیکن مجھے معلوم تھا کہ چندرا کے گاؤں میں ــــــ کلر بڑھتی زمین میں سیمی کو کیا دلچسپی ہو سکتی ہے۔"

میرے اس بڈھے باپ سے وہ کیوں ملنا چاہے گی جو دوسری منزل پر نروان حاصل کرنے میں لگا رہتا ہے۔

بڑی دیر بعد سیمی بولی —— "آج صبح جب میں وائی ڈبلیو سی اے سے چلی تو مجھے معلوم تھا کہ تم مجھے ریڈیو سٹیشن ملو گے، تم نے سفید قمیض اور نیلی جینز پہنی ہو گی اور —— تمہارا گلا خراب ہو گا۔"

"تمہیں ایسی باتیں کیونکر پتہ چل جاتی ہیں سیمی۔"

"وجہ تو مجھے معلوم نہیں لیکن پتہ چل جاتی ہیں ——" وہ چپ ہو کر دور اس جھاڑی کی طرف دیکھنے لگی، جس میں سے نوفٹ کا گنجا آدمی ہاتھ میں مشعل لئے نکلا تھا —— جو دائرے میں چلتا تھا اور جس نے تن پر ایسے سفید چادر اوڑھ رکھی تھی جیسے احرام باندھ رکھا ہو۔

"جس وقت میں نے ایم اے میں داخلہ لیا۔ اس وقت مجھے معلوم تھا کہ کچھ نیچرل، کچھ اٹل، کچھ destructive مجھے گورنمنٹ کالج کی طرف گھسیٹ رہا ہے۔ ان دنوں میں نے ایئر ہوسٹس کے لئے درخواست دے رکھی تھی۔ مجھے کال بھی آئی ہوئی تھی —— لیکن جو کشش مجھے گورنمنٹ کالج میں گھسیٹ رہی تھی وہی مجھے تنبیہہ بھی کر رہی تھی کہ ادھر مت آنا —— اگر آئیں تو پتھر کی بن جاؤ گی —— دراصل یہ کشش اور یہ تنبیہہ مجھ پر ایسی سوار ہوئی کہ مجھے داخلہ لینا پڑا۔"

"تمہیں واپس راولپنڈی جا کر اپنے Job پر لگ جانا چاہئے۔"

"ٹریول ایجنسی کا کام اب مجھ سے نہیں ہوتا۔ میں بہت جلد تھک جاتی ہوں قیوم۔"

"کیوں نہیں ہوتا سیمی —— یہاں کیا ہے —— تمہارے لئے آخر؟"

"ٹریول ایجنسی کے کام میں alert رہنا پڑتا ہے clients سے اچھی طرح گفتگو کرنی پڑتی ہے —— میرے لئے یہ دونوں بڑی مصیبتیں ہیں۔"

"پھر اب کیا ارادہ ہے —— شادی؟ ——" میں نے ڈرتے ڈرتے سوال کیا۔ وہ ہنسنے لگی، پہلے آہستہ آہستہ پھر بہت زور سے۔

"میرے پاس اتنا وقت کہاں کہ میں شادی کروں کسی سے۔"

میں نے اس کی طرف دیکھا اس کی آواز میں نہ دھمکی تھی نہ خوف۔ بس ایک حقیقت کا انکشاف تھا جس طرح ریگستان میں جیپ سوار اچانک راستہ کھو جائے، پہلے وہ

کینوس کی مشک سے پانی پیتا رہے، راستہ ڈھونڈتا رہے لیکن شام پڑنے سے پہلے تھک ہار کر جیپ کے سائے میں لیٹ کر مطمئن ہو جائے کہ اب شہر کی جانب کوئی راستہ نہیں جاتا۔ میں نے غور سے اس کی طرف دیکھا۔ جیپ سوار کی آنکھوں پر جیسے موت کی ردا اترنے لگتی ہے ایسے ہی اس کی پتلیوں پر موت کا پردہ بڑھ رہا تھا۔ سینما سکرین کا پردہ آہستہ آہستہ دونوں جانب سے بند ہو رہا تھا۔

"میں تو صرف مارک ٹائم کر رہی ہوں —— صرف مارک ٹائم —— شاید موت سے پہلے آفتاب کا خط ہی آجائے۔"

"تم نے خود اسے منع کیا تھا کہ وہ تمہیں خط نہ لکھے۔"

آنسو اس کی دھنسی ہوئی آنکھوں میں چمکنے لگے —— "میں نے تو اسے کئی اور باتوں سے بھی منع کیا تھا قیوم —— میں نے تو اس سے ہاتھ جوڑ کر یہ بھی کہا تھا کہ میرے بعد کسی اور سے محبت نہ کرنا ورنہ میں مرجاؤں گی، کیا اس نے میری ساری باتیں مان لی ہیں کہ خط نہیں لکھتا۔"

"کچھ باتیں انسان مانتا ہے —— ماننا چاہتا ہے لیکن حالات نہ ماننے پر مجبور کرتے ہیں۔"

"شکر ہے لاہور میں تم ہو قیوم —— اگر تم نہ ہوتے تو میں آفتاب کی باتیں کس سے کرتی۔ تم میری بڑی ضرورت بن گئے ہو قیوم —— سچی میں کسی حیدر کے ساتھ اب رہ نہیں سکتی —— کیا کسی وقت آفتاب بھی مجھے ایسی ہی شدت سے یاد کرتا ہو گا؟"

"شاید کچھ اور لوگ تمہیں اس طرح یاد کرتے ہوں؟"

"مثلاً؟"

"مثلاً میں ——" میں نے جرات کے ساتھ کہا۔

اسے ملک کی سیاست، مہنگائی، ریلوے اور پی آئی اے کی ٹکٹ ریٹس، سکول کالجوں کے نتیجے، اغواء ڈکیتی چوری کی وارداتوں، فلموں کے اشتہار نئی کاروں میں کوئی دلچسپی نہ تھی۔ وہ کسی بیرونی انڈیکس کو نہ پہچانتی تھی۔ اسی طرح میری محبت کا ذکر بھی جملہ بیرونی حادثات میں سے ایک تھا۔ ایسے میں وہ روہانسی ہو کر غائب ہو جاتی —— اس

کے قلب کا شٹر بند ہو جاتا اور اصلی سیمی اپنا آپ چھپا کر کہیں اوپر لفٹ میں چلی جاتی۔ جب کبھی میں اس سے گلہ کرتا کہ وہ بھی میرے لئے ویسے ہی ضروری ہے، جیسے آفتاب اس کے لئے تھا تو وہ مجھے تھپتھپانے لگتی۔ ایک ایسی نادار ماں کی طرح جو بچے کی ضد پوری نہ کر سکتی ہو اور روتے بچے کو تھپک تھپک کر سلانے لگے۔ پھر کسی طرح آفتاب کے بٹن پر میرا ہاتھ پڑ جاتا۔ سیمی کی لفٹ نیچے آنے لگتی۔

صرف آفتاب کے استقبال کے لئے۔

شام پڑنے لگی تھی اور ہم نے دس گیارہ بجے سے یہاں ڈیرے ڈال رکھے تھے—— یکدم مجھے شام کی روشنی میں سیمی کی آنکھیں املتاس کے پھولوں کی طرح زرد نظر آنے لگیں۔

"تمہاری آنکھوں کو کیا ہوا ہے سیمی۔"

"شام کی روشنی ہے قیوم۔"

"نہیں یہ صحت مند نہیں لگتیں۔"

وہ چپ رہی۔

"چلو چل کر جوس پیتے ہیں۔"

"تمہارے پاس پیسے ہیں اتنے؟"

میرے پاس بھابھی صولت والے پیسے تھے۔

"ہاں ہیں، اٹھو۔"

وہ اونٹ کی طرح کئی بل لے کر اٹھنے لگی۔

"آج مجھے پانی پیئے دسواں دن ہے۔"

"پانی پر تو کچھ خرچ نہیں آتا سیمی۔"

میں نے قدرے جھڑک کر کہا۔

"سانس لینے پر بھی کچھ خرچ نہیں آتا—— ہے نا۔"

جس وقت میں نے اس کا ہاتھ پکڑ کر اسے اٹھنے میں مدد دی اس کے جلتے ہاتھ میں انگارے کی سی گرمی تھی۔

"تمہیں بخار ہے۔"

"اوہ نئیں بادشاہو —— " اس نے خوش دلی سے کہا۔

"ہے۔"

"تو ہونے دو۔"

"چلو ڈاکٹر رفیق کے چلتے ہیں۔"

"کیوں؟"

"تمہیں کسی ڈاکٹر کو consult کرنا چاہئے۔"

"خواہ مخواہ —— اگر کل بخار ہوا تو چلیں گے —— " یکدم وہ مسکرا کر بولی —— "یار قیوم کس قدر رومانٹک بات ہے بیمار ہو جانا بھی —— ہے نا؟"

میں نے جیب ٹٹولی بھابھی صولت والے دس روپے کو اندر ہی اندر چھوا اور سیمی کے کندھے پر ہاتھ رکھ کر سڑک پر آگیا —— آج نوفٹ والا آدمی جھاڑی سے نہ نکلا، لیکن جس وقت میں نے کچھ دور سے پلٹ کر نگاہ ڈالی تو جھاڑی اس طرح ہل رہی تھی جیسے ساٹھ میل کی رفتار سے چلنے والی آندھی کی زد میں آگئی ہو، حالانکہ باقی سارے باغ میں ایک ڈالی تک نہ ہل رہی تھی۔

دوسرے دن جب میں سیمی سے ملا تو اسے بخار نہیں تھا۔ اس نے تازہ تازہ بال شیمپو کئے تھے اور گیلے بالوں کی وجہ سے اس کے کندھے بھی گیلے تھے، وہ چہرے سے بہت مضمحل نظر آتی تھی لیکن بظاہر بہت بہادر بننے کی کوشش میں اس نے مدتوں کے بعد سرخ لپ سٹک لگا رکھی تھی۔ مجھے دیکھتے ہی اس نے ہاتھ بڑھا کر کہا۔

"دیکھو کوئی بخار ہے؟ —— دیکھ لو —— "

میں نے اس کا ہاتھ چھوا —— ہاتھ بہت ٹھنڈا تھا۔

میں جانتا تھا کہ اسے فلم دیکھنے میں کوئی دلچسپی نہیں ہے اور وہ فلمی کریکٹروں کی زندگی سے اپنے حالات identify کر کے الٹا مصیبت میں مبتلا ہو جاتی ہے۔ پھر بھی میں نے اسے ڈاکٹر ژواگو دیکھنے پر مجبور کیا۔

"میں کیا کروں گی ڈاکٹر ژواگو کو دیکھ کر۔"

"اس میں عمر شریف ہے۔ تمہارے آفتاب جیسا——"

"نہ عمر شریف میرا نہ آفتاب میرا۔"

"میں تمہاری صحت Celebrate کرنا چاہتا ہوں، مجھے ریڈیو سٹیشن سے تازہ تازہ پیسے ملے ہیں—— چلو تمہارا دل بہل جائے گا۔"

"کاش——" وہ ہنس کر بولی۔

"چلو ابھی میرے پاس پیسے ہیں، پھر نہیں رہیں گے۔"

ہم دونوں باکس میں اس طرح بیٹھے تھے کہ وہ میرے کندھے سے سر لگائے آڑی نظروں سے فلم دیکھ رہی تھی۔ اس کے خنک بالوں کی نمی مجھے اپنی گردن پر محسوس ہوتی تھی۔ یہ فلم کئی سطحوں میں کئی سوالوں میں بٹی ہوئی تھی۔ ہر سطح پر بے شمار دلدل اور ببول کے کانٹے تھے، جس وقت شاعرانہ محبت کا تناؤ اور دنیاوی سمجھوتے اور کم فہمی کا کھچاؤ پیدا ہوتا تو سیمی میرا کندھا چھوڑ کر صوفے پر آگے ہو بیٹھتی، جس وقت عمر شریف اپنی محبوبہ کی محبت میں تڑپتا تو سیمی کے ہاتھ بازو سب ہلکے ہلکے پسینے سے بھیگنے لگتے۔

میں نے محسوس کیا کہ سیمی کو یہ فلم دکھانے کے لئے لانا غلطی تھی، کیونکہ ابھی فلم انٹرول سے کچھ ہی آگے بڑھی تھی کہ بخار ایک بار پھر ہلا مار کر سیمی کو دبوچنے لگا۔ فلم کے آخر تک وہ سارے کا سارا ملبہ بن چکی تھی۔

"تم یہیں ٹھہرو میں کوئی ٹیکسی لے آؤں۔"

"احمق مت بنو—— پاس ہی تو ہے چلتے ہیں پیدل۔"

"تمہیں بخار ہے۔"

"یہ فلم کا اثر ہے۔"

"یہ بخار ہے۔"

"فلم کا اثر ہے۔"

ہم دونوں بحث کرتے ہوئے مال روڈ پر نکل آئے۔

وہ کھلی آواز میں فلم پر تبصرہ کر رہی تھی—— "بیوی چھوڑ کر کون کسی لارا پر مرتا ہے—— کم بخت فلموں والے ایسی انہونی باتیں کیوں کرتے ہیں۔"

"بیوی محبوبہ نہیں ہوتی سیمی—— اگر ہو سکتی تو بیوی اور محبوبہ کے لئے ادب

میں ایک ہی لفظ ہوتا۔"

"تم مجھے دھوکے نہ دیا کرو —— آفتاب کی زیبا ہی اس کی محبوبہ بھی ہے اور بیوی بھی۔"

"اچھا، آج کے بعد ہم ان دونوں کی باتیں نہیں کریں گے اچھا۔"

"اچھا۔"

یکدم مال روڈ کی روشنیوں میں اس کی آنکھیں گیندے کے پھول کی طرح زرد دکھائی دینے لگیں۔

"سیمی —— چلو ڈاکٹر رفیق کے کلینک پر وہ میرا دوست ہے —— اپنے کلینک کے اوپر رہتا ہے —— چلو۔"

"کیوں؟"

"تمہیں اس معاملے کو اتنی کم اہمیت نہیں دینی چاہئے، کہیں یہ یرقان نہ ہو۔"

"تو ہو یرقان ہونے دو —— کم از کم آفتاب کو یہ تسلی رہے گی کہ سیمی یرقان سے مری اس کی بے وفائی نے میری جان نہیں لی ہے نا۔"

ہم دونوں پیدل پیدل مال روڈ سے ہو کر پلازہ والی سڑک پر اتر آئے تھے۔

"تمہارا کیا خیال ہے انسان کیوں بیمار ہوتا ہے کہ کیا واقعی جراثیم ہوتے ہیں؟ virus کوئی چیز ہے؟"

اس نے بے تکلفی سے میرا ہاتھ پکڑ رکھا تھا۔

"بیوقوف لڑکی —— بیسویں صدی میں کسی کے سامنے یہ بات نہ کرنا۔"

"سچی مجھے لگتا ہے کہ تمام بیماریاں سب کی سب خواہش سے تعلق رکھتی ہیں۔ آدمی پہلے بیمار ہونا چاہتا ہے، اسے اندر ہی اندر کہیں اپنے آپ کو تکلیف دینے کی سزا دینے کی آرزو ہوتی ہے۔ پہلے اس کی صحت مند رہنے کی will کمزور ہوتی ہے، پھر وہ سائیکو سومیٹک بیماری میں مبتلا ہوتا ہے۔ جسم مدافعت کرنے سے انکار کرتا ہے اور —— جراثیم وغیرہ اثر کر جاتے ہیں۔ یہ جو لوگ حادثے میں مرتے ہیں، ان کا بھی یہی حال ہے کہیں اندر بہت اندر ان کے دل میں حادثے سے مرنے کی آرزو ہوتی ہے۔ کبھی نہ کبھی انہوں نے day dream کیا ہوتا ہے حادثاتی موت کے متعلق۔"

یکدم اسے کسی پتھر سے ٹھوکر لگی۔ اگر میں نے اس کا ہاتھ نہ پکڑا ہوتا تو وہ منہ کے بل گرتی۔

"دیکھا —— دیکھا —— دیکھا —— میری آرزو تھی کہ میں منہ کے بل گروں۔"

"تمہارا قصور نہیں، یہ ان فیشن ایبل بے ڈھنگی جوتیوں کا قصور ہے۔"

ہم دونوں کچھ دیر خاموشی سے چلتے رہے، اس کے ہاتھ کی حدت سے میری ہتھیلی جلنے لگی۔

"مجھے عمر شریف کی بیوی ذرا اچھی نہیں لگتی —— کیا چوڑا دہن تھا؟"

"اس کی بیوی اچھی تھی ہی نہیں۔"

میں نے کہنا چاہا کہ وہ بھی گدھ جاتی سے تعلق رکھتی تھی۔ اسی لئے اس کا منہ اتنا چوڑا ہی ہونا چاہئے۔

"شکریہ۔"

میں نے اس کی طرف دیکھا اور خاموش رہا —— میں ڈاکٹر رفیق کے متعلق سوچ رہا تھا۔

"کیا وقت ہو گا قیوم۔"

"پونا ایک۔"

رات کو پونے ایک بجے کسی اور آدمی کی محبوبہ کے ساتھ یوں گہری باتیں کرتے ہوئے سڑکوں پر گھومنا ایک انوکھی سی بات تھی۔

"قیوم؟"

"جی۔"

"اگر کبھی آفتاب پاکستان آیا —— تم سے ملا تو ——"

"تو؟"

"تو تم اسے سب کچھ بتانا —— میرے اور اپنے متعلق —— جہاں جہاں ہم گھومے پھرے —— ہمارا جسمانی تعلق —— ہم نے جو کچھ en joy کیا —— کیسے ایک دوسرے کو اپنایا؟"

"ہم نے کچھ enjoy نہیں کیا، ہم کبھی کہیں نہیں گئے، ہم نے کبھی ایک دوسرے کو نہیں اپنایا۔"

"جس وقت آفتاب مجھے چھوڑ کر لندن چلا گیا۔ میری selfesteem بہت مجروح ہو گئی تھی۔ مجھے کبھی کبھی لگتا تھا کہ میں مری ہوئی چھپکلی ہوں۔ جسے کوئی چمٹے سے بھی اٹھانا نہیں چاہتا ——— اگر تم مجھ سے محبت نہ کرتے ——— جسمانی محبت تو یہ میرا confidence کیسے بحال ہوتا۔"

"تم نے ——— تم جیسی پڑھی لکھی حساس لڑکیوں نے معمولی مسئلے سوچ سوچ کران کی کھال اکھیڑا کھیڑ کر بہت مشکلات پیدا کرلی ہیں۔ ماڈرن لڑکی کو اپنی جذباتی زندگی پر قابو پانا نہیں آتا۔"

"اچھا۔"

"برا نہ منانا سیمی ——— پلیز۔"

"اچھا۔"

بڑی دیر کے بعد وہ بولی ——— "اچھا اتنی بات تم آفتاب کو ضرور بتا دینا کہ میرے تم سے جسمانی تعلقات پیدا ہو گئے تھے۔"

"اس کا کیا فائدہ ہو گا ——— تم جانتی ہو ہمارا جسمانی اختلاط کتنا بے معنی ہے۔"

"پتہ نہیں کیوں میرا جی چاہتا ہے کہ اسے یقین آجائے میں بے وفا تھی۔ کسی کی بے وفائی پر پورا یقین آجائے تو آدمی اندر سے جڑنے لگتا ہے۔ شاید اندر سے آفتاب بھی ٹوٹ چکا ہو ——— اگر اسے پتہ چلا کہ میں بے وفا تھی تو پھر اس کے ٹوٹے ہوئے حصے خود بخود جڑ جائیں گے۔ بٹے ہوئے حصوں کو یکتائی مل جائے گی۔"

"تمہیں تو یقین ہے کہ آفتاب نے تم سے بے وفائی کی پھر تم اندر سے جڑ کیوں نہ گئیں؟"

دیر تک لکڑی کی ہیلوں کا شور آتا رہا پھر وہ بولی ——— "یقین تو ہے قیوم۔ پر یہ میرا کم بخت دل مجھے اس پر یقین کرنے بھی دے۔"

اس کے بعد ہم دونوں ساتھ ساتھ چلتے رہے۔ میں ڈاکٹر رفیق کے متعلق سوچتا رہا، اور وہ جانے کہاں چلی گئیں۔ وائی ڈبلیو سی اے کے اندر ——— کہ لندن کے کسی

اپارٹمنٹ میں۔

دوسری صبح میں نے بھائی مختار سے دو سو روپے ادھار لئے اور سیدھا ڈاکٹر رفیق کے کلینک پر پہنچا۔ ڈاکٹر کے ساتھ وقت مقرر کرنے کے بعد میں نے بھائی مختار کی موٹر سائیکل پلازہ کی طرف دوڑا دی۔

جس وقت میں وائی ڈبلیو سی اے میں داخل ہوا۔ دو عیسائی لڑکیاں منی سکرٹ پہنے برآمدے سے نکلیں اور اپنی اپنی سائیکل پر سوار ہو گئیں۔ ان کے ہاتھوں میں مکھن لگے توس تھے اور وہ لپ سٹک بچا بچا کر ایک ہاتھ سے سائیکل سنبھالے دوسرے ہاتھ سے نوالہ توڑتے گیٹ کی طرف پیدل جا رہی تھیں۔ پھر انہوں نے بڑی پھرتی سے منی سکرٹ کی تنگی کے باوجود کاٹھی پر اپنے کولہے جمائے اور توس کھاتی ہوئی سائیکلوں پر سوار گیٹ سے باہر نکل گئیں۔

یہ کریئر گرلز کی پناہ گاہ تھی۔

ساری بلڈنگ گرد سے اٹی تھی۔ درختوں پر، گھاس پر، دیواروں پر ایک لاوارثی پھیلی تھی۔ سٹیشن فلاور کی بیل پتے اور ٹہنیاں یوں مٹی سے لدی تھیں جیسے میک اپ سے لدی لڑکی کھلی کار میں لمبا سفر کر کے لوٹی ہو۔

یہاں کسی کو کسی سے غرض نہ تھی۔ میں نے دو چار لڑکیوں سے سیمی کا پوچھا۔ لیکن وہ گھڑی دیکھ کر یہ کہتی ہوئی چلی گئی کہ ہمیں تو مالوم نہیں —— بالآخر مہردین خانساماں ملا نصیرالدین جیسی پگڑی پہنے ہوئے برآمد ہوا۔ اس کی میری پرانی صاحب سلامت تھی۔ وہ مجھ سے ہمیشہ ان دنوں کی باتیں کیا کرتا جب وہ کرنل ایتھرٹن کے ہاں ملازم تھا اور بائیس روپے میں ایسی عجوبہ روزگار پڈنگ بناتا تھا جو صرف ایک ٹی سپون میں آتی تھی۔

جب پانچویں مرتبہ میں نے اس سے سیمی کے متعلق پوچھا تو وہ بولا —— "اچھا آپ سیمی بی بی سے ملنے آئے ہیں۔"

"تو اور کیا۔"

"میں سمجھا آپ نرس فیروزہ کے بھائی ہیں۔"

"اچھا جاکر انہیں اطلاع دو کہ قیوم آیا ہے۔"

"اطلاع تو میں دے دیتا —— لیکن وہ تو کل رات ٹیکسی پر سامان رکھوا کر چلی گئیں۔"

"ٹیکسی پر؟ کیسے ہو سکتا ہے۔؟"

"میں خود ان کے لئے ٹیکسی لایا تھا سر۔"

مجھے مہر دین کے حافظے پر اعتماد نہ تھا۔

"ذرا دیکھ کر آؤ۔"

مہر دین نے مدافعت نہ کی —— اور اندر چلا گیا۔ غالباً اسے اپنے بوڑھے دماغ پر از سر نو شک ہو گیا تھا۔ مہر دین عمر کے اس حصے میں تھا، جب اپنے سے باتیں کرنا، جو کچھ ہو گزرا ہو، اس کو شک کی نظر سے دیکھنا، باتوں کو چپاتی کی طرح الٹتے پلٹتے رہنا تاکہ ان میں رابطہ تصدیق اور تسلسل پیدا ہو سکے، یہ ساری باتیں انسان کا شعوری طریقہ ہو جاتی ہیں —— مہر دین کے جانے کے بعد ایک سیاہ رنگ کی بائیبل وومن باہر آئی۔ اس نے کلف شدہ سفید ساڑھی پہن رکھی تھی۔

وہ محبت سے میرے پاس آئی —— "فرمائیے؟"

میں نے اس سیاہ فام سوکھی چمرخ عورت کو دیکھا جس کی آواز میں شہد جیسی مٹھاس تھی۔ میں نے سوچا یہ آنکھوں کی پتلیاں جن کے گرداب سفید لکیر پڑ چکی ہے —— کبھی شفاف ہوں گی۔ اس کا سینہ بازو کولہے بھی گوشت سے بھرے ہوں گے۔ کسی نے اسے چاہا ہو گا؟ جی جان سے —— کیا محبت کا صرف جوانی اور حسن سے تعلق ہے۔ عمر لنگھی بدشکل بوڑھی عورت کے لئے کیا محبت کا شامیانہ نہیں ہوتا، جس کے تلے وہ شانتی سے وقت گزار سکے۔

"جی کہئے کس سے ملنا ہے آپ کو؟" سفید ساڑھی والی نے پوچھا۔

"مس سیمی شاہ سے ملنے آیا تھا جی میں —— مہر دین کہتا ہے کہ وہ چلی گئی ہیں۔"

اس نے میری طرف غور سے دیکھا، پھر بولی —— "اچانک سیمی بہت بیمار ہو گئی کل رات —— کوما میں چلی گئی۔ اسے کسی ہاسپٹل میں داخل کرا دیا ہے۔"

"کس نے؟"

"مس کرسٹی اور فیروزہ اس کے ساتھ گئی تھیں۔"

"کہاں—— کس ہسپتال میں؟"

"یو سی ایچ ہی گئے ہوں گے وہاں فیروزہ کام کرتی ہے۔"

میں چلنے لگا تو اس نے اپنی خشک انگلیوں سے میرا بازو پکڑ کر کہا—— "سنیئے آپ دعا میں یقین رکھتے ہیں۔"

"جی رکھتا ہوں۔"

"تو آیئے ہم اپنے یسوع مسیح سے مس شاہ کے لئے دعا کریں۔"

مجھے اس قدر جلدی تھی کہ میں دعا کے لئے انتظار نہ کر سکتا تھا—— "جی انشاء اللہ میں دعا کے لئے ضرور حاضر ہوں گا، لیکن ابھی نہیں۔"

جس وقت میں گیٹ پر پہنچا تو ایک نظر پلٹ کر میں نے وائی ڈبلیو سی اے کی بلڈنگ کو دیکھا۔ وہ ٹانڈا سی عورت وہیں کھڑی تھی۔ پتہ نہیں اس لحظہ مجھے کیوں لگا کہ اگر میں سیمی کے لئے اس وقت دعا مانگ لیتا تو وہ دعا ضرور قبول ہوتی۔

یو سی ایچ ہسپتال پہنچ کر مجھے سیمی کو تلاش کرنے میں زیادہ دیر نہیں لگی وہ جنرل وارڈ میں موجود تھی اور اس وقت فیروزہ اس کی ڈرپ درست کر رہی تھی۔ سیمی نے مجھے نیم وا آنکھوں سے دیکھا، مسکرانے کی کوشش کی اور پھر میرا ہاتھ پکڑ لیا۔ وہ ساری کی ساری کشمش کی طرح مرجھا چکی تھی۔

"زیادہ کچھ نہیں ہے صرف یرقان ہے—— چہرہ خوش بناؤ قیوم۔"

"سیمی باجی میں ابھی آئی آپ زیادہ باتیں نہ کرنا——" فیروزہ نے سیمی کا کمبل درست کر کے کہا۔

فیروزہ کے چلے جانے کے بعد ہم دونوں ٹکر ٹکر ایک دوسرے کو دیکھنے لگے۔

"بس کچھ پانی پینے میں غلطی ہوئی قیوم۔"

"میں تو کل ہی کہہ رہا تھا۔"

"بس ٹھیک ہو جاؤں گی ناں فکر کی کوئی بات نہیں ہے۔"

اتنے بڑے بیورو کریٹ کی اکلوتی بیٹی جنرل وارڈ میں سرخ کمبل لپیٹے مرن

کنارے پڑی تھی۔

"مجھے اپنے پاپا کا فون نمبر دو۔"

"بے نا بیوقوف آدمی —— پاپا کی کیا ضرورت ہے۔"

"اچھا ان کا ایڈریس دو، میں انہیں اطلاع دوں گا۔"

وہ چُپ ہو گئی۔

یہ پڑھی لکھی لڑکیاں کتنی ضدی ہوتی ہیں۔ اپنی ضد کی راہ میں وہ اپنے آپ کو بھی تباہ کرنے سے نہیں چوکتیں۔

"ان کو اطلاع ہونی چاہئے —— یہ ان کا حق ہے۔"

اس نے ہونٹوں پر انگلی رکھی اور آہستہ سے بولی —— "اگر تم میرے پاس رہ سکتے ہو تو رہو ورنہ چلے جاؤ۔"

میں اس کے پاس بیٹھا رہا چُپ چاپ اور وہ گہری غنودگی میں چلی گئی —— اس کی ساری جلد مسطر کی طرح زرد ہو رہی تھی —— آنکھیں جو ازل سے دھنسی ہوئی تھیں۔ اب گہرے حلقوں میں نظر آتی تھیں —— مجھے تعلیم یافتہ، آزادی پسند، بے گھر لڑکیوں کے مستقبل سے خوف آنے لگا۔

کچھ دیر کے بعد مجھے فیروزہ آکر باہر لے گئی۔

"آپ ڈاکٹر سے مل کر انہیں پرائیویٹ کمرے میں لے جائیں —— جیسی ان کی بیماری ہے اس کو صرف پرائیویٹ وارڈ میں آرام مل سکے گا۔"

اب تک میں صرف یرقان پر اکتفا کئے ہوئے تھا۔

"کیا بیماری ہے سیمی کو —— میں تو سمجھتا تھا یرقان ہے۔"

"یرقان تو جی symptom ہے، ہو سکتا ہے جگر میں خرابی ہو gall bladder میں پتھری ہو سکتی ہے —— بہت کچھ ہو سکتا ہے —— ٹسٹ لئے ہیں آج بلڈ یورن سارے۔"

اس وقت مجھے معلوم نہیں تھا کہ پرائیوٹ کمرے میں سیمی کو رکھنے کے لئے پیسے کہاں سے آئیں گے لیکن اس کے علاج میں مجھے کسی قسم کی کوتاہی کرنا منظور نہ تھی۔

کسی پیارے کی بیماری انسان کو بہت بے بس کر دیتی ہے۔ تیماردار صبح و شام دوائیاں بدلتا

ہے۔ ڈاکٹر پکڑ پکڑ کر لاتا ہے۔ کبھی ایلو پیتھک کبھی ہومیو پیتھک کبھی طب والوں سے رجوع کرتا ہے۔ علاج معالجے کی ست روش دیکھ کر وہ بزرگوں کے تکیے، صوفیوں کے ڈیرے، امام باڑے مزار کوئی جگہ نہیں چھوڑتا۔ تعویذ، وظیفہ، دم، صدقہ سب مرحلوں سے گزرتا ہے۔ ہر نئے علاج میں الارم کی طرح اٹھانے کی طاقت ہوتی ہے۔ اسی لئے جب فیروزہ نے مجھے پرائیویٹ وارڈ کے لئے کہا تو مجھے پختہ یقین ہو گیا کہ وہاں اکیلے کمرے میں جلد ہی سیمی صحت یاب ہو جائے گی۔

ابھی اسے پرائیویٹ وارڈ میں آئے دو دن ہوئے تھے کہ ڈرپ اتر گئی اور وہ تکیہ لگا کر بیٹھنے لگی۔ میں اس ترقی سے بہت خوش تھا۔ میرا خیال تھا کہ خطرہ ٹل گیا۔ بھائی مختار گو مجھے ادھار دے رہے تھے اور پوچھتے نہیں تھے لیکن ان کے چہرے کی ناخوش گواری اس بات کی شاہد تھی کہ قرضہ دینا ان کے مسلک کے خلاف ہے۔

"تم نے پرائیویٹ روم کیوں لیا قیوم ——" اس روز سیمی نے مجھ سے پوچھا۔

"ٹھیک ہے تندرست ہونے کی طرف توجہ دو تم۔"

"پتہ ہے بل بہت آئے گا۔"

"یہ دیکھو ب—— یہ ——" میں نے بھائی مختار سے لئے ہوئے سارے نوٹ اس کے سرہانے تلے رکھ دیئے۔

"پتہ ہے قیوم مجھ جیسی ناشکری کے ساتھ ایسے ہی ہونا چاہئے —— میں —— تمہاری محبت کا میں نے کبھی شکریہ ہی ادا نہیں کیا۔"

سیمی کی آنکھیں اب پہلے جیسی دھنسی ہوئی نہیں تھیں۔ اس کی گالوں پر ہلکی سی سرخی بھی تھی۔ وہ صحت مند انداز میں باتیں کر رہی تھی۔ لیکن اس وقت مجھے معلوم ہو گیا کہ سیمی زندہ نہیں رہے گی۔ میری گالوں پر آہستہ آہستہ خود بخود آنسو اترنے لگے۔

"تم رو رہے ہو—— گندے بچے۔"

ان آنسوؤں میں کچھ آفتاب کی بے نصیبی تھی۔ کچھ سیمی کی شکست خوردگی کا احساس تھا کچھ اپنی حسرتوں کا بہنے والا برساتی نالہ تھا۔

"بولو قیوم —— تم کیوں روتے ہو—— میں نے تو کبھی تمہیں اندھیرے

میں نہیں رکھا۔ اپنے دل کی ہر کیفیت بتائی تمہیں؟—— بتائی کہ نہیں؟"

اس وقت میرا دل ہر سچ اور ہر حقیقت کو ماننے سے انکار رہا تھا۔

"سنو!—— سنو قیوم میرے دوست اگر میں تم سے محبت کر سکتی تو ضرور کرتی۔ آفتاب سے محبت میرا شعوری فعل نہیں ہے—— یہ نہ چاہتے ہوئے بھی چلی جاتی ہے۔ آرزو کی طرح خود بخود—— آپی آپ اگر میری شعوری کوشش سے کچھ ہو سکتا تو میں تم سے ضرور محبت کرتی—— بھلا بتاؤ کیا میں نے تم سے محبت کرنے کی کوشش نہیں کی؟—— کی ہے خدا قسم—— لیکن یہ بدبخت نہیں ہوتی۔ نہیں ہوتی۔"

اس نے اپنے چہرے کو دونوں ہاتھوں سے ڈھانپ لیا۔ میں اسے جذباتی طور پر ابھارنا نہ چاہتا تھا۔

"لیٹ جاؤ سیمی چپ چاپ۔ پلیز۔"

"تمہیں تو سب کچھ معلوم تھا۔ شروع سے آخر تک پھر تم نے اپنے آپ کو کیوں نہ بچایا قیوم—— کیوں نا؟"

میں نے اسے بتانا چاہا کہ کبھی کبھی بات واضح ہو کر اس قدر مبہم ہو جاتی ہے کہ آدمی اسے سمجھنا بھی چاہے تو سمجھ نہیں سکتا۔ ریگستان میں چمکنے والے سورج کی طرح خیرہ کرنے والی واضح روشنی سے چھپ کر آدمی جھوٹ کے خیمے میں جا چھپتا ہے۔ میں نے اسے بتانا چاہا کہ کبھی کبھی قاتل کا پتہ سارے محلے کو ہوتا ہے وکیل، تھانیدار، جیوری جج سب اصل قاتل کو جانتے ہیں۔ بہت کھلی اور روشن دلیلوں کے باوجود چور پکڑا نہیں جا سکتا۔ میں اسے کیسے سمجھاتا کہ موت کی آگہی کے باوجود ہر احمق جیئے جاتا ہے۔ پھر اگر سارے حالات کو جانتے بوجھتے ہوئے میں نے اس سے محبت کی تو کون سا قصور کیا؟

وہ تکیے پر سر مارتے ہوئے بولی—— "مرنے کی گھڑی تو اب آئی قیوم—— اب—— لیکن آفتاب کے جانے کے بعد تو سب کچھ ختم ہو گیا تھا۔ ہر امنگ ہر خوشی—— اصل میں تو میں اس کے نکاح والے دن مرگئی تھی—— غلطی تمہاری تھی۔ تم نے ایک مردہ لڑکی سے رابطہ قائم کیا—— میں نے تمہیں دھوکہ نہیں دیا—— تم جیسے دھوکہ کھانے والوں کو کیا کہتے ہیں قیوم؟—— مردہ لوگوں سے محبت کرنے والوں

کو ـــــ ایک اچھا سا لفظ ہے انگلش کا۔"

"گدھ ـــــ کرگس ـــــ Vulture پارسیوں کے Tower of silence پر منڈلانے والے ـــــ مُردار سے زندگی مانگنے والے بھکشو ـــــ جیو ہتھیا نہ کرنے والے ـــــ"

وہ چُپ ہو گئی۔

ہمیشہ کی طرح قائداعظم کی سالگرہ والے دن آسمان ابر آلود تھا۔ باہر بہت سردی تھی اور ہوا درختوں سے بجکر کرسمس کے گیت گا رہی تھی۔

"باہر کیسا موسم ہے؟"

"ٹھنڈ ہے۔"

"کتنے زلزلے آتے ہیں۔ کبھی گورنمنٹ کالج کا مینار نہیں گرتا۔ ہے نا؟"

"سو جاؤ ـــــ آدھی رات کا وقت ہے۔"

"کبھی تو آفتاب پاکستان آئے گا۔"

"شاید۔"

"میں نے تمہیں کبھی کسی غلط فہمی میں تو مبتلا نہیں رکھا ناں۔"

"میں اس قابل کہاں تھا کہ کوئی مجھے غلط فہمی میں مبتلا رکھتا۔"

"کیا مجھے آفتاب کو خط لکھنا چاہیئے؟ ـــــ ہیں قیوم؟"

میرے اردگرد کاغذ پھڑپھڑانے لگے ـــــ سفید، نیلے، فورگٹ می ناٹ والے، رائس پیپر، پیڈ کاپی، فل سکیپ ـــــ وہ سارے صفحے جن پر میں نے ففتھ ایئر میں ہر رات بیٹھ کر خط لکھے تھے، جو میں پوسٹ نہ کر سکا تھا ـــــ یہ سب خط کس ڈیڈ لیٹر میں پڑے تھے۔ ان پر کس ملک عدم کی ٹکٹیں تھیں ـــــ وہ کیسے آنسو تھے، جنہوں نے سارے سرنامے دھو دیئے تھے۔ سارے القاب مٹا دیئے تھے۔

"میں تمہارے پاپا کو اطلاع دینا چاہتا ہوں۔"

"چُپ رہو ـــــ گھر سے نکلے ہوئے کبھی گھر واپس نہیں جا سکتے۔"

ہم دونوں خاموش ہو گئے۔

"ہم جیسے آزاد لوگ جب محبت کے ہاتھوں مرتے ہیں تو معاشرے میں بند

جکڑے ہوئے معاشرے میں تعفن پیدا ہوتا ہے۔ ہماری بیماری کے جراثیم بڑے مہلک ہوتے ہیں۔ اگر تم جیسے دھرماتما لوگ موجود نہ ہوں تو ہماری بیماری تو وبا کی شکل میں پھوٹ نکلے بڑا درجہ ہے تمہارا قیوم —— بڑے اچھے ہو تم۔"

"ہاں یمی —— کچھ لوگ تعفن پر پلتے ہیں، وہ جراثیم کو اپنے معدے میں ڈال کر اپنے لئے لہو کی شفاف بوندیں پیدا کرتے ہیں۔"

"اگر تم نہ ہوتے تو پتہ نہیں، میں اپنی محرومی کا بدلہ کس کس سے لیتی —— تعلیم یافتہ گھر سے نکلی ہوئی لڑکی بڑی ظالم ہوتی ہے قیوم؟"

اس نے آگے ہاتھ بڑھا کر میرا ہاتھ پکڑ لیا۔

"سنو۔ جب تک میں چلی نہ جاؤں میرا ہاتھ نہ چھوڑنا۔"

"یمی۔"

"میں تو مذاق کر رہی ہوں اس قدر گھبرانے کی بات نہیں۔"

اس نے کھڑکی کی طرف دیکھا بارش کی کوئی کوئی بوند کھڑکی پر پڑ رہی تھی۔

"آج شہر میں چراغاں ہوا ہو گا۔"

"کیوں؟"

"قائداعظم کی سالگرہ ہے آج۔"

"ہاں۔"

"میں —— چاہتی ہوں کہ آفتاب بدل جائے —— خوش رہے اور مجھے بھول جائے اور میں چاہتی ہوں وہ مجھے کبھی نہ بھولے —— جیسے میں چاہتی ہوں اس کا خط کبھی نہ آئے اور پھر بھی ہر روز میں اس کے خط کا انتظار کرتی ہوں —— یہ بھی بہت بڑا عذاب ہے جو میں نے کاٹا ہے۔"

"ہاں۔"

"اچھا ہی ہوا کہ میں نے —— کسی سے شادی نہیں کی —— میرے بچے نہیں ہوئے —— مجھ سے کیا ملتا کسی شریف آدمی کو۔"

"اب سو جاؤ یمی۔"

"تمہیں یاد ہے جب پہلی بار پروفیسر سہیل کی کلاس میں ہم سب نے اپنا تعارف

کرایا تھا۔ بے چارے پروفیسر سہیل ـــــ وہ بھی بڑے آوٹ آف ورلڈ قسم کے آدمی ہیں۔"

"ہاں یاد ہے ـــــ تم نے جینز کے اوپر سفید کرتا پہنا ہوا تھا۔"

"بس وہی دن میری موت کا دن تھا ـــــ وہی ـــــ اب میں نے اسے اچھی طرح شناخت کر لیا ہے۔ تب تک میرا خیال تھا کہ چونکہ میں کالج کی سب سے تیز Debator ہوں اس لئے شاید مجھ سے زیادہ کوئی ذہین نہیں ہو سکتا ـــــ میں اپنے آپ کو برٹنڈرسل سمجھتی تھی پاکستان کا۔"

"سیمی تمہیں آرام کی ضرورت ہے۔"

"خدا کا شکر ہے۔ اس نے میری غلط فہمی دور کی۔"

"تمہیں وہ بحث ابھی بھی یاد ہے۔"

وہ آنکھیں کھول کر چھت کی طرف دیکھنے لگی۔

"میرا خیال ہے مجھے ہسپتال نہیں آنا چاہئے تھا ـــــ میری بیماری کا علاج کسی ہسپتال میں نہیں ہے۔"

"لیکن ایمرجنسی میں کچھ نہ کچھ تو کرنا پڑتا ہے۔"

"مجھے کسی ہومیو پیتھ کی پاس جانا چاہئے تھا۔ ان کی دوائیوں میں سحر ہوتا ہے۔ وہ پہلے روح کو شفا دیتی ہیں اور ایک بار روح شفایاب ہو جائے تو پھر جسم کے بیمار رہنے کی کوئی وجہ نہیں ہوتی۔"

"سیمی۔"

"جی۔"

"تمہیں آرام کرنا چاہئے۔"

"اچھا قیوم ـــــ آج تم مجھے اپنے متعلق بتاؤ ـــــ اپنے گاؤں چندرا کے متعلق ـــــ اپنے بچپن کے بارے میں ـــــ اپنی بھابھی ـــــ اور بھائی کی باتیں ـــــ آج میں تمہارے اندر جھانک کر دیکھنا چاہتی ہوں۔"

میں نے اس کے ماتھے پر محبت سے ہاتھ پھیرا۔

"کہاں سے شروع کروں۔"

"کہیں سے —— انسانوں کی زندگی کہیں سے بھی شروع ہو سکتی ہے —— اگر تم مائنڈ نہ کرو تو میں کمبل منہ پر کر لوں قیوم۔"

میں نے کمبل اس کے چہرے پر ڈال دیا۔

"اس ڈرپ کی وجہ سے مجھے ٹھنڈ لگنے لگی ہے۔"

"میں سسٹر کو بلاؤں۔"

"ناں۔"

"تمہارے پاپا کو فون کروں۔"

"ابھی نہیں —— کل انہیں فون کر دینا —— فون نمبر میری ڈائری میں ہے۔"

کمبل چہرے سے اٹھائے بغیر وہ بولی —— "ناں ابھی نہیں —— کل صبح —— بتاؤ ناں —— تم کون ہو قیوم —— کہاں سے آئے ہو —— تم انسان ہو کہ فرشتہ؟ جانور ہو یا زمین پر رینگنے والے؟"

صرف گدھ —— صرف گدھ ——

وہ چپ ہو گئی —— میں نے اس کا ٹھنڈا ہاتھ اپنے دونوں ہاتھوں میں پکڑ لیا اور اپنی باتوں کی دھونکنی سے اس میں آگ دہکانے لگا۔ میں نے اپنے گاؤں کا حدود اربعہ، وہاں آنے جانے والے موسم، اپنے خاندان کے افراد، دوستوں کی باتیں، رسم و رواج سب کچھ آہستہ آہستہ اسے بتائے، پھر میں نے تفصیل سے اسے ماں کے متعلق بتایا۔ وہ کیسی لگتی تھی اس کے کپڑوں کا سلیپروں کا رنگ عموماً کیسا ہوتا؟ اس کی باتیں، آنگن میں اس کا بغیر ممبر شپ کا کلب، رات گئے تک اس کا کوٹھڑیوں میں گھومنا اور اس کی چپ چاپ آنکھوں کے جائزے —— مجھے تو یہ بھی معلوم تھا کہ سوتے وقت اس کی ٹانگیں کولہے اور کمر کا زاویہ کیا ہوتا تھا۔ اس سے پہلے مجھے علم نہ تھا کہ میں نے ماں کو کبھی اتنے غور سے دیکھا بھی تھا؟ پتہ نہیں کیوں ماں کی باتیں کرتے ہوئے مجھے اپنا بچپن، لڑکپن اور چندرا یاد آنے لگے۔ ماں کی موت کے ساتھ ہی گویا یہ سارا دور کسی اہرام مصر تلے دب گیا۔

آنسو آہستہ آہستہ میرے ہاتھوں میں پکڑے ہوئے سیمی کے ہاتھ پر پڑنے لگے۔

پھر یکدم میں نے سیمی کا بھیگا ہوا ہاتھ چھوڑ دیا۔

بڑی دیر میں خاموش رہا۔ مجھ میں ہاتھ کو دوبارہ چھونے کی جرات نہ تھی۔ بارش بہت زور سے کھڑکی پر پڑنے لگی اور باہر ایک کتا اونچے اونچے رونے لگا۔

میں نے ڈرتے ڈرتے بڑے خوف کے ساتھ اس کے چہرے کا کمبل اتارا۔

وہ جا چکی تھی!

ہمیشہ کی طرح اس نے میری کوئی بات نہیں سنی۔ اسے میرے بچپن میں کوئی دلچسپی نہیں تھی۔

اسے میری ماں سے کوئی سروکار نہ تھا۔

سیمی جیسے لوگ ہمیشہ ایسے ہی جاتے ہیں' بن بتائے —— بغیر کوئی Appointment بنائے۔ وہ اپنا کوئی پتہ فون نمبر بھی بتا کر نہیں جاتے جس پر انہیں Contact کر لیا جائے۔ ان کی کوئی قیمتی چیز بھی پیچھے رہ نہیں جاتی جس کو لینے کے لئے انہیں آنا پڑے۔ انہیں جانے کی اس قدر جلدی ہوتی ہے کہ وہ کوئی جھوٹا وعدہ کرنے کی زحمت بھی نہیں کرتے۔ کسی نشانی کو دے جانا بھی ان کے نزدیک تضیع اوقات ہوتا ہے —— وہ تو جھٹ پٹ دروازہ کھڑکی کھول یوں نکل جاتے ہیں جیسے پل کے نیچے سے پانی گزر جاتا ہے —— آناً فاناً۔

میں نے اس کے چہرے کو غور سے دیکھا۔

پھر میں نے اس کا پرس کھولا' ڈائری نکالی۔ اس میں کئی فون نمبر دیکھے اور اس کے باپ کا نمبر علیحدہ چٹ پر لکھ کر اس کے پاس تپائی پر گلاس نیچے رکھ دیا۔ اپنی جیبوں سے تمام پیسے نکال کر اس کے سرہانے تلے رکھے۔ اس کے بعد میں نے قیوم کو الوداع کہا اور آفتاب کا چولا پہن کر میں سیمی کے ساتھ لیٹ گیا۔

جب صبح میری آنکھ کھلی تو بارش بند ہو چکی تھی اور دن نکلنے کو ابھی کافی دیر تھی۔ میں جو کر گس جاتی کا منہ ماتھا ہوں۔ میں نے سیمی کے پاس بیٹھ کر بھور سے آنسوؤں کے ساتھ اشنان کیا پھر ماتھے پر محرومی کا سیاہ تلک لگایا۔ گلے میں بدقسمتی کی جے مالا پہنی پاؤں میں تیاگ کی کھڑاویں چڑھائیں اور راجہ گوپی چند کی طرح بن باس لینے سے پہلے سیمی پر الوداعی نظر ڈالی۔ یہ نظر شمشان بھومی کی آگ تھی۔

اس میں سیمی کا سب کچھ جل گیا۔ میں نے محبت کا سارا وبائی مادہ اپنے اندر

جذب کر لیا- اب پاگل پن کا وبا کی صورت میں پھیلنے کا کوئی امکان نہ تھا- کرگس جاتی کو یہی حکم ہے کہ وہ عشق لاحاصل کے تعفن کو عام نہ ہونے دے —— فطرت کے یہ خاکروب دیوانہ پن کے ان جراثیم کو کبھی عام صورت میں پھیلنے نہیں دیتے جہاں کوئی محبت کے ہاتھوں مرے وہاں یہ فوراً پہنچ کر ہمیشہ ڈھانچہ صاف کر دیتے ہیں- یہاں سے اڑ کر میں سیدھا سانده کلاں کی دوسری منزل میں پہنچا-

پتہ نہیں کیوں کئی دن تک مجھے یوں لگتا رہا جیسے میں اپنا باپ آپ ہوں جو چندرا گاؤں کی حویلی میں اکیلا رہ گیا تھا- میں سوچتا، میں وہی ہوں اور دوسری منزل کی ممٹی پر بیٹھا رہتا ہوں- جب بھی میں اپنی کھڑکی میں بیٹھ کر باہر دیکھتا تو دور دور تک مجھے سفید کلرزدہ زمین نظر آتی-

کہیں کوئی روئیدگی باقی نہ رہی تھی- کوئی جھاڑی سبزہ یا سایہ دار درخت نہ تھا- ہر جگہ نمک تھا شور تھا اور بنجر زمین میں گہری دراڑیں تھیں- اس شور بھری زمین پر اماں توبہ توبہ کے عتلے پڑے تھے آٹے کے عتلے جن میں ان گنت پلاسٹک کی سوئیاں چبھی ہوئی تھیں اور رکلر انہیں کھانے سے قاصر تھا-

---

جس رات میں سیمی کو ہسپتال میں چھوڑ کر سانده پہنچا، اس کی دوسری صبح کے تمام اخبار بھیانک زلزلے کی خبروں سے بھرے ہوئے تھے، لیکن مجھے معلوم نہ تھا کہ ایران میں آنے والا تباہ کن زلزلہ ساری رات لاہور کی دھرتی کو بھی ہلاتا رہا ہے- مجھے اس سے پہلے خدا کی زمین کبھی اتنی ساکت نہ لگی- فلمی اشتہاروں کے پاس مس شاہ کی موت کا حادثہ ایک خاص نمائندے کی زبانی بیان کیا گیا تھا- میں نے غور سے خبر پڑھی- لکھا تھا کہ یو سی ایچ میں زیر علاج ایک تعلیم یافتہ لاوارث لڑکی نے اپنی بیماری سے تنگ آکر سلیپنگ پلز کھالیں- تفتیش کرنے پر پتہ چلا کہ وہ ایک معزز بیوروکریٹ کی اکلوتی بیٹی تھی- پوسٹ مارٹم کرنے پر ہسپتال والے اس نتیجے پر پہنچے کہ موت طبعی نہیں تھی- مریضہ نے زیادہ تعداد میں سلیپنگ پلز کھالی تھیں-

عشق لاحاصل کی طبعی موت! خودکشی! دیوانہ پن کا معراج-

دن ڈھلے

لامتناہی تجسّس

پوٹھوہاری علاقے میں سیمرغ کی صدارت میں جو میٹنگ ملتوی ہوئی تھی وہ پھر کئی برسوں تک نہ ہو سکی۔ ہُدہُد، مہوے، چنڈول اس قصے کو بھول بھی گئے، لیکن چیل جاتی کے دل میں ابھی تک آگ لگی تھی۔ اسے گدھ جاتی کا جنگل میں رہنا بُری طرح کھلتا تھا۔ یہ نالشی ضدی بھی تھے اور باتونی بھی۔ عرصہ تک یہ مسئلہ کھٹائی میں پڑا رہا لیکن پھر چیلوں نے عقاب، شاہین، باز اور شکرے کی حمایت حاصل کی۔ ٹھنڈی آگ کو کریدا اور ایک بار پھر کرگس کو پیشی کے لئے طلب کیا۔

جس روز گدھ جاتی کو سمن ملے، ساری برادری اس علاقے میں جمع تھی جسے آج کل شیخوپورے کا علاقہ کہتے ہیں۔ یہاں عین اس جگہ جہاں بعد میں چندرا کا گاؤں آباد ہوا، ایک بہت سرسبز جنگل تھا۔ جنگل کے درخت آسمان کی جانب ساٹھ ساٹھ فٹ اوپر کو جا نکلے تھے۔ فرشی روئیدگی کا یہ عالم تھا کہ ہاتھی ڈوباؤ گھاس اگی تھی اور جنگل میں بہنے والے برساتی نالے کا صرف شور سنائی دیتا تھا۔ اس کا شفاف پانی ہریاول کی وجہ سے نظر نہ آتا تھا۔

یہاں سارے ہند سندھ کے گدھ جمع تھے اور سمن کی نوعیت پر غور و فکر میں مشغول تھے۔ ان کے حلق سے ایسی آوازیں نکل رہی تھیں جیسے جلتی استری پر پانی کے چھینٹے۔ پہلے راجہ گدھ نے ایک نوعمر گدھ کو سارے جنگل میں مخبری کے لئے بھیجا، جس لمحے تشفی ہو گئی کہ بات کو لے اڑنے والا کوئی موجود نہیں تو آپس میں گفتگو ہونے لگی۔

ایک بوڑھے گدھ نے کہا ——— "راجہ گدھ! دیکھ تو ہم پر کیسی افتاد پڑی ہے۔ اس بار جب جنگل کے باسی جمع ہوں گے تو ہمیں ضرور جنگل بدر کر دیں گے۔ وقت تنگ ہے، ہماری تیاری نہیں ہے۔ چیل، عقاب، شاہین، شکرے سب ہماری جان کے دشمن ہیں۔ تجھ کو اگر کچھ علاج کرنا ہے تو اب کر ——— اب ورنہ ہمیں بتا کہ ہم اپنا اپنا منہ لے کر جہاں چاہیں، چلے جائیں۔"

"ہم مُردار کھاتے ہیں، تم میں سے کسی کو اس حقیقت پر اعتراض ہے؟" راجہ گدھ نے سوال کیا۔

"نہیں نہیں نہیں ——" سب بولے۔

"اور ہم چاند راتوں میں دیوانے پھرتے ہیں۔"

"پھر کسی کو کیا؟ —— کیا کسی کو؟ ——" ایک ٹکڑی سے آواز آئی۔

"ہے نا —— سب پرندوں کو ہے —— ان کو دیوانگی سے خوف آتا ہے۔"

"سیدھی سی بات ہے راجہ —— آپ پرندوں سے کہیں کہ ہمیں جنگل بدر کرنے کی بجائے وہ اپنا محاسبہ کریں۔"

اس وقت ایک بوڑھی گدھ اُٹھی۔ اس نے نجاشی بادشاہ کا سارا عہد اپنے خواب میں پیش ازوقت دیکھا تھا، وہ بولی —— "دیکھو بھائی! اپنے گناہ کو مان لینے سے یا تو سزا کڑی نہیں ملتی یا پھر معافی کی صورت میں کوئی تکبر کا شکار نہیں ہوتا۔ سنو جنگل والوں کو ڈر ہے کہ ہماری دیوانگی کہیں ان کی فنا کا باعث نہ ہو۔"

"ہم اچھے بھلے ہیں۔ ہمارا مسلک کوئی بُرا نہیں۔ دیوانے پن میں ارتقاء ہے آگے بڑھنے کا بیج ہے۔" کچھ نوجوان غُرّائے۔

بوڑھی گدھ نے کہا —— "لیکن کبھی کبھی ہماری حرص کا یہ عالم ہوتا ہے کہ معدے میں مزید کھانے کی ہمت باقی نہیں رہتی تو پھر ہم پہلو کے بل لیٹ لیٹ کر کھاتے ہیں —— بادشاہوں کی طرح پہلا کھایا قے کر دیتے ہیں اور —— پھر کھانے لگتے ہیں —— بتا اگر جنگل والے ہمیں دیوانہ سمجھتے ہیں تو کیا بُرا کرتے ہیں۔"

"تو عادت کا ذکر کرتی ہے —— ہم ارتقاء کی بات کر رہے ہیں۔ بغیر دیوانہ پن کے کبھی کوئی آگے بڑھا ہے —— یہ ارتقاء کی منزلوں میں ہے۔ یہ جو اشرف المخلوقات پھرتا ہے، انسانوں جانوروں سے کیوں بڑھا ہوا ہے کیونکہ یہ پاگل ہے —— اور ازل سے یہ ارتقاء کی منزلوں میں ہے۔"

جاندار نوجوان گدھوں نے للکار کر کہا —— "چیل ہم سے حسد کرتی ہے، جلتی ہے، وہ جانتی ہے کہ اسے یہ پاگل پن حاصل نہیں ہو سکتا۔"

کچھ دیر کے لئے جنگل سناٹے میں آ گیا، صرف جھرنوں کی آواز آتی رہی۔

پھر گدھوں کا راجہ بولا —— "سوچ لو بھائیو دیکھ لو —— جنگل میں ہر طرف ملامت ہے طعنے ہیں —— ہماری جاتی کی تھڑی تھڑی ہو چکی ہے —— اب ہمارے لئے جنگل میں کوئی سُکھ نہیں۔ میری مانو تو خود بخود ہجرت کر جاؤ، میں تو تمہیں کچھ سمجھا نہیں سکتا۔ لیکن دنیا میں انسان کے لئے ایک ایسا آئے گا جو اسے ہجرت کی زبان سکھائے گا۔"

"ہم دیوانے نہیں چیل دیوانی ہے جو ہمارا پیدائشی حق چھیننا چاہتی ہے —— کوئی ذی روح کسی اور ذی روح پر خدا کی کائنات کو تنگ کرنے کا مجاز نہیں ——" یمن کا گدھ بولا۔

"دیکھو پیدائشی حق چھیننے والوں سے لڑو نہیں بلکہ اللہ کے فضل کی جستجو میں ہجرت کر جاؤ —— تم ویرانے کو جنگل سے بہتر پاؤ گے ——" راجہ گدھ نے ہاتھ باندھ کر عرض کی۔

"نہیں جنگل ہمارا حق ہے —— تو ہجرت کرنا چاہے تو تجھے اختیار ہے لیکن پھر تیرا سفر تنہا ہو گا ——" اپوزیشن کے لیڈر نے کڑک کر کہا۔

سارے جنگل میں جلتی استری پر پانی کے قطرے پڑنے کی آواز پھیل گئی۔

ہر گدھ کے حلق سے حق —— حق کی صدا بلند ہونے لگی۔ ان صداؤں سے راجہ گدھ کچھ دیر کے لئے چُپ ہو گیا، پھر کچھ سوچ کر بولا —— "سنو جو حق مانگتے ہیں ان کو حق دینا بھی پڑتا ہے۔ لیکن آج تک کوئی جاندار کسی کا حق ادا کرنے میں کامیاب نہیں ہو سکا —— حق صرف اوپر والا ادا کر سکتا ہے۔"

"ہمیں باتوں میں نہ بہلا —— ہمارے مقدمے کے لئے وکیل تلاش کر۔ ہم جنگل نہیں چھوڑ سکتے۔" نوجوان گدھوں نے چلا کر کہا۔

راجہ گدھ گویا ہوا —— "میں اس دھرتی کو بہت پرانا جانتا ہوں اور حق کا مطالبہ تم سے بہتر سمجھتا ہوں، جب پہلے پہل ایسٹر جزیرے میں مریخ سے آ کر غیر دنیاوی مخلوق آباد ہوئی اور انہوں نے پچاس پچاس ٹن کے پتھریلے بُت سارے جزیرے میں یوں ایستادہ کئے جیسے کاغذ کی کشتیاں پانی میں ڈال رہے ہوں۔ میں نے انہیں یہ جزیرہ آباد کرتے دیکھا، جب مصر میں متمدن شہریوں نے دھتورے کے پانی میں انسانی میت کو ڈبو کر اس پر

سنکھیا کا لیپ کر کے پہلی ممی بنائی تو بھی میں ساتھ تھا، جب موہنجو داڑو کے ناچ گھر میں شراب پلا کر ایک چھوٹے نوزائیدہ بچے کا ناچ گانا ہوا اور اس بچے نے آنے والے مستقبل کی تمام پیش گوئیاں کیں تو میں اس وقت بھی موجود تھا —— میں نے انسان کو شہر بساتے اور حق طلب کرتے ایک مدت سے دیکھا ہے۔ جان لو صاحبو! جب کبھی سڑک بنتی ہے اس کے دائیں بائیں کا حق ہوتا ہے، جو مکان شہروں میں بنتے ہیں باپ کے مرتے ہی وارثوں کا حق بن جاتے ہیں۔ میرے ساتھ چلو —— چلو چل کر دیکھو، جب سے انسان نے جنگل چھوڑا ہے اس نے کتنے حق ایجاد کر لئے ہیں۔ ہر صبح کی پہلی کرن کے ساتھ ان حقوق میں پچھلی رات کے مقابلے میں حق بڑھ جاتے ہیں۔ رعایا اپنے حق مانگتی ہے حکومت کو اپنے حق پیارے ہیں، شوہر بیوی سے، بیوی شوہر سے حق مانگتی ہے، شاگرد استاد سے، استاد شاگردوں سے حق مانگتا ہے —— اصلی حق کا تصور ہی اب انسان کے پاس نہیں رہا —— کچھ مانگنا ہے تو اصلی حق مانگو —— جب محبت ملے گی تو پھر سب حق خوشی سے ادا ہوں گے، محبت کے بغیر ہر حق ایسے ملے گا جیسے مرنے کے بعد کفن ملتا ہے —— مور کھو اگر جنگل والے تمہیں محبت نہیں دے سکتے تو ان سے اور کچھ نہ مانگو —— اور جنگل چھوڑ دو —— وہ آئے گا تو ہجرت کا اصول سمجھائے گا —— اس کے آنے سے پہلے میں تو تمہیں کیسے سمجھاؤں۔"

حبشہ کے دیش کی بوڑھی گدھ بولی —— "ارے یہ ٹھیک کہتا ہے اس کی بات سنو، اور میں تو کہتی ہوں اگر ہو سکے تو محبت بھی نہ مانگو۔ مانگی ہوئی محبت کا مزہ بگڑی ہوئی شراب جیسا ہوتا ہے۔"

اپوزیشن کے تمام گدھ تلملانے لگے —— ان کا بس چلتا تو اس بوڑھی گدھ کی تکا بوٹی کر دیتے۔ ان میں سے ایک اٹھا اور کمر سے جھک کر بولا —— "اماں سیانی! ہم جانتے ہیں کہ تیرا تجربہ زیادہ ہے اور ہمارا علم کم —— پر ہم جوان ہیں، ہم میں کس بل ہے تو ہم پر اعتماد کر! ہم پرندوں کی برادری سے بزدلوں کی طرح نہیں نکل سکتے۔ ہم لاکھ دیوانے سہی، پر بزدل نہیں ہیں۔ تو ایک بار کوئی وکیل تلاش کر جو ہمارا مقدمہ لڑے —— پھر جو ہو سو ہو۔"

راجہ گدھ ہنس کر بولا —— "اب تم کو کون سمجھائے کہ بزدلی بھی بہادری ہی

کا دوسرا روپ ہے۔ بہادری حق مانگنے میں نہیں حق چھوڑ کر نکل جانے میں ہے۔ اصل بہادری سمجھنا چاہو تو یہ وقت زریں ہے۔"

"دیکھ دیکھ دیکھ —— تو ہمیں باتوں میں نہ پھسلا۔ وہ گھڑی قریب ہے جب پرندوں کے غول اکٹھے ہوں گے۔ پھر تو منہ تھتھائے ہوئے گرتے پانیوں کی طرح پاتال کو اتر جائے گا۔ ایک بار سیمرغ کا حکم ہو گیا تو پھر ہمارا کیا بن سکے گا۔"

"اچھا یہ بتاؤ پرندوں میں کون تمہارا طرف دار ہے؟ —— کوئی ہے جو ہماری وکالت کرے۔"

"نیل کنٹھ —— ؟"

"ہُدہُد —— وہ حق بات کرے گا۔"

"سُرخاب —— وہ دانا ہے اسے منا۔"

"غوغائی —— بھڑ جائے گی اسے لا۔"

"مینا سے کہہ اس نے دنیا دیکھی ہے۔"

"بھٹ تیتر —— مہوک —— سرخا —— ؟

جب سارا جنگل پرندوں کے نام سے گونج چکا تو گدھ نے لجاجت سے کہا ——

"دوستو! تم سب کے کہنے سے پہلے میں ان پرندوں کے پاس گیا تھا۔ کچھ میری بات سمجھے کچھ کے پلے کچھ نہیں پڑا —— کچھ چیل برادری کے خوف سے اور کچھ اپنے تحفظ کے خیال سے بھاگ گئے۔ ایک بات طے ہے کہ کوئی پرندہ ہماری وکالت پر رضامند نہیں۔"

بوڑھی گدھ دیر تک پوپلے منہ سے ہنستی رہی۔

"تو کیوں ہنسی حبشہ کے ملک سے آنے والی۔" اپوزیشن لیڈر نے پوچھا۔

بوڑھی گدھ بولی —— "جتنا کسی کا ساتھ پرانا ہو۔ اتنا ہی اس کی بے وفائی کے لئے تیار رہنا چاہئے کیونکہ تبدیلی کائنات کا خمیر ہے —— جب پرانی دوستی دشمنی میں بدلتی ہے تو اس میں زہر زیادہ ہوتا ہے —— دیکھ لو —— چیل اور گدھ کا ساتھ کتنا پرانا ہے۔"

اپوزیشن میں وکیل نہ ملنے کے باعث بڑے تشویش کے مظاہرے ہو رہے تھے، اور بلوے کی شکل تیار ہو گئی تھی۔

آخر ایک ٹکڑی سے آواز آئی ——— "راجہ جی میں اس نتیجہ پر پہنچا ہوں کہ ہمیں اپنے دل کا حال پرندوں سے کہنا ہی نہیں چاہئے۔ کون جانے ان میں چیل کے مخبر بھی ہوں۔ اگر تو اجازت دے تو ہم جانوروں میں وکیل تلاش کریں۔"

راجہ گدھ بولا ——— "سنو بھائیو! میں آخری بات تم کو سمجھاؤں گا۔ اگر تم کو پھر بھی سمجھ نہ آئی تو میں خود تمہاری رائے کے تابع ہو جاؤں گا۔ سنو، سوچ دو طرح کی ہوتی ہے۔۰ ایک سوچ علم سے نکلتی ہے اور ریگستان میں جاکر سوکھتی ہے، دوسری سوچ وجدان سے جنم لیتی ہے اور باغ کے دہانے پر لے جاتی ہے۔ ان ہی دو قسم کے خیالات سے دو طرح کا رہنا سہنا جنم لیتا ہے، ایک رہنا سہنا علم اور تجویز سے جنم لیتا ہے، اس میں چاقو چھری مقدمہ بحث مباحثے، کس بل، حق حقوق، چھینا جھپٹی، کرودھ کام ہنکار سب ہوتا ہے، دوسرا رہنا سہنا ایک اور قسم کی سوچ سے نکلتا ہے۔ اس میں وجدان، شانتی، امن پرائسچت پریم کی وجہ سے ہمیشہ ہجرت کا سماں رہتا ہے ——— اسی وجدان کی وجہ سے ایسی سوچ والے لوگ غریبی میں امیر اور امیری میں غریب دکھائی دیتے ہیں ——— تم چاہو تو علم کا ڈنڈا پکڑ لو ——— پھر وکیل ضروری ہو گا ——— میرے وجدان پر اعتبار کرو تو خود ہی جنگل چھوڑ دو ——— آگے ہر پڑاؤ پر تمہیں امن ہی امن لہراتا ملے گا۔"

"وکیل ——— وکیل ——— وکیل ———" سارا جنگل گونجا۔

"ٹھیک ہے میں وقت سے پہلے وکیل تلاش کر لوں گا۔"

بوڑھی گدھ بولی ——— "دیکھ ہو سکے تو ایسے جانوروں کے پاس جانا جو انسان کی صحبت میں رہے ہوں۔ انسان جب بولتا ہے تو دن کو رات کر دکھاتا ہے۔ پالتو جانوروں نے اس سے کوئی جادو تو سیکھا ہو گا۔"

"اب تو دیر نہ کر، راجہ گدھ وقت کم ہے۔"

راجہ گدھ نے پر پھڑپھڑائے اور رات کے وقت گیدڑ کے پاس پہنچا۔ اس وقت گیدڑ گاؤں سے ملحق گنے کے کھیتوں میں چھپا ہوا تھا۔ پچھلی رات کے چاند میں گیدڑ کا سارا جسم میلے قالین کی طرح بھوسلا نظر آ رہا تھا۔ ابھی صبح اس نے شیر کا شکار کیا ہوا بچا کھچا ہرن کھایا تھا۔ اس وقت اسے چاند میں چھوٹے چھوٹے خرگوش کے بچے تاش کھیلتے نظر آ رہے تھے۔

دیوانگی کے دورے سے پہلے اسے چاند میں ضرور کچھ نہ کچھ نظر آنے لگتا۔ اور یہ کیفیت ہمیشہ اس وقت ہوتی جب وہ شیر کا چھوڑا ہوا شکار پیٹ بھر کر کھاتا۔ جب گدھ نے گیدڑ کو اپنا سارا کیس سمجھایا تو تین مرتبہ گیدڑ نے اپنی دم کو منہ میں پکڑنے کی کوشش کی اور بولا۔

"پالیا—— پالیا—— پالیا——"

گدھ اس دیوانے ارشمیدس کو دیکھ کر خوفزدہ ہو گیا۔

"اچھا کیا تو میرے پاس پہنچا۔ کیونکہ میں جانتا ہوں دیوانگی کس وجہ سے ہے؟"

"کس وجہ سے ہے میرے دوست؟"

"دیوانگی کا عشق لاحاصل سے کوئی تعلق نہیں—— دیوانگی تلاش سے پیدا ہوتی ہے۔ مسلسل نئے سوالوں کے ناتسلی بخش جواب—— تھکا دینے والی جستجو دیوانہ کرتی ہے۔ تو مجھ پر چھوڑ میں خود پرندوں کا تماشا دیکھنا چاہتا ہوں، ان کو کیا معلوم لامتناہی تجسس کیا چیز ہے؟"

گدھ مطمئن ہو کر کھیتوں کی طرف دیکھنے لگا—— گنوں کی گھنی فصل میں ایک کسان لالٹین لئے کچھ تلاش کر رہا تھا۔

"اس کو دیکھ——" گیدڑ بولا۔

"دیکھ رہا ہوں۔"

یہ کسان پاس والے گاؤں میں رہتا ہے۔ پرسوں رات جب یہ بیساکھی کے میلے سے لوٹا تو اسے گھر پر اپنی بیوی نہ ملی—— اس نے اندر سے کلہاڑی اٹھائی اور بیوی کی تلاش میں باہر نکلا—— اس کی بیوی گنے کے اس کھیت کے پاس سوئی ہوئی تھی۔ کسان نے ارادہ کیا کہ کلہاڑی کے ایک وار سے ایسی بے وفا رانڈ بیوی کا خاتمہ کر دے گا۔ جس وقت وہ قریب پہنچا، چاندنی رات میں اس نے دیکھا کہ اس کی بیوی کا سارا جسم نیلا پڑ چکا تھا اور ٹانگ پر سانپ کے کاٹے کا نشان بھی تھا۔ تب سے اب تک یہ کلہاڑی کے ساتھ گنے کی فصل اجاڑ رہا ہے۔

"وہ کیوں؟" راجہ گدھ نے سوال کیا۔

"یہ اس سانپ کو تلاش کر رہا ہے جو اس کی بیوی کا قاتل ہے—— اس کی

تلاش اتنی بیکار ہے اس کی جستجو اتنی بے معنی ہے کہ بالآخر یہ خود دیوانہ ہو جائے گا ـــــ کان قریب لا۔"

گدھ گیدڑ کے بالکل پاس ہو گیا۔

"انسان ہمیشہ ایسے ہی پاگل ہوتا ہے وہ بھس میں سوئی تلاش کرتا ہے اور جب سوئی ملتی ہے تو وہ اتنا پاگل ہو چکتا ہے کہ سوئی کو پہچان نہیں سکتا ـــــ بتا راجہ گدھ کیا تو اور تیری نسل انسان کی طرح تلاش کے سفر میں ہو، ـــــ کیا تم ایسے سوال پوچھتے ہو جن کا جواب تمہیں سمجھایا نہیں جا سکتا؟

گدھ نے سر جھکا کر کہا ـــــ "شاید نہیں ـــــ شاید میں نہیں جانتا۔"

سیمی کی موت کے بعد میں اس حد تک پریشان ہو گیا کہ میرے تمام اعصاب متاثر ہو گئے ـــــ اگر اس وقت مجھے ریڈیو سٹیشن پر نوکری مل گئی ہوتی تو شاید میرے پاس معکوس سوچ کے لئے اتنا وافر وقت نہ ہوتا، لیکن اب میں سارا دن چرس کے سگریٹ پیتا، کبھی پلنگ پر کبھی شہ نشین پر کبھی فرش پر اور کبھی باہر لارنس باغ میں جا کر لیٹا رہتا۔ مجھ میں اٹھ کر چلنے پھرنے کی سکت کم ہو گئی تھی۔ میری تمام حسیات اور عمل اضطراری تبدیل ہو چکے تھے۔ کھلی آنکھوں میں مچھر گھس جاتے اور میں انہیں جھپکنا بھول جاتا۔ پانی حلق کے بجائے سانس کی نالی میں جا کر غوطے کی سی کیفیت پیدا کرتا۔ چلتے چلتے فرنیچر سے ٹکرانا اور ٹخنے، پاؤں کے انگوٹھے، گھٹنے زخمی کرنا میرا معمول تھا۔

میرے اندر سیمی کے مرنے سے کئی سوال ابھر آئے تھے اور ان سوالوں کا جواب دینے کے لئے کوئی موجود نہ تھا ـــــ سیمی کے مرنے کی کیا وجہ تھی ـــــ اگر کوئی خدا تھا تو اس نے اس جیسی لڑکی کو مرنے کیوں دیا؟ ـــــ اگر روح موجود تھی تو پھر وہ اب مجھ سے کیوں مل نہیں سکتی تھی؟

سوالات کے چکر پہلے سیمی کے مرکزی حصے میں بند تھے اور اس کی ذات سے وابستہ تھے لیکن جس طرح سوئی ریکارڈ کے پہلے دائرے سے سفر شروع کر کے دائرہ در دائرہ اندر کو سفر کرتی ہے، میری سوچ ـــــ نیوکلیئس سے نکل کر دائرہ در دائرہ بہت دور تک

باہر کو پھیلتی جاتی اور آخر ــــــ مَیں سوچتا رہ جاتا۔

مَیں کون ہوں؟

کہاں سے آیا ہوں؟

مجھے یہاں سے کہاں جانا ہے؟

اور اگر مجھے کہیں نہیں جانا اور اسی مٹی میں نائٹروجن کی بھاری مقدار بن کر واپس لوٹنا ہے تو پھر یہ ساری تگ و دو کیوں؟ ــــــ یہ سارا عذاب کس لئے؟

کائنات کیا ہے؟

اس کائنات سے پرے کون چھپا بیٹھا ہے؟

کیا کائنات والے سے ہمارا بے حقیقت ذرات کا کوئی تعلق ہے؟

کیا اس نے ہمیں صرف اپنی تفنن طبع کے لئے بنایا ہے؟

سوالات کا یہ چکر آواز کی لہروں کی طرح آگے ہی آگے بڑھتا چلا جاتا۔ سیمی کی موت کے بعد میں کتنی ہی دیر باقاعدگی سے روز آفتاب کو خط لکھتا۔ سارے واقعات کی تفصیل ہوتی، ان کا تجزیہ ہوتا کیونکہ میرا خیال ہے واقعات کے بیان سے کبھی سارے واقعات پتہ نہیں چلتے۔ کیونکہ واقعات کا بیان صرف بالائی سچ ہے اور اس کے اندر تہہ در تہہ اور بہت کچھ ہوتا ہے۔ سارے واقعات کی توضیح اور تفسیر کے بعد میں خط کو پوسٹ کرنے کے لئے مال روڈ کے پوسٹ آفس تک پہنچتا، لیکن کمرشل بلڈنگ سے ذرا آگے ــــــ وائی ایم سی اے والی بلڈنگ میں ایک فوٹوگرافر کی دکان کے آگے یہ خط میں پھاڑ کر پھینک دیتا۔ پھر یہ پرزے ہوا لے جاتی اور بھک منگے بچوں کی طرح یہ کاغذی ٹکڑے سڑک پر کاروں کے اردگرد بکھر جاتے۔ بہت کوشش کے باوجود میں آفتاب کو سیمی کی موت کی اطلاع نہ دے سکا۔

کبھی کبھی حسیات مجھے نارمل لگتیں اور میرے جسم میں زندہ رہنے کی خواہش پیدا ہوتی۔ میں اپنی نوکری کا پتہ کرنے ریڈیو سٹیشن کا رخ کرتا۔ راستہ بھر میرے ساتھ چرس کا سگریٹ ہوتا۔ چندرا کی کلر زدہ زمین میرے پاؤں تلے بھاگتی اور ہر اونچی بلڈنگ کے اوپر مجھے اپنا باپ کھڑا نظر آتا۔

واپڈا کی بلڈنگ کے سامنے سے گزر کر اسمبلی ہال کی طرف مڑتے وقت اونچی

فلک بوس عمارتوں کی سائیکی کے باعث مجھ میں پھر کچھ بننے کی آرزو جاگتی۔ میں سوچتا کہ آخر سفارش کا زمانہ ہے مجھے بھی پروڈیوسر کی نوکری صرف ایم اے کی ڈگری دکھا کر نہیں ملے گی ـــــ مختار بھائی کی مدد لے کر مجھے بھی کسی سفارش کا انتظام کرنا چاہئے۔ لیکن جس وقت میں شملہ پہاڑی سے ملحق پٹرول پمپ تک پہنچتا میں اپنے مستقبل، ذات، نوکری سے بے فکر ہو جاتا۔

سیمی کے متعلق میں پھر ایسے سوچنے پر مجبور ہو جاتا جیسے وہ منیلا، پورٹوریکو یا کھٹمنڈو گئی ہوئی ہو۔ میں اس کے خط کا پکچر پوسٹ کارڈ کا انتظار کرنے لگتا۔ مجھے سوچ رہتی کہ واپسی پر وہ میرے لئے کیا سوغات لائے گی؟ مٹی کی بنی ہوئی پائپ، گلے میں پہننے والا طلسماتی خنجر یا جرابوں کے اندر پاؤں خشک کرنے والا الیکٹرونک اسفنج۔

ریڈیو سٹیشن پر مجھے کوئی کام نہ ہوتا۔ مجھے معلوم تھا کہ جب انٹرویو کی تاریخ مقرر ہو گی اس کا اعلان اخباروں میں ہو جائے گا لیکن ریڈیو سٹیشن پہنچ کر ایک خاص قسم کی بے عزتی کا احساس ہوتا۔ اس بے عزتی سے مجھے بہت پیار ہو گیا تھا۔ ڈرامہ پروڈیوسر مجھ سے اس لئے نظریں چراتے تھے کہ ان کا خیال تھا میں کسی ریڈیو پروگرام میں آواز لگانے کے لئے وہاں جاتا ہوں۔ موسیقی کے پروڈیوسر مجھ سے اس لئے خائف تھے کہ انہیں خوف تھا کہ میں گانے کا پروگرام نہ مانگ لوں۔ عطائی صورت شوقیہ گانے والوں سے بے چارے ویسے بھی خائف رہتے تھے۔ ڈیوٹی افسر کو فکر رہتا کہ کہیں میں لمبے فون کرنے نہ بیٹھ جاؤں۔

میں آہستہ آہستہ ان تمام صورتوں سے واقف ہو گیا جو روز یہاں آتی تھیں۔ بڑی عمر کی طوائفوں، لنڈے کے کپڑوں میں ملبوس ایکٹری کے رسیا، نو عمر لڑکیاں ـــــ جن کی آوازیں کم جسم زیادہ سان پر چڑھے تھے ـــــ مباحثوں کے شوقین پروفیسر، خواتین کے پروگرام میں انٹرویو دینے کی خواہاں، لومڑی صفت معمر خواتین ـــــ اناؤنسری کا شوق رکھنے والے نرمینڈکوں جیسی آواز والے مرد، خبروں کو ہتھوڑے کی ضرب کی طرح پڑھ پڑھ کر سنانے والے، نو عمر طوائفیں جن کے سروں پر چادریں اور ہونٹوں پر لپ سٹک ہوتی ـــــ یہ جگہ ایک کائنات تھی۔ کمپیوٹر مشین جیسی، مجھے نہ ریڈیو سٹیشن سے دلچسپی تھی اور نہ نوکری سے لیکن اسی بھوسے میں ایک روز مجھے پھر

پروفیسر سہیل مل گیا۔ اتنے بڑے ڈھیر میں سٹین لیس سٹیل کی چمک دار سوئی جس کے ناکے پر سونے کا ملمع چڑھا تھا۔

پچھلی مرتبہ جب میں پروفیسر سہیل سے ملا تھا تو سیمی ان کے ساتھ تھی اور انہوں نے مجھے کوئی لفٹ نہیں کرائی تھی۔ لیکن ایک روز جب میں سعید کے دفتر سے نکل کر گیلری میں جا رہا تھا تو مجھے اچانک پروفیسر صاحب سرخ چیک کی قمیض اور کھلے پائنچوں والی پتلون میں ملبوس نظر آ گئے۔ اس وقت وہ پائپ پینے میں مشغول تھے۔ مجھے دیکھ کر وہ ٹھٹکے پھر ماتھے پر تین بل ڈالے اور پائپ کے اشارے سے مجھے پاس بلایا۔

"تم قیوم ہو؟"

میں نے حیرانی سے ان کی طرف دیکھا۔

"جی سر۔"

"سوشیالوجی پڑھتے تھے مجھ سے۔"

"جی۔"

"تمہیں کیا ہوا ہے —— محبت ہو گئی ہے کسی سے ——" انہوں نے انگریزی میں سوال کیا۔

میں چُپ رہا۔

"نشہ وشہ تو نہیں کرتے ناں۔"

میں پھر بھی چُپ رہا۔

"نوکری ملی کہیں؟"

"درخواست دی ہوئی ہے —— سر۔"

"سرور کا تکلف چھوڑو —— تمہیں ہوا کیا ہے؟"

"السر ہو گئے ہیں سر۔"

"اس عمر میں؟"

میں خاموشی سے ان کی طرف دیکھتا رہا۔

"السر duedonal ہے کہ gastric ؟"

"گیسٹرک سر۔"

"کسی ڈاکٹر سے ملے ہو کہ اپنا علاج خود کر رہے ہو ـــــ" پروفیسر سہیل کے چہرے پر تشویش کے آثار تھے۔ وہ عمر میں مجھ سے چھ سات سال ہی بڑا تھا لیکن کبھی کبھی اس کا چہرہ ستر سالہ بڈھے کی طرح جھریوں سے بھر جاتا۔

"ہاں جی ملا ہوں۔ بیریم ٹسٹ بھی کروا چکا ہوں۔"

وہ یکدم سنجیدہ ہو گیا۔

"تیزابی کیفیت کے لئے کیا کرتے ہو۔"

"antiacid دوائیاں پیتا ہوں ـــــ زیادہ تر دودھ دہی استعمال کرتا ہوں ـــــ"

"شکل سے تو لگتا ہے کہ تم نے کبھی دودھ کی شکل بھی نہیں دیکھی۔"

میں مسکرا دیا تو پروفیسر صاحب نے میرا ہاتھ پکڑ لیا ـــــ آؤ ـــــ کہیں بیٹھ کر بات کرتے ہیں۔"

"مجھے ـــــ جانا تھا سر۔"

"چلے جانا ـــــ چلے جانا اور یاد رکھو میں جس طرف جاؤں گا ادھر ہی تمہیں جانا ہو گا ورنہ میں تمہیں موٹر سائیکل سے اتار دوں گا۔"

تھوڑی دیر کے بعد ہم دونوں مال روڈ کے ایک ریسٹورنٹ میں بیٹھے تھے اور پروفیسر سہیل بیرا کے ساتھ باتیں کرنے میں مشغول تھا۔

"کیا کھاؤ گے مسٹر السر؟ ـــــ شامی کباب، سموسے سینڈوچز؟"

میں نے سینڈوچز پر اکتفا کیا۔ کیونکہ مجھے ڈر تھا کہ شامی کباب یا سموسے میرے معدے میں تیزاب پیدا کر دیں گے۔

کچھ ہوٹل کا ماحول تھا کچھ پروفیسر سہیل کا مخصوص طریق گفتگو ـــــ بہت سنجیدہ لکچر کے دوران وہ مزے دار لطیفے سنانے کا عادی تھا۔ مسائل کو شدید شکل دے کر فوراً ان کا ایک آسان سا حل پیش کر دینا اس کی عادت تھی۔ یہاں پہلی بار اس کی صحبت میں مجھے ایسے احساس ہوا جیسے میں کسی گرو کے سامنے بیٹھا ہوں۔ صوفی حضرات کی اصطلاح میں نامعلوم طریقے پر میری قبض دور ہونے لگی۔ پتہ نہیں پروفیسر سہیل توجہ دینے کا طریقہ جانتا تھا کہ اسے انسان کو سکھ دینے کا طریقہ آتا تھا۔ آہستہ آہستہ مجھے اپنے

نارمل ہونے کا قوی شبہ ہونے لگا۔

"کس لڑکی نے یہ حلیہ عنایت کیا ہے؟ —— کوثر نے؟ —— وہ عام طور پر تمہارے پاس بیٹھا کرتی تھی۔"

میں چپ رہا۔

"فرزانہ اور طیبہ؟ —— لیکن وہ لڑکیاں کسی ذہین پڑھے لکھے مرد کو متاثر نہیں کر سکتیں، وہ پانی میں پکی ہوئی گوبھی کی طرح بچ بچ کرتی تھیں۔"

میں پھر بھی چپ رہا۔

"اینجلا؟"

میں چائے پینے میں مشغول رہا۔

"وہ اچھی تھیں نمکیں بسکٹ جیسی، لیکن اسے بڑا کومپلکس تھا —— کومپلکس والی لڑکی سے محبت نہیں کرنی چاہیئے۔"

اب صرف سیمی کا نام باقی رہ گیا تھا لیکن پروفیسر سہیل نے اس کا نام نہ لیا۔

"چلو نام سے فرق نہیں پڑتا۔ عشق سے بھی فرق نہیں پڑتا۔ صرف عشق کے دوران relax کرنا آنا چاہیئے۔"

اس نے محبت سے ہاتھ میرے ہاتھ پر رکھ دیا۔

وہ بڑی دیر تک پیرا فزکس سے لے کر غذائی علاج تک باتیں کرتا رہا۔ پھر اچانک وہ تمام الجھے ہوئے علمی ٹاپک چھوڑ کر میری طرف لوٹ آیا۔

"قیوم! جب میں سات سال کا تھا تو میں نے گولیور کے سفرنامے ختم کر لئے تھے، نو سال کی عمر تک میں عمر خیام کی رباعیوں سے پار ہو چکا تھا۔ دسویں میں ایچ جی ویلز اور ایڈگر ایلن پو میرے پسندیدہ ادیب تھے۔ ٹالسٹائی —— دوستو فسکی —— ہرمن ہیس کازن تزاکی —— صرف فکشن ہی میرے دماغ پر سوار نہیں رہی۔ سوشیالوجی، سائیکلوجی —— فلاسفی، پیرا سائیکلوجی —— میں کتابوں کے جنگل میں بڑھا پلا ہوں —— لیکن ان ساری کتابوں نے مجھے relax کرنا نہیں سکھایا۔ تم —— اور کسی حد تک سیمی میرے جیسے ہو، موجودہ عہد کی پڑھی لکھی گم گشتہ روحیں ہو —— ارے یار میں نے ایک لڑکی کا نام لیا ہے —— تمہیں 440 وولٹ تو نہیں لگا دیئے۔"

میں نے شرمندگی سے نظریں جھکالیں۔

"پڑھائی نے میری زندگی کو آسان نہیں بنایا۔ ہاں مجھ میں ایک وجدان پیدا کر دیا ہے۔ اب میں جانتا ہوں کہ السر hypertension, anxiety اعصابی بیماری دراصل بیماریاں نہیں ہیں، یہ ماڈرن تعلیم یافتہ حساس انسان کا مقدر ہیں۔ عام حالات میں relax نہ کر سکنے کے انعامات ہیں۔ بنی نوع انسان کو ہر دور میں کوئی نہ کوئی بیماری رہی ہے۔ کبھی ملیریا کبھی طاعون چیچک کی وبائی شکل —— یہ السر آج کے انسان کی ایجاد ہے اور مائی ڈیئر فرینڈ اینڈ سٹوڈنٹ اس کا علاج کسی ڈاکٹر کے پاس نہیں کیونکہ ڈاکٹر صرف دوا دے سکتا ہے relax نہیں کروا سکتا بچے۔"

اس وقت میں سہیل صاحب کو سیمی کے متعلق سب کچھ بتانا چاہتا تھا لیکن پروفیسر کی مسکراہٹ نے میرا یہ جذبہ کم کر دیا۔

میں بھی عجیب عجیب راہوں سے گزرا ہوں قیوم —— میں نے زندگی میں تجربات کم حاصل کئے ہیں لیکن دوسروں کے تجربات میں خوب جلا ہوں مجھ پر بھروسہ ہے؟"

"بہت سر۔"

میں —— اس کی بیعت میں تھا۔

"ایک آسان علاج بتائیں؟ پرانی ٹونٹی کی واشل بدلنے جتنا آسان۔"

"ضرور سر ضرور۔"

"یوگا کیا کرو —— یوگا انسان کی اندرونی رفتار کو سست کر دیتا ہے۔ بریکیں کم لگانی پڑتی ہیں۔ پہلے تنی ہوئی ہڈیاں بندھے ہوئے جوڑ ڈھیلے پڑتے ہیں۔ یہ جو جبڑے ہیں ان کا تناؤ کم ہوتا ہے پھر رفتہ رفتہ اندر کی سپیڈ گھٹتی ہے۔ سانس زیادہ آتا ہے —— پھیپھڑے صاف ہونے لگتے ہیں۔ دیکھ لو آسان حل ہے لیکن باقاعدگی رہے —— رہے گی ینگ مین؟ ——"

"رہے گی سر ——"

"لڑکی اور نو لڑکی —— یوگا جاری رہے۔"

"رہے گا سر۔"

اندر ہی اندر میں یوگا کے خلاف تھا، کیونکہ میرا خیال تھا کہ یہ ہندوستان کے اس کلچر کا حصہ ہے جو وہ بیرونی ممالک کو بیچتا ہے۔ لیکن اپنے تعصب پر قابو پا کر میں نے اقرار کیا۔

"تعلیم میں ایک برائی ہے قیوم —— اس کی وجہ سے قوموں میں مجموعی طور پر اور فرد میں علیحدہ علیحدہ بہت تجسّس پیدا ہو جاتا ہے۔ یہ تجسّس اسے گھسیٹے پھرتا ہے ایسے سوالات دل میں ابھرتے ہیں جن کا جواب تعلیم نہیں دے سکتی —— خدا قسم میں بہت پڑھنے لکھنے کے بعد اس نتیجے پر پہنچا ہوں۔ ان سوالات کی وجہ سے —— ان ادھورے جوابوں کی وجہ سے ماڈرن آدمی میں ایک بے نام جستجو پیدا ہو جاتی ہے جیسے کوئی کتا اپنی دم کے تعاقب میں چکر لگاتا ہے —— بھائی میرے کوئی کب تک بے نام جستجو میں مبتلا رہ کر السر سے بچ سکتا ہے دیوانگی کے سامنے بند باندھ سکتا ہے۔"

یکدم پروفیسر اپنی کرسی سے اٹھا دو چار کرسیاں ادھر ادھر کیں اور سر کے بل دیوار کے ساتھ کھڑا ہو گیا، پھر اس نے اسی حالت میں چوکڑی لگالی۔ قمیض کے بٹن پینٹ سے نکالے اور پیٹ کے پٹھے کچھ ایسے سکوڑے کہ سارا پیٹ چھوٹی سی اینٹ میں بدل گیا، پھر وہ قلابازی لگا کر اترا اور کنول آسن میں بیٹھ گیا۔ ہوٹل میں رش نہیں تھا، لیکن جو بھی موجود تھے اس طرف متوجہ ہو گئے۔

"تم چاہو تو میں ناک کے راستے ایک گز دھاگہ پیٹ میں ڈال سکتا ہوں۔"

"ادھر آجایئے سر، سب دیکھ رہے ہیں۔"

وہ اطمینان سے اٹھا پتلون میں قمیض ڈالی اور میرے پاس بیٹھ کر پائپ سلگانے لگا۔ اسے اردگرد کے لوگوں کی پروا نہ تھی۔ کافی دیر تک وہ مجھے سادہ سادہ ورزشیں سمجھاتا رہا۔ جمائی لینے، سیدھا تختے کی مانند جسم ڈھیلا چھوڑنے —— پیٹ، چھاتی اور کندھوں کو بیٹھتے وقت چھوڑ دینے کی ہدایات دیتا رہا۔

"سنو جلد باز آدمی! یوگا کے مطلب ہیں relaxation تمام ورزشیں، slow motion میں ہوں گی۔ آہستہ بہت آہستہ۔"

اس کے بعد وہ دیر تک مجھے سانس لینے کا طریقہ سمجھاتا رہا —— میرے نتھنے اپنی انگلیوں سے بند کر کے اس نے مجھے مشق بھی کرائی۔

"سانس سب سے ضروری چیز ہے۔ اس وقت تم اپنے سارے پھیپھڑوں سے سانس نہیں لے رہے، جب دونوں طرف کی دھونکنی پوری چلنے لگے گی تو یہ السر وغیرہ سب ختم ہو جائے گا انشاء اللہ۔ جب سانس لو تو تمام تر توجہ سانس پر دو۔ کوئی لڑکی وڑکی کا نہ سوچو ——— گدھے آدمی ایک بار مہاتما بدھ کے پاس تمام حسیات لڑتی جھگڑتی گئیں۔ آنکھ کہتی تھی ——— میں سب کچھ ہوں، کان کہتا تھا کہ میں نہ رہوں تو آدمی دو کوڑی کا نہ رہے، زبان کہتی تھی کہ میں نہ ہوتی تو لطف کیا رہتا ——— سب حسیات کا جھگڑا جب مہاتما بدھ نے سن لیا تو وہ بولے ——— دیکھو بھئی تم میں سے وہی اتم ہے جو چلی جائے تو آدمی نہ رہے، سانس نے پرنام کیا اور بولی۔ لیجئے میں تو چلی ——— فیصلہ آپی ہو گیا ——— بھائی میرے محاورے پڑھا کرو، کوئی کوئی اچھا ہوتا ہے سانس ہے تو جہان ہے۔"

"جان ہے تو جہان ہے۔" میں نے تصحیح کی۔

"ایک ہی بات ہے معنی ایک ہی ہیں۔" سانس کا تواتر ٹھیک ہو گیا تو سب ٹھیک ہو جائے گا۔ پران اندر جانے لگے تو سب چکر درست ہو جائیں گے۔ سب چکر درست ہو گئے تو خود بخود اوپر اٹھنے لگو گے ——— بالکل relax کر کے۔"

"پران؟ چکر؟ ——— یہ کیا بلائیں ہیں۔؟"

"آج کے لئے کافی خوراک ہو چکی ہے باقی پھر کسی دن۔"

"میں آپ سے کہاں ملوں سر؟"

"مجھ سے ملنے کی ضرورت کیا ہے۔ ورزش کرتے رہو اور سوچتے رہو تم کو کس چیز کی تلاش ہے؟ ——— اپنی یا خدا کی ——— اس کے علاوہ ہر تلاش بیکار ہے۔"

"کسی کی بھی نہیں ——— مجھے تو بس جلن نہ ہوا کرے معدے میں۔"

"فائن فائن ——— یہ تو اور بھی اچھا ہے جب منزل اتنی چھوٹی اور قریب ہو تو فکر کیسا؟"

"مجھے یقین نہیں آتا کہ ایسی معمولی ورزشوں سے فائدہ ہو گا سر؟"

"نہیں آتا؟"

"نہیں جی۔"

"اوئے پینڈو تمہارا کوئی قصور نہیں۔ پہلے انسان یا اپنی تلاش کرتا تھا یا خدا کی —— اس کی جستجو بے نام نہیں ہوتی تھی۔ اب تمہارے جیسا ماڈرن پڑھا لکھا گدھا یہ بھی نہیں جانتا کہ اسے تلاش کس چیز کی ہے، پھر وہ یہ کیسے مان لے کہ کہیں کوئی سادہ سا علاج ہے جو اسے سکون دے سکتا ہے —— اچھا چند دنوں کے لئے تجربے کے طور پر یوگا کر لو گے؟"

"اگر آپ حکم دیں۔"

"حکم کے ٹٹو —— اپنے فائدے کے لئے یوگا کرنا، مجھے خوش کرنے کے لئے نہیں۔"

"اگر افاقہ نہ ہوا تو میں آپ کو کہاں تلاش کروں؟"

"مجھے کیوں تلاش کرنا ہے؟ سودائی آدمی مجھے نہیں ملنا —— نہ کوشش کرنی ہے مجھے ملنے کی —— یوگا کرتے رہنا ہے، کرتے چلے جانا ہے۔"

مجھے ایک عرصے کے بعد کوئی بیساکھی ملی تھی۔ میں اسے چھوڑنا نہیں چاہتا تھا۔

"میں آپ سے ملنا چاہتا ہوں باقاعدگی سے —— ہر روز ——" میں نے التجا کی۔

"میں اس کے خلاف ہوں —— میں spoon feeding کے خلاف ہوں۔ تم میں اپنے السر سے لڑنے کی قوت پیدا ہونی چاہئے۔ تمہیں اپنی بیٹری خود چارج کرنے کا طریقہ آنا چاہئے۔ مجھے ملتے رہے تو میں تمہیں تباہ کر دوں گا —— مجھے ایک وجہ سے تم سے بڑی دلچسپی ہے قیوم —— میں تمہارے لئے اپنے دل میں محبت رکھتا ہوں۔"

"کون سی وجہ سر؟"

"ابھی نہیں بتا سکتا —— کبھی بتاؤں گا —— آفتاب اور تم —— میرے بڑے پیارے طالب علم ہو۔ تمہیں میں بھلا نہیں سکتا —— کبھی نہیں۔"

یک دم وہ خاموش ہو گیا۔

اس نے اپنی پائپ کا لمبا کش لگایا اور مسکرانے لگا —— پروفیسر سہیل کا سب کچھ اس کی مسکراہٹ تھی —— اس کے ہونٹ مسکرانے سے پہلے اس کی آنکھوں میں دیئے روشن کر دیتے جیسے شیشے کی صراحی میں قندیل روشن ہو جائے —— آنکھوں کے

بعد اس کے دانت ہونٹوں سے پہلے مسکراتے —— پھر اس پھیلاؤ میں ناک کے نتھنے ابرو گال ماتھا کان سب شامل ہو جاتے —— میرا خیال ہے وہ لوگ بھی جو اس کی پشت پر بیٹھے ہوتے اس کی مسکراہٹ کے اثر سے بچ نہیں سکتے تھے۔

ماڈرن لباس میں یوگا کرنے والا پروفیسر بڑی چمک دار مسکراہٹ کے ساتھ اٹھا۔ اس نے بل ادا کیا۔ بیرے کو ٹپ کے ساتھ مسکراہٹ کا عطیہ دیا —— پھر سارے میں مسکراہٹ کی سرچ لائٹ ڈالی اور لمبی چوڑی تمہید کے بغیر کہا "اچھا قیوم پھر ملیں گے؟"

"کب سر —— کب۔؟"

"یہاں کہیں کبھی —— ملاقات کو اوقات کا پابند نہیں ہونا چاہیے۔"

میں اس کے بغیر عجیب بے بسی محسوس کر رہا تھا۔

"لیکن سر ——"

"میں تمہارا استاد ہوں قیوم مجھے تمہاری فسٹ ڈویژن کی بہت فکر ہے —— سو لانگ ——"

اس نے پلٹ کر میری جانب نگاہ نہ ڈالی اور ہوٹل کا دروازہ کھول کر باہر چلا گیا۔

مجھے پروفیسر سہیل کی باتوں پر اعتماد تو نہ تھا لیکن اب میں باقاعدگی سے یوگا کرنے لگا۔ سانس کی ورزش سے اتنا فرق ضرور ہوا کہ اب مجھے احساس ہونے لگا کہ مجھ میں قوت کا ایک خزانہ ہے اور یہ قوت میرے اندر جمع ہو رہی ہے۔ میں ابھی تک اپنا ڈھکنا کھول کر اس قوت کو پہچاننے میں کامیاب تو نہ ہوا تھا لیکن اب مجھے کبھی کبھی لگتا کہ میں پھیپھڑوں کی جگہ پیٹ سے سانس لے رہا ہوں۔

پروفیسر سہیل سے ملنے کے بعد میں نے آفتاب کو خط لکھنے بند کر دیئے۔ اسے خط لکھ کر وائی ایم سی اے کے آگے پرزہ پرزہ کرنا اب میرا شعار نہ رہا۔ اگر میں اسی طرح یوگا کرتا رہتا تو شاید حالات کچھ اور ہوتے لیکن اس روز جب میں مہاتما بدھ کی طرح آلتی پالتی مارے کنول آسن بیٹھا تھا تو ایک استری میری زندگی میں وارد ہو گئی —— اس کے آنے سے پہلے ٹھن سے دروازے کے اوپر لگی ہوئی بریکٹ سے پیتل کا ڈنڈا گرا۔ تپسیا کا

عورت سے بڑا پرانا رشتہ ہے۔ اینٹ کتے کا بیر ہے —— جہاں ایک موجود ہو۔ دوسری اس مقناطیسی حدود کی طرف بڑھتی چلی آتی ہے۔

عورت اور تپسیا۔

یہ دونوں کھلی دشمن ہیں اور پھر بھی ایک دوسری کے تعاقب میں رہتی ہیں۔

پہلے بریکٹ سے پیتل کا ڈنڈا گرا، پھر ساتھ ہی فیروزی رنگ کے پردے میں کوئی لپٹا لپٹایا آگے بڑھا، پھر پیتل کے راڈ سے پردہ علیحدہ کرتی ہوئی ایک بھرجوان عورت باہر نکلی۔

یوگا کرنے لگو تو اسی نقشے کی عورتیں اسی طرح وارد ہوتی ہیں۔

"ہائے ہائے یہ پردہ ٹانگ رکھا ہے آپ نے؟"

"بدقسمتی سے راڈ چھوٹی ہے اور دروازے کا تختہ جب بھی پردے سے لگتا ہے پردہ گر جاتا ہے۔"

"تو کوئی علاج کریں ناں۔ ابھی اگر یہ پیتل کا ڈنڈا میرے سر لگ جاتا تو میں ختم ہو جاتی فوراً۔ چلو جی میرے میاں کو تو خوشی ہوتی، لیکن میری بڈھی ماں تو مرجاتی ناں غم سے۔"

میں نے آسن چھوڑا۔ سینے میں رُکے ہوئے سانس کو ہموار کیا اور اس کی طرف نگاہ کی۔ جب کبھی کوئی شخص تپسیا سے نکل کر کسی عورت کی طرف دیکھتا ہے، اس کی حسیات پر عورت دوگنی شکتی سے حملہ آور ہوتی ہے۔

اس کے ایک ہاتھ میں خط تھے دوسرے بازو پر راڈ سمیت فیروزی پردہ لٹک رہا تھا۔

"یہ تو جان کا خطرہ ہے آپ اس کا کوئی علاج کیوں نہیں کرتے ——؟" پھر اس نے سارے کمرے کو بغور دیکھا۔ ان دھلے برتن، کئی دنوں کا بکھرا ہوا بستر، رضائی پر پڑے ہوئے دھلے ان دھلے کپڑے، کھلی کتابیں، پھٹے ہوئے کاغذ، الٹی سیدھی جوتیاں، ادھ جلے سگریٹوں کے ٹوٹے، چھپکلیاں، چیونٹیاں، جھینگر، دیواروں سے لگے جالے، دھندلائے بلب، ادھ کھلی الماری سے لٹکتے کپڑے کتنا کچھ تھا —— پھر عورت تو تھوڑی بات سے لمبا نتیجہ اخذ کرنے والی ہوتی ہے اس نے ایکسرے کی آنکھوں سے سب طرف دیکھا اور

بولی———— "ٹھیک ہے———— آپ کیا پردہ ٹھیک کرائیں گے یہاں سائن کریں ڈاکیا نیچے کھڑا ہے۔"

میں نے اس سے رجسٹری لے کر رسید پھاڑی اس پر دستخط کئے۔ تاریخ ڈالی اور رسید واپس کر دی۔

"آپ نے تکلیف کیوں کی———— کسی بچے کے ہاتھ بھجوا دیتیں۔"

"بچے———— تھوڑی ہیں سؤر کے بچے ہیں۔ صرف سائیکل چلانے کا شوق ہے۔ باقی کچھ نہیں کرتے بھابھی صولت بے چاری کی تو مت ماری گئی ہے، فرید اور مسعود تو 007 بنیں گے بڑے ہو کر۔"

وہ رسید پکڑے کھڑی رہی۔

"کس کا خط ہے؟———— کھول کر تو دیکھیں آخر رجسٹری ہے۔"

تین خطوں میں سے ایک امریکن سنٹر کے پروگراموں کی تفصیل سے متعلق تھا۔ دوسرے خط میں ایک نیم مذہبی عبارت کا پیراگراف رقم تھا۔ اس کے لکھنے والے نے اپنا نام اور پتہ کچھ ظاہر نہ کیا تھا۔ صرف یہ دھمکی صادر فرمائی تھی کہ اگر میں تین دن کے اندر اندر ایسی عبارت کے سات خط مختلف لوگوں کو پوسٹ نہیں کروں گا تو مجھ پر کوئی ناگہانی آفت آئے گی۔ اس کے بعد چند ان بدنصیب لوگوں کے واقعات رقم تھے، جنہوں نے ایسے زنجیری خط کو اہمیت نہ دی اور کیسے ان پر بربادی آئی۔ کسی کا گھر جل گیا۔ کسی کا جوان بیٹا فوت ہوا۔ کسی کو حادثہ پیش آیا اور کوئی مقدمہ میں ماخوذ ہوا۔

"رجسٹری تو کھول کر دیکھیں————" وہ دھمکی کے ساتھ بولی۔

میں نے اس کے ڈر سے رجسٹری کھولی۔ اس میں میرے انٹرویو کی تاریخ اور وقت مقرر تھا۔

"انٹرویو ہے۔"

"کس کا؟"

"میرا———— ریڈیو سٹیشن پہنچنا ہے پرسوں۔"

"اچھا۔ پروڈیوسری کی نوکری ہے نا۔"

میں ہکا بکا اس کی شکل دیکھتا رہا اور وہ خط کی رسید لے کر نیچے سیڑھیاں اتر گئی۔

شکل سے تو وہ اس قدر متجسس نہیں لگتی تھی لیکن عورتوں کی معلومات حیرت انگیز ہوتی ہیں۔ ان کو تمام رشتہ داریاں، کپڑوں کی قیمتیں، مردوں کی تنخواہیں سمیت سارے الاؤنسوں کی تفصیل، کس سن میں کون بیمار ہوا؟ کس لڑکی کی منگنی کیونکر ٹوٹی، یہ سب کچھ اور بہت کچھ بغیر پوچھے پتہ چل جاتا ہے، وہ باتوں میں سے ہی اپنے مطلب کی ساری معلومات اخذ کر لیتی ہیں۔ جیسے پھول مٹی سے رنگ اور خوشبو کھینچتے ہیں ایسے ہی گپ چپ عمل کے ساتھ۔

اس کے جانے کے کچھ لمحوں بعد میں نے اپنے سر کو جھٹکا اور پھر اپنے یوگا کی طرف متوجہ ہو گیا۔ اس بار میں سمہا آسن جمائے شیر کی طرح بیٹھا تھا جب ادھ کھلے دروازے میں وہ پھر نمودار ہوئی۔

"ہائے یہ کیا ہو رہا ہے۔"

میں نے آنکھیں کھولیں۔ سانس چھوڑا اور بدن کو ڈھیلا کر دیا۔

"یہ آپ کیا کر رہے ہیں۔؟"

"کچھ نہیں ——" میں نے اسے کسی قسم کی تفصیل دینے میں اپنی ذلت سی محسوس کی۔

"ابھی پہلے آئی تھی تو اور طرح بیٹھے تھے، اب آئی ہوں تو اور اڑنگ بڑنگ ہو رہے ہیں بات کیا ہے؟"

"میں یوگا کر رہا تھا ——" میں نے ایسے کہا جیسے چوری کر رہا تھا۔

"وہ کیا ہوتا ہے؟"

"ایک قسم کی جسمانی اور روحانی تعلیم ہوتی ہے۔"

وہ آرام سے میری چارپائی پر بیٹھ گئی۔ عمر میں وہ مجھ سے ضرور چھوٹی ہو گی۔ لیکن جسم کی ساخت سے لگتا تھا کہ وہ شادی شدہ ہے اور اسی رعایت سے اس کی باتوں میں ایک کھلا ڈلا پکا پن تھا۔

"صبح سیر کریں اور نماز پڑھیں باقاعدگی سے۔"

"اچھا ——" میں نے نظریں جھکا کر جواب دیا۔ اس نے حکم چلانے کا کیا سیدھا سا طریقہ نکالا تھا۔ اسے معلوم ہی نہ تھا کہ کبھی کبھی انسان کے سر میں کوئی دھن سما

جاتی ہے اور پھر نکالے نہیں نکلتی۔ ایسے ہی میرے ذہن میں سیمی کا تصور بیٹھ گیا تھا۔ پانیوں سے بوجھل جہاز کی طرح ـــــ اور یہ خیال صبح کی سیروں سے نکالنے اتنے آسان نہیں ہوا کرتے۔

"اچھا پردہ پکڑائیں ـــــ بریکٹ آپ خود ٹھیک کر لینا۔ کم از کم اس کو سی دوں۔"

"میں سلوا لوں گا ـــــ آپ تکلیف نہ کریں۔"

"میں غلط تو نہیں سی دوں گی ـــــ سلائی کے سکول میں کورس پاس کیا ہے میں نے۔"

میں نے چپکے سے اسے پردہ تھما دیا۔

"قینچی ہے آپ کے پاس ـــــ" اس نے پردے کے ان سلے دونوں پٹ ناپتے ہوئے پوچھا۔

"مونچھوں والی قینچی ہے۔"

"چلیں لائیں وہی دیں۔"

پھر اس نے دونوں پردوں کے سرے ملا کر مجھے پکڑا دیئے۔ "ذرا کان نکال لوں ـــــ اب کچھ دیر ہم دونوں پردے کے سرے پکڑے ہوئے اس کی آڑ نکالتے رہے۔

"کتنا نیفہ رکھوں؟ ـــــ ڈنڈے کے لئے؟"

"مجھے کیا معلوم۔"

"ہاں کیسے معلوم ہو سکتا ہے ورنہ اب تک کچھ کر نہ لیتے۔"

اس نے قینچی سے وافر کپڑا کاٹا اور جھپاک جھپاک ٹانکے لگانے لگی۔

میں اس کی موجودگی میں ایسے محسوس کر رہا تھا جیسے بن کنڈی والے غسل خانے میں نہا رہا تھا۔ کبھی کبھی وہ کپڑے سے نظر اٹھا کر کمرے کو دیکھ لیتی جیسے اس کمرے کے متعلق اس کے کچھ عزائم تھے۔ مجھے اس سے ایک ہلکا سا اندیشہ پیدا ہو گیا۔ وہ دھننے والی عورت تھی۔ اس کے ہاتھ پاؤں اتنے گندمی تھے جیسے ابھی ابھی ڈبل روٹی کا میدہ گوندھتے ہوئے آئے ہوں ـــــ ان ہاتھ پیروں سے مجھے اچانک خوف پیدا ہو گیا۔

"آپ ہر وقت تھوکتے کیوں رہتے ہیں؟——" کچھ دیر کے بعد وہ بولی۔

"میں؟——" مجھے معلوم نہیں تھا کہ میں ہر وقت تھوکتا رہتا ہوں۔

"سارا وقت نیچے آواز آتی ہے اخ تھو—— اخ تھو—— یہ گندی عادت ہے۔"

میرا جی چاہا کہ اسے زبردستی پلنگ سے نیچے دھکیل دوں، لیکن جسم سے وہ مضبوط نظر آتی تھی۔

"پتہ ہے میں کون ہوں——؟" اس نے سوال کیا۔

میں نے اٹھ کر غسل خانے کا دروازہ کھولا۔ سنک میں تھوک پھینکی اور باہر نکل کر دروازے کے ساتھ لگ کر کھڑا ہو گیا۔ اس کے سامنے اس بات سے لاعلمی ظاہر کرنے میں مجھے شرمندگی سی محسوس ہونے لگی۔

"کچھ تھوڑا سا اندازہ ہے مجھے۔"

اس نے ابرو اٹھا کر یوں مجھے دیکھا جیسے میری بات کا یقین نہ ہو۔

"جناب میں آپ کی بھابھی صولت کے ماموں زاد بھائی کی بیوی ہوں—— یعنی آپؐ کی بھابھی کی بھابھی۔"

میں نے اس سے پیچھا چھڑانے کے لئے میر کا دیوان کھولا اور لمبی بحر کی غزلیں دیکھنے لگا۔ اس کے ہاتھ سے سوئی گر گئی تھی اور وہ بڑے انہماک سے اسے تلاش کرنے میں مشغول تھی۔

"میرا نام—— پتہ ہے آپ کو؟"

مجھے اب ہلکا ہلکا غصہ آنے لگا۔ بھلا وہ کون ہوتی ہے میرے کمرے میں یوں آنے والی؟ اور یوں تحکمانہ لہجے میں—— میری انکوائری کرنے کا اسے کیا حق تھا؟ اس رنگ روپ کی عورتوں سے تو ویسے بھی میں نے کبھی کوئی غرض نہ رکھی تھی۔

"عابدہ——" میں نے یونہی کہہ دیا۔

"ہائے آپ کو کیسے پتہ چلا۔" وہ خوشی سے بولی۔

"کئی باتوں کا چہرے سے پتہ چل جاتا ہے۔"

"اچھا!——" وہ خوش دلی سے مسکرائی۔ اس کی گالوں میں آٹھ سالہ لڑکی

جیسے گڑھے پڑ گئے۔ یہ میرے لئے نئی بات تھی۔ میں نے عرصہ سے ایسی کوئی عورت نہ دیکھی تھی جس کی گالوں میں مسکراتے وقت گڑھے پڑتے ہوں۔

مجھے مرد کی ٹھوڑی اور عورت کی گالوں کے گڑھے قطعاً پسند نہیں۔ اس طرح مجھے ان کے چہروں پر بلاوجہ چپ نظر آنے لگتے ہیں۔

"آپ نیچے کیوں نہیں آتے——— سب لوگوں میں کیوں نہیں کھاتے پیتے؟"

"بس شروع سے میرا محاورہ نہیں——— میں کبھی رشتہ داروں میں بیٹھا نہیں۔ ان سے بات کرنے کا مجھے ڈھنگ نہیں آتا۔"

"یہ کوئی اچھی بات تو نہیں ہے۔ رشتہ دار مارے گا تو چھاؤں میں تو پھینکے گا۔"

"میں ایسی بند بند سوچوں کا عادی نہیں تھا۔ وہ رسم و رواج، محاورے، شگون، جکڑ بند عادتوں کی سخت تربیت میں پلی لگتی تھی۔ اس کی ساری سوچ میں کہیں اپنی سوچ کا شائبہ تک نہ تھا۔ ایسے لگتا تھا جیسے وہ کبھی دبدھا، دوہرے راستے اور بلاوجہ فکر کرنے سے آشنا ہی نہ رہی ہو۔ میرے لئے ایسی شخصیت تباہ کن حد تک بور کرنے والی اور نئی تھی۔

"بری بات ہے ایک ہی گھر میں رہنا اور اجنبیوں کی طرح۔"

"بری بات تو ضرور ہے لیکن کچھ بُری باتوں پر گھر والوں کا سمجھوتہ ہو جاتا ہے۔"

پردہ سی کر اس نے پیتل کی راڈ اس میں پرو دی۔

"دیکھیں دونوں طرف آپ لکڑی کی بریکٹ لگوا لیں، پھر دروازہ اندر کھلے چاہے باہر——— یہ پیتل کا ڈنڈا نہیں گرے گا۔"

"حیرانی کی بات ہے یہ چھوٹی سی پریکٹیکل بات مجھے کبھی نہیں سوجھی تھی۔"

"اچھاجی!"

اس کا حکم ماننے میں مجھے ہلکی سی لذت ملنے لگی تھی۔

"فیروزی رنگ آپ کو پسند ہے۔"

"پتہ نہیں۔"

"آپ کو پسند ہو گا تو آپ نے یہ پردہ خریدا ناں۔"

میں نے یہ پردہ پسند کرنے کی وجہ سے نہیں خریدا تھا لیکن یہ بات میں اسے سمجھا نہیں سکتا تھا۔

"بڑا گندا رنگ ہے ——— آتشی گلابی اور فیروزی ——— پردوں کے لئے یہ رنگ تھوڑی ہوتے ہیں۔"

"اچھا پردوں کے لئے کوئی خاص رنگ ہوتے ہیں۔"

"اور کیا ——— ؟"

میں نے آج تک ہر لڑکی میں یسی کو دیکھا تھا۔ یسی انگریزی اشتہاروں میں سے نکلی ہوئی لڑکی تھی۔ ہفتوں غسل نہ کرنے کے باوجود وہ کبھی میلی نہیں لگی۔ وہ آرٹ پیپر پر چھپے ہوئے متن جیسی تھی۔ اس وقت میرے سامنے متوسط طبقے کی ایک گرہستن بیٹھی تھی۔ جس کا جسم چوکی پر بیٹھ کر لکڑی کی ڈوئی چلانے کا عادی تھا۔ اس کے گھٹنے ٹخنے ہاتھ اور پاؤں سب آٹا گوندھنے کی غمازی کرتے تھے۔ حالانکہ وہ دبلی تھی، لیکن اس کا جسم جائز جگہوں پر ایسے بھرا ہوا تھا کہ وہ گول گول اور چربیلی دکھائی دیتی تھی۔ اس کے کندھے کولہے ٹخنے کلائیاں سب بھاری تھے۔ پیٹ نہیں تھا لیکن پشت سے کمر چوڑی تھی۔

عابدہ کو ماڈرن لباس کا سلیقہ نہ تھا۔ اس نے بڑے بڑے پھولوں کے پرنٹ کا نائیلونی سوٹ پہن رکھا تھا۔ بازو چوڑیوں سے لبالب بھرے تھے۔ ناک میں چھوٹی سی تیلی تھی۔ چوڑیوں کے باوجود اس نے گھڑی بھی باندھ رکھی تھی۔ بعد میں مجھے پتہ چلا کہ وہ جب بھی تیار ہوتی ہے کثرت سے ہوتی ہے اور اسی کثرت کی وجہ سے بیہودہ لگتی ہے، جب کبھی وہ بغیر تیار ہوئے بے دھیانی آتی خوبصورت لگتی، لیکن بنی ٹھنی عابدہ برتھ ڈے کیک تھا، جس کو دیکھ کر دل یکدم اداسی سے بھر جاتا ہے۔

"آپ بھابھی سے پوچھ لیں میں کسی کا کام نہیں کرتی پر ——— آپ کا کمرہ دیکھ کر ترس آگیا اسی لئے پردہ سیا ہے میں نے۔"

"شکریہ ترس کا بھی اور پردے کا بھی ———" میں نے جواب دیا۔

"جس روز میں آپ کے گھر آئی تھی اس روز مجھے آپ پر بھی ترس آیا تھا ——— بڑا۔"

"کیوں؟"

"آپ گھر کے سامنے کھڑے تھے۔ ہماری ٹیکسی والے نے موڑ سے ہارن دیا۔ لیکن آپ اپنی جگہ سے نہیں ہٹے کھڑے رہے۔ میں نے سوچا یہ آدمی تو پاگل ہے۔ سڑک

کے درمیان کھڑا آسمان دیکھ رہا ہے۔"

میں نے ایک دبی سی سانس لی۔

"پھر ٹیکسی والے نے آپ سے دو قدم ادھر زور سے بریک ماری۔ آپ تو بُری طرح گرے —— میرا تو ہنستے ہنستے بُرا حال ہو گیا —— ہے نا؟!"

"اچھا ترس ہے آپ کا۔"

اب وہ دوبارہ ہنس رہی تھی۔ آنسو اس کی آنکھوں سے گڑھوں میں گر رہے تھے۔ اس کے جسم کے وافر حصوں کا گوشت جیلی کی طرح ہل رہا تھا۔

میں نے اٹھ کر کھڑکی کھولی اور سڑک پر تھوک پھینکی۔ دور تک میں اپنی تھوک کا نگاہوں سے تعاقب کرتا رہا۔

"پتہ میں دل کی بُری نہیں۔ پر اگر کوئی میرے سامنے گر جائے چاہے وہ بچہ ہی کیوں نہ ہو، مجھے ہنسی آجاتی ہے۔ میں کروں کیا؟ ایک دفعہ میرے ابا جی دہی لائے، مغرب کی نماز کے بعد ڈیوڑھی میں پڑی ہوئی تھی چوکی، باہر روشنی تھی۔ ڈیوڑھی میں کچھ تو شام کا اندھیرا تھا، کچھ بندھی ہوئی بھینس کی وجہ سے کم نظر آتا تھا۔ ابا جی پیالہ پکڑے ہوئے دروازے سے داخل ہوئے تو لگے چوکی میں۔ دہی نہیں گرا، صرف ابا جی کے ہاتھ سے پیالہ گر کر چکر لگاتا عین بھینس کی کھرلی کے سامنے جا پہنچا۔ ابا جی جو تھے ناں۔ وہ منہ کے بل چوکی پر گرے دونوں ہاتھ باہر ٹھوڑی باہر کو نکلی ہوئی اس طرح۔"

وہ میرے پلنگ پر اوندھی لیٹ گئی۔ ابھی ابا جی کی طرح وہ ٹھیک سے ٹھوڑی اور بازو دکھا بھی نہ سکی تھی کہ ایک بار پھر اسے ہنسی کا دورہ پڑ گیا۔ وہ دیر تک جیلی فش کی طرح پلنگ پر ہلتی رہی۔ جب ہنسی کا دورہ کم ہوا تو وہ منہ سے آنسو پونچھتی اُٹھی اور بولی —— "پتہ ہے نہ پیالے کو خراش آئی نہ ابا جی کو —— پر بھینس کے مزے ہو گئے۔ اس نے منہ جھکایا اور دہی چاٹنے لگی۔ اماں دور سے آوازیں دیتی آئیں۔ کم بخت دہی اٹھاؤ دہی —— لیکن میں تو مارے ہنسی کے ڈیوڑھی میں بیٹھ گئی —— ابا جی اندر چلے گئے پیالہ اٹھایا گیا لیکن میں دیر تک بیٹھی ہنستی رہی وہاں اکیلی۔"

عابدہ جب بھی ہنستی تو اکیلی شروع ہو جاتی۔ میری ہنسی جب بند بھی ہو جاتی تب بھی وہ ہنستی رہتی —— اکیلی —— ایسے میں اس کا جسم، پیٹ، کولہے، دانت، آنکھیں

سب ہنستی رہتی تھیں۔

بڑی دیر بعد جب حالات نارمل ہوئے تو اس نے حیرانی سے پوچھا —— "آپ کو ہنسی نہیں آئی؟"

"کس بات پر؟"

"اباجی کے گرنے پر۔"

"میں عموماً کم ہنستا ہوں۔"

اس نے خشک سی نگاہوں سے مجھے دیکھا اور بولی —— "صولت باجی ٹھیک کہتی ہیں۔ کتابوں نے آپ کے دماغ میں فتور بھر دیا ہے —— یہ سب اکیلے بیٹھے رہنے کا نتیجہ ہے۔"

ہم دونوں چُپ رہ گئے۔ بڑی دیر تک وہ پردے کو ٹانگ کر نچلی طرف سے نیفہ سیتی رہی۔

"باجی صولت مجھے کچھ بتا رہی تھیں۔"

مجھے ہلکا سا پسینہ آگیا۔ میں سمجھتا تھا کہ جس طرح میں اپنے بھائی کے خاندان سے کٹا ہوا ہوں اسی طرح وہ لوگ بھی مجھ سے مکمل لاتعلقی کا وقت گزارتے ہوں گے۔

"کیا؟"

"وہ پھر ہنسنے لگی۔"

"کیا سنا ہے آپ نے؟"

"بس کچھ۔"

اس وقت میرے جی میں آئی کہ اس کے ہاتھ سے سوئی دھاگہ چھین لوں اور اسے سلام کر کے رخصت کر دوں لیکن وہ ایک بھاری شیرنی کی طرح دروازے کے وسط میں بیٹھی اس توجہ سے سوئی میں دھاگہ پرو رہی تھی کہ اس کی گہری شربتی آنکھیں بھینگی نظر آتی تھیں۔

اس وقت میں از سر نو آفتاب کو خط لکھنا چاہتا تھا۔ اس مشغلے کے لئے تنہائی کی ضرورت تھی لیکن مجھ میں اتنی ہمت نہ تھی کہ میں اسے کمرے سے نکال دیتا۔

"پھر بھی —— کیا سنا ہے آپ نے؟ —— " بڑی دیر کے بعد میں نے سوال

کیا۔

اس نے چترائی سے مجھ پر نگاہ ڈالی اور بولی —— "خیر اس عمر میں لڑکیوں کا چکر ہوتا ہی ہے؟ —— ہے نا؟"

"کون سی لڑکی؟"

"بھابھی بتا رہی تھی۔"

"کیا —— آخر —— کیا بتا رہی تھیں بھابھی صولت؟"

"وہ آپ کے ساتھ کالج میں پڑھتی تھی —— ہے نا؟ —— اس کے کسی اور لڑکے سے بھی تعلقات تھے؟ —— ہے نا؟ —— یہ دو دو —— تین تین جگہ تعلقات ہو کیسے جاتے ہیں بھلا؟"

میرے کان لہو کی وافر گردش سے سنسنانے لگے۔ میں آج تک یہی سمجھتا تھا کہ جو کچھ میرے اندر اور باہر ہوتا ہے اس کی کسی کو کانوں کان خبر نہیں ہوتی۔

"آپ کو پتہ تھا کہ اس کے تعلقات کسی اور سے ہیں؟ —— ہیں پتہ تھا آپ کو؟" عابدہ نے سوال کیا۔

میں اس اجنبی عورت کی باتوں کا جواب نہ دینا چاہتا تھا لیکن اس کی آنکھیں مکمل استفسار تھیں۔

میں نے سر کے اشارے سے اثبات میں جواب دیا۔

"ہائے جب آپ کو پتہ تھا کہ وہ کسی اور سے ملی ہوئی ہے تو پھر آپ اس کے پیچھے کیوں لگے ہوئے تھے دفع کرنا تھا ایسی دوموہی کو۔"

عابدہ کا لہجہ مڈل کلاس کی عورت کا تھا۔ اس میں نزاکت، وضع داری، بناوٹ اور رکھ رکھاؤ نام کو نہ تھا۔

میں سیمی کے وجود کے ساتھ ملی ہوئی کا تصور بھی نہ کر سکتا تھا۔

"دفع دور —— کسی کا جھوٹا کھانا —— ایسے سے تو روزہ ہی اچھا۔"

"ہاں۔"

"یہ حرام کاری ہوتی ہے سیدھی —— چاہے آپ تعلیم یافتہ لوگ اس کا کوئی اور نام رکھ لیں اچھا سا —— حرام سے اللہ نے منع کیا ہے۔"

میں نے سر جھکالیا پھر کچھ دیر بعد بولا ——— "عابدہ کبھی کبھی انسان اندر سے کئی مرتبہ دفع دور کہتا رہتا ہے۔ لیکن روزہ نہیں رکھ سکتا ——— یہ حرام آہستہ آہستہ اس کے سارے لہو میں سرایت کر جاتا ہے۔"

اس نے حیرانی سے میری طرف دیکھا پھر کھینچ کر راڈ اتاری اور دونوں پردے ڈنڈے سے اتار کر کندھے پر ڈال لئے ——— "پردے میں نے کچے کر لئے ہیں۔ ذرا ان پر مشین چلا دوں ورنہ سلائی ادھڑ جائے گی ——— آپ بریکٹ ضرور ٹھیک کرا لیں۔"

وہ دروازے کو ننگا چھوڑ کر نیچے چلی گئی۔

پہلی ملاقات میں میرے اور اس کے درمیان ایک ایسا ٹاپک برہنہ ہو گیا کہ اب اس مُردے کو دوبارہ قبر کے اندر بند کرنا میرے بس کی بات نہ رہی۔ اس کے چلے جانے کے بعد میں دیر تک اس بات پر پچھتاتا رہا کہ میں نے سرے سے اس بات کا اقرار ہی کیوں کیا۔ ایک تختے جیسی سپاٹ عورت سے اپنے دیوانے پن کی بات ہی کیوں کی، لیکن بیج مٹی میں مل چکا تھا۔ اب اس کی روئیدگی ہی کا انتظار ممکن تھا۔

آج میں سوچتا ہوں کہ کسی شخص کے حالات بیان کرنے سے اس کا حلیہ بتانے سے اس کی عادات اور سیرت سمجھا دینے سے وہ انسان کبھی سمجھ میں نہیں آتا۔ وہ کن ماں باپ کا بیٹا تھا؟ اس کے بہن بھائی کتنے تھے؟ بچپن مسرت میں گزرا یا جوانی عیاشی میں گزاری۔ اگر کسی شخص کا سارا روزنامچہ بمع اس کی تصویروں کے بھی پیش کر دیا جائے تو بھی وہ شخص مکمل بھید رہے گا۔ اگر ہم کسی نتیجے پر پہنچ بھی جائیں اور اس کی شخصیت کے متعلق ایک نظریہ قائم کرنے میں کامیاب بھی رہیں تو بھی یہ بھید کبھی نہ کھل سکے گا کہ وہ شخص ویسا کیوں ہوا اور کیوں بنا؟ غریبی کے اثرات مختلف لوگوں پر مختلف طور پر کیوں مرتب ہوتے ہیں؟ ایک ہی ماحول میں پلنے والے اتنے جدا جدا راستوں پر کیوں جا نکلتے ہیں؟

دراصل میں عابدہ کو شروع سے آنکنے کی کوشش کرتا رہا۔ لیکن کبھی کسی نتیجہ پر نہ پہنچ سکا۔ وہ بڑی معمولی عورت تھی، بلکہ ٹائپ کی حد تک مڈل کلاس تھی۔ اس کے باوجود وہ اس قدر معمولی بھی نہ تھی۔ جیسے سلیٹ کی خاکی سطح میں کہیں کہیں چمکدار ابرق لگا ہو۔ جب سلیٹ گندی ہو تو نظر نہ آئے۔ صاف ہو تو چمکنے لگے۔ کبھی یہاں کبھی

وہاں ——— میں نہیں جانتا کہ اس کا ماحول اس پر کہاں تک اثر انداز ہوا تھا۔ اس کی جبلتیں، خصائص پیدائشی اوصاف ورثہ میں ملی ہوئی خاصیتیں و درماندگیاں کیا تھیں۔ وہ کہاں تک اپنے genes کے ہاتھوں مجبور تھی، کیونکہ اس کا دل، رسم و رواج، مذہبی پابندی، کم علمی اور ایک خاص معاشی ڈھب کی وجہ سے بڑا سخت تھا۔ دراصل اس کا قلب جس میں وہ ڈھلی تھی اتنا مضبوط تھا کہ مجھے کبھی معلوم نہ ہو سکا کہ وہ موم کی بنی ہے کہ پتھر کی۔ یہ بات صرف عابدہ پر ہی صادق نہیں آتی بلکہ ہم سب پر یہی اصول چلتا ہے۔ اپنی اندرونی اور بیرونی مسافت کا ردعمل ہم سب پر اسی قدر گوناں گوں ہوتا ہے کہ کسی انسان کے متعلق پتہ ہی نہیں چل سکتا کہ دراصل وہ کس چیز سے بنا ہے۔ وہ کیا تھا، کیا ہے اور کیا بن جائے گا؟ اسی لئے عابدہ کو خود سمجھنا اور پھر آپ تک پہنچانا میرے بس کی بات نہیں۔ لیکن سہولت کی وجہ سے آپ میری بات مان لیجئے کہ وہ ایک معمولی عورت تھی۔ اس کے نظریات، بول چال، سوچ مذہبی عقائد سب پر مڈل کلاس کی چھاپ گزگز پر پرنٹ کی ہوئی تھی۔

عابدہ کی مذہبی اور دنیاوی تعلیم چونکا دینے والی نہ تھی۔ بدی اور نیکی کا تصور اس کے ذہن میں الگ الگ خانوں میں بند تھا۔ یوں سمجھئے وہ ایک پاکٹ سائز بہشتی زیور تھا۔ ڈر جاتی تو آیتہ الکرسی پڑھنے لگتی۔ خیالات غلط راستے پر گھسیٹتے تو سورہ الناس پڑھ کر سینے پر دم کر لیتی۔ اس میں ایک خاص قسم کی پریکٹیکل عقل تھی۔ اشیائے خوردنی کی قیمتیں، ٹرینوں کے کرائے اور اوقات، موسمی پھلوں کی گرم سرد خاصیتیں، کپڑوں کا ناقص اور بڑھیاپن جانچنے کے سادہ طریقے، زیور کو ڈھلوانے کے فائدے اور نقصانات، رشتوں کے متعلق محاورے، رسومات کی درست بجا آوری، ایسے ہی کئی معاملات میں اس کی رائے پختہ تھی۔ ان باتوں میں اپنی رائے کے خلاف وہ کچھ سن نہیں سکتی تھی اور اس کے علاوہ کسی اور بات میں دلچسپی لینا اس کے بس کی بات نہ تھی۔

میں مغربی تعلیم کا پروردہ تھا۔ میں ان تمام باتوں پر غور کرنے کا عادی تھا، جو حسیات کے قابو میں نہیں آتیں۔ ان ہی خیال پرستیوں نے میرے وجود کے اندر کئی قسم کے جالے اتارے تھے اور ان کو اتار کر نئے پھندے لٹکا دیئے تھے۔ میں ہکسلے، کانٹ، اینگل، فرائڈ، ایڈلر اور یونگ کی باتیں سننے کا شوقین تھا۔ مجھے یونانی فلسفہ سے لے کر ماڈرن

وقت تک کے کئی غیر حل شدہ مسائل پر حیرت کی نگاہ ڈالنے کی عادت تھی۔ میں چونکہ سوشیالوجی کا طالب علم بھی رہا تھا۔ اس لئے میں سوسائٹی کی مائع حیثیت کو غور سے پرکھنے کا عادی تھا۔ ہوپی قبیلہ کے رسم و رواج، کینیا میں شادی کا رنگ، مصر کی تہذیب میں عورت کا رتبہ، تھائی لینڈ میں رہن سہن کے طریقے، الاسکا کے باشندوں میں شکار کی روایات پر مبنی زندگی، وسط ایشیا میں پامیر کی چوٹیوں پر بسنے والوں کی معاشی بدحالی سے پیدا ہونے والی رسومات، جاپان میں ہیراکیری سے لے کر ماڈرن الیکٹرونک عہد تک پہنچانے والی سائیکی، ہوائی، فلپائن، ملائیشیا، کریٹ، مناکو، سائپرس، سری لنکا جیسے جزیروں کی سمندر سے قریبی وابستگی کے باعث سوسائٹی میں ایک مترنم لہر در لہر جادو مجھے مسحور کئے رکھتا تھا۔ میں گروپ شادی، تعدد ازواج، محرمات کے ساتھ مباشرت سے ابھرنے والے مختلف سوالات کا جواب ڈھونڈتا رہتا تھا۔

عابدہ ان تمام باتوں سے ناآشنا تھی۔

اس کے امر اور نہی بالکل فکس تھے۔

ہماری سوچ مختلف سمت میں چلتی تھی۔ اس کے باوجود ہم دونوں میں ایک رابطہ پیدا ہو گیا جیسے ریل کی متوازی پٹڑیوں میں ہوتا ہے۔ فرق صرف اس قدر تھا کہ اس کی پٹڑی شمالاً جنوباً بچھی تھی اور ڈیلٹا بنا کر عین سمندر میں گرتی تھی اور میں جنوب سے شمال کی طرف دیکھنے کا عادی تھا۔ جس کے سرے پر صبح کا ستارہ ڈوبتا ہے اور برفیلے پہاڑوں سے روشنی آواز بن کر برآمد ہوتی ہے۔

مجھے کچھ دنوں سے السر کی پھر بہت تکلیف تھی۔ تھوڑے تھوڑے وقفے کے بعد تیزابی مادہ ڈکار کی شکل میں منہ کو جلا دیتا۔ چونکہ کھانے پینے کے معاملے میں بے قاعدگی میرا معمول تھی۔ اسی لئے میں ڈاکٹر کی ہدایات پر عمل کرنے سے بھی قاصر تھا۔ جس وقت معدے میں جلن اور درد اٹھتا تو اس وقت مجھے فکر ہوتی۔ ایسے میں جلدی سے میں ایک آدھ بسکٹ کھا لیتا۔ ڈاکٹر نے مجھے دودھ پینے کی کڑی ہدایت کر رکھی تھی —— خشک دودھ کا ایک ڈبہ میرے کمرے میں موجود تھا لیکن بروقت اس کا استعمال ممکن ہی نہ

تھا۔

بریکٹ لگوائے مجھے تین دن ہو چکے تھے اور سہیل سے ملے قریباً دو ہفتے ——— ان دنوں میں راجہ یوگا پر خاص توجہ دے رہا تھا۔ اس طرح یوگا کرنے سے عموماً دنیاوی خیالات سے پیچھا چھوٹ جاتا ہے اور انسان میں سادھی کی مکمل کیفیت پیدا ہوتی ہے۔ ایسے میں دھیان لگانے والا اپنے خالق کے وصال کا شعور پیدا کر سکتا ہے۔ مجھے خالق سے وصال کا تو اس قدر شوق نہ تھا لیکن وہ جو مجھ میں سیمی کا غلبہ پیدا ہو چکا تھا۔ اس سے میں ضرور چھٹکارا حاصل کرنا چاہتا تھا۔

وہ ہر وقت میرے ذہن میں ایک پٹی ہوئی دُھن کی طرح بجتی رہتی۔ کبھی کبھی مجھے اس کی شکل واضح طور پر دیواروں پر کھڑکی کے شیشے میں، تکیے پر، کتابوں کے صفحوں پر نظر آتی۔ میں آدھی آدھی رات تک شہ نشین پر بیٹھا چاند کو تکتا رہتا۔ چاند کو تکے جانے میں ایک گمشدہ جنت کے بہت قریب نظر آنے کی راحت ملتی۔ اس رات بھی میں باہر بیٹھا تھا کوٹھے پر ٹھنڈ تھی اور میں نے اپنے اردگرد چار خانے کا براؤن کمبل لپیٹ رکھا تھا۔ میرے معدے میں رہ رہ کر ہلکا سا درد اٹھتا لیکن سارا سماں چاندنی میں رنگا ہوا تھا۔ کبھی مجھے لگتا جیسے چاند جھولے کی مانند میرے قریب آ رہا ہے کبھی لگتا جیسے وہ موسمی چھان بین کا غبارہ ہے جو رفتہ رفتہ مدھم پڑتا جاتا ہے۔

اس وقت میرے کمرے میں بتی جلی پھر کوٹھے کی طرف کھلنے والے دروازے میں عابدہ نظر آئی۔ اس کے ہاتھ میں سٹین لیس سٹیل کا ٹرے تھا۔ چاند کی روشنی میں اس کی چمک مجھے تلوار جیسی آبدار نظر آئی۔

"اندر آؤ ناں——— باہر سردی لگ جائے گی۔"

اس کے لہجے کی عزت نہ کرنا میرے بس کی بات نہ تھی۔ میں چپکے سے اندر چلا گیا۔ عابدہ نے حسب معمول چائے کا ٹرے میرے پلنگ پر رکھا۔ وہ اب اسی طرح اوپر آتی تھی۔ اس کے ساتھ چائے کی ٹرے اور مونگ پھلیوں سے بھرا تھیلا ہوتا۔ کبھی کبھی تو ہم دونوں ایک نشست میں سیر سیر مونگ پھلی کھا جاتے تھے۔

میرے کمرے میں جو دروازہ نچلی منزل کو جانے والی سیڑھیوں پر کھلتا تھا اس پر روغن نہیں تھا۔ فیروزی رنگ کے پردے سے کوئی دو فٹ ہٹ کر بائیں طرف ایک ایسی

الماری تھی جس کے سامنے تختے نہ تھے۔ اس دیوار سے ملحق دوسری دیوار میں کھڑکی تھی جو نیچے سڑک کی جانب کھلتی تھی۔ اس کھڑکی کے سامنے لوہے کی سلاخیں تھیں اور اگر کبھی میں غور سے اس کو دیکھتا رہتا تو مجھے یوں لگتا جیسے یہ سلاخیں آگے پیچھے ہل رہی ہیں۔ بڑھ رہی ہیں گھٹ رہی ہیں۔ تیسری دیوار پر کپڑے ٹانگنے والی کھونٹی اور غسل خانے میں کھلنے والا دروازہ تھا۔ غسل خانے کے دروازے میں یہ خوبی تھی کہ اس میں باہر کی طرف ایک کنڈی تھی۔ لیکن اندر سے بند کرنے کا کوئی طریقہ نہ تھا۔ جب کبھی مجھے نہانا ہوتا ــــــ میں غسل خانے میں دروازے کے پیچھے کرسی رکھ کر نہاتا۔ آخری اور چوتھی دیوار میں غسل خانے والے دروازے سے کچھ دور ایک اور دروازہ تھا جو باہر والے کوٹھے پر کھلتا تھا اور اس کوٹھے سے پچھلا بے آباد احاطہ نظر آتا، جس میں دھتورے کے جھاڑ انگریزی کیکر کا درخت اور پرانی اینٹوں کا ملبہ بے آسرا پڑا تھا۔ ساری دیوار کے ساتھ میرا نواڑی پلنگ تھا۔ اس پر ایسا بستر بچھا تھا جسے میں نے کبھی دھوپ نہیں دکھائی۔ میرا معمول تھا کہ میں اپنے خط، نقدی، ضروری کاغذات سب اہم چیزیں اس نواڑی پلنگ کی پٹیوں میں چھپا کر رکھتا۔ ایک طرح سے گدے کے نیچے ایک اور دنیا آباد تھی، یہیں سیمی کا رومال بھی لاکر جیسی محفوظ زندگی بسر کر رہا تھا۔

اسی پلنگ کے سامنے والی دیوار کے ساتھ میرا میز تھا، جس پر گندے برتن ــــــ سٹوو میری ادھ کھلی کتابیں کاغذوں کے پرزے، مارکر، سیاہی، گندے رومال سب کچھ اتنی بے ترتیبی سے پڑا ہوتا کہ عابدہ کو سمجھ نہ آتی۔ چائے کا ٹرے کہاں رکھے، یہ شروع سردیوں کا ذکر ہے رات کے وقت عابدہ نے وہ سیاہ رنگ کی چادر اوڑھی ہوتی جس پر گلابی اور فیروزی کڑھے ہوئے پھول تھے۔

اب اس کا معمول تھا کہ جب بھی چائے لاتی رکھنے کی جگہ تلاش کئے بغیر اسے میرے پلنگ پر رکھ دیتی، پھر میز والی آفس چیئر نکال کر اس میں ایسے بیٹھتی کہ اس کی ٹانگیں پلنگ کی پائینتی میری رضائی کے اندر ہوتیں۔ بیٹھنے کے بعد وہ مونگ پھلی کا لفافہ اپنی گود میں رکھ لیتی۔ اس نے چائے بنا کر پیش کرنے کی کبھی زحمت نہ کی۔ یہ مرحلہ ہمیشہ مجھے درپیش ہوتا۔ دراصل اسے باتیں کرنے اور مونگ پھلی کھانے کا بڑا شدید شوق تھا۔ اس کے یہ شوق اس قدر بڑھے ہوئے تھے کہ کبھی کبھی اسے افسوس ہوتا کہ اس کے منہ

میں مونگ پھلی کے دانے ہیں اور وہ بول نہیں سکتی اور کبھی کبھی وہ رنجیدہ ہو جاتی کہ وہ مسلسل بول رہی ہے اس لئے مونگ پھلی کھا نہیں سکتی۔

اس روز اس نے پھر بینگنی رنگ کا سوٹ پہن رکھا تھا۔ مجھے اس رنگ سے وحشت ہوتی تھی۔

"باہر کیا کر رہے تھے۔"

میں نے غسل خانے کا دروازہ کھول کر اندر سنک میں تھوک پھینکا۔

"پھر تھوک رہے ہو ـــــ یہ تھوکنے کی عادت تمہیں کیسے پڑ گئی ہے قیوم۔"

میں نے واپس آکر کمبل اتارا اور الماری میں سے سویٹر اٹھا کر پہننے لگا۔

"باہر کیا کر رہے تھے اتنی سردی میں۔"

میں چُپ رہا۔

"اس کو یاد کر رہے ہو گے ـــــ مری ہوئی چھپکلی کو ـــــ یہ ماڈرن لڑکیاں ایسی ہی ہوتی ہیں۔"

ہماری عادت تھی کہ جب کبھی باتیں کرتے وہ اپنی پٹڑی پر رواں رہتی۔ میں اپنی باتیں کئے جاتا۔ اس کا شوہر اس کا محبوب ٹاپک تھا۔ میں سیمی کی گفتگو کئے بغیر نہ رہ سکتا۔ حالانکہ اس کی بدگوئیوں میں مجھے کوئی دلچسپی نہ تھی اور عابدہ میرا نکتۂ نظر سمجھنے سے قاصر تھی ـــــ

"میں بتاؤں خدا قسم ـــــ میں نے شادی سے ایک نصیحت حاصل کی ہے۔ کسی کو یاد کرنے سے بڑا وقت ضائع ہوتا ہے۔ کئی کام پڑے رہ جاتے ہیں۔"

یکدم مجھے خیال آیا کہ دوسرے دن ٹھیک دس بجے ریڈیو سٹیشن میں میرا فائنل انٹرویو تھا۔ مجھے خطرہ پیدا ہوا کہ کہیں یہی کام پڑا نہ رہ جائے۔

کبھی عابدہ بڑی بے تکلفی سے مجھے تو کہہ کر پکارنے لگتی اور کبھی آپ آپ کر کے زچ کر دیتی۔

"کیا تم یادوں سے آزاد ہو گئی ہو عابدہ؟"

"میں کسے یاد کروں وحید کو دفع دور ـــــ اس کی یاد میں کھے سواہ پڑا ہے۔"

"وحید کون؟"

"میرا میاں اور کون —— کتنی بار میں اس کا نام بتاؤں تمہیں۔"

"ہاں وحید —— تمہارا شوہر۔"

"یاد رکھا کرو ناں —— آخر تمہاری سیمی کا نام میں بھی تو یاد رکھتی ہوں۔"

میں چُپ چاپ چائے بنانے لگا اور تڑاتڑ مونگ پھلی کے چھلکے اس کی کرسی تلے اکٹھے ہونے لگے۔

"کبھی عشق کیا ہے کسی سے عابدہ؟ ——" میں نے پیالی اسے پکڑاتے ہوئے پوچھا۔

"ہمارے جیسے گھروں میں کوئی عشق کرنے دیتا ہے۔ وہاں تو بھائی کی چارپائی پر بیٹھنے نہیں دیتے تھے۔ عشق کرنا تھا میں نے۔ اباجی مولوی اماں قصائن۔"

"پھر بھی —— کبھی، شبہ ہوا ہو —— عقل دنگ رہ گئی ہو کسی کو دیکھ کر؟"

"مجھے تو شک ہی ہوا تھا کہ عشق ہو گیا ہے ادھر اماں کو یقین بھی ہو گیا۔ اس کے بعد اماں نے دو جمعراتیں نہ گزرنے دیں فٹ نکاح کر دیا میرا وحید کے ساتھ۔ یہ سزا دیتے ہیں ہمارے ماں باپ عشق کی —— گاٹا اتار کر رکھ دیا میرا۔"

"کون تھا وہ؟"

"ہمارے گھر کے سامنے بیکری کی دکان تھی اس کی۔ مشین سے ڈبل روٹی کاٹتا وہ مجھے بڑا پیارا لگتا۔ جی کرتا تھا کاش کسی دن اپنی مشین سے وہ میرے بھی ڈکرے کر دے۔ سلائس بنا دے میرے۔"

"بیکری پر اسے ملنے جاتی تھیں تم۔"

"توبہ توبہ مرنا تھا، ہمارے غسل خانے کی کھڑکی کھلتی تھی گلی میں۔ اس کھڑکی سے وہ نظر آتا تھا۔"

"اس کو خبر ہوئی تمہارے دیکھنے کی۔"

"اس کو تو خبر نہیں ہو سکی لیکن اماں کو پتہ نہیں کیسے معلوم ہو گیا۔ مجھے وہ مارا وہ مارا —— وہ مارا اور غسل خانے کی کھڑکی میں لگا دیں پکی میخیں۔"

"پھر ——"

"پھر کیا —— ؟" اس نے مونگ پھلی کے دانوں کو ہتھیلی میں مسل کر پھونک

ماری۔

"کوئی رقعہ کوئی پیام۔"

عابدہ نے نفی میں سرہلایا۔

"بابا شادی ہو گئی میری دو ہفتے بعد ـــــ لیکن بچہ آج تک نہیں ہوا۔"

پہلے میرا خیال تھا کہ اس عشق کی کوئی رنگین وارداتیں ہوں گی۔ پیسٹری جیسی ـــــ بیکری والے سے مکھن ملائی چوکلیٹ سے آراستہ ملاقاتیں ـــــ برتھ ڈے کیکوں جیسی یادداشتیں، لیکن یہ ٹھنڈے بنفشے جیسا عشق تھا جو نہ زیادہ دیر گرم رہتا ہے نہ خوشبودار۔

کچھ عرصہ بعد وہ بولی ـــــ "اور وہ کیسی تھی ـــــ پتلونیں پہننے والی۔"

میں نے آنکھیں بند کرلیں۔ دراصل میں سیمی کا سراپا بیان نہیں کرتا تھا بس اس کی یاد کو پانی کے چھینٹے مار کر بے ہوشی سے جگاتا تھا ـــــ "اس کا رنگ ایسا تھا عابدہ ـــــ جیسے صبح چڑھتی ہے ـــــ جب وہ بیمار ہو گئی تو ـــــ اور بھی خوبصورت ہو گئی۔ پھر میں نے دیکھا کہ وہ میک اپ کے بغیر بے رونق تو لگتی ہے لیکن بدشکل نہیں لگتی۔ وہ ہروقت ہر موسم میں خوبصورت تھی ـــــ اس کی گفتگو تعلیم ـــــ تم سمجھو گی نہیں عابدہ ـــــ وہ بڑی cultured تھی بے حد refined" ـــــ

عابدہ کچی ہو کر ادھر ادھر دیکھنے لگی ـــــ اس کے پاس ایسا کوئی بُت نہ تھا جس کی وہ تعریف کر سکتی۔ اس لئے جب کبھی میں سیمی کا ذکر کرتا وہ خوب زور شور سے وحید کے خلاف باتیں کرنے لگتیں۔

"وحید جیسا شوہر تو رب میری سوکن کو بھی نہ دے۔ ایسا کنجوس، ایسا زبان دراز ـــــ ایسا ہتھ چھٹ ـــــ جب میری شادی ہوئی ہے ناں تو اس نے ظاہر کیا کہ وہ پھل کی منڈی میں آڑھتیا ہے۔ بڑے پھل لایا کرتا تھا چڑھاوے کے ـــــ جب شادی ہوئی تو پتہ چلا کہ پھڑیا ہے منڈی میں ـــــ چلو معمولی پھل فروش ہی ہوتا۔ پر اس نے تو کبھی پھل کی بہار نہ لگائی گھر پر۔ گن کر مالٹے لاتا تھا اور وہ بھی کبھی ثابت ایک مالٹا ہتھیلی پر نہیں رکھا۔ ہمیشہ چھیل کر پھانکیں دیتا۔ تھا۔ جب ایک بار اس کے منہ سے بس نکل جاتی تو کسی کی کیا مجال کہ اس کے سودے کو کوئی ہاتھ لگا سکے۔ کیڑے والے امرود

تک نہیں دیتا تھا۔ ان کی بھی چاٹ بنا کر بچوں کو بیچ دیتا تھا۔ محلے میں اور اپنی کنجری ماں آجاتی تو انار کا رس نکال کر دیتا ——— تمہیں کیا پتہ وحید کیا ہے۔"

اب ہم اپنی اپنی پٹڑی پر چلتے رہتے وہ شمالاً جنوباً ——— میں جنوباً شمالاً۔

"یہی امریکن ایکٹرس کی طرح تھی عابدہ جب وہ ہسپتال میں داخل ہوئی ——— تو۔"

"میں نے کئی خاوند دیکھے ہیں کیسی فکر ہوتی ہے ان کو بیویوں کی ——— ادھر بیوی کو حمل ہوا، اُدھر وہ ہر رُت کی سبزی ترکاری لانے لگے۔ کوئی کنگلا نہیں ہے اچھی بھلی کریانے کی دکان ہے اب ——— اندر والی جیب بھری ہوتی ہے شلوکے کی نوٹوں سے ——— خدا قسم میری پڑوسن کے پانچواں بچہ ہے اس کے حکم سے پکتا ہے۔ صبح و شام ——— جو منہ سے نکل جائے حاضر ——— تین سیر برف آتی ہے اس کے لئے الگ پھل ٹھنڈا کرنے کو ——— وحید نے تو کبھی پروا نہیں کی۔"

"لیکن تم تو کہتی تھیں کہ تمہارے کوئی بچہ نہیں ہے۔"

عابدہ جل کر بولی ——— "بچے نہیں ہوئے تو کیا ہوا حمل تو ٹھہرا ہے ناں تین دفعہ۔" مجھے اس کے کسی حمل سے کوئی غرض نہیں تھی۔ بلکہ اسے حمل زدہ حالت میں سوچ کر مجھے ابکائی سی آنے لگی۔

"جب وہ ہسپتال میں تھی عابدہ ——— تو اس کے ہاتھ پاؤں ٹھنڈے ہو جاتے تھے، میں کئی کئی گھنٹے اس کے پاؤں گرم کرنے کے لئے پکڑے رہتا تھا۔"

یکدم اس کو آگ لگ گئی ——— "گرم پانی کی بوتل نہیں ہوتی تھی ہسپتال میں۔"

"ہوتی تھی ——— ہوتی تھی ——— لیکن مجھے آرام ملتا تھا ——— اس کے پاؤں گرم کرکے۔"

عابدہ نے مونگ پھلیاں کھانی بند کر دیں ——— "جب وہ شہدی بدمعاش کسی اور کے لئے مر رہی تھی تو تم اس کے پاؤں کیوں گرم کرتے تھے ہاتھوں سے خواہ مخواہ ——— ایسی جی حضوریوں سے لڑکیوں کے دماغ خراب ہو جاتے ہیں۔"

میں نے لمبی آہ بھری اور ہولے سے کہا ——— "کبھی کبھی بڑی مجبوری ہوتی

ہے عابدہ —— خدا تمہیں کبھی مجبور نہ کرے۔ لیکن اگر کچھ لوگ تم پر نہ بھی مریں تو بھی ان کے پاؤں گرم کرنے پڑتے ہیں۔"

بڑی لاتعلقی سے اس نے اچھا کہا اور چائے پینے لگی۔

"خدا قسم قیومی —— ایسے مرد سے کبھی شادی نہ ہو جسے ابھی اپنی ماں کی پکھڑ کا شوق ہو۔ بڈھے پھونس ہو جائیں گے، لیکن گودی کا شوق نہیں جائے گا۔ بکری کے میمنے کی طرح ماں ماں کرتے مریں گے یتیم —— ویسے تم مانو نہ مانو ساری مرد ذات ماں کی خصم ہوتی ہے۔"

"کیا لڑکی کو اپنی ماں سے پیار نہیں ہوتا؟"

"ہوتا ہے شادی تک —— بعد میں وہ خود ماں بن جاتی ہے۔ پھر وہ ماں پر کیوں مرے؟ یہ مرد ذات کا تو ہڑکا ختم نہیں ہوتا ماں کا —— یہ وحید ہے نا —— کریانے سٹور والا —— میرا شوہر —— عام طور پر مرد زن مُرید ہوتے ہیں یہ ماں مُرید ہے —— اماں جی خضاب لگالو —— شیشہ لے کر کھڑا ہے —— اماں جی بیر کھالیں موسمی میوہ ہے —— اماں جی پیر دبادوں آپ کے —— اماں جی اماں جی —— جب یہ مرے گا تو میں اس کے کتبے پر لکھواؤں گی یہاں ایک ماں کا یار دفن ہے ——"

عابدہ بڑی فتور یا عورت تھی۔ جب وحید کے متعلق باتیں کرنے لگتی تو اس کی باتیں ہر ردیف قافیے کی قید سے آزاد ہو جاتیں۔

"کیا پتہ تم پہلے مر جاؤ۔"

"اچھا ہے جو میں مر جاؤں پہلے —— یہ عاشقی معشوقی جو ماں بیٹے میں چلتی ہے اس سے تو چھٹی ملے، رج رج کر جپھیاں ڈالیں ایک دوسرے کو۔"

"جب تم ماں بن جاؤ گی تو کیا اپنے بیٹے سے پیار نہ کرو گی۔"

"کروں گی —— کروں گی —— لیکن سہاگا نہیں پھیروں گی اس کی جڑوں میں —— کسی دوسری جوگا بھی چھوڑوں گی اسے۔"

مجھے اس ماں بیٹے کے عشق سے وحشت ہونے لگتی۔

"اسے آفتاب سے ایسی محبت تھی جیسے میرا بائی کو اپنے گردھر سے تھی —— اس کا اوڑھنا بچھونا سب آفتاب تھا۔"

عابدہ تنگ نظری کی حد تک وطن پرست پاکستانی تھی۔ اپنی وطن پرستی کے باعث وہ کسی ہندو کا نام لینا بھی گناہ سمجھتی تھی۔

میرا بائی کا نام سن کر جھٹ بولی ـــــ "سنو قیومی تم میرے سامنے ہندوؤں کا نام نہ لیا کرو، بس وحید کی یہ ایک اور بات مجھے بری لگتی ہے۔ کان سے ریڈیو لگا کر ہندوستانی گانے سنتا ہے۔ خدا قسم درے پڑنے چاہئیں ایسے غداروں کو ـــــ الٹا لٹکا دینا چاہئے قرطبہ چوک میں ـــــ"

اب میں نے اٹھ کر سڑک والی کھڑکی کھولی اور باہر تھوک پھینکا۔

"اوئے ہوئے کوئی اور کام نہیں تمہیں قیومی ـــــ تھوکنے کے سوائے۔"

میں سلاخوں کے باہر دیکھنے لگا ـــــ سردیوں کی رات میں ایک ٹھٹھرا ہوا کتا پناہ تلاش کرتا پھر رہا تھا۔

"ایک دفعہ میں نے مرغی پکائی ـــــ پاؤ بھر دیسی گھی ڈالا ـــــ لونگ کا تڑکا لگایا۔ پہلا حمل تھا میرا ـــــ پتہ ہے کیا کیا وحید نے؟"

"ساری خود کھالی ـــــ؟" میں نے بڑھتی گھٹتی سلاخوں پر سے نگاہ اٹھا کر پوچھا۔

"توبہ کرو اس کے حلق سے اترتی ہے بوٹی ماں کے بغیر ـــــ نلکے کے نیچے بیٹھ کر خود ٹفن کیریئر صاف کیا ریت سے ـــــ پھر وہیں سے بولا۔ چار پراٹھے بھی اتار دے جلدی سے ـــــ اوپر والے ڈبے میں رکھے پراٹھے اور ساری مرغی ڈالی نچلے دونوں ڈبوں میں اور پتہ ہے کیا کہہ کر چلا گیا ـــــ صبح والے بینگن پڑے ہیں کٹورے میں تیرے لئے۔"

"کبھی کبھی وہ انتہائی بے چارگی کے عالم میں میرے ساتھ لپٹ جاتی اور کہتی ـــــ "آفتاب۔ اب آجاؤ ناں۔"

"اچھا عشق تھا اس کا بھی محبت اسے آفتاب سے تھی اور لپٹتی وہ تمہارے ساتھ تھی۔ ایسے نہیں ہو سکتا ہاں۔"

میں نے سگریٹ سلگایا ـــــ "ہو سکتا ہے ہوتا ہے ہمیشہ ڈوبنے والا تنکوں سے لپٹتا ہے۔"

عابدہ بڑی خوش نصیب عورت تھی۔ وہ اپنی ذات کو مرکز مان کر سارے جہاں کو سمجھتی تھی۔

"عورت ایسے نہیں کر سکتی۔ یہ سارے مردوں کو چونچلے ہیں۔ ان کی جیب میں جب بھی پیسہ ہوتا ہے۔ کرنے مرنے کی آزادی یہ خود ہتھیا لیتے ہیں۔ دوہرے چسکوں کی ان کو عادت ہوتی ہے۔ ایک دفعہ مجھ سے روٹھ کر وحید بھی گیا تھا۔ ایک طوائف کے پاس—— اچھی طرح ہڈیاں سینکیں میں نے اس کی—— ایک بار ہی سبق سکھا دیا۔ ان دوہرے چسکوں کا مرد کی ذات کو شوق ہوتا ہے۔ اسی لئے مشکے پھرتے ہیں کم بخت ہر وقت!" مونگ پھلی کا لفافہ بند کر کے وہ بولتی گئی۔

میں نے پہلی بار عابدہ کی طرف بدنظری سے دیکھا اور دل میں سوچا کہ اگر یہ مُردار مجھے کھانا پڑے تو کیا میں خوشی سے ایسا کر سکوں گا؟

"وحید بھی بڑا بانکا بنا پھرتا تھا چنبیلی کا تیل لگا کر—— میں نے کس کے گرم چمٹا مارا اس کے چولے میں۔ پانچ مہینے سینک کرتا رہا مُردار—— پر عقل ٹھکانے آ گئی عاشق کی۔"

میں سرہانے کی طرف سعادت حسن منٹو کی طرح اکڑوں بیٹھا تھا اور وہ پائینتی اب کھسکاتے کھسکاتے اس نے ساری رضائی ہتھیالی تھی۔

"تم بڑی خوش نصیب ہو عابدہ۔ زندگی کے سارے فیصلے تم خود کرتی ہو۔ جب کبھی کسی شخص کے اندر مرنے کی آرزو تکمیل کو پہنچ جاتی ہے تو پھر اس کے وجود پر اس کا mortido غالب آنے لگتا ہے سمجھتی ہو۔ ایسے میں موت سے بچانے کے لئے اس کا libido جنس کا آخری سہارا لیتا ہے۔ پھر اسے صرف جنس سے زندگی مستعار مل سکتی ہے اس کی creative self کے پاس موت سے لڑنے کے لئے اور کوئی ہتھیار نہیں ہوتا—— تم نے دیکھا نہیں جنگ کے دنوں میں بچے کس قدر زور شور سے پیدا ہوتے ہیں۔ موت کے سامنے مرد و عورت کس قدر شدت سے ایک ہو جاتے ہیں۔ سپاہی مرنے سے پہلے زندہ رہنے کے لئے اپنی بقا کی خاطر صرف جنس کا سہارا لیتا ہے۔"

اس کی عقل بند، کیل لگی کھوپڑی میں ان باتوں کی کوئی جگہ نہ تھی، لیکن میں کہتا گیا، یکدم اس نے مونگ پھلی کا تھیلا پلنگ پر پھینک دیا۔ حیرانی سے مجھے دیکھتی رہی اور

بولی۔ یہ سب —— یہ باتیں تمہیں کس نے بتائی ہیں۔"

"کتابوں نے۔"

وہ پیار سے بولی —— "قومی خدا کے لئے ایسی کتابیں نہ پڑھا کرو۔ یہ تمہیں لادین بنا دیں گی —— آدمی گناہ کرے تو کم از کم مانے تو سہی کہ گناہ ہی ہے۔ بڑی بڑی تاویلیں تو نہ دے توبہ استغفار کا دروازہ تو بند نہ کرے اپنے آپ پر۔"

"کاش میں تمہاری طرح کم عقل اور بے علم ہوتا۔"

"تم بھی وحید کی نسل سے ہو۔ آخر طعنے دیئے بغیر کہاں رہو گے ——" اس نے دوبارہ مونگ پھلی کا لفافہ کھول لیا۔

"وہ بھی ہمیشہ کہتا ہے بچہ نہیں ہوتا تو تمہارا قصور ہے —— احمق آدمی۔"

"تم بھی سیمی کی ہم جنس ہو، کسی کی کب مانو گی۔"

"اچھا چُپ۔"

"ہاں ٹھیک ہے —— چُپ۔ جب ہم ایک دوسرے کو سمجھتے نہیں تو باتوں سے حاصل؟"

"میں کب باتیں کرنا چاہتی ہوں۔ میرا اپنا وقت خراب ہوتا ہے۔" وہ جلدی جلدی مونگ پھلیاں کھانے لگی۔

"میری بھی چائے ٹھنڈی ہوتی ہے خواہ مخواہ۔"

ہم دونوں اپنی اپنی پٹڑی پر چلے گئے —— چھلکوں کی تڑاتڑ اور پرچ پیالی کا شور کمرے میں بھر گیا۔ وہ آسانی سے ٹرے لے کر نیچے جا سکتی تھی —— میں اٹھ کر کتاب پڑھنے میں مصروفیت ظاہر کر سکتا تھا۔ لیکن ہم دونوں وہیں بیٹھے بیٹھے اپنی اپنی اڑان پر چلے گئے —— شکر خورے اور شاہین کی اڑان میں جو فرق ہوتا ہے، وہی ہم دونوں میں تھا۔ کوئی شخص اپنے خیالات کے دائرے سے باہر اڑنے کی جرات نہیں کر سکتا۔

عابدہ بہت خوش باش عورت تھی، لیکن جب کبھی وہ خاموش ہو جاتی تو اس کے ہونٹ آنسوؤں سے بہت قریب ہو جاتے۔ گو اس وقت وہ جلدی جلدی مونگ پھلیاں کھانے میں مشغول تھی۔ لیکن اس کے کندھے آنکھیں ہونٹ سب اس بات کی غمازی کر رہے تھے کہ وہ بہت جلد رو دے گی۔

خاموشی کے لمحوں میں عابدہ بے معنی حد تک کمزور، معصوم اور قابل ترس نظر آنے لگتی —— شادی کی وجہ سے جو وہ بڑی بڑی نظر آتی تھی۔ ان لمحات میں اس کے اضافی سال جھڑ جاتے اور وہ مجھے اپنے سے چھوٹی لگنے لگتی۔

اس کی شکل سے ڈر کر میں نے کہا —— "بات صرف اتنی ہے عابدہ کہ محبت اور جنس دو علیحدہ چیزیں ہیں —— جنس افزائش نسل کے لئے حرکت میں آتی ہے اور محبت روح کی نشوونما کے لئے۔"

"تم زیادہ فلسفے نہ کیا کرو میرے ساتھ —— تمہاری سیمی کو چپڑی اور دو دو کھانے کا شوق تھا —— یہ امیرزادیوں کے چونچلے ہیں —— روٹیاں ان کے خانسامے پکائیں، بچے ان کی آیا پالیں اور یہ محبت تلاش کرتی پھریں ہر جگہ —— دوسروں کے گھر برباد کریں مفت میں۔"

میں نے ذرا اس کی طرف جھک کر کہا —— "تم ٹھیک کہتی ہو۔ لیکن اس کی وجہ ہے کہ کہ —— اس کی معنویت ختم ہو گئی ہے امیر عورت کی۔"

"اچھا چپ رہو مجھے سیمی میں کوئی دلچسپی نہیں ہے۔"

"تم بھی چپ رہو۔ میں بھی وحید صاحب کا کوئی قصہ سننا نہیں چاہتا۔"

وہ کچھ دیر چپ رہی۔ دور کہیں آدھی رات کو بولنے والے مرغے نے اذان دی، یکدم وہ پھر موٹر سائیکل کی طرح رواں ہو گئی۔

"میں اپنے سارے مسئلے لکھتی ہوں مولوی اکرام اللہ صاحب کو —— وہ مجھے اپنے رسالے میں جواب لکھ دیتے ہیں۔ ان کا بڑا علم ہے فقہ و حدیث کا۔ بڑا اچھا مشورہ دیتے ہیں۔"

"کون کون سا مسئلہ سلجھایا ہے انہوں نے تمہارا؟ ——" میں نے ہنس کر پوچھا۔

"حق مہر کی بات تھی —— میں نے کئی بار اس بدبخت کریانے والے سے کہا کہ جب تو نے میرا حق مہر ہی ادا نہیں کیا تو ہاتھ کیوں لگاتا ہے مجھے —— لیکن حق مہر لکھنا اور بات ہے ادا کرنا اور بات ہے قیومی —— دس ہزار لکھنے کو تو لکھ دیا تھا، پر ادا اس کی ماں کرے —— پانچ سال ہو گئے شادی کو ایک دن نام نہیں لیا حق مہر کا۔"

"ہاں یہ بُری بات ہے——" میں نے زبردستی اس کے مسئلے میں دلچسپی لی۔

"میں نے مولوی اکرام اللہ کو خط لکھا، انہوں نے اوپر تو میرا خط چھاپا خواتین کے صفحے پر، نیچے صاف صاف لکھا کہ جو مرد عورت کا حق مہر ادا نہ کرے شب زفاف کو وہ ہاتھ نہیں لگا سکتا عورت کو—— میں نے خط دکھایا تھا وحید کو۔"

"پھر؟"

"پلید آدمی ہے ہنسنے لگا۔ خدا نے تو اسے اتنی توفیق بھی عطا نہیں کی کہ وہ کبھی حق مہر معاف ہی کروا لے—— چلو میں معاف کر دیتی لیکن شرع کے مطابق تو چلے آدمی—— ہے نا؟

وہ چُپ ہو گئی۔ جلدی سے اس نے ٹرے میں مونگ پھلیوں والا لفافہ ڈالا۔ اپنے وجود پر سے چھلکے جھاڑے اور اٹھ کھڑی ہوئی۔

"ہائے کتنی دیر ہو گئی ہے، صولت بھابھی کیا سوچتی ہو گی۔"

وہ دروازے میں مڑ کر بریکٹ دیکھتی رہی پھر بولی۔ "انٹرویو پر گئے تھے؟"

"ابھی کہاں!"

"چلے جانا—— بھائی مختار فکر کر رہے تھے۔"

میں نے پائینتی سے رضائی اٹھائی اور اپنے اوپر لے لی۔ اس وقت تک مجھے انٹرویو سے کوئی دلچسپی نہ تھی۔

ریڈیو سٹیشن پر انٹرویو دینے کے بعد میں سیدھا یونیورسٹی پروفیسر سہیل کے پاس چلا گیا۔ جس وقت وہ اپنی کلاس سے فارغ ہو کر باہر نکلا تو کچھ دیر کے لیے ہم کیفے ٹیریا میں بیٹھے رہے۔ یہاں ہماری باتیں بالکل زمینی تھیں۔

"تمہیں کیسے پتہ چلا کہ مَیں یونیورسٹی میں ہوں۔"

"اپنے کالج سے معلوم کر لیا تھا سر۔"

"مَیں نے تو ملنے سے منع کیا تھا!" پروفیسر نے کہا۔

"مَیں آپ کو اپنے انٹرویو کے متعلق بتانا چاہتا تھا۔"

"کیسا رہا انٹرویو؟"

"ٹھیک ٹھاک۔"

"کون کون تھا بورڈ پر؟"

"آر۔ ڈی لاہور تھا—— ڈی جی صاحب تھے اور دو مقامی دانشور——" میں نے جواب دیا۔

"کیا کچھ پوچھا تھا؟"

"وہی رسمی سوال کہ میں کیوں ریڈیو کی نوکری کرنا چاہتا ہوں۔ اگر میں نوکر ہو گیا تو ریڈیو پاکستان کو میری ذات سے کیا فائدہ پہنچے گا—— مجھے شاعری سے، موسیقی سے کس قدر مس ہے—— وغیرہ وغیرہ..."

"پھر خاطر خواہ جواب دیئے؟"

"شاید۔"

"کتنے اور امیدوار تھے؟"

"سولہ لڑکے سات لڑکیاں۔"

"نوکری مل گئی تو کر لو گے؟——" اس نے میرے کندھے پر ہاتھ رکھ کر پوچھا۔

"پتہ نہیں سر—— میں گہری anxiety کا شکار ہوں آج کل..... میں اس مسلسل فکر کا اصل نیوکلس دریافت کرنا چاہتا ہوں لیکن مجھے کچھ پتہ نہیں چلتا کہ آخر یہ چکر کیا ہے—— مجھے کس چیز کی تلاش ہے؟ میرا کیا کھو گیا ہے۔ میں.... آخر چاہتا کیا ہوں——؟ ایسی دبدھا میں آخر میں نوکری کیسے کر سکتا ہوں۔"

اس نے میرے کندھے پر ہاتھ رکھا اور ہم دونوں نہر کے ساتھ ساتھ چلتے چلتے دور نکل گئے۔ پاپولر کے درختوں کے سائے نہر کے ساکن گدلے پانیوں میں پڑ رہے تھے۔ بڑی خاموشی تھی کبھی کبھار کوئی کار ادھر سے گزر جاتی تو اچانک متمدن دنیا کا خیال آتا۔ مجھے سہیل کی صحبت میں وہی آرام ملا۔ جیسے رومن کیتھولک لوگوں کو فادر کے حضور اعتراف گناہ کے بعد حاصل ہوتا ہے۔ میں اس کے سامنے جو بات بھی کرتا، اس کے

لیے اس کی جھولی میں وسعت ہوتی۔ میں نے ایک ایک کر کے سیمی کی کتاب کے تمام صفحے اس کے سامنے پڑھ ڈالے۔

"یوگا کرتے ہو باقاعدگی سے؟"

"کرتا تھا —— لیکن آج کل بند ہے۔"

"کیوں؟"

"پتہ نہیں کیوں۔ لیکن بند ہے۔ سر"

ہم دونوں نہر کنارے پاپولر کے سوکھے پتوں پر بیٹھ گئے۔ گدلے پانیوں پر دوپہر کے سورج کی کرنیں پڑ رہی تھیں اور شہر کا شور ہم سے کچھ دور خود ہی ساکت ہو گیا تھا۔

"راجہ یوگا کرتے رہتے تو خیالات سے پیچھا چھوٹ جاتا۔ جیسے بتی بجھ جاتی ہے ایسے انسان نادھی میں داخل ہو جاتا ہے۔"

"کیا تھا، کرتا رہا ہوں —— پر اب راحت نہیں ملتی۔"

"کئی قسم کے یوگا ہیں۔ کرم یوگا —— تنترا یوگا —— کنڈالنی یوگا —— ہاتھا یوگا، چاہو تو یوگا بدل لو —— لیکن یوگا کرتے رہو۔"

میں خاموشی سے پانیوں کو دیکھتا رہا —— میں خود یہ نہیں جانتا تھا کہ مجھے کیا چاہئے۔

"کرم یوگا تمام تر تیاگ ہے اس میں اپنے کسی فعل کا مثبت یا منفی اثر طبیعت پر نہیں پڑتا۔ شاید اس سٹیج پر تمہارے لیے یہ تسلّی بخش نہ ہو۔"

مَیں نے لحظہ بھر کو اس کی شکل دیکھی اور پھر چہرہ جھکا لیا —— میرے لیے اس کی تمام باتیں قریب قریب مجہول تھیں۔

"ہاتھا یوگا بہت روایتی طریقہ ہے اس پر عمل کر کے انسان اپنے reflexes پر قابو پا لیتا ہے۔ دل کا بند کرنا انتڑیوں کا ہلنا، سانس کا کنٹرول —— حتیٰ کہ اگر ایسے یوگی کو سمادھی کی حالت میں زندہ دفن بھی کر دیا جائے تو ذہن کو جسم پر سبقت حاصل ہوتی ہے۔"

"سر جادوگری کی باتیں نہ کریں —— مجھے یہ سب کچھ نہیں چاہئے.... میں خود کئی آسن جانتا ہوں لیکن اب مرغ، شیر، درخت، ہل.... سانپ بننے سے تسلی نہیں

ہوتی.... سدھ آسن، ویر آسن، پدم آسن سب بیکار ہیں۔"

"تنترا کر لو گے؟"

مَیں نے لمحہ بھر کو اس کی طرف دیکھا۔

"کس کے ساتھ؟"

"کوئی ایسی عورت تلاش کرو جو تمہارے ساتھ تنترا یوگا کرنے کو تیار ہو۔ شادی شدہ ہو اور تم سے دائمی تعلق کی آرزومند نہ ہو۔"

"وہ مر چکی ہے۔"

وہ چند لمحے خاموش رہا —— "دراصل تمہیں اس وقت شکتی کی ضرورت ہے جو تم میں امید کو زندہ کرے —— جستجو میں اگر اُمید کا عنصر شامل نہ ہو تو انسان کسی مثبت نتیجے پر نہیں پہنچ سکتا۔ اور تنترا یوگا میں سادھکا میں اس قدر اُمید پیدا ہو جاتی ہے کہ وہ کبھی کبھی موت پر بھی حاوی ہو جاتا ہے —— سادھکا کے مطلب جانتے ہو؟"

"جی.... یوگا کرنے والا۔"

اُمید مجھے ایک ستاروں لگی چوگوشیہ ٹوپی کی طرح ہوا میں لہراتی ہوئی نظر آئی جو کسی لمحے بھی میرے سر پر فٹ بیٹھ سکتی تھی۔

"تنترا یوگا کے متعلق بہت سی غلط فہمیاں ہیں، لیکن جو پرانے سیانے تھے وہ جانتے تھے کہ انسانی ارتقاء ہمیشہ polarities سے پیدا ہوتا ہے۔ شوجی مہاراج اور شکتی کے میل سے کائنات وجود میں آئی ہے۔ پرانے آریائی لوگ اور تبت کے باسی تنترا یوگا سے وہ طاقت حاصل کرتے تھے elan vital کہنا چاہئے۔"

میں چپ رہا۔

"مرد جو شوجی کا روپ ہے۔ اس کی قوت بجلی سے مشابہہ ہے۔ عورت جو شکتی ہے۔ اس کی طاقت مقناطیسی ہے۔ اگر مرد جسمانی سنجوگ کے وقت اپنے اوپر مکمل کنٹرول رکھے تو وہ عورت کی شکتی کو اپنے اندر جذب کر سکتا ہے۔ جیسے پانی اونچی سطح سے نیچے کی سطح کی طرف اس وقت تک بہتا رہتا ہے جب تک دونوں پانیوں کی سطح برابر نہ ہو جائے۔"

مرد اور عورت کے جسمانی سنجوگ کا بھی یہی حال ہے۔ قوت دونوں میں سے

اس وقت تک release ہوتی ہے جب تک دونوں کی سطح برابر نہ ہو جائے۔

عورت کے ساتھ کسی قسم کے سنجوگ کی آرزو نہ تھی۔ میں اب سمجھنے لگا تھا کہ عورت کا وجود سوائے الجھاؤ کے اور کوئی عطیہ نہیں دے سکتا۔

"دو طرح سے آدمی کی روح آزاد ہو سکتی ہے۔ وہ مکمل طور پر تیاگ کرے یا مکمل طور پر اپنی حسیات میں ڈوب کر آزادی حاصل کرے۔ رنگ، خوشبو، ذائقہ، لمس، آواز سب تمہاری آزادی کا باعث ہو سکتے ہیں۔ اسی لیے تنترا یوگا میں ان کا استعمال ہے ــــ کاسنی رنگ سے عورت کی جنسی حسیات بیدار ہوتی ہیں..... سرخ رنگ سے مرد کی حسیات کو ابھارا جا سکتا ہے ــــ گوشت مچھلی شراب کچا اناج جسمانی قوت بڑھانے کے لیے ہیں۔ خوشبو میں کستوری سے بڑھ کر کوئی خوشبو دیوانہ کرنے والی نہیں ــــ یہ سب کچھ آزما کر دیکھو۔"

اس کے بعد وہ دیر تک مجھے تنترا کی خوبیاں بیان کرتا رہا اور بار بار اعادہ کرتا رہا کہ یہ یوگا شرابی، بدمعاش، زانی کے لیے نہیں بلکہ صرف اس دھرتما کے لیے کامیاب ہو سکتا ہے جو اپنی گھٹی ہوئی شکتی کو بحال کرنا چاہتا ہو۔ اگر تنترا کے لیے کوئی عورت مل جائے تو مرد کو ہمیشہ یہ یاد رکھنا پڑتا ہے کہ یہ سنجوگ گو بظاہر جسمانی ہے لیکن اس کا اصلی جوہر اپنی ذات پر کنٹرول سکھاتا ہے اور جس طرح سانس لیتے وقت پران کو ہوا سے لے کر پھیپھڑوں میں داخل کرتے ہیں ایسے ہی تنترا کرتے وقت عورت سے شکتی حاصل کر کے اپنی کنڈالنی کو جو تمام تخلیقی طاقتوں کی جان ہے بیدار کرتے ہیں۔

ہم بڑی رات گئے تک نہر کنارے بیٹھے کنڈالنی کی باتیں کرتے رہے۔

ڈاکٹر سہیل بھی عجیب آدمی تھا۔ بیک وقت دہریہ، کمیونسٹ، اللہ رسول کا ماننے والا ــــ پختہ یقین اور غیر یقینی کا خوبصورت امتزاج۔ سارا وقت ہم باتیں کرتے رہے لیکن ایک بار پھر اس نے سیمی کا نام منہ سے نہ لیا۔

جس وقت میں گھر پہنچا وہ پہلے سے میرے کمرے میں موجود تھی۔ اس نے بال دھو رکھے تھے اور پانی کی ننھی بوندیں اس کی کالی شال پر چمک رہی تھیں۔

"یہ وقت ہے گھر آنے کا؟۔"

مَیں نے ہنس کر کہا —— "یہ وقت ہے سر دھونے کا اور وہ بھی سردیوں میں؟۔"

وہ ایک ہی جملے سے سیدھی ہو گئی۔

"کہاں رہے ہو سارا دن؟"

"پہلے ریڈیو سٹیشن گیا تھا۔ وہاں سے پروفیسر سہیل کے پاس چلا گیا۔"

"یہ مرجانا سہیل کون ہے اب؟"

"ہے ایک پڑھا لکھا آدمی —— بے حد —— پاکستان میں اس جیسا دوسرا کوئی نہیں۔"

"پڑھا لکھا ہی ہے نرا کہ آدمی بھی ہے؟"

میں اپنے چھوٹے چھوٹے کاموں میں مشغول ہو گیا اور وہ چُپ چاپ مونگ پھلیاں کھانے میں جُت گئی۔ اچانک مجھے الماری میں ایک موم بتی نظر آ گئی۔ میں نے اس کاسنی رنگ کی موم بتی کو روشن کیا۔ اس کے سامنے کاسنی رنگ کا گڈی کاغذ کتابوں کی مدد سے کھڑا کیا اور بجلی کا بٹن بند کر دیا۔

"ہائے یہ کیا اندھیرا کر دیا ہے قیومی؟"

"دیکھو یہ کاسنی روشنی کتنی پیاری ہے عابدہ۔ اس روشنی میں چائے پئیں گے۔"

اب وہ اپنے اور وحید کے بے مزہ واقعات بیان کرنے لگی۔

"ایک روز وحید نے کیا کیا، ایک بیڈلیمپ خرید کر لایا۔ کسی فلم میں دیکھا تھا اس نے کہ ہیرو بیڈلیمپ جلا کر پڑھتا ہے۔ گھر آ کر اس نے ساری شام بیڈلیمپ فٹ کرنے میں لگا دی۔ تین سوئچ بدلے۔ دو بلب فیوز کیے۔ جب بیڈلیمپ فٹ ہو گئی تو اس کی روشنی میں بیٹھ کر حساب کتاب دیکھنے لگا —— بدبخت کا چھوٹا سا چہرہ ہے اوپر سے —— رکھی ہوئی ہیں لمبی لمبی راجپوتی مونچھیں —— توبہ بیڈلیمپ کے سامنے تو پورا پورا الدھر لگتا تھا بیٹھا ہوا۔"

آج میں سیمی کے متعلق باتیں نہیں کرنا چاہتا تھا لیکن میں نے صرف مدافعت کے طور پر کہا —— "جب آفتاب لندن چلا گیا عابدہ تو سیمی پر حسد کا دورہ پڑ گیا۔ وہ سارا

سارا دن ایسے خیالوں سے اپنے آپ کو لہولہان کرتی رہتی تھی جو آفتاب اور زیبا سے متعلق ہوتے —— آدمی کتنا اذیت پسند ہے۔"

"جب آفتاب نے شادی ہی کر لی تھی تو پھر سیمی کو تم سے شادی کر لینی چاہیے تھی۔ میں خلاف ہوں ایسی باتوں کے۔"

"وہ شادی نہیں محبت کی آرزومند تھی۔"

"ہائے شادی کا محبت سے کیا تعلق —— کسی نکاح نامے پر کبھی تم نے دیکھا ہے محبت کا خانہ؟ معجل اور غیر معجل کا تو ہوا ناں خانہ۔"

"اگر کبھی میں شادی کے لائسنس بناتا تو تین قسم کے نکاح نامے ہوتے۔ سفید نکاح نامے ان لوگوں کے لیے جو دن رات ایک دوسرے کے قرب کی آرزو رکھتے ہیں۔ گلابی کارڈ دنیاوی وجوہات والوں کے لیے مثلاً تنہائی سے بچنے کے لیے ماں باپ کی ناک بچانے کے لیے... وغیرہ وغیرہ اور سبز کارڈ صرف ان کو دیا جاتا جو افزائش نسل کے لیے لائسنس چاہتے ہیں۔ صرف سبز کارڈ مستقل ہوتا، باقی سب کارڈ سال دو سال کے بعد renew کرانے پڑتے۔"

"لائسنس سب سفید رنگ کا بنواتے اور بچے سب کے ہو جاتے پھر —— نئے منہ ایسی سوچ پر۔" وہ کھلکھلا کر ہنس دی۔

میں شرمندہ سا ہو گیا۔ کاسنی گڈی کاغذ موم بتی کی طرف جھک کر ہلکا سا جھلس گیا تھا لیکن کمرے کی روشنی اس وقت بڑی دل فریب تھی۔ میرا دماغ خود بخود سہیل کی باتوں سے گونجنے لگا۔

"بھائی صاحب محبت نہیں ملتی کہیں بھی، چاہے سفید کارڈ بنواؤ چاہے گلابی —— دنیا میں تو گزارہ ہی کرنا پڑتا ہے اور گزارے کے لیے شادی اچھی ہے۔" اس نے مجھے مشورہ دیا۔

مَیں نے چائے کی پیالی اس کے ہاتھ سے لی اور قریباً اپنے آپ سے بولا۔

"تمہیں کیا پتہ عابدہ —— شکر کرو شکر، تم سوچتی نہیں ہو۔ وجوہات تلاش نہیں کرتی ہو۔ معنی کی جستجو —— نہیں کرتی ہو ورنہ تمہیں بھی سورج کے اردگرد کئی غلاف نظر آنے تھے۔"

"اب کیا سوچ رہے ہو —— موم بتی بجھا دوں؟ کہیں آگ نہ لگ جائے۔"

"لگ جانے دو آگ۔"

ایسے جملوں کا اس پر کوئی اثر نہ ہوتا وہ کند چھری سے حلال ہونے والی نہ تھی۔

"مَیں نے تو محبت کے متعلق کبھی زیادہ نہیں سوچا۔" عابدہ بولی۔

"اور میں اس کے علاوہ اور کسی چیز کے متعلق سوچ ہی نہیں سکتا۔"

"پھر کیا سوچا ہے تم نے آج تک؟"

"یہی کہ دولت اور محبت کی ایک سی سرشت ہے۔ دولت کبھی ان جانے میں چھپر پھاڑ کر ملتی ہے۔ کبھی وراثت کا روپ دھار کر ایسے ڈھب سے ملتی ہے کہ چھوٹی انگلی تک ہلائی نہیں ہوتی اور آدمی مالا مال ہو جاتا ہے۔ پھر اکلوتے لاڈلے کی طرح دولت کو اجاڑنے برباد کرنے میں مزہ ملتا ہے۔ کبھی پائی پائی جوڑتے رہنے پر بھی پورا روپیہ نہیں ہوتا۔ کبھی محبت اور دولت ملتی رہتی ہے لیکن سیری کی کیفیت پیدا نہیں ہوتی۔ چادر پوری نہیں ہوتی تن پر —— کبھی محبت رشوت کے روپے کی طرح ڈھکی چھپی ملتی ہے لوگوں کو پتہ چل جائے تو بڑی تھڑی تھڑی ہوتی ہے۔ کبھی کاسے میں پڑنے والی اکنی دونی کی خاطر ساری عمر تیرا بھلا ہو کہنا پڑتا ہے۔ تجھے کیا پتہ عابدہ محبت اور دولت نے انسانی دل پر کیا کیا حکمرانی کی ہے۔ چاہے تو سیلاب کی طرح بستی اُجڑ جائے، ان کے ہاتھوں۔ چاہے تو بوند بھر نہ برسے اور ریگستان کے اوپر سے گرجتی چمکتی چلی جائے —— ان سگی بہنوں سے تو جس قدر ناطہ کم ہو آرام ہے۔"

کاسنی کاغذ جھلس کر کالا ہو چکا تھا۔ عابدہ اٹھی اور سانس کی لمبی پھونک سے اس نے موم بتی بجھا دی۔ کمرے میں از سر نو بجلی کا بلب جلنے لگا۔

"قیوم تمہیں کسی دماغی ڈاکٹر سے ملنا چاہئے۔"

"کیوں؟"

"مجھے یوں لگتا ہے تمہارے سر کو گرمی ہو گئی —— ہے۔"

"تمہارے پاس اس کا کوئی علاج نہیں؟"

"میری اماں ایک پھنکی بنایا کرتی تھیں۔ بادام کی گریاں چاروں مغز، سونف۔ چھوٹی الائچی مصری...."

"تم کچھ نہیں بتا سکتیں؟"

"مَیں کیا کر سکتی ہوں —— مجھے وہ نسخہ ہی نہیں آتا۔"

"میرے ایک دوست نے بتایا ہے کہ تم شکتی ہو —— تم مجھ نربل کو طاقت دے سکتی ہو۔"

"کیسے؟"

اس وقت تک مجھے علم نہ تھا کہ میں سہیل کی باتوں کو عابدہ سے دوہراؤں گا۔ مجھے تو یہ بھی علم نہ تھا کہ عابدہ اور مجھ میں کوئی رابطہ ممکن بھی ہے؟

"مرد اور عورت کے درمیان آٹھ قسم کا لگاؤ ہوتا ہے اور ہر لگاؤ سے انسان کو ایک خاص قسم کی شکتی ملتی ہے۔"

وہ حیرانی سے میرا منہ تکنے لگی۔

"پہلا تعلق خیال کا ہے —— جب کسی کا خیال دماغ میں بس جاتا ہے اور نکالے نہیں نکلتا تو اسے سمرنا نام کہتے ہیں۔ جب اس تعلق کا ذکر کسی سے کریں تو یہ دوسری سٹیج ہے۔ جنس لطیف کی صحبت میں رہنا تیسرا تعلق ہے۔ عورتوں کے ساتھ ہنسی دل لگی چوتھا —— عورت سے دلی گفتگو کرنا پانچویں سٹیج ہے۔ اس کے بعد جسمانی تعلق کی آرزو چھٹی حالت ہے۔ اس آرزو کو ارادے سے پختہ کرنا ساتواں تعلق ہے اور آخری اور مکمل سیڑھی وہ ہے جب شو جی اور شکتی ملتے ہیں اور ایسی روح کو جنم دیتے ہیں جو نہ مرد ہوتی ہے نہ عورت۔"

"ہائے ہائے کہیں باتیں کرنا بھی گناہ ہی نہ ہو ——" وہ کرسی سے اُٹھی۔ چھلکے مونگ پھلی کا لفافہ ایک چھناکے سے فرش پر گرا، میں نے ہاتھ بڑھا کر اس کی چادر پکڑی اور بولا —— "بیٹھ جاؤ —— آرام سے مرد اور عورت جب سچے دل سے پریم بھگتی کرتے ہیں۔ تو پھر وہ گناہ نہیں کرتے بلکہ اپنی کنڈالنی کو آزاد کراتے ہیں۔"

"وہ بدبخت کیا چیز ہے؟"

عابدہ چُپ چاپ بیٹھ گئی۔

"انسان کے جسم کا ایک حصہ نظر آتا ہے اور دوسرا حصہ نگاہوں سے اوجھل ہے ہمارے غدودی نظام کے ساتھ ساتھ طاقت کا ایک اور وجود بھی چلتا ہے، یہ وہ سرچشمہ

طاقت ہے جو آدمی کی Creative Energy کہلاتا ہے۔"

"یہ ساری باتیں تم کتابوں سے سیکھتے ہو؟"

"کچھ کتابوں سے کچھ تبادلہ خیالات سے۔"

"بند کر دو ان دونوں کو۔"

"کیوں؟"

"لادین ہو جاؤ گے دیوانے ہو جاؤ گے بچی۔"

وہ میرے سامنے لب سکیڑ کر بیٹھی تھی۔ ایسے لگتا تھا جیسے وہ ابھی رونے لگے گی،

ہم دونوں تھوڑی دیر خاموش رہے پھر وہ بولی ——— "یہ کنڈالنی چنڈالنی کون ہے؟"

"واقعی یہ کنڈالنی ہی چنڈالنی ہے ——— یہ وہ سانپ ہے جو ہمارے مقعد اور عضو تناسل کے درمیان استراحت کرتا ہے۔"

"ہائے میں مری۔"

"یہی کنڈالنی کی قوت آہستہ آہستہ اوپر کو سر اٹھانے لگتی ہے۔ پھر ایک چکر تک پہنچتی ہے۔ پھر آہستہ آہستہ اوپر اٹھتی جاتی ہے۔ حتیٰ کہ ہمارے سر تک پھن اٹھا کر جا پہنچتی ہے۔ اس کنڈالنی کے سفر میں انسان کی بقا یا فنا ہے ——— وہ کس سطح تک پہنچتا ہے اور کیوں پہنچتا ہے۔ یہ سب ارتقا کنڈالنی کی وجہ سے ہے۔"

"یہ ——— چکر کیا ہے؟ ——— تمہیں آج کیا ہو گیا ہے ———" وہ محجوب سی ہو کر میرے پاس بیٹھ گئی۔

"پہلا چکر مقعد اور آلات تناسل کے درمیان ہے۔ اسے مولا دھارا کہتے ہیں۔ اس کی چار سرخ پتیاں ہیں۔ اس کے درمیان میں ایک زرد مربع زمین کی علامت ہے۔ اس مربع کے اندر ایک تکون ہے جس میں تمام Psychic Energy بند ہے جسے کنڈالنی کہتے ہیں۔ اس کنڈالنی نے سانپ کی مانند ریڑھ کی بنیاد پر چکر بنا رکھا ہے اور اس کنول جیسے چکر میں چمکتی ہے، بتیوں کی طرح روشن ہے جو شخص اس جگہ پر دھیان لگاتا ہے وہ آرزو، حسد، غصہ پر قابو پا سکتا ہے۔"

"تجھے تو کچھ ہو گیا ہے قیومی خدا قسم۔"

"اور کچھ نہیں تو بات ہی سن لو عابدہ۔" میں نے اپنی گفتگو جاری رکھی۔

دراصل مجھے سہیل نے اس قدر پمپ کر دیا تھا کہ میں یہ ساری گیس کسی اور ذی روح پر نکالنا چاہتا تھا، حالانکہ مجھے معلوم تھا عابدہ میری باتیں سننے کی عادی نہیں۔ اگر وہ سن بھی لے، تو ان کا ادراک اس سے ممکن نہیں پھر بھی بولتا گیا۔

"سوادھس تھانہ دوسرا چکر ہے۔ اس کی چھ سرخ پنکھڑیاں ہیں۔ درمیان میں ایک سفید ہلال ہے اور پانی کے عنصر کی علامت ہے۔ یہ آلات تناسل کی جڑ میں ہوتا ہے اگر یہاں دھیان لگایا جائے تو انسان astral worlds میں بسنے والوں سے رابطہ قائم کر سکتا ہے۔"

اب وہ عابدہ مکمل طور پر مجھ سے علیحدہ ہو چکی تھی۔

"آج صبح میں ہسپتال گئی تھی، ڈاکٹرنی کہنے گی۔ تم میں کوئی نقص نہیں۔ تم اپنے میاں کو لاؤ۔ بتاؤ قیوم وحید مانے گا اس بات پر؟"

ہمیشہ کی طرح ہم دونوں الگ الگ پٹڑی پر چلنے لگے۔

"ناف کے پیچھے ایک سرخ نارنجی تکونی ہے۔ صاحب نظر لوگوں کو اس مقام کا رنگ گھنیرے بادلوں جیسا نظر آتا ہے۔ اس کے وسط میں نارنجی سرخ رنگ کا تکون ہے جس کے تینوں طرف سواستکا کا نشان ہے۔ یہ جگہ آگ کے عنصر سے مطابقت رکھتی ہے۔ اس جگہ کو منی پورا کہتے ہیں اور اس solar plexus پر توجہ رکھنے سے انسان پر دوسرے لوگوں کی شعوری اور غیر شعوری گتھیاں آپی آپ کھلتی جاتی ہیں۔ اسی مقام پر دھیان لگانے والے جلتی آگ پر چلنے کی شکتی رکھتے ہیں۔"

"تم میری بات کیوں نہیں سنتے؟"

"تم بھی تو میری بات سنو ناں——" میں نے ضد سے کہا۔

"تم کو تو کچھ کر دیا ہے اس چنڈالنی سیمی نے۔"

"تم کو بھی کچھ ہو چکا ہے لیکن میں نہیں جانتا کرنے والا کون ہے؟"

"سنو قیومی!"

"سنو عابدہ!—— میں جستجو کی بات کر رہا ہوں اپنی جستجو—— اپنی روح کی جستجو—— اپنی بقا—— انسان کو تلاش ہے—— اپنی—— اپنے خدا کی۔"

"بقا تو صرف بچے میں ہے قیومی—— جن کے بچے نہیں وہ مر جاتے ہیں جن

کے بچے ہوتے جاتے ہیں وہ زنجیر میں پروئے جاتے ہیں ان کا نام رہتا ہے نسل رہتی ہے۔"

"تم صرف جسم کے بقا کی سوچتی ہو۔"

"جسم نہ ہوا تو روح کس مکان میں رہے گی —— ہمارا تو بوٹا ہی نہ لگا —— لاکھ دفعہ کہا میں نے وحید سے کہ تم علاج کروالو —— پر مانے بھی وہ خبیث۔"

"سنو عابدہ —— جب کنڈالنی چوتھے چکر میں پہنچتی ہے تو اسے اناہاتا کہتے ہیں۔ یہ دل کا کنول ہے۔ اس کا رنگ گہرا سرخ ہے اس میں عارفانہ بارہ رستے ہیں۔ اس کنول کے وسط میں دو تکون ہیں۔ اس میں ہماری ذات چراغ کے شعلے کی طرح رہتی ہے یہ شعلہ جو ذات الٰہی کی روشنی سے مشابہ ہے۔ یہاں اوم کا لفظ رہتا ہے۔ اس انحد باجے کی آواز آبشاروں جیسی ہے۔ یہاں شہد کی مکھیوں کی بھنبھناہٹ چاندی کی زنجیریں، سُرکی ہوئی بانسری گھنٹیاں —— بڑے بڑے تمک اور مردنگ بجتے ہیں۔ کائنات کی صدا یہاں سے آسکتی ہے۔ ہوا کے عنصر پر اس کا مدار ہے۔ اگر آدمی یہاں دھیان لگائے تو اس میں کئی روپ دھارنے کی شکتی پیدا ہو جاتی ہے اور وہ کائناتی محبت پانے والا بن جاتا ہے۔ اسی راستے پر وہ نروان بھی حاصل کر سکتا ہے۔"

"اور میں تم کو کیا بتا رہی ہوں؟ ڈاکٹرنی کہہ رہی تھی۔ دو تین معمولی سے ٹیسٹ ہیں۔ کوئی تکلیف بھی نہیں ہو گی —— لیکن وحید کو رضامند کون کرے گا —— میں بھابھی صولت سے کہوں؟ —— بتاؤ ناں؟"

مجھے وحید اور وحید سے جنم لینے والی اولاد میں کوئی دلچسپی نہ تھی۔

"ریڑھ کی ہڈی کے راستے ہم پانچویں چکر پر پہنچتے ہیں۔ اسے وشودھا کہتے ہیں۔ یہ طاہر، طیب پاک مقام ہے۔ یہاں سے ازلی علم حاصل ہوتا ہے یہ گلے میں جہاں ریڑھ کی ہڈی دماغ سے ملتی ہے۔ واقع ہے۔ اس چکر کی روشنی پورے چاند جیسی ہے جو بھی thyroid glands پر توجہ دے وہ جوگیوں میں شہزادہ بن کر رہے گا اور عقل و دانش میں مقدس علم کا پاسبان ہو گا۔"

"اگر بالفرض وحید نہ ہی مانے —— تو یہ بتاؤ مجھے طلاق لے لینا چاہئے ناں؟ اس کی وجہ سے میں بچے کے بغیر کیوں رہوں؟"

"عین دونوں ابروؤں کے وسط میں جہاں کائناتی مشاہدے کے لئے تیسری آنکھ ہے۔ یہاں چھٹا چکر ہے۔ سردیوں کے چاند جیسی روشنی سے منور یہاں دو بڑے بڑے پنکھ ہیں۔ جو سچائی کا مظہر ہیں۔ یہاں پر دھیان کرنے والے کو اس کے سچے گرو کی آواز آنے لگتی ہے۔"

"جب پران جسم چھوڑتے ہیں تو اس جگہ دھیان لگانے والے کی روح پچھلے تمام جنم کے کرموں سے آزاد ہو کر خالق سے جا ملتی ہے۔ یہ وہی جگہ ہے جہاں pituitary gland ہے۔"

"تم کو — سوائے اپنے کسی کی پروا ہے — قیومی؟"

"نہیں۔"

"تم کیا سمجھتے ہو میں یہ تمہاری بکواس بن رہی ہوں؟"

"نہیں۔"

"پھر نعوذ باللہ کیوں ایسی بکواس کر رہے ہو؟"

"شاید — کہیں سکون ہو — تلاش سے — جستجو سے — شاید کہیں ان سوالوں کا جواب ملے جو میرے دل میں رات کے وقت آتش بازی کی طرح چھوٹتے ہیں۔"

"آیتہ الکرسی پڑھ کر سویا کرو ہر رات۔"

"آخری چکر — کنول کا ایسا پھول ہے جس کی ایک ہزار پتیاں ہیں۔ یہاں شکتی اور شوا کا میل ہوتا ہے — اجتماع ضدین ہوتا ہے۔ چاند سورج کا ملاپ، بجلی اور مقناطیس کا سنجوگ — یہ سر کا قطبی حصہ ہے — اور نچلے چھ کے چھ چکر اس کے تابع ہیں۔ اس کی رنگت شروع شروع میں زرد ہوتی ہے لیکن رفتہ رفتہ ہیرے جواہرات کی طرح چمکنے لگتی ہے۔ جو شخص کنڈالنی کے اس مقام پر قابض ہو جاتا ہے وہ اپنے دو موہے دشمن پر قابو پالیتا ہے۔"

"دشمن کون؟"

"وقت اور موت! — یہ دونوں پھر ایسے تنترک کا کچھ نہیں بگاڑ سکتے۔"

اس وقت عابدہ پلنگ سے دوبارہ اٹھی۔ اس کی جھولی سے مونگ پھلیوں کے

چھلکے خزاں کے پتوں کی طرح ایک بار پھر گرے —— اونچی قمیض تلے کاسنی شلوار کا پوراگھیر گنبد پر چڑھے غلاف کی طرح نظر آیا۔

"تم تو واقعی پاگل ہو گئے —— خدا قسم کیا کیا بک رہے ہو۔"

"تم شکتی ہو —— شکتی عابدہ! تمہارے ملاپ سے مجھے اپنی روح کا نروان —— میرا خدا مل سکتا ہے —— میری لامتناہی تلاش ختم ہو سکتی ہے، تمہاری آرزو کی تکمیل ہو سکتی ہے۔ تم ماں بن سکتی ہو —— ماں۔" میں نے اسے لالچ دیا۔

پھر منت کے انداز میں مقدس گنبد پر ہاتھ رکھا —— پتہ نہیں عابدہ کیوں خاموش بیٹھ گئی۔

"اس کی آنکھوں میں بڑی حیرانی تھی۔ اس نے آہستہ سے کہا —— "تم چاہتے ہو میرے بچہ ہو قیوم —— سچ؟ —— سچ؟ —— بتاؤ تمہیں ترس آرہا ہے ناں مجھ پر۔"

شکتی اور شوا کا میل میری کنڈالنی کو اپنے سفر پر روانہ نہ کر سکا۔ میری کنڈالنی حسب عادت ناف سے کہیں بہت نیچے بیٹھی رہی پھنکارتی رہی۔ ریڑھ کے سفر پر ماڑو کے پہاڑ پر چڑھنے سے اس نے انکار کر دیا، لیکن بیکار جستجو کا ایک اور دروازہ کھول کر میں نے پہلے سے ٹنڈ منڈ درخت کو سردیوں کی یخ ہواؤں کے سپرد کر دیا۔ دیوانگی کی ایک اور سمت مجھ پر کھل گئی۔

اس سے پہلے عابدہ اپنے شوہر کی گفتگو کرتی رہتی تھی۔ مجھے سیمی کے واقعات کے اعادے کا جنون تھا۔ میں وقت اور موت کو گفتگو میں بند کر کے گھڑی پیچھے کی طرف چلانا چاہتا تھا۔ ہم دونوں کا نقطہ اتصال کوئی نہ تھا۔ شاید ہم دونوں ایک دوسرے سے ہمدردی چاہتے تھے۔ لیکن اس روز کے بعد ہماری گفتگو ہمیشہ شارٹ سرکٹ ہو جاتی۔ اب ہم میں ہمدردی تو کیا ایک دوسرے سے نگاہیں چار کر کے خدا حافظ کہنے کی ہمت بھی باقی نہ رہی تھی۔

سہیل کی باتوں سے قطع نظر اپنی بے چینی اور لا یعنی جستجو کے علاوہ ایک اور وجہ

بھی تھی، جس نے مجھے عابدہ سے رابطہ قائم کرنے پر مجبور کیا۔ مرد کے جنسی سیلز کے اندر جو تنوع موجود ہے اس کی وجہ سے وہ ہمیشہ مُجل ہوتا ہے۔ اس کے صنفی تخم کے اندر x اور Y کا جو تضاد موجود ہے، اسی کی وجہ سے جنس کے معاملے میں وہ عورت کی طرح یک طرفہ اور شانت نہیں رہ سکتا۔ اس کے جنسی سیل سے چونکہ لڑکے اور لڑکی کا متفرق تعین ہوتا ہے، اسی لئے وہ اپنے جنسی فعل میں بھی کبھی یک رخا نہیں بن سکتا۔ ہمیشہ دو شاخے کی طرح کٹ جاتا ہے۔

جنس کے راستے پر عورت کبھی خوار نہیں ہوتی۔ وہ ہمیشہ محبت حاصل کرنے کے لئے آتی ہے اور بچہ حاصل کر کے واپس چلی جاتی ہے۔ مرد اپنے آپ سے آزاد ہونے کے لئے عورت سے ہمکنار ہوتا ہے اور ہمیشہ کے لئے دو حصوں میں بٹ جاتا ہے۔ X یا Y —— بیٹا یا بیٹی —— ذات یا خدا —— فنا یا بقا —— اپنی ہی بقا کی کوشش میں کئی بار وہ اپنی فنا سے بغلگیر ہو جاتا ہے۔ اسی جنسی جرثومہ کے تنوع کے باعث کبھی کبھی لاتعلق حالات میں بھی وہ تعلق پیدا کرنے پر مجبور ہوتا ہے —— کیونکہ اس کے صنفی تخم کے اندر —— مرد اور عورت دونوں موجود ہوتے ہیں، اس لئے کبھی تو وہ جغرافیائی قُرب کے باعث عورت سے رابطہ قائم کئے بغیر رہ نہیں سکتا —— کبھی وہ موسموں کی رومانیت کا شکار ہو جاتا ہے۔ کبھی وافروقت کا بہتر مصرف نہ پا کر کسی نہ کسی کے قدموں میں جا گرتا ہے —— کبھی اس کے جرثومہ کا مرد اسے عورت کی طرف کھینچتا ہے کبھی اسی جرثومہ کی عورت اپنی ہم جنس کی تلاش میں نکلتی ہے۔ کیونکہ اس کے صنفی تخم کے اندر سائیکی کے دو مختلف روپ رہتے ہیں۔

مرد کا روپ —— عورت کا روپ —— یہی تنوع ہمیشہ کی جستجو کا باعث بنتا ہے —— اسی جستجو نے مجھے عابدہ پر —— شب خون مارنے کے لئے اکسایا۔

پہلے عابدہ کچھ اور تھی۔ اس واقعے کے بعد اس نے مونگ پھلیاں کھانی چھوڑ دیں اور اٹک اٹک کر باتیں کرنے لگی —— شاید وہ اس نئے رابطے کو گناہ سمجھتی تھی۔ لیکن ہم کرگس جاتی کے لوگوں میں مُردہ تعلقات احساس جرم پیدا نہیں کر سکتے۔ عابدہ جو شکتی روپ تھی، اس کے ملاپ سے مجھ پر یہ حقیقت کھلی کہ جسم روح کو دغا دینے کے لئے کئی بھیس بدلتا ہے۔ وقتی طور پر کبھی کبھی جسم کامیاب بھی ہو جاتا ہے لیکن روح کو ہمیشہ

کے لئے جل دینا ممکن نہیں۔ روح کو محبت صرف اس وقت ہوتی ہے جب دو انسانوں کی سائیکی ایک دوسرے کی تلاش میں نکلتی ہے۔ ایسی صورت میں نہ وصل میں بوریت ہوتی ہے نہ ہجر میں اشتیاق بڑھتا ہے۔ سائیکی کی محبت بھوک کی جنسی کشش کی جبلت سے مشابہہ نہیں ہوتی کہ سیر ہونے پر مونگ پھلی کے چھلکوں کی طرح محبوب بھی بیکار ہو جائے۔ وہ تو بھاری گھنیرے بادلوں کو اڑانے والی ہوا ہوتی ہے، جو جسم کا بوجھ ساری عمر اٹھائے لئے پھرتی ہے۔ جسم اور بادل کثیف ہوتے ہیں۔ محبت اور ہوا نظر نہیں آتیں۔ لیکن ان کا لطیف بہاؤ سمت بدلتا اور رفتار مقرر کرتا ہے۔ ہر قسم کی شدت، تندی، طاقت کو ان میں جنم دیتا ہے۔

محبت اور ہوا غضب ناک ہو کر چاہے کیسی بھی تندی کیوں نہ اختیار کرلیں۔ لیکن جسم اور بادل کی طرح کثیف نہیں ہو سکتے۔

عابدہ اور میں ایک دوسرے کی طرف اس لئے بڑھے تھے کہ شاید ہم دونوں اپنی فنا سے ڈرتے تھے۔ میں سیمی میں مرنا نہیں چاہتا تھا۔ عابدہ بچے کے بغیر اپنا سلسلہ منقطع ہوتے دیکھ رہی تھی۔ ہم دونوں خوفزدہ تھے۔ اپنی اپنی فنا سے ——

لیکن جسم میں پناہ ڈھونڈنے والے اکثر اوقات تلاش کا شکار ہوتے ہیں۔ وہ کبھی فیصلہ نہیں کرپاتے کہ وہ موت سے محبت کرتے ہیں کہ زندگی سے ——

اسی لئے ہم دونوں دو طاقے دروازے کی مانند رہے۔ کنڈی لگی رہی تو ایک —— ورنہ دونوں پٹ علیحدہ علیحدہ —— آندھیوں میں بج اُٹھنے والے —— دیواروں سے چمٹے ہوئے۔

اب عابدہ ناغے ڈال کر اوپر آنے لگی۔

جب وہ کمرے میں داخل ہوتی تو اس کے پورنماشی چہرے پر آنکھوں کی کھڑکیاں بند ہوتیں۔ ہونٹ لپ سٹک کے باوجود پُرانے پردوں کی طرح بے رنگ نظر آتے۔ وہ کبھی سلاخوں والی کھڑکی کے سامنے میری طرف پیٹھ کرکے کھڑی ہو جاتی، کبھی دیوار کے ساتھ بایاں کندھا لگا کر ادھر ادھر کی باتیں کرنے کی کوشش کرتی۔

بچپن سے جو میخیں اس کے کلچر، مذہب ماحولیات نے اس کے ذہن میں ٹھونکی تھیں بالآخر اس کے ذہن کے تختے کا حصہ ہو چکی تھیں۔ اگر ہم دونوں کو ایک دوسرے سے محبت ہوتی تو اور بات تھی۔ لیکن ہم دونوں تو اپنی اپنی تلاش کے باعث ہمسفر ہوئے تھے، اس لئے اب فقط احساس گناہ اور خود شکستگی باقی تھی۔

میں بھی عجیب قسم کے بوجھ تلے دبنے لگا تھا۔

خدا جانے وہ کیا کائناتی عمل ہے جو کبھی بڑے بڑے بوجھ بہت چھوٹے سے لیور سے اٹھالیتا ہے۔ جیسے بھاری تھری ٹنر ٹرک چھوٹے سے جیک پر اٹھ جاتا ہے اور پنکچر سٹپنی بدلنے کی آسانی مہیا آتی ہے۔ جب کبھی "Ancient Mariner" کی نظم پڑھنے کا اتفاق ہوا یہ دیکھ کر مجھے بڑی کوفت ہوئی کہ احساس گناہ تلے دبے ہوئے بحری قزاق کو اس وقت تو رہائی نہ ہوئی جب اس نے موت اور زندگی جیسے مافوق الفطرت کردار دیکھے، لیکن چھوٹے چھوٹے دریائی سانپ دیکھ کر وہ الوہی طاقتوں کے سامنے سرنگوں ہو گیا۔

شاید زندگی کے تمام اہم واقعات قد میں ہمیشہ چھوٹے ہوتے ہیں—— ماں کا مرنا، سیمی کی موت، چندرا گاؤں کا چھوٹنا یہ بڑے سانحے تھے۔ جیسے شہر بمباری کے بعد تباہ ہوتے ہیں۔ لیکن جنگ دیدہ شہر بڑی شان کے ساتھ سرعت سے جلد ہی تعمیر ہو جاتے ہیں۔ ہر ٹیکسلا، دلی، لاہور، ہیروشیما بڑی جلدی مرمت ہو جاتا ہے لیکن چھوٹے واقعات گھن کی طرح ہوتے ہیں۔ وہ اندر ہی اندر قد آور درختوں کو دیمک کی طرح کھوکھلا کر دیتے ہیں۔ لہلہاتے کھیتوں میں کلر کی طرح بڑھتے ہیں جو شہر دریاؤں کے پاس آباد ہوں اور دریا ہولے ہولے کروٹیں لیتے رہیں، ایسے شہر ہولے ہولے ہی برباد ہو جاتے ہیں اور پھر کبھی آباد نہیں ہوتے—— ان کے اردگرد بے آب و گیاہ ریت پھیل جاتی ہے۔

ماں کا مرنا بڑا واقعہ تھا—— لیکن اس کے اردگرد پھیلے ہوئے چھوٹے واقعات بڑے اہم تھے۔

ماں کا مرنا ایسے زلزلے سے مشابہ تھا جس کے ساتھ اونچی عمارتیں ماتھا جوڑ کر پھٹ جاتی ہیں۔ سڑکوں میں چھتنارے—— درخت دھنس جاتے ہیں۔ لاوا اژدھے کی طرح لاوارث پھرتا ہے—— لیکن زلزلہ لمحوں کی بات ہوتی ہے—— ماں کا مرنا ایسے ہی تھا۔ ہزاروں واٹ کی بجلی گری اور بھسم کر گئی—— لیکن ماں کے مرنے سے کچھ

سال ادھر کے کئی چھوٹے چھوٹے واقعات اس کے مرنے کے ساتھ ہی اہم ہو گئے۔ جیسے ٹائیفائیڈ مرض کے بعد برسوں سر پر بال نہ اُگیں۔ بغیر تلے کی جوتی میں چلنے کی وجہ سے کیکر اور ببول کے کانٹے پیروں میں چبھ جائیں اور کئی شامیں کئی راتیں اپنے جسم کو سوئی سے پپوٹتے نکلیں۔

میرے باپ کا گھرانہ بڑی شان والا تھا۔ چندرا میں ہماری حویلی سارے علاقے میں مشہور تھی۔ نک طوطے ابا کا سارا خاندان فیوڈل تھا، اسی لئے ماں کا میکہ گمنام رہا۔ ہم ماں کے کسی رشتہ دار کو نہ جانتے تھے۔ وہ حویلی میں اپنی کلب کی اور خاندان کے اندر ابا کی رعایت سے بڑی چودھرائن تھی۔

جب ماں بیمار پڑی اور گھر سے بھیڑ کم ہونے لگی تو مجھے پتہ چلا کہ وہ قصور جاکر اپنے مائیکہ گھر میں مرنا چاہتی تھی۔ باپ کو ماں کی اس آرزو پر منطقی طور پر کوئی اعتراض نہیں تھا، لیکن ساری بات غیرت کی تھی۔ ہمارے گھر کی کوئی بھی بڑی سیانی اپنے میکہ گھر میں فوت نہیں ہوئی تھی ـــــ

یہ ان دنوں کا ذکر ہے جب ماں کو عصر کے وقت ہلکا ہلکا بخار رہنے لگا۔ وہ آنگن کے بڑے پیپل تلے نواڑی پلنگ کو گھسیٹتی رہتی۔ جدھر جدھر سورج چلتا ادھر ہی کو اس کا پلنگ کھسکتا جاتا۔ حتیٰ کہ سورج غروب کے وقت اس کی چارپائی عین ان سیڑھیوں سے جا لگتی جو حویلی کی دوسری منزل کو جاتی تھیں۔

سردیوں سے ہوتا ہوتا بخار گرمیوں میں بھی رہنے لگا۔ اب ماں چھاؤں کی تلاش میں چارپائی کھسکانے لگی۔ جس وقت سورج پھیکا پڑ کر اندھا ہو جاتا۔ وہ پیپل کے تنے تلے عین گھڑونجیوں کے پاس چارپائی کھسکا کر پڑی رہتی۔ اب بھی آنگن میں شام کے وقت میلہ سا لگا رہتا تھا۔ ماں کی طبیعت کا پوچھنے دو آتیں تو چار اٹھ کر چلی جاتیں۔ لیکن اب ماں کی کھنک دار آواز نہ آتی ـــــ "قیومی مختار ـــــ بیٹا سردئی پی لو ـــــ پھر مغرب کا وقت ہو جائے گا۔ میری نماز کھنج جائے گی کاکا۔"

اب کوئی نہ کوئی ہمیں سردئی کے گلاس پکڑا دیتا۔ پھر خالی گلاس گھڑونجی پر پڑے رہتے۔ رین بسیرے والی چڑیاں گھنیرے درخت میں اس قدر شور مچاتیں کہ جی ڈرنے لگتا لیکن ماں آنکھیں موندے چپ چپ پڑی رہتی۔ اب اسے نماز کے قضا ہونے کا بھی کوئی

فکر نہ تھا۔

چڑیوں کا بلبلانا ایک چھوٹا سا واقعہ بن گیا تھا۔ ان کی تصویر کے اوپر مغرب کی اذان سوپر امپوز ہو جاتی۔ گرمیوں میں دن کا پہلا ٹھنڈا پہر تھا ——— لیکن پتہ نہیں کیوں میرا جی چاہتا کہ دوپہر چڑھی رہے ——— دوپہر کے وقت کبھی یہ ڈر نہیں ہوتا تھا کہ ماں کہیں جا سکتی ہے ——— لیکن مغرب کے وقت پتہ نہیں کیوں کئی قسم کے خوف مجھے گھیر لیتے۔ مجھے لگتا کہ شاید اس جھٹپٹے میں ماں چھپ چھپا کر غائب نہ ہو جائے۔

ماں کے مرنے سے کچھ دن پہلے ایک اور بڑا معمولی واقعہ پیش آیا۔

اس روز ماں کو اس کی سہیلی اصغری اور میراثن برکتے نے غسل کرا کے پھیکے سبز رنگ کا سوٹ پہنایا تھا۔ نومبر کی دھوپ ابھی آنگن میں تھی۔ وہ دونوں ماں کو سہارا دے کر باہر لا رہی تھیں اور میں اوپر جانے والی سیڑھیوں پر گنا گود میں لئے بیٹھا تھا۔ چلتے میں ماں کی آنکھیں بند تھیں۔ اس کے ہونٹ یوں جڑے تھے جیسے درد کو باہر نکل کر واویلا مچانے سے روک رہے ہوں۔

اس سے پہلے ماں کے کانوں میں کئی بالیاں تھیں لیکن آج اس کے تمام کان خالی تھے۔ یہ میرے لئے ایک چھوٹا سا واقعہ تھا۔ میں بغیر بالیوں والی ماں کا عادی نہیں تھا۔ نومبر کی دھوپ میں پلنگ پر بیٹھی میری ماں کا رنگ سوجی کی مانند پھیکا نظر آ رہا تھا۔ پھر گجے زین اصغری نے ماں کی چٹیا کھینچ کر بنائی۔ اس کے بال اتنی سختی سے مٹھی میں لئے کہ ماں کی بادامی آنکھیں چینی نظر آنے لگیں۔ کچھ دیر تک وہ دونوں مٹھی چاپی کرتی رہیں اور جب عصر کی اذان ہو گئی تو ماں کو ملتانی کھیس اوڑھا کر چلی گئیں۔

اس وقت میں ڈرتے ڈرتے ماں کے پاس گیا۔ چڑیوں کے آنے سے پہلے ——— مجھے چڑیوں کے بلبلانے سے خوف آتا تھا۔

"تیری بالیاں کہاں ہیں ماں؟"

ماں نے بڑی مشکل سے پلکیں اٹھائیں۔ دونوں آنکھیں آنسوؤں سے بھری ہوئی تھیں۔

"کون ہے ؟"

"میں ہوں قیوم ——— قیومی۔"

ماں نے آنکھیں بند کرلیں اور آنسو اس کے کانوں کی طرف بہنے لگے۔

"پتہ نہیں تو کب جوان ہو گا —— کتنی دیر لگا دی تو نے جوان ہونے میں۔"

"ہم دونوں جوان ہیں —— دیکھ تو سہی" —— میں نے گاؤں میں سن رکھا تھا کہ ماؤں کو بیٹوں کی شادی کا بہت شوق ہوتا ہے۔

"تو ہماری شادی کرنا چاہتی ہے تو کردے۔"

وہ مسکرا دی۔

ایک اور چھوٹا سا واقعہ۔

اس روز کی مسکراہٹ کے بعد پھر میں نے ماں کو مسکراتے نہیں دیکھا۔

"کتنے ہی سال سسرال میں رہو۔ کتنے ہی بچے جنو —— کیسے کیسے کاج سنوارو، کوئی اپنا نہیں ہوتا۔ سسرال میں تو شوہر بھی اپنا نہیں ہوتا۔ دوسروں کا گلہ کیسا؟ چونکہ اس وقت میں صرف ساتویں میں پڑھتا تھا اور پوری طرح شادی کے قابل نہیں ہوا تھا، اس لئے میں رونے لگا۔ میں ماں کی باتیں نہیں سمجھ رہا تھا۔ صرف ماں کی آواز میں اس کے دکھ تلے ماں کو پہچاننے کی کوشش کر رہا تھا۔

"جب تو جوان ہو جائے گا تو اپنے مامے کے پاس جانا —— منظور الٰہی قصوری کے پاس۔"

پہلی بار میں نے اپنے ماموں کا نام سنا۔

"تو مختار بھائی کو بھیج دے قصور —— وہ تو بی اے میں پڑھتے ہیں جوان ہیں۔"

"ہاں جوان ہے لیکن وہ اپنی دادی کی گود میں پلا ہے، جہاں کہیں دادی کا بیر ہے وہاں مختار نہیں جا سکتا۔"

تو مجھے مامے منظور کا پتہ بتا دے میں چلا جاؤں گا۔ کل سویرے سہی۔"

"لاریوں کے اڈے سے بلھے شاہ کے مزار کا پوچھ لینا۔ باہر والی گول سڑک پر بلھے شاہ کے مزار کے سامنے بازار کو ایک راستہ جاتا ہے —— بازار کی طرف مت مڑ جانا۔ بس گول سڑک پر رہنا۔ ایک بڑا سا احاطہ نظر آئے گا۔ بڑے پھاٹک سے کوئی سو گز کے فاصلے پر۔ یہ احاطہ میرے بھائی کا ہے۔ جس روز میں گھر سے نکلی تھی اس روز اس

پھاٹک پر میراثی سہرے لگا کر گئے تھے- میری بھابی کے لڑکا ہوا تھا- اس روز- پتہ نہیں اب تو وہ جوان ہو گیا ہو گا-"

"تو—— کیوں نکلی تھی ماں——" دیہات میں ہم لڑکے لوگ نکل جانے کو اچھی طرح سمجھتے تھے-"

"بڑے قحط کا سال تھا- بارش کا قطرہ نہ برسا تھا اور بھادوں کا مہینہ جا لگا تھا- درختوں پر مٹی جمی تھی- سڑکیں راکھ جیسی ہو گئی تھیں- میں چوبارے میں رہتی تھی- بھابھی کے ساتھ اور سارا دن بلھے شاہ کے مزار کی طرف منہ کر کے اس کے بچوں کو کھلایا کرتی تھی—— تین بچے تھے میری بھابھی کے—— سب کو میں نے گودی کھلایا تھا-"

"ماے منظور کو بلا لاؤں ماں-"

"ناں ناں اس کا نام بھی مت لینا حویلی میں- تیرا باپ ناراض ہو جائے گا-"

اس سے پہلے کبھی ماں کے منہ سے میں نے ماے منظور الٰہی کا نام بھی نہ سنا تھا-

"اس روز سارے قصور پر مٹی کا بادل چڑھا تھا- قوال بلھے شاہ کے مزار پر چوکی بھر رہے تھے- میں تیسری منزل پر کھڑی کبوتروں کو باجرہ ڈال رہی تھی- پتہ نہیں قوالوں کی آواز میں کچھ تھا کہ آسمان چڑھی ہوئی مٹی میں کوٹھے سے اتری- بڑے پھاٹک سے نکلی اور مزار پر چلی گئی-"

میں چپ چاپ ماں کے پاس کھیس کے اندر گھس کر لیٹ گیا- ماں کے جسم سے نمانما سینک نکل رہا تھا-

"قوالوں سے آگے چھوٹے برآمدے میں ستون کے ساتھ سر لگائے تیرا باپ بیٹھا تھا- تیرا باپ بڑے سال کہتا رہا کہ اس روز بلھے شاہ کے مزار پر اس کی دو دعائیں ایک ساتھ پوری ہوئیں-"

"کونسی دو دعائیں ماں؟"

"اس روز میں مزار سے گھر واپس نہیں گئی—— میری کونسی ماں تھی گھر پر جس سے میں اجازت لینے جاتی—— جب ہم چندرا میں داخل ہوئے تو بڑی ٹکویں بارش ہو رہی تھی- تیرے ابے نے تب مجھے بتایا کہ وہ بلھے شاہ کے مزار پر بارش کے

لئے دعا کرنے گیا تھا۔"

"تو ـــــ اپنے گھر واپس کیوں نہیں گئی ماں بول ـــــ بتا۔"

میں نے دونوں ہاتھوں میں ماں کا چہرہ لے کر پوچھا۔

"دیکھ کسی سے یہ بات کرنا نہیں اچھا تیرا ابا ناراض ہو جائے گا ـــــ وہاں میرا اپنا کوئی نہیں تھا ناں ـــــ نہ ماں نہ باپ ـــــ یہ یہاں اتنے سال سسرال رہنے کے بعد پتہ چلا ـــــ وہاں منظور الٰہی تو تھا ناں۔"

اس کے بعد میں نے ماں کو بہت بلانا چاہا، لیکن وہ میری طرف پیٹھ کر کے ہولے ہولے روتی رہی۔ ماں کے مرنے سے بھی زیادہ اس چھوٹی سی شام نے مجھے اپنے اندر گھول لیا تھا۔ ماں کے مرنے کے بعد جب بھی میں لیٹتا مجھے یوں لگتا جیسے اب بھی وہ میری طرف پیٹھ کئے آہستہ آہستہ سسکیاں بھر رہی ہے۔

جس روز ماں کا چالیسواں تھا۔ اس سے ایک رات پہلے میں نے چندرا کو چپکے سے خدا حافظ کہا۔ آسمان پر دور دور تک مٹی چڑھی تھی۔ ایک بھی ستارہ نظر نہ آتا تھا اور بلا کی گرمی تھی۔

جس وقت میں قصور کی گول سڑک پر پہنچا تو اس روز بھی بلھے شاہ کے مزار پر قوال چوکی بھر رہے تھے ـــــ آڑھتی منظور الٰہی کا گھر تلاش کرنے میں مجھے ذرا بھی تکلیف نہ ہوئی۔ احاطے میں داخل ہوا تو ماں کی شکل کا ایک بوڑھا اندر سے وضو کا پانی کہنیوں سے پونچھتا ہوا باہر نکلا۔ اس نے لمحہ بھر کو مجھے دیکھا۔ ٹھٹھکا اور پھر میرے گلے لگ گیا۔

"کیا حال ہے رابعہ کا؟"

"ماں تو مر گئی۔"

مامے نے میری طرف دیکھا پھر آسمان کی جانب نگاہ دوڑائی ـــــ اس وقت چڑھی آندھی میں کبوتر چکر لگا رہے تھے۔ مامے نے میرے کندھے پر ہاتھ رکھا۔

"کب؟"

"بلھے شاہ کے مزار پر قوالوں نے پورے زور سے سُر لگائے ـــــ "ربا میرے اوگن چِت نہ دھریں۔"

پتہ نہیں وہ مامے منظور الٰہی کے وضو کا چھینٹا تھا کہ اس کے اچٹے ہوئے آنسو تھے کہ بارش کا پہلا قطرہ ——— میرے ماتھے پر ٹھنڈی برف کی کنی گری۔ میں نے آسمان کی طرف دیکھا۔

اس روز پھر بارش شہر کو غرق کرنے کی سوچ میں تھی۔

مامے منظور الٰہی کی ملاقات کتنا چھوٹا سا واقعہ تھا ——— لیکن اس نے مجھے پاؤں میں زنجیریں پہنا دیں اور بی اے کرنے کے بعد تک میں چندرا نہ جا سکا۔

عابدہ بہت دنوں کے بعد میرے کمرے میں نظر آئی۔

مجھے کاسنی رنگ کے ہر شیڈ سے نفرت ہے اور وہ سر سے پاؤں تک بیگنی، کاسنی، کلیجی مائل لگ رہی تھی۔ شاید وہ دیر سے یہاں بیٹھی تھی کیونکہ چارپائی کے نیچے مونگ پھلیوں کے چھلکوں کا ڈھیر تھا۔ میں نے سلاخوں والی کھڑکی میں کھڑے ہو کر تھوک سڑک پر پھینکی۔ "قیوم! بُری عادت ہے ہر وقت تھوکنے کی۔"

میں چُپ رہا۔

"میری مامی تھیں ایک ان کو طہارت کی بری عادت تھی۔ پوری پوری بالٹی پانی سے طہارت کرتی تھیں۔"

"ہاں ہوتے ہیں ایسے لوگ بھی۔"

آج بہت دنوں کے بعد عابدہ نے اپنے شوہر کے متعلق باتیں شروع کر دیں۔

"خدا قسم قیوم جیسی خدمت میں نے وحید کی کری ہے ناں ویسی کوئی ماں جنی نہیں کر سکتی ——— لیکن اس کو پروا ہی نہیں کہ میری گود خالی ہے ——— کہتا ہے بچہ خواہ مخواہ درد سر ہوتا ہے ——— کیوں بچہ کوئی درد سر ہوتا ہے؟"

میں ——— صرف اس کی زکامی آواز سن رہا تھا متن پر میرے کان نہیں تھے۔

"ذرا بچے کی بات زور دے کر کہہ دوں تو فٹ رونے لگے گا کہے گا تمہیں کیا کوئی جیئے یا مرے تمہیں تو بچہ چاہیے۔"

میں نے سگریٹ کا کش لگایا اور کہا ——— "ہاں یہ تو وہ ٹھیک کہتا ہے ———

تمہیں صرف بچہ چاہیے اس دنیا میں۔"

"کیا ٹھیک کہتا ہے قیومی ؟۔"

"یہی کہ اگر تمہارا اس سے کوئی رشتہ ہوتا تو تم اس کی تکلیف محسوس کرتیں۔"

پلاسٹک کی انگوٹھیوں والا ہاتھ گھما کر وہ بولی—— "میں اس کی بیوی ہوں نکاحی ہوں اس سے—— اس سے بڑا رشتہ کیا ہوتا ہے۔"

"بیوی اور پی اے سے کسی کا کوئی رشتہ نہیں ہوتا۔ کوئی اچھا پی اے ہوتا ہے کوئی نالائق—— کسی کو شاٹ ہینڈ آتی ہے کسی کی سپیڈ زیادہ ہوتی ہے کوئی چٹھی اچھی ڈرافٹ کرتا ہے کوئی نوٹس لینے میں تیز ہوتا ہے۔ ہر آفیسر پی اے کے ساتھ بندھا ہوتا ہے ہر شوہر بیوی کے ساتھ—— پی اے اور بیوی کی صفات ہوتی ہیں—— خدمات ہوتی ہیں لیکن ان کے ساتھ کوئی رشتہ نہیں ہوتا بی بی عابدہ۔ ایک اچھی بیوی ثابت ہوتی ہے دوسری بری۔ اچھی بیوی کھانا پکاتی ہے، برتن مانجھتی ہے، وقت پڑنے پر پاؤں دباتی ہے۔ چپ رہتی ہے لیکن اس کے ساتھ کبھی اس بیوی سے زیادہ ناطہ نہیں ہوتا جو گھر کے خرچے سے زیور بناتی ہے، فلمیں دیکھتی ہے، سسرال والوں سے لڑتی ہے۔ نوکر ملازم خدمت گار کے ساتھ تعلق پیدا ہو سکتا ہے لیکن پی اے کے ساتھ کوئی رشتہ نہیں ہوتا بیوی بھی اسی ضمن میں آتی ہے۔"

"یہ یہ یہ تم کیا بک رہے ہو آج—— دنیا میں ہر رشتہ سگا بھی ہو سکتا ہے اور سوتیلا بھی—— سگی ماں سوتیلی ماں—— سگا بھائی سوتیلا بھائی—— لیکن بیوی ہمیشہ سگی ہوتی ہے۔ کبھی تم نے یہ سنا ہے کہ یہ میری چوتھی سوتیلی بیوی ہے۔"

میں نے محض اس کو چڑانے کے لیے کہا—— "سگا سوتیلا ہمیشہ وہاں پیدا ہوتا ہے جہاں کھرے اور کھوٹے کی پہچان کرانی ہو—— جہاں رشتہ ہی موجود نہ ہو وہاں سگا سوتیلا کیا معنی ؟۔"

وہ اپنی پٹڑی پر بولتی چلی گئی—— "اولاد ایک سگی دوسری سوتیلی—— چاچے تائے کچھ سگے کچھ سوتیلے—— بیوی پہلی سگی دوسری سگی تیسری چوتھی—— سب سگی بیویاں۔"

میں آج کچھ ضرورت سے زیادہ برہم تھا۔ میں اس سے جھگڑنا چاہتا تھا۔ آج مجھے وہ شکتی سروپ نہیں لگ رہی تھی۔ میں اس کے وجود میں اتر کر تنترا کے سہارے خدا تک پہنچنا نہیں چاہتا تھا۔ اس راستے نے بھی مجھے تسکین دینے کے بجائے الٹا الجھا دیا تھا۔ میں اسے اذیت دے کر دکھ پہنچا کر حلال کر کے سکون سے سگریٹ پینا چاہتا تھا۔

"جان من عابدہ بیگم بیوی فقط Catalyst ہوتی ہے۔ سارے اصلی نقلی رشتے بناتی ہے —— پہلی بیوی کی اولاد ہو تو سب سگے بیٹے بیٹیاں —— دوسری کے تمام سوتیلے نہ پہلی کے ساتھ کوئی رشتہ نہ دوسری کے ساتھ۔"

وہ رضائی گھسیٹے جا رہی تھی اور اب میں اکڑوں تکیے پر بیٹھا تھا۔

"ہے تمہارا دماغ خراب ہو گیا ہے قیوم —— تم ایسی باتیں سوچتے ہو جو مذہب اور شریعت نے حرام کر رکھی ہیں بچی۔"

"مثلاً۔"

"رشتہ داری، اللہ رسول کے احکامات ہیں ان کے متعلق —— بیوی بچوں کے حق بندھے ہیں مذہب میں —— جو یہ سارے جھوٹے ہوتے تو شریعت ان کی پابندی کراتی —— اتر کر نیچے بھائی بھابھی سے ملا کرو۔ بچے ہیں ماشاء اللہ ان سے کھیلا کرو۔ ان پر بھی پیار نہیں آتا؟"

"نہیں۔"

"توبہ —— ایسے کوئی کہتا ہے —— کہیں بھابھی صولت کے سامنے نہ بکواس کر دینا۔"

"وہ جانتی ہے۔"

"ساری بات یہ ہے کہ اس بدبخت سیمی نے تمہارے دماغ میں فتور بھر دیا ہے۔ عشق کا بخار چڑھا ہے تمہیں —— مجھے جو کہیں مل جائے تو الو کی پٹھی کو سیدھا کر دوں۔ خود تو مر گئی اس بیچارے کو ویسے ہی پاگل کر گئی —— اللہ کی شان۔"

کسی نے میری ریڑھ کی ہڈی پر برف مل دی۔

"خبردار پھر کبھی سیمی کو کچھ نہ کہنا۔"

"کہوں گی کہوں گی —— اس نے تمہیں پاگل کر رکھا ہے —— ہائے کبھی

مسلمانوں کے لڑکے یوگا کرتے پھرتے تھے؟ —— وہ بھی تنترا یوگا —— نجس ناپاک خیالات اسی نے بسائے تمہارے دل میں اپنے گناہ پر نقاب ڈالنے کو —— .... تم کسی دماغی امراض کے ڈاکٹر سے ملو قیومی سچ خدا کی قسم! اور توبہ کیا کرو اپنے گناہوں پر۔"

"پھر اس کا نام نہ لینا عابدہ —— " میں نے اس کے کندھے پکڑ کر کہا۔

"وہ جو سارا دن تم وحید کی دھجیاں اڑاتے پھرتے ہو وہ ٹھیک ہے۔ آخر میرا مجازی خدا ہے وہ۔"

"ہو گا لیکن میرا مجازی خدا نہیں ہے۔"

ہم دونوں کچھ دیر خاموش رہے اس نے اپنے کندھے میری گرفت سے چھڑانے کی ہلکی سی کوشش کی۔ لیکن میں نے اسے چھوڑا نہیں۔

بڑی دیر بعد میں نے کہا —— "سچ بولنے کی کوشش کرنی چاہیے —— لیکن۔" اس نے مجھے بات مکمل کرنے نہ دی اور بولی —— "سچ بولنا کوئی کمال نہیں ہے سچ سننا بڑا کمال ہے۔"

"کیا مطلب؟"

"سچ بولنے کی قوت ہمیشہ سچ سننے والوں سے ملتی ہے۔ تم سچ بول تو لیتے ہو لیکن سچ سن نہیں سکتے —— یہ تمہاری کمزوری ہے سیدھی۔"

"تمہیں غلط اندازہ ہوا ہے —— مجھ میں سچ سننے کی اہلیت ہے۔"

"ہے؟ —— " سرمہ لگی آنکھیں مٹکا کر اس نے پوچھا۔

"ہے۔"

"سیمی کے خلاف بھی؟ —— " اس نے شرارت سے پوچھا۔

"ہاں اس کے خلاف بھی۔"

"کل بولو گے میرے ساتھ —— سچ سننے کے بعد۔"

"ضرور۔"

"اچھا —— اب سنو تم درمیانے قد کے دبلے پتلے مرد نما لڑکے ہو۔ تمہاری مونچھیں تمہارے چہرے پر نہیں سجتیں۔ تمہارے بالوں سے خشکی جھڑتی رہتی ہے جو تمہارے کوٹ کے کالروں پر بری لگتی ہے۔ تمہارے بڑھے ہوئے ناخن گندے ہوتے

ہیں۔ تمہارا مزاج ایسا ہے جیسے راکھ جلتے کوئلے پر چڑھی ہو—— اوپر سے بجھے ہوئے اندر سے جلا دینے والے...... ہر وقت کتابیں پڑھ پڑھ کر تم نیم پاگل فلسفی ہو گئے ہو۔"

میں نے جلدی سے اس کے منہ پر ہاتھ رکھ دیا۔

وہ میری سخت گرفت کے نیچے کسمسائی۔

"پتہ نہیں کیوں میں تمہارے پاس آجاتی ہوں قیوم—— کچھ پتہ بھی ہے کہ یہ جائز نہیں—— حرام ہے۔ پتہ نہیں مجھے بچے کی تلاش لاتی ہے کہ اپنی تنہائی... پتہ نہیں میں تمہیں چُپ کرانے آتی ہوں کہ اپنے آپ کو؟۔"

یکدم اس کی آنکھوں میں آنسو آگئے۔

میں نے اس کا چہرہ اپنے ہاتھوں میں لے لیا اور اپنے ہونٹ اس کی گال پر رکھ دیئے۔

"ناں قیوم! یہ گناہ ہے—— میں نے توبہ کرلی ہے۔"

"کس بات کی۔"

"بس کسی بات کی—— ایسے بچے کا بھی کیا فائدہ۔"

وہ چپ چاپ بستر سے اُٹھ گئی۔ چھناکے سے مونگ پھلیوں کا لفافہ فرش پر گیا گیا۔

اب عابدہ نے کوٹھے پر آنا بالکل چھوڑ دیا۔ میری نوکری نئی تھی۔ اس لئے میں نے پوری توجہ سے ریڈیو سٹیشن پر وقت گزارنا شروع کر دیا۔

صبح شیو کرتا تو بار بار بالوں میں برش پھیرتا۔ پتہ نہیں کیوں عابدہ نے میرا جو سچا سراپا بیان کیا تھا، اس سے مجھے شرم آنے لگی تھی۔ سردی اب کم ہو گئی تھی۔ میں بھی ماضی سے چھٹکارا حاصل کرنے کے لئے بہت سی کتابیں خرید لایا تھا—— "اپنے آپ کو بدل ڈالو۔" "تم اور تمہارا مستقبل" —— "بدلنے کے بائیس گر" —— اس نوعیت کی ان گنت امریکی کتابیں ریڈیو سے واپسی پر اب میرے ساتھ ہوتیں۔ میں یوگا سے کھل کر کچھ دنوں ٹی ایم کے چکر میں پڑا رہا۔ relax کرنے کا یہ ڈھنگ کچھ دنوں مجھ پر سوار

رہا۔ پھر میں نے یہ راستہ بھی چھوڑ دیا۔ لمبے سانس، تپسیا، منتر، زن بدھی زم ——— سب بیکار باتیں تھیں ——— میں اپنی انا کی پوست میں سمٹا ہوا تھا، مجھے ہر جگہ اپنے آپ ہی سے لڑنا تھا۔ عابدہ سے میرا کوئی ناطہ نہیں تھا لیکن اس نے مجھے اپنی صحبت کی ہڈی پر سدھایا ہوا تھا۔ میں اس کی محبت میں مبتلا نہیں تھا لیکن اس کی رفاقت سے اس قدر ہل گیا تھا کہ اگر وہ دو چار دن اور اوپر نہ آتی تو از سرِ نو مجھے چاند میں بونے کھیلتے نظر آتے اور آنگن میں دن چھپنے پر سیمی بیٹھی نظر آتی۔

اس روز میں نے پہلا دیہاتی پروگرام پروڈیوس کیا تھا۔ مجھے ہلکی سی خوشی محسوس ہو رہی تھی۔ نئے کام کی نئے ماحول سے نئے تعلقات کی خوشی ——— مجھ پر خوشی ایسے ہی چڑھی ہوئی تھی جیسے آلو بخارے پر ہلکی سی دھند نما موم چڑھی ہوتی ہے۔ بھائی مختار کا موٹر سائیکل میں نے آنگن میں رکھا۔ میرا جی چاہتا تھا کہ عابدہ کو دیہاتی پروگرام کے متعلق سب کچھ بتاؤں جو کچھ وہ سمجھ سکے وہ بھی اور جو کچھ وہ سمجھ نہ سکے وہ بھی۔

آنگن میں بھابھی صولت، عابدہ اور ایک اجنبی بیٹھے چائے پی رہے تھے۔ سردیاں قریب قریب نکل گئی تھیں۔ لیکن عابدہ ہمیشہ کی طرح مونگ پھلیاں کھا رہی تھی۔ اجنبی کے چہرے پر تکبر، سر پر ہلکا سا گنج اور جوتے کی پالش میں مڈل کلاس زندگی کا عکس تھا۔ پتہ نہیں یہ اجنبی مجھے کیوں بُرا لگا۔ مجھے بھابھی نے آواز دی لیکن میں ہمیشہ کی طرح ان سنی کر کے اوپر آگیا۔

میرے کمرے میں چائے کا ٹرے اور مونگ پھلیوں کا لفافہ پڑا تھا۔ میں کرسی پر بیٹھ کر عابدہ کا انتظار کرنے لگا۔ لیکن گھنٹہ بھر بعد میں نے اپنے لئے چائے بنائی اور پھر اسے ٹھنڈی ہونے کے لئے چھوڑ دیا۔ نئے پرانے زخم آہستہ آہستہ کھل رہے تھے، کئی سوال؟ ——— جو کچھ دن سے مجھے ستاتے نہ تھے آج دوبارہ پوری آب و تاب سے ابھر آئے تھے۔ بڑی دیر تک میں باہر کوٹھے پر ٹہلتا رہا۔ یکدم مجھے اپنی گدی سے کئی سمتوں میں آوازیں آنے لگی تھیں۔ میں نے کئی بار پلٹ کر دیکھا۔ جیسے میرے سر کے ساتھ کوئی اور سر جوڑے ٹہل رہا تھا۔ پھر کمرے کا روشندان آنکھ کی پتلی کی طرح کھلنے اور بند ہونے لگا ——— آسمان کی کمر میں چاند کا خنجر بندھا تھا۔ مجھے یوں لگا جیسے ابھی ایک نادیدہ ہاتھ کمر بند سے یہ خنجر کھول کر میرے سینے میں پیوست کر دے گا۔ میرے معدے میں یکدم بہت

سا تیزاب جمع ہو گیا۔

یہ سب کچھ کیا ہے؟

انسانی رشتے؟ ـــــ نفرتیں محبتیں؟

یہ سب کچھ کیا ہے۔

زندگی کا سفر؟

ہمیں کیا چاہئے؟ ـــــ ایک دوسرے سے؟ ـــــ اپنے آپ سے؟

عمر کا فریب، عقل کا فریب، محبت کا فریب ـــــ معاشرہ اور فرد ـــــ فرد اور قانون ـــــ قانون اور قانون فطرت ـــــ ان سب کی حدیں کونسی ہیں؟

ایک آدمی کیا صرف جسمانی طور پر کسی اور کو ہلاک کر سکتا ہے کہ ہلاک کرنے کے لئے جسم کی قید نہیں ـــــ؟

سوال بڑے بھنور میں چھوٹے تلاطم بن کر گھوم رہے تھے۔ کئی حقیقتیں، کئی عزائم، کئی جھوٹ کئی سوچیں آپس میں مشین کی سلائی جیسی جڑتی جا رہی تھیں۔ مجھے اب سیمی کی تلاش نہیں تھی۔ اس کا مرنا ہولے ہولے حقیقت بن چکا تھا۔ لیکن اس کی موت نے ان گنت جاگتے سوالوں کو جنم دیدیا۔ جس طرح مشین کے پرزے کھوچلے ہو کر آوازیں دیتے ہیں اور ان میں پہلے سی تیزی نہیں رہتی، ان سوالوں نے بے نام جستجو بے معنی تلاش نے مجھے ڈھیلا کر دیا تھا۔ اب زندگی کے پیٹرن پر چلتا ہوا اندر سے آوازیں دینے لگا تھا۔ عابدہ ہوتی تو یہ آوازیں مدھم ہو جاتیں۔ لیکن کبھی مکمل طور پر ختم نہ ہوتیں۔ ان ہی نے مجھ پر عجیب قسم کی وارفتگی اور دیوانہ پن طاری کر دیا تھا۔ کبھی کبھی مجھے شبہ ہوتا کہ میرا وہ نام نہیں ہے، جس سے لوگ مجھے پکارتے ہیں۔ اصلی نام یاد کرنے کی کوشش کرتا تو وہ یاد نہ آتا۔ کبھی مجھے لگتا کہ میں جن لوگوں سے ملتا ہوں ان کو میں نے کبھی پہلے بھی دیکھا ہے۔ میں ان کی پرانی ملاقاتوں کو ذہن میں ابھارنے کی سعی کرتا تو بیکار نکلتی۔ کچھ چہرے کالج کے دوست، پروفیسر بھائی مختار، صولت بھابی ان کے بچے مجھے بالکل اجنبی لگتے۔ مجھے اپنے آپ سے پوچھنا پڑتا کہ یہ کون لوگ ہیں؟ اور میری طرف پرامید مشتاق نظروں سے کیوں دیکھتے ہیں؟ جب تک عابدہ میرے پاس رہتی تھی ان بے سمت سوچوں سے چھٹکارا ملا رہتا۔ اس کے جاتے ہی ہر طرف سے ریل گاڑیاں چلنا شروع ہو

جاتیں اور مجھے لگتا کہ ابھی وہ میرے ذہن میں پہنچ کر آپس میں ٹکرائیں گی۔ بڑا دھماکہ ہو گا اور میری کھوپڑی پاش پاش ہو جائے گی —— ان ہی سوچوں نے مجھے اپنی نوکری میں دلچسپی لینے پر مجبور کر دیا تھا۔

چاند کا خنجر غروب ہو گیا۔ اب کوٹھے پر سڑک کے کھمبے کی پھیکی روشنی تھی۔ عابدہ کے آنے سے بہت پہلے اس کے سلیپروں کی آواز آئی۔ میرے دل کو ہلکی سی ڈھارس ہوئی۔

"یہاں کیا کر رہے ہو اکیلے؟۔"

میں چپ رہا۔

"اندر تمہارے لئے چائے رکھ گئی تھی۔"

"شکریہ —— پڑی ہوئی ہے سات گھنٹے سے۔"

"کیسے بول رہے ہو؟۔"

"جیسے بولا کرتے ہیں۔"

"بڑا روکھا طریقہ ہے تمہارا مہمانوں کے ساتھ —— نہ بیٹھنے کو کہا نہ آنے کی وجہ دریافت کی۔"

"بیٹھ جاؤ اندر جا کر۔"

"اکیلی —— ؟۔"

"عورتیں اکیلی بیٹھی اچھی لگتی ہیں۔ کوئی انہیں ستاتا نہیں۔"

"پوچھو گے نہیں کہ میں کیوں آئی ہوں۔"

میں نے سگریٹ سلگایا اور شہ نشین پر بیٹھ کر بولا —— "ضرور کوئی معقول وجہ ہو گی کیونکہ تم ہمیشہ میرے پاس معقول وجہ سے آئی ہو۔"

"بڑے کمینے ہو وحید کی طرح۔"

"ہم مردوں کی ایک ہی ذات ہوتی ہے اللہ کے فضل سے۔"

"اندر آؤ ایک بات کرنی ہے تم سے۔"

کچھ دیر میں اکیلا بیٹھا رہا۔ نافرمانی پر طبیعت مائل تھی۔ لیکن زیادہ دیر نہ رہ سکی۔ بالآخر میں اٹھ کر اندر چلا گیا۔ عابدہ آج سفید کپڑوں میں بڑی ستھری اور ماڈرن لگ

رہی تھی۔ پلاسٹک کے تمام زیور غائب تھے۔ لپ سٹک کا نشان تک نہ تھا۔ ڈھلے بالوں کی چوٹی ـــــ پاؤڈر لگی گردن سے لپٹ کر کندھے سے سینے پر لٹک رہی تھی۔

"یہ تمہاری کیا عادت ہے موٹر سائیکل نیچے دھرا اوپر بغیر سلام دعا اوپر ـــــ دھن جگرا ہے بھابھی صولت کا ـــــ میں تو ایک دن میں نکال دوں گھر سے ـــــ یہ گھر ہے کوئی ہوٹل تو نہیں ناں۔"

"بھائی مختار میری طبیعت کو سمجھتے ہیں۔"

"تم وحید کو تو مل لیتے ـــــ اچھی بے نیازی ہے تمہاری۔"

جیسے کسی نے گرم پانی میں مجھے غوطہ دیا۔ اندر باہر تمام زخم کھل گئے۔

"میرا تو خیال تھا کہ سو برس کتے کی دم سیدھی کرو نہیں ہوتی، پر اس کو تو جلدی ہوش آ گئی۔"

اس کے چہرے پر ہنسی تھی ـــــ خوشی کا گلال بکھرا تھا۔

"ایسی معافیاں مانگی ہیں بھابھی صولت سے۔ کیا ہاتھ جوڑ جوڑ کر وعدے کئے ہیں۔ اپنے علاج کا بھی وعدہ کر لیا ہے۔"

میرا دل یکبارگی کانپنے لگا ـــــ اس کی ہنسی میں فتح تھی مسرت تھی۔

"سنو عابدہ ـــــ تمہارا خیال ہے وہ بدل چکا ہے۔ اب وہ تمہیں بہتر طور پر رکھے گا۔ جان من کوئی شخص کسی کی خاطر نہیں بدلتا نہیں بدل سکتا ـــــ ایک بار تم چیچاوطنی پہنچ گئیں تو پھر وہی بک بک جھک جھک ہو گئی۔"

وہ کچھ دیر چپ چاپ مونگ پھلیاں چھیلتی رہی۔

"اب میں ہمیشہ تو یہاں نہیں رہ سکتی ناں بھابھی صولت کے پاس ـــــ بیچاری بہت عزت کرتی ہیں۔ لیکن کوئی کسی کو کب تک رکھ سکتا ہے۔ اب عزت سے لے جائے تو مجھے کیا اعتراض ہو سکتا ہے؟"

"تم تو کہتی تھیں کہ اگر ایک لاکھ روپیہ بھی کوئی دے تو میں کبھی وحید کے ساتھ نہ جاؤں۔"

تنک کر وہ بولی ـــــ "یہ میں نے کب کہا تھا۔ میں تو بس اس کی شکایتیں کرتی تھی۔"

"ان ہی شکایتوں پر بھروسہ کر کے میں نے کہیں اندر ہی اندر تم پر اعتماد کر لیا۔ تم—— تم میری شکتی ہو عابدہ—— تمہارے بغیر میں——"

یکدم میں چپ ہو گیا—— اس بے سود تلاش سے فائدہ۔

"کمال ہے—— میں تو ہر وقت وحید کو ہی یاد کرتی رہی ہوں قیومی—— جیسے تم سیمی کی یاد میں کھوئے رہے ہو۔ فرق صرف اتنا ہے کہ سیمی تمہاری بیوی نہیں تھی اس لئے تم صرف اس کی اچھی باتیں یاد کرتے تھے۔ میں وحید کی بیوی ہوں اس لئے اسے یاد کرنے کا میرا طریقہ مختلف تھا—— یاد تو ہم دونوں ہی کرتے تھے ناں؟"

اس کے نزدیک ساری بات کُل اتنی تھی۔ اتنی مختصر سادہ اور سچی۔

اس وقت مجھے پتہ چلا کہ یہ سیاہ گوش جسے مُردار سمجھ کر میں کئی مہینوں سے اس کے گرد چکر لگا رہا تھا اور اسے مُردہ سمجھ کر اس سے اپنی زندگی کا پروٹو پلازم بنانے کی کوشش میں مصروف تھا۔ یہ سیاہ گوش مرا ہوا نہیں تھا۔ صرف کچھوے کی طرح مردے پن کی ایکٹنگ کر رہا تھا۔ مجھے جھپٹتے دیکھ کر اس نے جھرجھری لی اور ترنت جنگل کو روانہ ہو گیا۔

"اچھا تو قیومی اب میں چلوں—— اللہ تمہاری مدد کرے۔ خدا قسم مجھے کبھی کبھی تو تم پر واقعی ترس آجاتا تھا۔"

وہ اُٹھ—— کھڑی ہوئی اس کے اُٹھنے کے انداز میں قطعیت تھی۔

"تم اس حیوان کے ساتھ نہیں رہ سکتیں—— وہ تمہیں نہیں سمجھتا—— اس کا علاج نہیں ہو سکے گا عابدہ۔"

"یہ تم نے کیسے اندازہ لگایا۔"

واقعی یہ میں کیسے کہہ سکتا تھا کہ وحید اسے نہیں سمجھتا اس کا علاج نہیں ہو سکتا۔

"عابدہ میں ان گنت سوالوں میں گھرا رہتا ہوں—— اتنے سارے سوال—— کہ میرا اپنا وجود ان میں کھو گیا ہے—— تم جب تک ہوتی ہو—— مجھے یقین رہتا ہے کہ میں ہوں ورنہ—— ورنہ——"

"تمہارا صرف اتنا قصور ہے قیوم کہ تم رشتہ داروں میں نہیں رہتے۔ پود

جڑ چاہئے کھڑا رہنے کو ——"

"صرف تم میری جڑ بن سکتی ہو —— صرف تم۔"

"مجھے پہلے پتہ تھا کہ تم پاگل ہو۔ دراصل اس کالج کی تعلیم کم بخت نے تمہارا دماغ خراب کر دیا ہے —— تمہارے دماغ کو گرمی ہو گئی ہے —— کسی دماغی امراض کے ڈاکٹر سے ملو قیومی خدا کے لئے۔"

"تم اگر یہاں رہو گی تو —— میں ٹھیک ہو جاؤں گا رشتہ داروں سے ملنے لگوں گا —— اگر تم ایسے نہ رہنا چاہو گی تو میں تم سے نکاح کر لوں گا۔"

"ہے نامت ماری گئی تمہاری —— میں کیوں نکاح پر نکاح کروں گی؟" اس نے ابرو اٹھا کر پوچھا۔

پتہ نہیں کیوں میری آنکھوں سے آنسو جاری ہو گئے۔ اس لئے نہیں کہ مجھے عابدہ سے محبت تھی، میں اس سے بچھڑنا نہ چاہتا تھا، بلکہ صرف اتنی بات تھی وہ میری زندگی کے متغی پیٹرن میں ایک مثبت سمبل تھی —— یقینی چیز تھی —— باقی سب کچھ غیر یقینی تھا۔

"نیچے چل کر وحید سے نہیں ملو گے؟"

میں نے منہ پرے کر لیا —— "میں کسی گنجے کو متھا ٹیکنے نہیں جا سکتا اس وقت۔"

"لیکن آخر ہوا کیا ہے —— میں اس کی بیوی ہوں، اب وہ لینے آیا ہے تو کیا میں اس کے ساتھ بھی نہ جاؤں خیر سے۔"

"ضرور جاؤ ——" میں اونچے درخت کی آخری شاخ پر بوڑھے گدھ کی طرح چپ چاپ ہو بیٹھا۔

"عجیب پٹھا دماغ ہے تمہارا —— کسی ڈاکٹر سے مشورہ کرو جلدی سے جلدی۔"

"اور تمہارا دل بھی عجیب ہے —— اتنا کچھ تمہارے جسم کے ساتھ ہوا، اس پر رتی اثر نہیں ہوا؟"

"واقعات پر اپنا بس تھوڑی چلتا ہے گناہ تو آدمی سے ہوتے رہتے ہیں۔ بندہ بشر

جو ہوا۔ توبہ کرلے بس —— آئندہ کے لئے —— اللہ معاف کرنے والا ہے۔"

"بس ساری اتنی سی بات ہے؟۔"

"وہ کھسیانی ہو کر بولی —— "اچھا نیچے چل کر وحید سے ملو۔"

"جانے دو عابدہ تم سب ایک سی ہو۔"

آج وہ اندر باہر بہت خوش تھی۔ اسے اس بات پر بھی غصہ نہ آیا۔

"کیسی ہیں ہم سب؟"

"جیسی بھی ہو ایک سی ہو۔"

میں نے چادر چہرے پر کھینچ لی۔ میرا خیال تھا وہ چادر اتارے گی غصہ جھاڑے گی ہمیشہ کی طرح بلائے گی منائے گی۔ لیکن وہ کچھ دیر کھڑی رہی، پھر توبہ استغفار پڑھنے کی آواز آئی۔ بعدازاں کمرہ اس قدر چپ ہو گیا کہ چادر کے اندر مجھے خوف آنے لگا۔

کچھ دیر بعد جب مجھے یقین ہو گیا کہ کرگسوں کو منانے کوئی نہیں آئے گا تو میں نے چادر سے باہر سر نکالا۔ چائے کا سامان ٹرے میں دھرا تھا۔ دونوں پیالیوں میں ٹھنڈی چائے پر کریم کی جھلی پڑی ہوئی تھی۔ پائینتی مونگ پھلیوں کے چھلکوں کا چھوٹا سا ڈھیر تھا اور ان کے قریب عابدہ کے سفید سلیپر پڑے تھے —— ربڑ کے سفید قینچی سلیپر۔

میں نے اٹھ کر ان سلیپروں کو غور سے دیکھ کر پرنام کیا اور پھر پلنگ کی چادر سے صاف کر کے الماری کی اوپر والی شلف میں رکھ دیا۔ اس کے پاس ہی میری ماں کی چھوٹی سی تصویر فریم میں جڑی ہوئی پڑی تھی۔ شاید اسی جذبے کے ساتھ راجہ بھرت نے بن باسی مہاراجہ رام چندر کی کھڑاویں راج سنگھاسن پر رکھی ہوں گی —— عابدہ کے چلے جانے کے بعد بہت عرصہ میرے دل پر اس کا راج رہا۔

دوسری صبح جب میں نیچے گیا اور میں نے مختار بھائی سے موٹر سائیکل مانگی تو مجھے پتہ چلا کہ عابدہ اپنے وحید کے ساتھ چیچاوطنی جا چکی ہے۔

اس کے بعد میرے معدے میں پھر جلن رہنے لگی اور میں Anxiety کا شکار ہو گیا۔ دراصل گیس جلن اور تبخیر کا میرے اندرونی اعضاء سے اس قدر گہرا تعلق نہ تھا جس قدر میری ذہنی شکستگی اور گومگو کا عالم جسمانی ریخت کا باعث بنتا۔ مجھے شہر میں کئی ڈاکٹر بدلنے کا شرف حاصل ہو چکا تھا۔ وہ مجھے Antiacid دوائیں دیتے، دودھ پینے کی

ہدایت کرتے، مرچ مسالے والی چیزوں سے پرہیز کرنے کو کہتے اور اصرار کرتے کہ میں اپنا آپ ڈھیلا چھوڑ کر فکروں سے آزاد ہو جاؤں۔ تمام ڈاکٹروں کے نسخے تھوڑے بہت ردوبدل کے ساتھ وہی رہتے تھے۔ ڈاکٹروں سے اکتا جاتا تو حکیموں کی بیٹھکوں پر جانے لگتا۔ تبخیر معدہ، جلن اور سوزش کے لئے وہ مجھے پلاسٹک کی ڈبیوں میں معجونیں اور جوارش دیتے۔ عرق کی بوتلیں میرے سرہانے دھری رہتیں، حتیٰ کہ ان میں ہلکا ہلکا کاغذی سفوف سا تیرنے لگتا۔ ڈاکٹروں حکیموں کے علاوہ ہومیو پیتھک اور بائیو کیمک دوائیوں کا بھی کمرے میں انبار لگ گیا ——— جس وقت عابدہ گھر کو آناً فاناً چھوڑ کر گئی اور میرا منہ کڑوے لعاب سے بھرا رہنے لگا۔ میں نے کئی در کھٹکھٹائے۔

صحت کی تلاش میں ایک روز میں ہومیو پیتھک ڈاکٹر فیضی کے پاس چلا گیا۔ جس سے میری پرانی جان پہچان تھی۔

"آیئے آیئے ———" انہوں نے دروازہ کھول کر کہا۔

"آیئے السر کا کیا حال ہے؟"

"آپ باقاعدگی سے کالی فاس تھرٹی کھاتے رہتے تو افاقہ ہو جاتا۔"

"کھاتا رہا ہوں جی۔"

"بیٹے! ہومیو پیتھک میں بس یہی خرابی ہے۔ یہ تو مائی سین سے بھی زیادہ باقاعدگی سے کھانا پڑتی ہے۔"

ڈاکٹر نے اپنی کاپی نکالی۔ اس میں وہ صفحات نکالے جن میں میرے سمپٹم لکھے ہوئے تھے۔

"نیند کا کیا حال ہے۔؟"

"بہت خراب۔" آہستہ آہستہ میں نے بے دھیانی سے جواب دیا۔

"جمائیاں۔؟"

"آنے لگیں تو بہت آتی ہیں۔"

"خواب؟"

"پریشان۔" میں نے جواب دیا۔

"آنکھ پھڑکتی ہے اور کئی کئی گھنٹے پھڑکتی رہتی ہے؟" اس نے پوچھا۔

"جی ـــــ درست ہے۔"

"کونسی آنکھ؟ ـــــ" سوال ہوا۔

"بائیں۔"

"کھجلی؟۔"

"ران پر ـــــ بائیں۔"

"اندر ـــــ کی جانب...؟"

وہ آہستہ آہستہ تمام سمپٹم نوٹ کرتا رہا اور پھر اٹھ کر دوائیوں کی الماری کے سامنے جا کھڑا ہوا۔ اس وقت کوثر کلینک میں داخل ہوئی۔

وہ بیاہی ہوئی بیگموں کی طرح باقاعدہ موٹی، ان کلچرڈ اور باتونی ہو چکی تھی۔ ہم دونوں ڈاکٹر کو بھول بھال کر بڑی دیر تک سوشیالوجی ڈیپارٹمنٹ اور ہم جماعتوں کی باتیں کرتے رہے۔ ہر بار میں اس سے سیمی کے بارے میں کچھ کہنا چاہتا تھا، لیکن پتہ نہیں کیوں زبان اسی لفظ سے گریز کر رہی تھی۔ سیمی کا ذکر کرنے کی آرزو نے مجھے پروفیسر سہیل کی باتیں کرنے پر مجبور کر دیا۔

"ہائے پتہ ہے قیوم مجھے پروفیسر سہیل نے بڑا Disappoint کیا۔ وہ میرے ہزبنڈ کے ساتھ یونیورسٹی میں ہیں ناں آج کل۔ یاد ہے ناں ہم سب ان کو کتنا Idolize کیا کرتے ہیں۔"

"میں تو اب بھی انہیں پوجتا ہوں۔"

"چھوڑو ـــــ بڑے تکلیف دہ آدمی ہیں۔ اتنی بڑی بڑی باتیں کرتے ہیں اور اتنا چھوٹا Behave کرتے ہیں۔"

"واقعی؟ ـــــ" میں نے مجروح ہو کر کہا۔

"میرے ہزبنڈ کہتے ہیں ذرا نولج نہیں ہے سارا Mass Midia بولتا ہے، ذرا حافظہ اچھا ہے کتابیں جلدی رٹ جاتی ہیں۔ ان کے اقتباس استعمال کرتے رہتے ہیں۔"

میرے سامنے پروفیسر سہیل آکھڑا ہوا۔ مجھے پروفیسر کا بڑا اچھا تجربہ تھا۔ لیکن ہر آدمی غالباً کانوں کا کچا ہوتا ہے کوثر کی بات نے میرے اعتبار میں چھید کر دیئے۔ پیرا فزکس پر مضمون والا بھی Hoax ہی نکلا۔

"اب بھی Younger Genration اس کے چنگل میں پھنس جاتی ہے لیکن فائدہ؟"

"جو آدمی کے ٹو جتنی اونچی باتیں کرے اور اپنے انیسویں گریڈ کے لئے مرتا کھپتا رہے، Strikes کروائے کلاسوں سے واک آؤٹ کرے —— وہ بالکل عظیم نہیں ہو سکتا۔ کیوں؟۔"

میں سوچ میں پڑ گیا۔ میں ابھی تک پروفیسر سہیل کی شخصیت سے متاثر تھا۔ میں نے کوثر سے یہ بات چھپائی کہ میں وقتاً فوقتاً ان سے ملنے یونیورسٹی جاتا رہتا ہوں۔

"تمہیں ایک Secret بتاؤں؟ ——" کوثر میری کرسی پر جھک کر بولی۔

"ہاں بتاؤ۔"

"ہماری کلاس کی سیمی تھی ناں؟"

میرا جی لحظے بھر کے لئے بجلی کے کھمبے کی طرح کھڑا ہو گیا۔

"ہاں تھی۔"

"پتہ ہے یہ پروفیسر سہیل اس کے عشق میں مبتلا تھا۔ بڑا Jealous تھا وہ آفتاب سے۔"

"نو ——!"

"یس ——!!"

"نو مائی فٹ۔"

"تم میرے پاس آنا کیمپس —— میں سارا قصہ سناؤں گی تمہیں۔"

اس کے بعد کوثر ہومیو پیتھک ڈاکٹر کے ساتھ مشغول ہو گئی۔ اس کے بیٹے کے دانت نکل رہے تھے اور وہ اس تکلیف دہ مرحلے کے لئے دوا لینے آئی تھی۔ میں نے دو گولیاں ڈاکٹر صاحب کے سامنے کھائیں باقی پڑیاں رومال میں باندھ کر جیب میں رکھیں اور کوثر سے پھر ملنے کا وعدہ کر کے باہر چلا گیا۔

اس وقت میرا کوئی ارادہ نہ تھا کہ میں کوثر سے ملوں گا لیکن کہانی کا ایک نیا کونہ یوں باہر نکل آیا۔ جیسے دریا کا پانی اتر جائے اور غرقاب جہاز کا مستول نظر آنے لگے —— اسی تجسّس نے ایک شام مجھے پھر نیو کیمپس جانے پر مجبور کر دیا۔

نہر کے کنارے کنارے پاپولر کے درخت ہوا میں مسلسل ہل رہے تھے۔ سڑکیں خاموش تھیں۔ صرف ہوسٹل کے لڑکے لڑکیاں پٹڑیوں پر نظر آرہے تھے۔ میں لڑکوں کے ہوسٹل کی جانب مڑگیا۔ کوثر اور اس کا میاں گھر پر موجود نہ تھے۔ ان کا سات ماہ کا بچہ ایک اناڑی ملازم کی گود میں رو رہا تھا۔ جس وقت میں واپسی پر نہر کنارے پہنچا تو اچانک مجھے ڈاکٹر سہیل نظر آگئے۔ وہ ہمیشہ کی طرح ملین ڈالر مسکراہٹ کے ساتھ دونوں ہاتھ ہلاتے آئے اور میرے موٹر سائیکل کی دونوں ہتھیاں پکڑ کر کھڑے ہو گئے۔

"کہاں بھئی کہاں؟ —— بڑے دنوں کے بعد نظر آئے نوکری مل گئی؟"

"مل گئی سر کبھی کی۔"

"کسی لڑکی وڑکی کا چکر ہے یہاں؟"

"نہیں جی۔"

پتہ نہیں کیوں میں اسے کوثر کے متعلق بتانا نہیں چاہتا تھا۔

"پھر؟ —— یہ ہوسٹل سائیڈ سے کیوں آرہے ہو؟"

"آپ کو تلاش کر رہا تھا۔"

"تو اترو آؤ چلو کیفے ٹیریا میں چلتے ہیں۔ میں بھی کئی دن سے تمہیں ملنا چاہتا تھا۔"

"نہیں سر یہیں ٹھیک ہے نہر کنارے۔" میں نے اپنا موٹر سائیکل فٹ پاتھ کے پاس کھڑا کر دیا۔

سہیل نے میرا ہاتھ پکڑ لیا، ہم دونوں نہر کنارے آہستہ آہستہ چلنے لگے۔

"آج میرے دل پر بہت بوجھ تھا —— میں چاہتا تھا کہ کوئی ایسا مل جائے، جس کے ساتھ میں اپنی تھیوری Share کر سکوں۔ You Know قیوم —— اب طالب علم بہت میکینکل ہو گئے ہیں وہ متجسس نہیں رہے۔ وہ علم دوست نہیں رہے وہ —— اچھا ہوا مجھے تم مل گئے —— میرے دل پر بہت بوجھ تھا آج۔"

میرا دل دھک دھک کرنے لگا —— خیال تھا کہ وہ سیمی کے متعلق کچھ بتائے گا۔

"تم کو یاد ہے کہ ایک بار میں نے تمہیں ایک Assignment لکھنے کو دی

تھی——— دیوانگی کی وجہ اور میں نے باربار کہا تھا کہ یہ وجہ چاہے کتنی بھی For Fetched کیوں نہ ہو۔ لیکن نظریہ تمہارا اپنا ہونا چاہئے۔"

"جی مجھے یاد ہے۔"

"میں کئی سال لڑکوں کو یہی Assignment دیتا رہا ہوں. لیکن آج تک کسی سٹوڈنٹس نے کوئی نئی بات نہیں کی——— اب میں نے یہ سوال پوچھنا چھوڑ دیا ہے۔ سب کتابوں سے چرا کر لکھ لاتے ہیں۔"

مجھے ابھی تک یاد تھا کہ جس روز ہم دیوانگی کی آخری شکل خودکشی کی باتیں کر رہے تھے۔ سیمی نے سفید کرتا اور نیلی جینز پہن رکھی تھی۔

"ابھی ابھی کچھ دن پہلے ساری بات شیشہ ہو گئی قیوم——— میں سمجھ گیا ہوں دیوانگی کی اصل وجہ کیا ہے۔ ہر وقت میں سوچتا رہتا تھا کہ وہ ذہنی پراگندگی جس کی وجہ سے کوئی شخص خودکشی پر آمادہ ہوتا۔ یہ وجہ بھی اس فعل کی طرح مکمل طور پر مبہوت کرنے والی ہونی چاہئے۔ دراصل دیوانگی ایک خارجی علامت ہے لیکن اس کی وجہ خارجی نہیں——— اس کی اصلی وجہ میں بتاؤں قیوم——— بتادوں بولو——— راز افشا کر دوں دیوانگی کا۔"

کھلی آنکھوں والا وہ پروفیسر اس لحظہ مجھے خود دیوانہ سا نظر آیا——— کیا اس کی دیوانگی کی وجہ بھی یہی تھی۔

"بتایئے سر——— ضرور———"

"میں بات کو سادہ کروں گا اور زیادہ تفصیلات میں نہیں پڑوں گا۔ تم نے کبھی بائیولوجی پڑھی ہے۔"

"میٹرک میں پڑھی تھی——— سر؟"

"پڑھا کرو بائیولوجی——— کوئی آدمی بوٹونی؟۔ بائیولوجی اور فزکس کے بغیر اپنے خدا تک نہیں پہنچ سکتا۔ اس کی قدرت کو نہیں سمجھ سکتا۔ اسے سمجھ نہیں آسکتی کہ کیسے اس کی تقدیر اس کی حیاتیاتی وراثت ہے۔ تمہاری آنکھوں کا رنگ، قد کی لمبائی رنگت ہی genes کے تابع نہیں تمہارا گوشت ہڈی اور اعصاب پر ہی genes حاوی نہیں بلکہ ہر خلیے کے نیوکلس میں کروموسومز کے ربن میں انسان کی تقدیر چھپی ہوتی ہے۔"

اس نے اپنے لب میرے کان کے ساتھ لگا دیئے۔

"اور بیٹا جی مغرب کے لوگ مانیں نہ مانیں لیکن ان ہی جینز کے اندر ہماری دیوانگی کا راز پنہاں ہے۔"

"کیسے سر؟ آپ ماحول پر Genetics کو ترجیح دے رہے ہیں، حالانکہ یہ بات واضح ہے کہ دونوں چیزیں بلاواسطہ یا بالواسطہ ایک دوسرے کے بغیر چل نہیں سکتیں۔"

"میں نے دیوانگی کا راز پالیا ہے قیوم اور وہ ہے تغیر نوع یا Mutation سادہ طور پر سمجھ لو کہ جب کبھی Evolution ہوتی ہے کوئی Specie بدلتی ہے اس کی وجہ Gene Mutation ہوتی ہے۔ ارتقاء انسانی کے لئے ضروری ہے کہ ہمارے Genes میں تبدیلی ہو۔ ہر نئی پود پچھلی سے مختلف ہو —— یہ تبدیلیاں ابھی مکمل طور پر دریافت نہیں ہو سکیں۔ لیکن یہ بات طے ہے کہ ساری تبدیلی genes کی وجہ سے ہوتی ہے۔ genes پوری طرح تغیر پذیر ہوں تو ارتقا ہوتا ہے اور ٹوٹ پھوٹ جائیں تو دیوانہ پن پیدا ہوتا ہے۔"

"سر آپ کا سارا علم مغرب سے مستعار لیا ہوا ہے۔ غالباً اس لئے اس میں نیا پن نہیں ہے۔" میں کوثر کی باتوں میں ڈوبا ہوا تھا۔

سہیل نے میرے کندھے پر ہاتھ مارا اور بولا "Bastard کہتے تم سچ ہو لیکن جب میری ساری بات سنو گے تو شاید اپنی رائے بدل لو گے جیسے میں اپنے متعلق اپنی رائے بدل چکا ہوں۔ Tranqulizers, Radiation اور. ایسی ہی کئی زہریلی دوائیوں سے Genes میں خطرناک Mutation ہو جاتی ہے آج کا مغربی سائنس دان اس حقیت سے بہت خوف زدہ ہے۔وہ جانتا ہے کہ ان باتوں سے تغیر تو ہوتا ہے لیکن مکمل نہیں ہوتا۔ تغیر پذیر gene لولا لنگڑا ہو جاتا ہے اور آنے والی نسلوں پر بڑے خطرناک نتائج مرتب ہوتے ہیں۔"

"کوئی مثال سر۔"

"مثلاً دو سروں والا بچہ —— چھ انگلیوں والی اولاد —— ماتھے کے درمیان تیسری آنکھ والی مخلوق —— ایسے Gene کے نتائج کچھ ہی ہو سکتے ہیں۔ بازو نہ ہوں سرے سے —— لیکن میں نے ایک اور وجہ دریافت کی ہے —— ایک نئی اور

انوکھی وجہ جس سے genes تغیر پذیر ہوتے ہیں اور دیوانگی ہوتی ہے —— غور سے سنو میں اپنی تھیوری Patent کروانے والا ہوں غور سے سنو —— یہ مغرب والے جب یہی نتیجہ اخذ کریں گے تو تم جیسے چرکٹے اسے فوراً اپنا لیں گے۔ لیکن اپنے آدمی کا اعتبار نہیں کریں گے۔ یہی سیاہ آدمی کی پس ماندگی کی وجہ ہے۔"

"آپ تھیوری تو بتائیں سر۔"

"مغرب کے پاس حرام حلال کا تصور نہیں ہے اور میری تھیوری ہے کہ جس وقت حرام رزق جسم میں داخل ہوتا ہے وہ انسانی genes کو متاثر کرتا ہے۔ رزق حرام سے ایک خاص قسم کی Mutation ہوتی ہے جو خطرناک ادویات شراب اور radtiation سے بھی زیادہ مہلک ہے۔ رزق حرام سے جو genes تغیر پذیر ہوتے ہیں وہ لولے لنگڑے اور اندھے ہی نہیں ہوتے بلکہ نااُمید بھی ہوتے ہیں۔ نسل انسانی سے یہ genes جب نسل در نسل ہم میں سفر کرتے ہیں تو ان genes کے اندر ایسی ذہنی پراگندگی پیدا ہوتی ہے جس کو ہم پاگل پن کہتے ہیں۔ یقین کر لو رزقِ حرام سے ہی ہماری آنے والی نسلوں کو پاگل پن وراثت میں ملتا ہے اور جن قوموں میں من حیث القوم رزقِ حرام کھانے کا لپکا پڑ جاتا ہے، وہ من حیث القوم دیوانی ہونے لگتی ہیں —— کیوں اب بتاؤ یہ بات مغرب کے علم سے مستعار لی ہے کہ مشرق سے؟"

میں حیران پریشان ان کا منہ تکنے لگا۔

"یاد رکھو ابھی مغرب والے یہاں تک نہیں پہنچے —— جب ہم سور کا گوشت نہیں کھاتے تو وہ حیران ہوتے ہیں۔ جب ہم بکرے پر تکبیر پڑھ کر اسے حلال کرتے ہیں تو وہ تعجب سے دیکھتے ہیں۔ جب ہم عورت سے زنا نہیں کرتے، نکاح پڑھ کر اسے اپنے لئے حلال بناتے ہیں تو وہ سمجھ نہیں سکتے —— بھائی میرے کیسے سمجھیں حرام حلال کا تصور انسانی نہیں ہے اس لئے —— اس میں بھید ہے گہرا بھید gene mutation کا —— حرام حلال کی حد سب سے پہلے بہشت میں لگائی تھی اللہ نے۔"

"آپ کی بات انوکھی تو ضرور ہے پروفیسر صاحب۔ لیکن مجھے کچھ اَن سائنٹیفک لگتی ہے۔"

"لگے گی لگے گی لگتی رہے گی۔ کیونکہ بات کرنے والا ایک معمولی مشرقی آدمی

ہے۔ تمہارے ہاتھ میں ہاتھ ڈال کر نیو کیمپس پر چلنے والا —— کہیں جو یہ نظریہ کسی مغربی فلاسفر کے منہ سے سن پاتے تو فوراً قائل ہو جاتے —— مائی ڈیئر سٹوڈنٹ —— حرام کیا ہے؟ وہ جس سے منع کیا گیا —— اچھے اور بُرے کا سوال نہیں ہے۔ صرف جو چیز منع فرمائی ہے اللہ نے وہ حرام ہے اسی لئے حرام و حلال کا جھگڑا سب سے پہلے جنت میں پیدا ہوا —— جب حضرت آدم نے شجر ممنوعہ سے توڑ کر کھایا۔ اچھے برے کا سوال نہیں تھا —— بس وہ جو منع تھا اپنے پر حلال کیا —— اس گندم کے دانے کا رزق حرام جس وقت ان کے جسم میں داخل ہوا —— ایک خطرناک تغیر آیا۔ ان کے جسم میں ان کے genes میں —— اس تغیر سے اللہ نے انہیں ڈرایا تھا۔ اس وقت تک حضرت آدم اور اماں حوا کے تمام خلیے صالح تھے۔ ان کا نیوکلس محفوظ طریقے سے ٹوٹتا ہے۔ لیکن اب اس نیوکلس میں چھپے ہوئے genes میں تبدیلی آئی mutate genes ہوئے۔ لُولے لنگڑے اندھے اور ناامیدوار آنے والی نسلوں میں منتقل ہو گئے —— اسی لئے دیوانہ پن کے پہلے آثار ہابیل اور قابیل کے جھگڑے میں واضح ہوئے۔ پہلا قتل ہوا حضت! دیوانگی خودکشی کی شکل میں منتج ہو کہ قتل کی شکل میں اس سے کون انکار کر سکتا ہے کہ دیوانگی کی شدید شکل انسان کشی ہے —— جھگڑا ہابیل قابیل میں نہ ہوا تھا —— یہ ان genes کی وجہ تھی جو حضرت آدم کے وجود میں شجر ممنوعہ کے کھانے کی وجہ سے ٹوٹے پھوٹے تھے —— پھر چل سو چل ہوا —— ایک generation سے دوسری پود تک ہم یہی ورثہ دیتے آئے ہیں۔ خود رزق حرام کھاتے ہیں اور آنے والی نسلوں کو پاگل پن کی وراثت genes میں پیک کر کے عطا کرتے ہیں۔ بٹیا نہ سہی پوتا سہی، پوتا نہ سہی چند نسلیں آگے کوئی شریف النفس بچی سہی —— اس تقدیر سے کوئی بچ نہیں سکتا جو genes میں لکھی جاتی ہے۔"

"غالباً آپ بابا آدم کی مذہبی کہانی کو نئے طور پر Interpret کر رہے ہیں۔"

"مائی فٹ ——" ڈاکٹر سہیل چلایا —— "مذہبی کہانی کی نئی توجیہہ ایک معمولی کام ہے میں ایک بہت بڑا انکشاف کر رہا ہوں —— سیدھی سی بات ہے بھائی میاں جو کچھ ہم کھاتے پیتے ہیں اندر جا کر ہمارے لہو کی ساخت پر اثر انداز ہوتا ہے —— ہوتا ہے کہ نہیں —— اندر بلڈ کیمسٹری چلتی ہے کہ نہیں؟"

"جی چلتی ہے۔"

"تو سمجھ لو بخوبی طور پر کہ جو رزق حلال ہم اندر ڈالتے ہیں، اس کا بلڈ کیمسٹری پر مثبت اثر ہوتا ہے اور جو رزق حرام اندر داخل ہوتا ہے اس کا منفی اثر ہوتا ہے ہمارے لہو پر۔"

"یعنی ایک بوری آٹا جو حرام کی کمائی سے آیا اور ایک بوری آٹا جو حلال کی کمائی سے آیا —— ان کی بلڈ کیمسٹری مختلف ہو گی؟ جانے دیجئے سر۔"

"ضرور —— یقیناً انشاء اللہ —— جو شخص حرام کی بوری سے کھائے گا۔ اس کے لہو کی کیمیائی حالت مختلف ہو گی اور اس لہو میں genes کی توڑ پھوڑ منفی ہو گی۔"

"جائیں سر —— جانے دیں۔"

"مان جائیں بابا جی مان جائیں۔ مغربی تعلیم کے پرستارو جی مان جائیں —— اگر کبھی مغرب کے پاس حرام حلال کا تصور ہوتا تو وہ کبھی کے پاگل پن کی اصلی وجہ دریافت کر لیتے۔"

"جناب پروفیسر بقراط صاحب —— آٹا ایک مادی چیز ہے۔ اس کا جو کچھ بھی کیمیکل اثر ہو گا۔ دونوں حالتوں میں ایک سا ہو گا۔ کیونکہ ان دونوں میں ایک خاص مقدار تک کاربوہائیڈریٹ اور پروٹینز وغیرہ ہوں گے۔"

"پانی مادہ ہے —— ہے کہ نہیں؟ لیکن دم کیے ہوئے پانی کی تاثیر بدل جاتی ہے جس پانی میں سے بجلی گزرتی ہے۔ اس کے Ions پھٹ جاتے ہیں کہ نہیں؟ گدھے آدمی جس وقت آٹا رزق حرام سے خریدا جاتا ہے، اس میں ایک منفی چارج جمع ہو جاتا ہے۔"

"چھوڑیں سر بات آپ Folklore کی کر رہے ہیں اور بنانا اسے سائنٹیفک چاہتے ہیں۔"

"اچھا یہ بتاؤ دادا کا گناہ پوتے تک کیسے پہنچتا ہے —— سفلس کیسے سفر کرتی ہے انسانوں میں۔"

"بیماریاں طے ہے کہ کچھ موروثی ہوتی ہیں۔"

"اور دیوانہ پن۔"

"دیوانہ پن موروثی ہو سکتا ہے اور ماحولیاتی بھی لیکن موروثی کی وہ وجہ نہیں ہے جو آپ بیان کر رہے ہیں۔"

"مانو گے مانو گے بچو ابھی نہیں ——— جس وقت کوئی سفید صاحب تمہارے گلے میں انگوٹھا دے گا تب! ——— تب آپ کا باپ بھی مانے گا کہ رزق حرام ہی پاگل پن کی اکلوتی وجہ ہے۔"

"میرا باپ بیوروکریٹ نہیں ہے سر ——— شاید وہ آپ کی بات مان جائے۔"

سہیل نے میرے کندھے پر زور ڈال کر پوچھا ——— "کہاں ہے تمہارا باپ وہ میری بات ضرور سمجھے گا.... وہ جانتا ہو گا کہ اللہ علیم ہے... اگر اس نے گوشت پر تکبیر پڑھنے کا حکم دیا ہے تو ——— وجہ ہو گی ضرور کوئی۔ میں اسے بتاؤں گا کہ کیا منفی اثرات مرتب ہوتے ہیں۔ اگر تکبیر نہ پڑھی جائے تو ——— ظالم سوچ تو سہی کیا تکبیر پڑھنے سے مرغی کا گوشت بدل جاتا ہے؟۔ نہیں۔ ہرگز نہیں صرف حرام گوشت سے Genes پر منفی اثر پڑتا ہے۔ یہ ساری حکمت تھی ——— اور تم جیسے بیوقوف کو میں سمجھا رہا ہوں اور تم سمجھتے نہیں۔"

"آپ مذہبی اعتقادات کو سائنس بنانے کی کوشش تو نہیں کر رہے ہیں۔"

اس نے حیران ہو کر مجھے دیکھا اور بولا ——— مذہبی اعتقادات ہیں ہی سائنس، بنانے کا تو سوال ہی پیدا نہیں ہوتا۔ سور کا گوشت حرام ہے۔ اس پر سو تکبیریں پڑھ لو، یہ حرام ہی رہے گا۔ جو یہ کھائے گا وہ اپنی Gene mutation کا خود ذمہ دار ہو گا۔"

"کیا اسی لیے عورت کو بھی حلال کر کے استعمال کرنے کا حکم ہے؟ ———" میں نے طنز سے سوال کیا۔

سہیل نے مکا ہوا میں ہلا کر کہا ——— "اس کی کوئی بات حکمت سے خالی نہیں صاحب من!"

"زنا سے پیدا ہونے والے بچے کو تو Gene mutation کا سو فی صد خطرہ ہوتا ہے۔ زنا سے منع کیوں کیا اسی لیے، ورنہ جسمانی تعلق کوئی بدل تھوڑی جاتا ہے شادی کرانے سے ——— یا نہ کرانے سے ——— جسمانی تعلق دونوں صورتوں میں وہی

رہتا ہے۔"

"پلیز آپ عورت کو بکرے کے گوشت سے نہ ملائیں۔ آج کل ویمن لبریشن چل رہی ہے کسی عورت نے سن لیا تو وہ آپ کو حلال کر دے گی —— بلکہ حرام کر دے گی۔"

وہ نہر کنارے خودرو گھاس پر بیٹھ گیا اور چپ ہو گیا۔ پھر اس نے ایک پتھر اٹھا کر بہتے پانی میں پھینکا۔ تھوڑے سے چھینٹے اڑے اور پانی پھر اپنی روانی پر قائم ہو گیا۔ اس وقت میرے جی میں آئی کہ میں اس سے سیمی کے متعلق پوچھوں۔ وہ کس حد تک —— سیمی میں گوندھا گیا تھا؟

"یار سوچو تو بکرے کا گوشت مادی رزق کی شکل ہے —— عورت کا گوشت گو کبھی کبھی روحانی شکل اختیار کر لیتا ہے۔ لیکن ہے وہ بھی رزق ہی کی شکل... میرے کہنے کا مطلب یہ ہے کہ رزق چاہے مادی ہو یا روحانی Genes کو متاثر ضرور کرتا ہے۔ تم مانو نہ مانو۔ یہ حرام و حلال کا بڑا ظالم چکر ہے —— کبھی کبھی رزق حرام سے فرداً فرداً پاگل پن پیدا نہیں ہوتا... بلکہ قوم کی قوم دیوانی ہو جاتی ہے۔ سوڈم گومورا کی طرح۔ مائی ڈیر سن عورت کے معاملے میں تو بہت احتیاط برتنی چاہیے۔ اس کے پاس تو مشین موجود ہے —— ایسا بچہ جن دیتی ہے فنافٹ زنا کے بعد... اور آنے والی نسلوں میں بیج چھوڑ دیتی ہے دیوانگی کے۔"

"اچھا سر میں پھر کسی وقت حاضر ہوں گا۔"

"بھاگو... بھاگو... تم صاحبزادے کبھی حاضر نہیں ہو گے۔ ہم جیسے پروفیسروں کے پاس کبھی کوئی حاضر نہیں ہوتا... تم لوگ ایسی لڑکیوں کے پاس وقت گزارنا چاہو گے جو تمہیں —— اچھا چھوڑو This is your age"

"آپ بھی مجھ سے کچھ زیادہ بڑے نہیں ہیں سر اور پھر جب کبھی میں آپ سے ملنا چاہتا ہوں آپ حوصلہ شکنی کر دیتے ہیں۔"

اس نے اپنی کھوپڑی پر دونوں ہاتھ رکھ کر کہا —— "یہاں... بہت بڈھا ہو گیا ہوں قیوم... دعا کرنا میری تھیوری کامیاب ہو جائے۔"

"ہو گی جی انشاء اللہ ضرور ہو گی۔"

اس نے لمبی سانس بھر کر کہا ——— "میں بڑا ہی چھوٹا آدمی ہوں، مجھے پاکستان سے ایسی تعصب انگیز محبت ہے کہ میں کوئی بڑا کام کر نہیں سکتا۔ جب بھی سوچتا ہوں پاکستان کی Terms میں سوچتا ہوں۔ میں چاہتا ہوں کہ یہ پدا سا ملک جغرافیے کے نقشوں میں کسی طرح بڑا ہو جائے۔ جب کبھی ہماری ہاکی ٹیم یا کرکٹ ٹیم کوئی میچ جیت جاتی ہے تو ایک Foolish لڑکی کی طرح میرا تالیاں بجانے کو جی چاہتا ہے ——— یار میرا جی چاہتا ہے کہ میری تھیوری کامیاب ہو۔ مغرب کے لوگ قائل ہوں کہ ایک پاکستانی مسلمان نے اتنا بڑا کام کیا۔"

"انشاء اللہ سہیل صاحب ایسے ہی ہو گا۔"

"Its very silly of me لیکن میں نے پاکستان سے زیادہ کبھی کسی لڑکی سے بھی محبت نہیں کی ——— سیمی شاہ سے بھی نہیں۔"

میری آرزو کا بوم رنگ کیسی آسانی سے نشانے پر ہو کر میری طرف لوٹ آیا۔

"آپ کو سیمی شاہ سے؟ ——— کمال ہے سرجی۔"

"لیکن یہ محبت ——— اچھا میں پھر کبھی Explain کروں گا۔ ابھی مجھے اور بہت کچھ سوچنا ہے۔" وہ بالکل چپ ہو گیا۔

آدھے گھنٹے بعد میں اٹھنے لگا تو سہیل بولا ——— "یاد رکھو ——— ایک اور قسم کا بھی رزق ہوتا ہے۔ حرام و حلال سے پرے ——— جو شہیدوں کو ملتا ہے۔ پیغمبروں کو حاصل ہوتا ہے۔ بی بی مریم کے پاس آتا تھا..... ایک بار اللہ میاں نے اپنی چہیتی قوم بنی اسرائیل کو بھی وہ رزق دیا تھا۔ یہ رزق نہ حرام ہوتا نہ حلال اور..... اس سے ایک آگاہی پیدا ہوتی ہے، عرفان جنم لیتا ہے۔ جو عام آدمی کے لیے دیوانے پن ہی کی ایک شکل ہے لیکن..... اس دیوانے پن کو سمجھنے کی ضرورت نہیں نہ ہی اس کی سمجھ آسکتی ہے کیونکہ یہ صرف اسی رزق سے پیدا ہوتا ہے جو اوپر سے اترتا ہے۔ جس سے Genes لمحہ بھر میں صدیوں کا ارتقا کر جاتے ہیں۔ ان میں ایسا تغیر آتا ہے جو قرنوں کی صالحہ mutation سے پیدا ہو سکتا ہے تم دیکھتے نہیں اسرائیلیوں میں کتنے سوپر ذہن لوگ پیدا ہوتے ہیں۔ یہ اسی من و سلویٰ کا اثر ہے اب تک"

"اب تو آپ حد سے بڑھ رہے ہیں۔"

"گدھے آدمی..... اگر انسان پالتو مرغیوں کو خاص قسم کی فیڈ دے کر انڈے دینے والی مرغیاں بنا سکتا ہے —— اگر شہد کی مکھی اپنے بچوں کو Royal Jelly کھلا کر رانی مکھی بنا سکتی ہے تو اللہ میاں اتنے پر بھی قادر نہیں... کہ خاص رزق دے کر عام انسانوں میں سے پیغمبر بنا سکے، ولی ڈھال سکے، عرفان عنایت کر سکے۔ چل اٹھ جا اب اور اپنے السر کے لیے کچھ کر تو اسی قابل ہے کہ تجھے ہر وقت Anxiety رہے اور تو گیس کا شکار ہو۔"

میں چپ چاپ اٹھ گیا۔ ڈاکٹر سہیل اس وقت ایک اور شخص تھا۔ میری اس سہیل سے کبھی ملاقات نہ ہوئی تھی۔ اس اجنبی کو نہر میں پتھر پھینکتے ہوئے چھوڑ کر میں گھر آ گیا۔

میں نے اپنی الماری کھولی اوپر والی شیلف میں جوں کے توں عابدہ کے سفید سلیپر پڑے تھے۔ ان سلیپروں کو دیکھ کر پتہ نہیں کیوں مجھے ریڈیو سٹیشن کی ایک آرٹسٹ یاد آ گئی۔ جس کے پاؤں بہت گورے تھے اور جو ہمیشہ ربڑ کے سفید سلیپر استعمال کرتی تھی۔

دِن چڑھے

رزق حرام

سندھ کے طاس میں اس جگہ جہاں اب رانی کوٹ کا بے آباد قلعہ ہے۔ یہاں خشک تال تھے جن کی اردگرد چھدری ڈاڑھی کی طرح درختوں کا سلسلہ تھا۔ ناریل اور پپیتے کے درخت تھے۔ یوکلپٹس کے خوشبودار بلند قد ایسے درخت تھے جن میں جب سمندری ہوائیں چلتیں تو قد آدم گھاس اور ان درختوں میں چھپے ہوئے پوکھروں کی خودروئیدگی آہستہ آہستہ ہلنے لگتی اور خوشبودار ہو جاتی —— ہواؤں میں نمی اور تالابوں کے ٹھہرے پانیوں میں گنّے کے باسی رس کی خوشبو تھی۔ سارے میں نیند کا تعویذ دفن تھا۔ مورفیا کی بھول بھلیاں تھیں۔ ایل ایس ڈی کے خواب تھے۔

اس بار چیل جاتی نے کانفرنس سے بہت پہلے جنگل کے تمام پرندوں کو اپنا ہم زبان بنا لیا۔ وہ بھاری اکثریت سے جیت جانے کی امید لے کر آئے تھے۔ کالی کلیچی مہر لاٹ قاز ممولے، جنگلی تیتر سب چیلوں کی ٹکڑیوں میں گھسے بیٹھے تھے اور جانتے تھے کہ اس بار راجہ گدھ کے ہم مشربوں کو ضرور جنگل بدر کا حکم مل جائے گا۔

راجہ گدھ کو اپنی وکالت کے لیے وکیل ڈھونڈنے میں بڑی مشقت کرنا پڑی تھی۔ ریڑھ والے جانور اس کی باتوں کو دیوانہ پن سمجھتے۔ رینگنے والوں کے پاس پہنچا تو وہ اس کی بات نہ سمجھ سکے۔ تھک ہار کر اس نے گیدڑ کو اپنی پیروی پر رضامند کیا تھا لیکن اتنے انتظار کے باوجود ابھی تک گیدڑ چوپال میں نہ پہنچا تھا۔ اب تو راجہ گدھ کے کٹھ میں چہ میگوئیاں ہونے لگی تھیں۔

جس وقت سیمرغ کی سواری آئی سارے میں آندھی چلی —— لال آندھی جس میں چھوٹے چھوٹے کنکر سرخ مٹی اور سوکھے پتے تھے۔ پھر بڑ کے جٹا دھاری درخت پر جیسے بجلی گری۔ تمام جنگل سفید ہو گیا اور پرندوں کی آنکھیں چندھیا گئیں۔ اس کے بعد سارے میں امن اور شانتی پھیل گئی۔

سیمرغ نے تین بار اپنے تن کی فاسفورس جیسی بتی بجھائی اور سوال کیا ——

"یا ملزم حاضر ہے؟"

"حاضر ہیں آقا ____ اور حکم کے منتظر ہیں۔" راجہ گدھ نے کہا۔

"تجھے اپنی صفائی میں کچھ کہنا ہو تو کہہ؟"

راجہ گدھ نے لجاجت سے نظریں جھکا کر کہا ____ "گیڈر میرا وکیل ہے
آقا ____ وہی کچھ میری ترجمانی کر سکتا ہے۔"

سارے جنگل میں خاموشی چھا گئی اور جنگل پار سے سانپوں کے پھنکارنے کی آواز
سنائی دینے لگی۔

"پھر نکال اپنے وکیل کو ____ کہاں ہے وہ ؟ ____" چیلوں کی ملکہ بولی۔

راجہ گدھ نے دور تک نظر دوڑائی اور لجاجت سے بولا ____ "آقا ہمیں کچھ
مہلت دے تاکہ ہمارا وکیل پہنچ جائے اور ہماری بے بسی پر روشنی ڈال سکے۔ اگر قصور
ہمارا نکلا تو یقین رکھ ہمیں حکم کی ضرورت نہ ہو گی۔ ہم خود جنگل چھوڑ کر چلے جائیں
گے۔ اللہ کی مخلوق کے لیے یہ کرہ ارض تنگ نہیں ہے۔ ہمیں کہیں نہ کہیں جگہ مل
جائے گی۔"

چیلوں کو معلوم تھا کہ وہ عوام کو رام کر چکے ہیں اور گدھوں کی پشت پناہی کے
لیے کوئی بھی تیار نہیں حتیٰ کہ مینا بھی اس کا ساتھ چھوڑ گئی۔ ایک چیل نے تنک کر
کہا ____ "اے راجہ گدھ ہم اس وقت تک تیرا انتظار نہیں کر سکتے۔ جب تک
دوسری بار بنی نوع انسان تہذیب یافتہ ہو کر دوبارہ ایسے بم بنائے جو ایک ہی سانس میں
میلوں تک کی بستیاں کھا جائیں ____ نکالنا ہے تو اب حاضر کر اپنے وکیل کو۔"

اس وقت حبشہ کے دیس کی ایک بوڑھی گدھی بولی ____ "سیمرغ! ہمارے
وکیل پر جانوروں کا بہت دباؤ ہے۔ جانور اس معاملے سے الگ تھلگ رہنا چاہتے ہیں۔ ان
کو خوف ہے کہ اگر جنگل بدر کی رسم پرندوں میں رواج پا گئی ____ تو رفتہ رفتہ جانور
بھی کوئی نہ کوئی الزام لگا کر جلاوطن کا طریقہ رائج کر دیں گے ____ وہ گیڈر کو روک
رہے ہیں ____ کہ پرندوں کے معاملے میں دلچسپی نہ لے لیکن ہمارا وکیل ارادے کا پکا
ہے ____ آتا ہی ہو گا۔"

اس وقت سرخاب نے پر جھاڑے اور توقیر سے بولا ____ "عالی جناب کچھ

پرندوں کا خیال ہے کہ جنگل بدر کی سزا مناسب نہیں —— جو جنگل کے لیے پیدا ہوئے ہیں انہیں یہیں رہنا چاہیے، جو پانی کے باسی ہیں ان کے لیے پانی افضل ہے۔ اگر ہم اللہ کے بنائے ہوئے قانون میں دست درازی کریں گے تو وہ کسی نہ کسی عذاب کی شکل میں ہمیں سزا ضرور دے گا اور ہماری کئی ذاتیں ایسے معدوم ہو جائیں گی جیسے پرانے زمانے کے پہاڑ پیکر جانور ——"

چیلوں کی ملکہ طمطراق سے سارے میں گھومی اور چلا کر کہنے لگی —— "ان پرندوں کی نشاندہی کی جائے جو اس طرح سوچتے ہیں۔ ہم ان سے بحث کرنا چاہتے ہیں۔"

سرکاری وکیل نے جزبز ہو کر کہا —— "افسوس ان کمزور پرندوں کا نام نہیں لیا جا سکتا۔ رازداری میں بتائی گئی بات کو افشا کرنا میرا منصب نہیں۔"

اس بات پر چیلوں کی ٹکڑی میں پر پھڑکانے کی صدائیں بلند ہوئیں اور بھانت بھانت کی چہکار سے خشک تال گونج اٹھا۔ تھوڑی دیر بعد سرخاب نے مجمع کو کنٹرول کر کے کہا —— "اور کچھ پرندوں کا یہ بھی خیال ہے کہ جونہی گدھ جنگل سے باہر نکلے، یہ شہروں میں رہیں گے پھر انسان ان کو بھی ویسے ہی استعمال کرے گا، جیسے صدیوں سے وہ گدھے گھوڑے بیل اور دودھ دینے والے جانوروں کو زیرِ استعمال لاتا رہا ہے —— آہستہ آہستہ انسان تک ہمارے وہ تمام راز پہنچ جائیں گے جو آج تک محفوظ ہیں۔ وہ ضرور پرندوں کی بولی سیکھ لے گا۔"

تنزانیا کا کیسری میکاؤ اٹھا اور مؤدب لہجے میں بولا —— "جنگل والے خواہ مخواہ انسان سے خائف ہیں۔ ہم آبنوسی انسانوں میں رہتے ہیں۔ وہ بڑی شرافت سے ہمارے —— ساتھ گزر بسر کرتے ہیں۔ آقا کرگس جاتی اگر شہروں کو جاتی ہے تو جانے دے ہمیں فکر نہیں کرنا چاہیے۔ کیونکہ اول و آخر انسان ہی اللہ کا خلیفہ ہے اور ہم سے زیادہ جانتا ہے۔"

سیمرغ نے تین بار فاسفورس کی بتی بند کی اور گویا ہوا —— "تو ٹھیک کہتا ہے میں جانتا ہوں صرف انسان ساکن ہے۔ کائنات کی باقی تمام اشیاء متحرک ہیں۔ کیونکہ انسان مطلوب ہے اور باقی ہر شے طالب —— افسوس انسان نے اپنے آپ کو مطلوب کی جگہ سے ہٹا کر طالب بنا لیا ہے اسی لیے گردش میں ہے ورنہ وہ اس قدر دیوانے پن کا

شکار نہ ہوتا اور اب تک اللہ کی رضا کو پالیتا۔"

اس وقت چیل جاتی کے ایک حواری سارس نے کہا——"آقا! انسان طالب ہو یا مطلوب—— متحرک ہو کہ ساکن—— فرزانہ ہو کہ دیوانہ—— نجات کو پہنچنے والا ہو کہ تباہی سے ہمکنار ہونے والا—— ہم کو انسان سے غرض!—— انسان کے گرد گھوم کر ہمیں کچھ حاصل نہ ہو گا۔"

سیمرغ نے قہقہہ لگایا۔ ناریل کے درخت اس قہقہے سے لرزنے لگے۔

"سنو اس احمق کی بات سنو—— بیوقوف اس کائنات کے جو بھی فیصلے ہوتے ہیں اور جو بھی فیصلے ہوں گے، کسی نہ کسی طرح آخر میں انسان ان سے متاثر ہوتا ہے یا انہیں متاثر کرتا ہے۔"

اس وقت گیدڑ تال میں ایسے اترا جیسے شیر سرکس کے پنجرے میں حاضر ہوتا ہے۔ سارے میں سناٹا چھا گیا۔ گیدڑ نے اپنی گچھے دار دم کے ساتھ تین بار کورنش ادا کیا اور پھر بڑ کے درخت کی طرف چہرہ کر کے گویا ہوا—— "اے پرندوں کے بادشاہ! میں صورتحال سے اچھی طرح واقف نہیں کہ جو کچھ مجھ تک پہنچا وہ ملزم کی زبانی تھا۔ اس یک طرفہ بیان پر اکتفا نہیں کر سکتا۔ اگر واضح اور مختصر الفاظ میں مجھ تک راجہ گدھ اور ان کی برادری کا قصور بیان کر دیا جائے تو میں دفع الزام کی کوشش کروں۔"

چیل ملکہ نے جلال میں آ کر کچھ کہنے کو زبان کھولی لیکن سرخاب نے اسے روکا اور بیان کیا۔

"سن گیدڑ!—— اس روئے زمین پر چرند، پرند، حیوان، انسان سب خیر و برکت سے رہتے ہیں۔ صرف انسان فتنے سے خالی نہیں۔ اس نے اپنی عقل سے اپنے آپ کو متمدن کیا اور پھر اسی عقل کا سہارا لے کر ایسے ہتھیار ایجاد کیے جس سے بستیاں اجاڑ، مرغزار تباہ اور اللہ کی زمین پر فساد پھیلا—— چیلوں کا خیال ہے کہ یہ سب کچھ اس لیے ہوا کہ انسان دیوانہ ہے اور اس کی دیوانگی کا یہ اقتضا ہے کہ وہ اپنی ہی نسل کو نیست و نابود کرے——"

"سانپ کی طرح کہ خود ہی بچہ جنے اور خود ہی کھا جائے۔" چیل ملکہ بولی۔

"چیلوں کو ڈر ہے کہ گدھ پر بھی دیوانگی کے دورے پڑنے لگے ہیں۔ وہ نہ ہو

کہ یہ بھی جنگل کے باسیوں کو ختم کرنے کی کوشش کرے —— اس لیے چیل ملکہ دعویٰ دار ہے کہ راجہ گدھ اور اس کی برادری کو جنگل بدر کا حکم سنایا جائے۔"

گیدڑ نے پنجے سے اپنی ناک کھجلائی اور تحمل سے بولا —— "کیا تو وضاحت کر سکتا ہے کہ دیوانگی کیا چیز ہے؟"

سرخاب نے مدد طلب نظروں سے چیل کی طرف دیکھا۔

ملکہ چیل بولی —— "ہاں دیوانگی کی کچھ علامتیں ہیں۔ جو ذی روح اپنے آپ کو —— یا اپنے ہم جنسوں کو خود ختم کرنے کی کوشش کرے وہ دیوانہ ہوتا ہے۔"

گیدڑ نے دونوں ہاتھوں کو جوڑ کر کہا —— "تو کیا گدھ خودکشی کا یا پھر قتل کا مرتکب ہوا؟"

چیل جاتی میں تھوڑا سا خوف پھیل گیا۔

"ابھی نہیں۔ ابھی آغاز ہے —— ابھی گدھ دیوانگی کے انجام کو نہیں پہنچا۔ ابھی چاند راتوں میں پچھلے پہر یہ تالوں میں آوارہ پھرتا ہے۔ ایسی آوازیں حلق سے نکالتا ہے جیسے تپے ہوئے لوہے پر پانی کے چھینٹے —— یہ دیوانگی کا آغاز ہے فاضل جج دیکھے گا کہ بہت جلد راجہ گدھ اس انتہا کو پہنچنے والا ہے۔ یہاں پہنچ کر آج کے انسان نے اپنے ہم جنسوں کو ختم کرنے کی کوشش ہے —— پھر کوئی طاقت اسے جنگل کے جانوروں کو ختم کرنے سے نہیں روک سکے گی۔"

"کیا یہ گدھ ہمیشہ سے دیوانہ تھا؟"

"نہیں —— پہلے یہ ایسے نہیں رہتا تھا جیسے اب رہتا ہے۔ اس کی اڑانیں بھی تھکا دینے والی تھیں اور یہ بھی رزق حلال کھاتا تھا۔ لیکن اس نے کہیں چوری چوری رزق حرام کا تصور انسان سے سیکھا —— انسان حیلہ جوئی اور مکر سے کماتا ہے، بھائی کا حق غصب کرتا ہے۔ اپنوں کی دشمنی میں غیروں سے مل کر کماتا ہے۔ صلۂ رحمی کا خیال نہیں کرتا۔ ہر آنے والے مال کو ہاتھ سے جانے نہیں دیتا۔ بانٹ کر نہیں کھاتا بلکہ چھین کر کھاتا ہے۔ جو کھا نہیں سکتا اسے کتے کی طرح چھپا کر رکھ چھوڑتا ہے۔ حرام روزی کے انسان کو اتنے گُر آتے ہیں، جتنے گھونسلے بنانے کے طریقے ہمیں یاد ہیں —— انسان پہلے رزق حرام سے واقف نہ تھا —— نہ ہی راجہ گدھ کو اس کا علم تھا۔"

بھوری لم ڈوری جو طبعاً غبی تھی، چلائی ——— "بتا بتا کیسے کیسے واقف ہوا۔"

سرخاب اٹھا اور خطیب کی طرف گویا ہوا ——— "صاحبو! رزق حلال کا مسلہ اولاً جنت میں طے پا چکا ہے۔ پہلے بابا آدم اور اماں حوا حفظ و اماں سے جنت میں رہتے تھے اور بموجب حکم الٰہی بہشتی لباس پہنتے تھے۔ اس وقت ان پر بہشت کا ہر میوہ جنت کا ہر پرندہ ہر جانور حلال تھا لیکن وہ حرام کھانے کا مرتکب ہوئے۔ حرام کیا ہے؟ وہ جس سے منع کر دیا جائے۔ حضرت آدم نے وہ گندم کا دانہ کھایا، جس کی ممانعت کی گئی تھی۔ پہلی بار ان کے جسم میں منفی لہریں داخل ہوئیں۔ اب تک ان کی سرشت صرف نیکی کی طرف راغب تھی۔ اب اس میں تضاد شامل ہوا۔"

"اس بات سے تیرا کیا مطلب ہے سرخاب؟ وضاحت کر ———" چنڈول بولے۔

"بات صرف اتنی ہے ——— کہ جو کوئی رزق حرام کھاتا ہے وہ یا تو خود دیوانہ ہوتا ہے یا اس کی آنے والی نسلیں بعد کو دیوانی ہو کر رہتی ہیں۔ اب چیل جاتی بہت خوش ہوئی اور چلائی ——— "جنگل بدر جنگل بدر ——— جس طرح حضرت جنگل بدر ہوئے۔ ویسے ——— ہی ——— وہی سزا ——— جنگل بدر ——— جنگل بدر۔"

"بول ——— کیا تو دیوانہ ہے ——— ؟ ———" راجہ گدھ سے سیمرغ نے سوال کیا۔

"ہاں آقا ——— کبھی کبھی چاند راتوں میں جب میں اونچے چھتنارے درختوں پر بیٹھا ہوتا ہوں۔ خود بخود میرا جسم گر پڑتا ہے اور میری حالت کسی طرح اپنے بس میں نہیں ہوتی۔ میں ایسی راہوں میں جا نکلتا ہوں۔ جن کی کوئی سمت نہیں ہوتی۔"

"کیا تو رزق حرام کھانے کا مرتکب ہوا ——— ؟ ———" راجہ گدھ سے سیمرغ نے سوال کیا۔

"ہاں آقا ——— میں حرام رزق کھانے کا مرتکب ہوا ——— میں اپنا شکار خود نہیں کرتا۔ لیکن میں یہ نہیں کہہ سکتا کہ مجھ میں دیوانگی اس رزق حرام کھانے کی وجہ سے پیدا ہوئی کہ ——— دیوانگی نے مجھے رزق حرام کھانے پر مجبور کیا۔"

گیدڑ نے اپنی دُم کو پٹک کر کہا ——— "آقا! یہ بات خلاف قانون ہے میں

یہاں گدھ کی وِکالت کو موجود ہوں، جب تک بات مجھ سے طے نہ کی جائے، راجہ گدھ سے بازپرس نہیں ہو سکتی۔"

سرخاب نے حالات کو ہاتھ میں لے کر کہا ——— "کیا کوئی وضاحت کرنا چاہے گا کہ راجہ گدھ نے انسان سے رزق حرام کھانا کیونکر سیکھا؟"

مینا نے اٹھ کر بات شروع کی ——— "جب حضرت آدمؑ نے توبہ کی اور ان کے رب نے توبہ قبول کی تو پھر دنیا میں حضرت آدمؑ کے لیے تمام پاک اور طیب چیزوں کو مہیا کیا گیا لیکن وہ رزق حرام جو وہ بہشت میں کھا چکے تھے۔ اس کے اثرات ان کی نسلوں میں آگے کی طرف بڑھنے لگے۔ یہی رزق حرام کھانے کی سزا مقرر ہوئی تھی۔ حتیٰ کہ جب قابیل نے ہابیل کو قتل کیا۔ تو حضرت آدمؑ کے لہو میں چھپی ہوئی دیوانگی باہر نکلی ——— یہ ضروری ہے کہ آقا رزق حرام کا اثر پشت ہا پشت جاتا ہے۔ جس وقت کوے نے قابیل کو لاش ٹھکانے لگانے کے گُر سمجھائے، تو انسان نے اپنی فہم و فراست سے جانا کہ پرندے بیوقوف ہیں اور راز اگلنے میں ثانی نہیں رکھتے۔ اس وقت انسان نے طے کیا کہ وہ نباتات جمادات چرند پرند حیوانات سب کو اپنے تابع کر کے رہے گا۔ آقا ——— جس وقت کوے نے حرص و رغبت، حسد و کینہ کا سبق انسان سے سیکھا۔ اسی وقت راجہ گدھ نے انسان سے رزق حرام کھانے کا سبق سیکھا ——— یہ لمبی داستان ہے آقا بہت لمبی ——— لیکن اتنی بات طے ہے کہ یہ جو کچھ بھی دیوانگی اس وقت گدھ کا مقسوم ہے۔ یہ سبق اس نے صرف انسان سے سیکھا ہے۔"

گیدڑ نے سارے پنڈال میں تین چکر لگائے اور پھر سر جھکا کر بولا ——— "اتنی بات طے ہے آقا کہ گدھ نے دیوانگی کے الزام کو قبول کر لیا ہے؟ کیا میں ٹھیک سمجھا ہوں؟۔"

"ٹھیک ٹھیک ——— " ترائی سے آوازیں آئیں۔

"اور اس دیوانگی کی وجہ وہ رزق حرام ہے جو گدھ کھاتا ہے ——— وہ عرصہ سے مردار پر پل رہا ہے اور اپنا شکار خود نہیں کرتا ——— اسی رزق حرام نے اس کے لہو میں فساد کی وہ شکل پیدا کر دی ہے جسے پاگل پن کہتے ہیں ——— کیا میں ٹھیک سمجھا ہوں؟۔"

"ٹھیک ٹھیک ـــــــ" بلند درختوں سے آواز آئی۔

"اور چیل جاتی کا خیال ہے کہ جو کوئی بھی حرام رزق کھاتا ہے اگر خود دیوانہ نہیں ہوتا تو اس کی آنے والی نسلیں اس سے ضرور متاثر ہوتی ہیں۔ اس کے لہو کی ساخت کچھ اس طور پر بدلتی ہے کہ بالآخر دیوانہ پن اسی رزق حرام کی وجہ سے اس کی پشتوں میں ظاہر ہونے لگتا ہے۔ کیا میں ٹھیک سمجھا ہوں؟"

"ٹھیک ٹھیک!" پہاڑوں سے آواز آئی۔

"سوچ لو عادلو! عاقلو! الزام درست ہے لیکن ایک بات قابل غور ہے ـــــــ کیا یہ مسئلہ سرشت کا تو نہیں؟ ـــــــ کیا کوئی پرندہ ـــــــ کیا کوئی جانور اپنی مرضی سے رزق حرام کھا سکتا ہے؟ ـــــــ غور طلب بات صرف اتنی ہے کہ کیا گدھ جاتی کی سرشت میں حرام کھانے کی ترغیب پہلے سے موجود تھی کہ اب پیدا ہوئی ـــــــ عقل کے استعمال سے اس نے حرام کھایا۔

سوچ لو صاحبو! ـــــــ سرشت کی مطابقت گناہ نہیں ـــــــ آپ سب کو سوچنا پڑے گا کہ کیا گدھ جاتی اپنی مرضی سے رزق حرام پر راغب ہوئی کہ ـــــــ کہ یہ اس کی سرشت کا مسئلہ تھا ـــــــ کہیں ہم اس کے رب اور اس کے درمیان دخل در معقولات کرنے والوں میں سے نہ ٹھہریں ـــــــ سرشت کا معاملہ بے ڈھب ہے۔

تمام پرندے اللہ کی دی ہوئی سرشت کے سہارے زندگی بسر کر رہے تھے۔ اپنی جبلت سے پرے ان کی زندگی اندھیر تھی ـــــــ وہ ہولے ہولے ٹکڑیوں میں اڑنے لگے ـــــــ سارے میں یہ بات پھیل گئی کہ پرندے اپنی عقل سے اللہ کی دی ہوئی سرشت سے بغاوت کر رہے ہیں! ـــــــ سانپ دیر تک جنگل میں رینگ رینگ کر یہ خبر سب کو سناتے رہے۔

عابدہ کے چلے جانے کے بعد میرے پاس اپنی نوکری کے علاوہ اور کوئی ایسا سہارا نہ تھا جسے میں اپنی لاٹھی بنا سکتا ـــــــ کھوکھلی روح اور خالی جسم سے ناطہ بنانے میں میرا سارا وجود غار کی طرح ہو گیا ـــــــ بھابھی صولت ان کے دونوں بیٹے اور بھائی مختار مجھ

سے اتنے دور تھے، جیسے سکرین پر چلنے والی فلم اپنے تماشائیوں سے دور ہوتی ہے۔ یہ وہ وقت تھا جب میں تمام تر قوت کے ساتھ اپنے آپ کو کسی ایک خاص مشن کے سپرد کرنا چاہتا تھا۔

میرے السر کی تکلیف پہلے سے بہت بڑھ گئی تھی۔ رات کے پچھلے پہر معدے میں جلن ہونے لگتی تو میں اٹھ کر شہ نشین پر چلا جاتا اور ٹہلنے لگتا۔ لیکن اب میں ڈاکٹر فیضی کے مشورے کے مطابق اپنی زندگی کو مثبت طریق سے گزارنے کا آرزومند تھا —— دودھ، دہی سے پُر اور جذباتی شعلہ سامانی سے تہی زندگی۔

یہ بھی پروفیسر سہیل کا مشورہ تھا۔

اچانک ایک دن پھر وہ ریڈیو سٹیشن پر مل گیا۔ ایسے ہی ایک دن مجھے سیمی بھی اس کے ساتھ ملی تھی —— وہ سٹوڈیو میں سے کسی پروگرام میں شرکت کے بعد باہر نکل رہا تھا۔ ہم دونوں چپ چاپ ساتھ ساتھ چلنے لگے۔ اس نے مجھ سے کسی قسم کے سوال جواب کیے بغیر اپنی چمک دار مسکراہٹ پیش کر دی اور میں اسے اپنے دفتر میں لے گیا۔

"یہاں کیا کرتے ہو؟ —— مائی ڈیر سٹوڈنٹ۔"

"ملازم ہوں سر۔"

میں نے چائے کے لیے چپراسی سے کہا اور وہ میرے سامنے بیٹھ کر سگریٹ پینے لگا۔

"السر کا کیا حال ہے —— ٹھیک ہو گیا کہ ابھی تک Anxiety کے شکار ہو؟"

"ویسا ہی ہے۔"

تھوڑی دیر تک وہ چپ رہا۔

"میرا خیال ہے تم نے ٹھیک طور پر یوگا کیا نہیں ورنہ افاقہ ہوتا۔"

"میں —— کوئی سمت نہیں مقرر کر سکا اپنی۔"

"میں آج کل ٹی ایم کرتا ہوں۔ اس سے بہت آرام ملتا ہے Meditation سے سکون ہوتا ہے۔"

"میں اندر سے اس قدر پراگندہ ہوں کہ Concentrate نہیں کر سکتا سر۔

دراصل مجھے خود معلوم نہیں کہ مجھے کیا چاہیئے۔ میں کس لیے پریشان ہوں —— میں ہر وقت سوچتا رہتا ہوں کہ کسی وقت غبار اترے تو میں اصلی پریشانی کو برہنہ دیکھوں۔"

وہ مسکراتا رہا —— پھر بڑی دیر بعد بولا —— "دیکھو اگر کوئی آدمی زیادہ دیر بے سمت ہو کر پریشان رہے تو وہ دائمی پریشان ہو جاتا ہے۔ اگر غم، دکھ اور ہیجان کی ایک نقلی سی وجہ بھی ہو تو وہ اس پر قابو پا لیتا ہے۔ تم کو پتہ ہونا چاہیئے کہ آخر اس پراگندگی اس Anxiety اس تذبذب کی اصلی بنیادی وجہ کیا ہے؟ —— اگر معلوم نہیں تو ایجاد کر لو آرام میں رہو گے۔"

"سوچتا ہوں۔ سوچتا رہتا ہوں —— بہت سی وجوہات ہو سکتی ہیں لیکن ایک اکیلی وجہ نہیں ہو سکتی ——"

"میں تمہیں ایک مشورہ دینا چاہتا ہوں فری —— بغیر چارج کیے ——" سہیل نے مسکرا کر کہا۔

"ضرور دیں —— سر سو مشورے دیں۔"

"تم کو اپنے آپ کو کوئی سمت دینی ہو گی —— کوئی مشن اپنانا پڑے گا۔ کوئی Goal، کوئی منزل —— ورنہ تم خالی بجرے کی طرح سمندری لہروں میں بھٹکو گے —— کبھی بحر قلزم میں، کبھی بحیرۂ عرب میں۔"

"میں اس قابل نہیں ہوں۔ میں کوئی مشن اپنا نہیں سکتا —— نو تھینک یو۔"

وہ بڑی دیر تک میرا چہرہ دیکھتا رہا۔

"اپنے اردگرد دیکھو —— جو لوگ زندگی میں کوئی مشن بنا لیتے ہیں، چاہے چھوٹے سے چھوٹا کیوں نہ ہو، وہ السر کا شکار نہیں ہوتے —— پیغمبروں کی زندگی غور سے دیکھو۔ وہ بڑی سے بڑی ذاتی قربانی دے کر بھی السر کا شکار نہیں ہوتے —— کوئی ٹریجڈی انہیں ہلا نہیں سکتی —— بے نام جستجو، بے مصرف تلاش نہ ہو —— زندگی میں ایک مشن ہو، چاہے بالکل چھوٹا مثلاً بہتر کینو کا باغ لگانا —— پاکستان کے لیے نئی قسم کی گندم بونا —— پلاسٹک کی ڈوری سے قالین بُننا —— کسی بچے کو سی ایس پی کرانا۔"

"سر آپ کا کوئی مشن ہے؟"

"ہاں ہے۔"

"کیا ـــــ ہے سر؟"

"میں اب انیسویں گریڈ کے لیے کوشش کر رہا ہوں ـــــ پھر میں پروفیسر ہونے کی کوشش کروں گا ـــــ میں پاکستانی طلبہ کو تعلیم دینے کا مشن لے کر تمہارے کالج میں آیا تھا ـــــ لیکن رفتہ رفتہ مجھے پتہ چلا کہ وہ مشن میرے بس کا نہیں۔ اسی لیے میں نے اپنی تبدیلی نیو کیمپس میں کرا لی۔ تعلیم جب سے عام ہوئی ہے لوگ تعلیم کی تلاش میں نہیں رہے۔ اس لیے میں نے اپنا مشن بدل لیا ہے ـــــ میں اب فقط اپنی زندگی بنانا چاہتا ہوں۔"

میری نظر میں کوثر آ کھڑی ہوئی جس نے مجھے اس کے متعلق پہلے یہ خبر دی تھی ـــــ

"کیا تمہیں غریبوں سے ہمدردی ہے۔ کبھی تم کسی بوڑھے چھابڑی والے کو دیکھ کر اداس ہوئے ہو ـــــ پرانے چیتھڑے جمع کرتی عورت کو دیکھ کر تمہارا دل پگھلا ـــــ ہے؟"

سہیل نے سوال کیا۔

"میں نے غریبی کے متعلق کبھی سنجیدگی سے سوچا نہیں، حالانکہ میں خود قلندر کی زندگی بسر کرتا ہوں۔" میں نے لجاجت سے جواب دیا۔

"پھر تو مشکل ہے۔ میں تمہیں کمیونزم پر کچھ کتابیں دینے والا تھا لیکن وہ بھی یوگا کی طرح تمہارے کام نہ آ سکیں گی۔"

"پھر؟"

"تمہیں فنون لطیفہ سے دلچسپی ہے؟ ـــــ مصوری، شاعری، ناول نگاری وغیرہ ـــــ اگر تم چاہو تو تمہارا Aggression، تمہاری Enxiety کسی Creation میں ڈھل سکتی ہے۔"

"میں شاید ـــــ پیدائشی آرٹسٹ نہیں ہوں ـــــ سر۔"

"جبلی طور پر آرٹسٹ ہونا ضروری نہیں۔ آرٹ کو مشن کے طور پر ـــــ

ردی کی ٹوکری کے طور پر استعمال کرنے کی ضرورت ہے۔"

"شاید میں اس کا اہل نہ ہو سکوں۔" میں نے معذوری ظاہر کی۔

"میرا خیال تھا کہ تم ـــــ تم کو غریبی کی طرف توجہ دینی چاہیے۔ اس کا Scope بہت بڑا ہے۔ ساری تھرڈ ورلڈ اس سے متاثر ہے۔ پڑھنے کے لیے، ہمدردی کرنے کے لیے اپنے آپ کو جذب رکھنے کے لیے اس سے بڑا اور کوئی مشن نہیں ہو سکتا۔ کمبوڈیا سے، چلتے آؤ ـــــ پاکستان تک ادھر پورا افریقہ پڑا ہے۔ روڈیشیا، گھانا، نائیجریا ـــــ چاہو تو ساؤتھ امریکہ کے مسائل میں بھی وقت گزار سکتے ہو۔"

"اس کا فائدہ؟"

"بھائی میرے ـــــ بیمار ذہن کے مالک! کسی کے فائدے کے لیے مشن نہیں ہوتا ـــــ اس کا فائدہ ہمیشہ مشن والے کو ہوتا ہے ـــــ بڑے سے بڑا مشن ہو کائناتی قسم کا تو آدمی اللہ کا پیارا بن جاتا ہے۔ گھٹیا کوالٹی کا آدم سائز ہو تو اپنے آپ کو آرام و سکون حاصل ہو جاتا ہے۔"

میں بڑی دیر چُپ رہا۔

"اچھا یہ دروازہ مقفل نکلا ـــــ اب یہ بتاؤ عشق کر سکتے ہو راہ مولا ـــــ لاحاصل قسم کا ـــــ بغیر حصول کی آرزو کے ـــــ وہ تمہارا سارا وجود، سارا تخیل ساری انا کو جذب کر لے گا۔"

"مجھ میں عشق کی اب تاب نہیں ہے شاید ـــــ سیمی کے بعد ـــــ"

"مذہب سے کوئی دلچسپی ہو؟ ـــــ مذہبی لگن سے بھی اس دنیا میں ٹائم پاس کیا جا سکتا ہے۔"

"میری تربیت گاؤں کی ہے۔ دیہات میں مذہب بڑا سادہ ہوتا ہے۔ باقی زندگی کی طرح ـــــ اس لیے میری معلومات کم ہیں۔"

"ہاں میں دیکھ چکا ہوں۔ اگر تم میں وہ جوہر ہوتا تو یوگا کرنے سے ضرور چمکتا ـــــ بچوں سے دلچسپی ہے؟ چھوٹے بچوں کو دیکھ کر ان کی جوتیاں سیدھی کرنے کو دل چاہتا ہے؟"

"بھائی کے دو جڑواں بچے ہیں۔ کبھی ان سے ملاقات نہیں ہوئی۔"

"پھر تو مشکل ہے۔ میں سمجھتا تھا کہ شادی کروا کے تم اپنی زندگی کے منہ زور گھوڑے پر کاٹھی ڈال سکتے ہو۔"

"میں نے کبھی نہیں سوچا سنجیدگی کے ساتھ شادی کے متعلق —— سر میرا کیس بالکل بگڑا ہوا ہے۔"

اس نے پیار سے میرے کندھے پر ہاتھ رکھ کر کہا —— "قیوم! میں نے کئی سال تمہاری طرح گزارے ہیں۔ میرا خیال تھا کہ E.S.P پر کتابیں پڑھنے سے Telepathy Hypnosis اور Clairvoyance کے متعلق پڑھتے رہنے سے مجھے افاقہ ہو گا۔ میں Astral Travel کے پیچھے لگا رہا۔ دھرم ایمان نروان کے دروازے کھٹکھٹائے لیکن اب میری سمجھ میں ایک بات آ گئی ہے۔"

"کیا بات؟"

"پانچ کینڈل پاور کا بلب —— لاکھ امپیئر بڑھا دو ہمیشہ پانچ کینڈل پاور کی روشنی دیتا ہے۔ ہم لوگ چھوٹے چمچ میں دیگ بھر پانی ڈالنے کی کوشش کر رہے ہیں۔ چمچ میں صرف چمچ بھر پانی آسکتا ہے۔ میں نے اب اپنی زندگی کا مشن بدل لیا ہے۔ میں اب صرف اپنی job کی مشکلات کے متعلق سوچتا ہوں۔ کون کون سی سفارش چلے گی۔ کس کس Level پر کیا کیا کوشش کرنی پڑے گی —— میں کسی Ideal کے لیے معاشرے سے اپنے آپ سے لوگوں سے نہیں لڑتا۔"

"آپ جھوٹ بولتے ہیں —— سر —— آپ تو اتنی بڑی بڑی تھیوریاں بناتے ہیں، بہت سوچتے ہیں۔"

"خدا کی قسم یہ سچ ہے۔ میں نے وہ سب سوچیں نکال دیں ہیں سر سے۔ اب میں دلجمعی سے پرسوں امریکہ جاؤں گا۔"

"امریکہ"

"وہاں چھ مہینے لیکچر دوں گا۔ امریکہ روحانی طور پر اس وقت بنجر ہے۔ پانی چاہتا ہے۔ میں اپنی بالٹی لے جاؤں گا۔ ایسے چھینٹے اڑاؤں گا کہ بارش کا گمان ہو گا —— حرام و حلال کی تھیوری بیان کروں گا سب سے —— میرے لیے یہ بہت ہے۔"

"کیا کرنے جا رہے ہیں امریکہ؟"

"سٹڈی ٹور کروں گا ـــــــ تفریح کے اوقات میں وہاں کے لوگوں کو یہ یقین دلاؤں گا کہ مشرق کے پاس روحانیت کے خزانے ہیں۔ ہم لوگ رتی بھر مادہ پرست نہیں ہمیں اشیاء کی محبت نہیں۔ ہم ایک اور سمت کے لوگ ہیں۔ ان کے اندر احساس خلاء اور احساس کمتری پیدا کرنے کی کوشش کروں گا۔ واپسی پر گریڈ کا کوئی پرابلم نہیں ہو گا ـــــــ نو پرابلم ـــــــ"

میں نے سر جھکا لیا۔

"دیکھو مجھے چھ مہینے لگیں یا دو سال ـــــــ تم اس دوران صرف اپنی نوکری پر دھیان رکھنے کی کوشش کرنا ـــــــ میری واپسی کا انتظار کرنا اور اس دوران ادھر ادھر مت جھانکنا۔ ہر بات کو اپنے Job کے ساتھ Link کرنا ـــــــ اگر کسی طرح یہ مشن فیل ہو جائے تو پھر شادی کر لینا ـــــــ آرام سے زیادہ سوچے سمجھے بغیر لیکن شادی آخری Solution ہے۔ کوشش یہ رکھنا کہ نوکری واحد خدا ہو ـــــــ تمہاری زندگی کا مرکز۔ کبھی کبھی اس مشن کی لت پڑ جائے تو آدمی دور نکل جاتا ہے اور بڑا بندھا رہتا ہے۔ مرکز سے باہر نہیں نکل جاتا۔ میں نے سر اٹھا کر سہیل کی طرف دیکھا۔ پہلی بار اس کی آنکھوں میں آنسو تھے اور چہرے پر مسکراہٹ نہ تھی۔ مسیحا تھری پیس سوٹ پہنے ہاتھ میں سگار لیے اپنے علاج کی بے بسی کے سامنے خود کھڑا رو رہا تھا۔

سہیل کے امریکہ چلے جانے کے بعد میں کافی حد تک اپنی نوکری کے بارے میں اور بھی سنجیدہ ہو گیا۔ پہلے میرا معمول تھا کہ اگر مجھے بھائی مختار کی موٹر سائیکل ادھار نہ ملتی تو میں سانده کلاں سے چل کر کرشن نگر کے اختتامی بس سٹاپ تک پیدل آتا۔ راستے میں ہرے بھرے کھیت تعفن بھرے پانیوں میں لہلہا رہے ہوتے۔ کرشن نگر کے سٹاپ سے میں بس میں سوار ہوتا اور پلازا کے چوک پر بس سے اتر جاتا۔ یہاں مجھے پھر پیدل ریڈیو سٹیشن پہنچنا ہوتا۔ اس لمبے سفر اور پڑاؤ کے لیے مجھے کافی وقت اور سوچیں درکار ہوتی تھیں۔ بچپن جوانی اور لڑکپن کے چھوٹے چھوٹے واقعات ذہن پر ابھرتے رہتے۔ میری ہمیشہ آرزو ہوتی کہ کہیں کوئی واقف کار نہ مل جائے، جس کے ساتھ کی وجہ سے خیالات کا

تانتا ٹوٹ جائے۔ ان ہی سفروں کے دوران میں چندرا میں گزارے ہوئے دن، ماں کی موت، ابا کی گمشدگی، سیمی اور عابدہ کی جدائی کا تجزیہ کرتا۔ ان کے ساتھ گزارے ہوئے وقت کا پڑتا لگاتا ——— لیکن اس سارے تجزیے اور پوسٹ مارٹم سے نہ میں کبھی کسی اہم نتیجے پر پہنچ سکا اور نہ ہی کوئی فیصلہ کن سبق سیکھنے کی نوبت آئی۔ جس طرح خلائی ہوا باز ایک خاص لباس میں ہی سفر کر سکتا ہے۔ میں بھی یادوں کی ایک خاص رضائی اوڑھ کر یہ سفر کرنے کا عادی تھا۔ اس لیے سہیل کے مشورے کے بعد جو پہلا مثبت کام میں نے کیا۔ وہ موٹر سائیکل کی خرید تھی۔

نئی موٹر سائیکل میں نے بھائی مختار سے پیسے ادھار لے کر خریدی تھی اور انہوں نے مجھ سے دنیاداری کے آثار سر نکالتے دیکھے تو بخوشی ادھار دے دیا۔ موٹر سائیکل کی سواری میں یہ خوبی ہے کہ یہ برق رفتار گھوڑے کی طرح بڑی انا بخشتی ہے۔ اس قدر خطرے کے باوجود آدمی اپنے آپ کو کافی پائیدار سمجھنے لگتا ہے۔

ڈاکٹر سہیل کے مشورے کے بعد نئی موٹر سائیکل، ریڈیو کی تازہ نوکری اور ریڈیو پر آنے والی رنگ برنگی لڑکیوں کے باعث ایک بار پھر میں اپنے آپ کو کافی حد تک نارمل سمجھنے لگا۔ اب کنٹین سے چائے منگوا کر سکرپٹوں کو ہاتھ میں لے کر میں لڑکیوں سے باتیں کرتا تو میرا رویہ برادرانہ کھردرا اور لاتعلق نہ ہوتا۔ بلکہ اس میں انا کی خوشبو بسی ہوتی۔

گو میں اس جنس سے چونکیل جانور کی طرح خبردار ہو گیا تھا۔ کوئی چیز مجھے اندر ہی اندر بتاتی رہتی تھی کہ یہ وہ لڑکیاں ہیں جن کے ہاتھوں میں کسی دوسرے سٹیشن کا ٹکٹ ہے، یہ میرے پلیٹ فارم پر رکیں گی، کوکاکولا پئیں گی، اپنی پسند کا میگزین خریدیں گی اور پھر ہاتھ ہلاتی کسی اور شہر کے لیے کسی اور ٹرین میں سوار ہو جائیں گی۔ اس لیے ریڈیو سٹیشن پر جہاں آنسو گیس زیادہ پھیلی ہوتی ہے، میری آنکھیں بہت خشک تھیں اور میں بہت محتاط بھی رہتا تھا اور ملاجلا بھی ———

ریڈیو سٹیشن کا محکمہ عام محکموں سے قدرے مختلف ہے۔ سرکاری دفتروں میں مرد عورتیں اس طرح کام نہیں کرتے اور اگر کرتے بھی ہیں تو عام دفاتر کی طرح بیرونی طور پر ان میں بڑا رکھ رکھاؤ اور خشک دفتری پن موجود ہوتا ہے۔ ٹیلی ویژن کے کام کی نوعیت ریڈیو سے ملتی جلتی ہے لیکن یہاں چھٹی بورژوا اور انگریزی خواں طبقے کی حکمرانی

کے باعث ماحول میں ایک خاص قسم کا تصنع اور خشکی ہوتی ہے۔ فلمی دنیا میں بھی عورت اور مرد بہت قریب رہتے ہیں لیکن وہاں وہ فضا نہیں ملتی جو ریڈیو سٹیشنوں پر ہوتی ہے کیونکہ فلمی کارکنوں میں وہ ہلکا سا حجاب، شعریت، فاصلوں کی کسک نہیں ہوتی جو آرٹ سے وابستگی کے باعث دونوں جنسوں میں خود بخود پیدا ہو جاتی ہے۔

ریڈیو سٹیشن پر اگر عملہ دلی طور پر ادب پرست، موسیقی نواز، دلدادۂ ڈرامہ نہ بھی ہو تو ریڈیو کی روایات ہی ایسی ہیں کہ اچھے شعروں پر سر دھننا، مناسب لَے پر داد دینا، مکالمے کی چست ادائیگی پر قربان ہونا سب کا شیوہ ہے۔ یہاں پہنچ کر طوائف آرٹسٹ بن جاتی ہے، مراثی ضلع جگت کا بادشاہ نظر آتا ہے۔ یہاں فلمی دنیا والے ٹھٹھول اور پھکڑبازی نہیں ہوتی۔ ایک ہلکا سا غلاف تعریف و تحسین کا، ایک سطحی سی اخلاقی پابندی ایک غیر محسوس سی آرٹ نوازی سب پر چھائی رہتی ہے۔ کاتب سے لے کر انجینئر تک —— چپراسی سے لے کر آر ڈی صاحب تک —— طبلہ نواز سے لے کر ساؤنڈ ریکارڈسٹ تک —— چھوٹی اناؤنسر سے لے کر تجربہ کار براڈکاسٹر تک سب اپنے آپ کو زیادہ سے زیادہ ادب نواز، موسیقی پرست اور ڈرامہ شناس ظاہر کرنے کی کوشش کرتے ہیں۔ اسی لیے ریڈیو سٹیشن کی فضا ہمیشہ ملن رت سے مشابہہ رہتی ہے۔ یہاں بھی ضرورتیں چلتی ہیں؟ جھگڑے ہوتے ہیں؟ Explanations طلب کی جاتی ہیں، ادھار مانگے جاتے ہیں، فائلیں خراب ہوتی ہیں، چغلی میٹنگ جاری رہتی ہے۔ وہ سب کچھ چلتا ہے جو دفتروں میں چائے کے ساتھ ساتھ چلا کرتا ہے —— لیکن اس کے ساتھ ساتھ ریڈیو سٹیشن پر ایک موسم ہوتا ہے جو ملن رت سے مشابہہ ہے۔ ادب نوازی، موسیقی اور ڈرامے کی ہلکی پھوار —— جنس مخالف سے میل ملاقات کی رت۔

میں نے ریڈیو سٹیشن پر ایسے ہی موسم میں امتل سے کہا۔

امتل شکلاً عقلاً جسماً ریڈیو سٹیشن کے لیے کوئی نئی چیز نہیں تھی۔ موسیقی کے پروگراموں سے گو میرا واسطہ نہ تھا لیکن اس شکل، جسے اور ہیئت کی عورتیں یہاں وہاں ملتی رہتی تھیں۔ لیکن اس کی ذات کا مجھ پر منفی یا مثبت کبھی کوئی اثر نہ ہوا۔ وہ مختلف

پروڈیوسروں کے کمرے میں بیٹھی پائی جاتی۔ رسمی باتوں کے علاوہ اس سے بات کرنے کی کوئی نوبت کبھی نہ آئی۔ ریڈیو پر بظاہر وہ بڑی مقبول تھی۔ ہر ایک سے ٹھٹھہ مذاق کرنا، خوشدلی سے دوسروں کے مذاق سہنا، وقت بے وقت سازندوں کی مالی مدد کرنا، باوردی چپراسیوں کے کندھے پر ہاتھ رکھ کر ان کے گھر والوں کی خیریت پوچھنا۔ امیر آرٹسٹوں سے بلا تکلف لفٹ مانگ لینا، نوجوان لڑکیوں سے سکرپٹ مانگ کر پڑھنا اور اچھے جملوں پر داد دینا، موسیقی کے پروڈیوسروں کی بظاہر بے عزتی کرتے ہوئے درپردہ ان کی خوشامد کرنا اور باوجودیکہ اسے اب پروگرام ملنے بند ہو گئے تھے، باقاعدگی سے ہفتے میں دو بار ریڈیو سٹیشن آنا اس کا ٹائم ٹیبل تھا۔

امتل کی آواز ریگستانی عورتوں کی طرح گھگھی تھی۔ جوانی میں اس کی آواز میں شاید وہ جادو ہو گا جسے بیڈروم سیکسی کہتے ہیں۔ لیکن اب تو کبھی کبھی جب وہ جوش میں بولتی تو اس کے جملے کے جملے غائب ہو جاتے اور آواز نہ نکلتی۔ کئی سالوں سے وہ چھوٹے شہروں میں لگنے والے تھیٹروں میں گا رہی تھی۔ ان میلوں میں کئی بار مائیکروفون کے بغیر بھی آواز لگانا پڑتی تھی، اس لیے اس کی آواز سے نزاکت، شائستہ پن اور ملائمت غائب ہو چکی تھی۔

سب سے پہلی بار جب میں نے اسے دیکھا تو وہ قاضی کے کمرے میں بیٹھی سگریٹ پی رہی تھی۔ اس نے فل میک اپ کر رکھا تھا۔ برقعے کا نچلا سیاہ کوٹ جسم پر تھا اور نقاب کرسی پر لٹک رہا تھا۔ اس نے کوئی تازہ لطیفہ سنایا تھا۔ جس کی وجہ سے کمرے میں بیٹھے ہوئے قاضی کے تین حواری ہنس رہے تھے۔

میں نے قاضی سے ایک مقبول ریکارڈ کی ڈسک مانگی تو امتل بولی —— "بتایئے سر جی یہ آپ کے قاضی صاحب مجھے کوئی پروگرام کیوں نہیں دیتے؟۔"

"بی بی میں کلاسیکی موسیقی کا انچارج ہوں۔" قاضی بولا۔

"تو پھر میں کوئی فوک سنگر ہوں؟ میں نے بھی آخر استاد جے خاں سے تعلیم حاصل کی ہے۔"

"وہ تو ٹھیک ہے بی بی لیکن تمہاری آواز میں خراشیں پڑ گئی ہیں۔ لوگ ایسی آواز کو پسند نہیں کرتے اب۔"

"میرا کیا قصور ہے سرجی آپ بتائیں، یہ پچھلے ریڈیو سٹیشن کی بات ہے۔ میں گانے کے لیے آئی تھی۔ پورے دس بجے رات کو مجھے مالکونس کا پروگرام کرنا تھا۔ میں بیٹھی تھی، آرڈی صاحب کے دفتر میں —— تب نگینہ آئی —— نگینہ کو آپ جانتے ہیں سرجی؟"

میں نے نفی میں سرہلایا۔

"میری مقبولیت سے بیر تھا اسے آتے ہی چمٹ گئی۔ مجھ سے باجی باجی کہتے منہ سوکھتا تھا اس کا۔ مجھے پان دیا۔"

"یہ بات اب پرانی ہو چکی امتل۔ بہتر ہے کہ اب اسے نہ سنایا کرو سب جانتے ہیں۔" قاضی نے چڑ کر کہا۔

"سب جانتے ہوں گے لیکن یہ تو نئے ہیں ریڈیو پر —— کیوں جی نئے ہیں ناں —— آپ سرجی؟۔"

"ہاں"

"لو جی مجھے دیا ہے پان نگینہ نے۔ گشتی کا پان میں نے کیا کھایا، آواز بیٹھ گئی۔ وہ تو اللہ سائیں نے مجھے عقل دی پان تھوک دیا میں نے —— کہیں جو سارا کھا جاتی تو گونگی ہو جاتی پوری ——"

"دیکھو تم کہیں آیا گیری کر لو —— اب تمہارے یہی دن ہیں۔" قاضی نے ہنس کر کہا۔

"کر تو لوں سرجی —— پر آج کل کے خانساموں کا بھی Taste اچھا ہو گیا ہے۔ وہ اب بیگموں پر نظر رکھتے ہیں۔ آپ کی طرح۔ مجھے نکلوا دیں گے کھڑے کھڑے ——" سب قہقہہ مار کر ہنس دیئے۔

"کتنی عمر ہے تمہاری امتل؟ ——" قاضی نے سوال کیا۔

"اگلے سال بیالیس کی ہو جاؤں گی انشاء اللہ۔"

"کے سالوں سے بیالیس کی ہو رہی ہو ——" قاضی نے گستاخانہ پوچھا۔

"میں لیپ ایئر میں پیدا ہوئی تھی جی کیا کروں۔ چار سال بعد برتھ ڈے آتا ہے میرا۔"

ایک اور فرمائشی قہقہہ پڑا۔ دراصل امتل کا تعلق عمر سے نہ تھا۔ وہ دھرتی جتنی بوڑھی اور نئی کونپل جیسی نئی تھی۔ عمر اس کے جسم سے جھڑتی رہتی اور اس کے بالوں پر چڑھتی چلی جاتی۔ کبھی وہ پانچ سال کے بچے کی طرح معصوم ہوتی، کبھی بوڑھی نائیکہ کی طرح تجربے کار خرانٹ بے حس بن جاتی۔ وہ ذہنی جسمانی روحانی کئی قسم کے مرضوں میں مبتلا تھی اور کئی قسم کی بیماریوں سے شفایاب ہو چکی تھی۔ زندگی میں اسے ان گنت ٹیکے لگ چکے تھے اور کئی بیماریوں سے وہ اپنے تجربے کی بنا پر اب تندرست ہو چکی تھی۔ اس کا جسم سنتھیٹک فائبر کی طرح بے جان تھا اور اس کے سانس سے بی کومپلکس، انٹی بائیوٹک، کوڈلور آئل اور ملٹی وٹامنز کی خوشبو آتی تھی۔ بیماریوں کی شفایابی کے باعث ہی لگتا تھا کہ وہ بیالیس سے کئی گنا زیادہ سال اس کرۂ ارض پر بسر کر چکی ہے۔ دراصل امتل صرف زندہ تھی۔ وہ زندگی پر کسی قسم کی تنقید نہیں تھی۔ اس سے مل کر مجھے پتہ چلا کہ اچھا یا برا نہیں ہوتا۔ بس واقعات ایک دوسرے کے نقش قدم پر اُبھرتے رہتے ہیں جو اپنی ذات کو تکلیف دیں وہ بُرے لگتے ہیں۔ حالانکہ کبھی کبھی وہ بُرے نہیں ہوتے اور کچھ واقعات راحت پہنچاتے ہیں۔ اس لیے اچھے لگتے ہیں۔ حالانکہ وہ بھی قابل تعریف نہیں ہوتے۔ اچھے یا بُرے کی کائناتی حیثیت کچھ نہیں۔ ہر انسان اپنی ذات کو مرکز مان کر اچھے اور بُرے کا گراف بناتا ہے۔ اسی لیے تمام واقعات بالآخر کائناتی سفر میں داخل ہو جاتے ہیں اور اسی لیے ان سے باقی لوگ زیادہ دیر تک متاثر نہیں رہ سکتے۔

اس روز مجھے ڈرامہ بھنبھور ریکارڈ کرنا تھا۔ میں نے کاسٹ کو دس بجے کا ٹائم دیا تھا۔ جب میں ریڈیو سٹیشن پہنچا پورے گیارہ بجے تھے اور امتل Barrier کے اس طرف کھڑی دربان سے فصیح زبان میں جھگڑ رہی تھی۔ چہرے کا سیاہ نقاب الٹا ہوا تھا۔ ہاتھ میں ماچس اور سگریٹ کی ڈبیا تھی۔ چہرے پر فل میک اپ اور منہ میں پان موجود تھا۔

"اوئے ککھ نہ رہے تیرا تو اس وقت پیدا نہیں ہوا تھا جب سے میں ریڈیو سٹیشن پر چلی آ رہی ہوں۔ شمشاد بیگم کا نام سنا ہے؟ امرا ضیا بیگم کا نام جانتا ہے؟ توبہ بابا اُن کے بعد کس کا نام چڑھا تھا۔ امتل العزیز کا ——— نہیں جانتا مجھے اب بھی؟"۔

دربان بڑے مزے سے ٹین کی کرسی پر بیٹھا تھا اور شانتی سے سگریٹ کے کش لگا رہا تھا ــــــ "ہو گا جی آپ کا بڑا نام ــــــ لیکن آر ڈی صاحب کا حکم ہے ــــــ آپ اجازت نامہ دکھائیں، سکوریٹی کا معاملہ ہے کوئی ہما شما اندر نہیں جا سکتا۔"

"الو میں پرانے ریڈیو سٹیشن سے یہاں آتی ہوں۔ آر ڈی بدلتے رہتے ہیں۔ حکومتیں آتی جاتی ہیں آرٹسٹ وہی رہتے ہیں ریڈیو کے۔ حرام خور امتل وہی رہتی ہے۔"

"ہاں جی رہتی ہو گی ــــــ لیکن آپ اندر نہیں جا سکتیں۔"

اپنے آپ کو مجبور پا کر امتل نے دو تین بھاری جان دار گالیاں دیں۔ اس وقت میں جلدی سے موٹر سائیکل پر گزر جانا چاہتا تھا لیکن اس نے مجھے پکڑ لیا۔

"اے قیوم صاحب، رکنا سر جی ــــــ اس سئور کے تخم سے کہہ دیں میری ریکارڈنگ ہے۔ اب گیارہ بج رہے ہیں۔ ابھی ریہرسل بھی کرنی ہے۔"

میں نے دربان سے سفارش کرنے کے لیے کہا ــــــ "یار ولایت علی پرانے آرٹسٹوں کا خیال رکھا کرو۔"

"اب یہ کیا پتہ چلتا ہے کہ سر جی کون نیا ہے کون پرانا؟ کچھ کی شکل پرانی ہوتی ہے لیکن وہ آرٹسٹ نئے ہوتے ہیں۔ کچھ کی شکل نئی لگتی ہے پر جی وہ آرٹسٹ پرانے ہوتے ہیں۔"

"اچھا اب تو ان کو جانے دے ناں۔"

"جائیں جائیں سر جی ــــــ پر بات تمیز سے کیا کریں۔"

"بکی نہ جا اب شرمندہ ہو کر ــــــ خصم نوں کھانا حرامی۔"

"ان کا خیال رکھا کرو ــــــ یہ آرٹسٹ لوگ جلالی طبیعت کے ہوتے ہیں۔"

"ہاں جی ــــــ ان کی طبیعت کی وجہ سے یہ جہنم میں جائیں گے انشاء اللہ۔" ولایت علی نے جل کر کہا۔

"لے کچھ کھایا پیا کر جان کو لگے ــــــ" اب برقعے کی جیب سے پانچ روپے نکال کر امتل نے دربان کو دے دیئے۔

دونوں ہنسنے لگے اور امتل آگے چلی گئی۔

یہ مجھے بعد میں پتہ چلا کہ امتل کو آئندہ کی کوئی فکر نہ تھی۔ اس کے پاس وہ

آخری پانچ روپے تھے جو اس نے دربان کو بلاوجہ دے دیئے۔ دراصل وہ ہر کام کرنے کے بعد، ہر حادثہ سہہ گزرنے کے بعد ہر قسم کے پچھتاوے سے آزاد تھی۔ اس کی زندگی لمحہ سے لمحہ تک چلتی تھی۔ اسی لیے ماہ و سال مل کر اس کا کچھ نہ بگاڑ نہ سکے۔ وہ وقت کے بھاری ہتھوڑے سے ہر لحظہ بے پرواہ تھی۔

بھنبھور ڈرامہ ریکارڈ نہ ہو سکا۔ عین ریہرسل کے دوران ہیروئن کو کاسٹ میں سے کسی نے کوئی چبھتی بات کہہ دی۔ ناہید بڑی نازک مزاج تھی۔ فوراً اٹھی، آر ڈی صاحب سے رپورٹ کی اور گھر چلی گئی۔ براڈ کاسٹ میں ابھی چھ دن باقی تھے لیکن بڑے دنوں کے بعد میرے السر میں درد شروع ہو گیا۔ ساونڈ ایفکٹ کی ڈسک اور سکرپٹوں کی کاپیاں لے کر میں اپنے دفتر میں لوٹا، چار بجے ہوئے تھے لیکن امتل میرے دفتر میں بیٹھی سگریٹ پی رہی تھی۔ اس کے برقعے کا اوپر والا حصہ کرسی کی پشت پر لٹک رہا تھا اور پلاسٹک کے بٹنوں والے کوٹ نما برقعے میں وہ پھنسی ہوئی تھی۔

"جی فرمائیے ——" میں نے سرد مہری سے پوچھا۔

"اب دیکھئے یہ وقت ہو گیا ہے بھوکے پیاسے۔ اب ریکارڈنگ ختم ہوئی —— ہے۔" میں چپ رہا۔

"ان میوزک والوں کی عقل دیکھیں —— میں کورس والیوں کے ساتھ گا رہی تھی اور حمیدہ گا رہی تھی لیڈ پر —— آپ خود انصاف کریں اس کی اتنی آواز ہے کہ لیڈ گا سکے؟"

میں نے سکرپٹ دراز میں رکھے اور چڑ کر کہا —— "اچھا گاتی ہے حمیدہ اور پھر ہر آرٹسٹ کا ایک ٹائم ہوتا ہے اس کے بعد لوگ اسے قبول نہیں کرتے۔"

امتل ناک سکوڑ کر بولی —— "اچھا جی یہ تو ہم لوگ جانتے ہیں کہ وہ کیسا گاتی ہے —— ایسی کم سری —— ایسی کم سری پنچم پر جا کر تو اس کا گلا پھٹ جاتا ہے۔ ٹیں ہو جاتی ہے آواز۔"

"پبلک کو پسند ہے یہ ٹیں۔"

"سارا قصور ان ریڈیو والوں کا ہے —— جس کو پروگرام ملیں گے وہ آپی مقبول ہو گا —— ساری بات تو موقعہ ملنے کی ہے۔"

"آخر اس میں کیا خوبی ہے کہ اس کو پروگرام ملتے ہیں؟ کبھی سوچا آپ نے؟"
میں نے سوال کیا۔

"ہاں! ایک خوبی ہے اس میں۔"

"کیا——" میں اکتاہٹ کے آخری سرے پر تھا۔

"جوان ہے، نخرے آتے ہیں، ادائیں دکھاتی ہے، پروڈیوسروں کو الو بناتی ہے۔"

"پہلی اور آخری یہی عورت کی خوبی ہے۔"

یکدم امتل ڈھیلی پڑ گئی۔

"سر جی آپ آر ڈی صاحب سے میری سفارش کر دیں ناں—— میرے گھٹنوں میں درد رہنے لگا ہے۔ اب میں تھیٹروں میں کام نہیں کر سکتی، خدا قسم کئی کئی گھنٹے کھڑے رہنا پڑتا ہے۔"

مجھے اس پر ہلکا سا ترس آ گیا۔

"کیا سفارش کروں؟"

"کم از کم چار بکنگ تو دے دیا کریں مہینے میں—— دیکھیں ناں نازیہ کو تو چھ چھ بار بک کر لیتے ہیں وہ۔ مجھ سے کون سا بہتر گاتی ہے۔"

"یہ بھی تمہارا خیال ہے اس کا وقت بھی منتیں کرتے نکلتا ہے۔"

"ہماری عمر ہی ترلے منتوں کی ہے سر جی—— پر یہ ریڈیو والے معاف کرنا بہت چندرے ہیں۔ عمر پٹی عورت کو ذرا گھاس نہیں ڈالتے—— سارے پروگرام لڑکیوں کو دیتے ہیں۔ بوڑھی عورتوں کے رول بھی لڑکیوں سے کراتے ہیں۔"

"وقت وقت کی بات ہے امتل—— تم کو بھی گھاس ڈالا ہو گا جوانی میں—— ریڈیو والوں نے۔"

وہ چپ ہو گئی۔

ریڈیو سٹیشن پر تین قسم کی خواتین آرٹسٹوں سے ملاقات رہتی تھی۔ ایک وہ گلوکار اور ڈرامہ وائس عورتیں اور لڑکیاں تھیں۔ جن پر رائے عامہ سے مقبولیت کی مہر لگ چکی تھی۔ جو اے کلاس میں شمار ہوتی تھیں۔ ان کے پیچھے پیچھے بھاگنا، چاپلوسی کرنا، پان

سگریٹ آفر کرنا۔ اپنے کمرے میں بلا کر ریڈیو کے باقی عملے پر تبصرہ کرنا، کچھ دوسرے غائب آرٹسٹوں کی چغلی سے دل بہلانا، ہمارا شیوہ تھا۔ دوسری قسم ان آرٹسٹ لڑکیوں کی تھی جو گانے یا ڈرامے کے پروگراموں کے لیے بسنت کے دن نیلا آسمان بن کر آیا کرتی تھیں۔ ہر پروڈیوسر جانتا تھا کہ ان لڑکیوں میں Talent کی واضح کمی ہے اور یہ شاید کبھی بھی اچھی پرفورمنس نہ دے سکیں لیکن ان سے چھیڑ چلی جانی چاہئے۔ یہ لڑکیاں گانے کا پروگرام، ڈرامے کا پارٹ یا Casual اناؤنسمنٹ کے لیے آتی تھیں۔ ایسی لڑکیوں کے ساتھ کنٹریکٹ پر سائن کرواتے وقت، برآمدوں میں، سٹوڈیو کے اندر، لفٹ کا انتظام کرتے ہوئے، کاروں کے دروازوں تک پہنچاتے ہوئے خوش دلی سے باتیں ہوتی تھیں اور ہم لوگ ہلکا پھلکا محسوس کرتے تھے۔

تیسری قسم سب سے قابل ترس تھی۔

یہ ایسی آرٹسٹ عورتوں کا گروہ تھا جو کبھی ریڈیو پر عمدہ کارکردگی دکھا چکی تھی۔ انہیں اپنے پرانے گیت یا ڈرامے، ریکارڈنگ کے دوران پیش آنے والے واقعات، اس زمانے کے آر ڈی، پروڈیوسر حتیٰ کہ انجینئر تک یاد تھے۔ وہ عام طور پر پچھلے ریڈیو سٹیشن کی باتیں کرتی تھیں جو شملہ پہاڑی کے پہلو میں تھا۔ ان عورتوں کو جاننے والے، ان کے آرٹ پر مرنے والے، اب وقت کے ہاتھوں حاجی بغلول بن چکے تھے یا دنیا سے ہی رخصت ہو گئے تھے۔ یہ سارا گروہ جو نئی پود سے یکسر ناواقف تھا صرف پروگرام مانگنے، پرانے قصے سنانے اور اپنا دل لگانے کی خاطر ریڈیو سٹیشن آتا تھا۔

ایسی ہی آرٹسٹوں میں امتل بھی تھی۔

امتل نے لمبی سانس لی اور دکھ سے بولی —— "یہ آپ کا قاضی بہت بے حیا آدمی ہے۔ دیکھا نہیں آپ نے کتنی لڑکیاں گھسی رہتی ہیں اس کے کمرے میں۔"

"قاضی اچھا آدمی ہے —— ہنس مکھ اور ملنسار۔"

"سو واری عشق کرے ان چھپکلیوں سے لیکن پروگرام تو ہمیں دے ناں آرٹسٹوں کو۔"

"اگر وہ لڑکیوں کو پروگرام نہ دے تو کبھی وہ آ کر بیٹھیں اس کے پاس؟ پھر وہ عشق کن سے کرے۔"

"آپ بھی ایسے ہی ہیں سر جی؟"

"ہاں کچھ کچھ۔"

ہم دونوں ہنس دیئے۔

ریڈیو سٹیشن پر بھائی چارے، بے تکلفی اور عجیب قسم کی سچ کی فضا رہتی ہے۔ بوڑھے آرٹسٹوں کو کوئی آپ کہہ کر نہیں بلاتا۔ بڑی عمر کی عورتوں کے ساتھ اپنے سے چھوٹوں کی طرح بولنا، ہنسی مذاق ضلع جگت شیام گھات سب چلتا ہے۔ اسی لیے اس فضا میں کئی بار سالوں کا سفر لمحوں میں کٹ جاتا ہے۔ امل اور میں بھی اس ملاقات میں بڑے قریب آ گئے۔

"کیا عمر ہے تیری امل؟" ——— "میں نے اسے چھیڑنے کی غرض سے پوچھا۔

"بتیس سال سر جی۔"

"پر یہ کم بخت سارے لوگ مجھے ابھی سے باجی کہنے لگے ہیں۔ کم بختوں کو شرم نہیں آتی۔ ابھی میں سب کے سامنے بچوں کے پروگرام میں ترانے گایا کرتی تھی ——— کل کی بات ہے۔"

"لیکن پچھلے ریڈیو سٹیشن کی باتیں تو تمہیں خوب یاد ہیں۔"

"لیں بچے کو سب کچھ یاد ہوتا ہے۔"

"لیکن قاضی کے کمرے میں تو تم کہہ رہی تھیں کہ تمہاری عمر بیالیس برس ہے۔"

"کیا کریں قاضی صاحب اسی بات سے خوش ہوتے ہیں سر جی۔ خدا کی قسم ہماری پروفیشن میں جسم ویسے ہی جلد ڈھل جاتے ہیں۔ میری ماں پچاس کی ہے لیکن ستر کی لگتی ہے۔"

میں نے اسے زیادہ زچ کرنا مناسب نہ سمجھا۔

"ایک بات بتاؤں آپ کو؟"

"بتاؤ۔"

"آج میری ریکارڈنگ نہیں تھی ——— ہمیں تو کوئی کورس میں بھی چانس نہیں دیتا جی۔"

جھوٹ بول کر اس پر قائم رہنا امتل کے بس کی بات نہیں تھی۔

مجھے امتل پر یکدم بڑا ترس آیا —— کوئی عورت کبھی بوڑھی نہیں ہوتی۔ وہ چاہے ستر برس کی کیوں نہ ہو جائے۔ اس کے اندر کچھ دوشیزہ پن موجود رہتا ہے کہ مرد کا دل اسے دیکھ کر موم ہوئے بغیر نہیں رہ سکتا —— امتل ہمیشہ تو ایسی نظر نہیں آتی تھی لیکن کبھی کبھی اچانک وہ بڑی معصوم، بڑی کنواری اور کھوئی ہوئی نظر آنے لگتی۔ ایسے لمحوں میں اسے دنیا سے بچانے کو جی چاہنے لگتا۔

ھنبھوڑ ڈرامے کی ریکارڈنگ کے لیے دوسرا دن ڈیڈ لائن تھی۔

مَیں چاہتا تو ناہید کی جگہ کسی اور لڑکی سے کام نکال سکتا تھا، لیکن مجھے نازک مزاجوں سے بڑا عشق ہے۔ ریڈیو سٹیشن کی نوکری بھی مجھے اسی لیے پسند آگئی کیونکہ یہاں بھی چپے، ٹوٹے، ہنگے، اڑب، ملائم سب نازک مزاج تھے۔ خاص کر وہ آرٹسٹ جن کی ضرورت پروڈیوسروں کو کم تھی اور جن کی نازک مزاجی اس ضرورت کو کمتر کر دیتی تھی۔

ناہید سے معافی مانگ کر اس کی انا کو بحال کرنے کے لیے میں ہیرا منڈی گیا۔ میں اپنی نئی موٹر سائیکل پر سوار تھا۔ اس کی نمبر پلیٹ، ہینڈل سیٹ سب چمک رہے تھے۔ موٹر سائیکل نیا ہو اور اپنا ہو تو یوں لگتا ہے جیسے عربی گھوڑا رانوں تلے آگیا ہے اور آدمی زمین کے بجائے بادلوں میں اڑ رہا ہے۔ داتا دربار سے آگے دو رویہ سڑک پر رش نسبتاً کم محسوس ہوتا ہے۔ سڑک کی دوسری جانب نالے سے ادھر لال پیلی ڈوروں کے تانے پر کچھ مزدور صورت مانجھا پھیر رہے تھے۔ ہیرا منڈی کو دراصل دو راستے جاتے ہیں۔ ایک لیڈی ولنگٹن کے پہلو سے گزر کر ہیرا منڈی پہنچتا ہے۔ میں بادشاہی مسجد والے راستے پر بڑے خطرناک طریقے سے موٹر سائیکل چلاتا بازار میں داخل ہوا۔ اس سے پہلے نہ کبھی میں ناہید کے گھر گیا تھا نہ ہی ان گلیوں سے واقف تھا۔

تھوڑی سی تلاش کے بعد میں ناہید کی گلی میں جا نکلا۔ ناہید کے گھر کے بالکل سامنے رانی بینڈ والوں کا چوبارہ تھا اور اس وقت وہ پگڑیاں سروں پر لپیٹتے کلارنٹ، بھونپو، باجے اور ڈھول اٹھائے تنگ سیڑھی سے اتر رہے تھے۔ گلی صاف ستھری اور سنسان

تھی —— بینڈ والوں کے کوٹھے پر ان کا بورڈ نصب تھا۔ جس کے نیچے رقم تھا کہ باوردی آنے کے ریٹ مختلف ہیں۔

جس وقت اکا دکا سر بجاتے رانی بینڈ والے نکڑ پر غائب ہو گئے، میں نے چوتھی مرتبہ ہارن بجایا لیکن ناہید کے سہ منزلہ مکان سے کوئی برآمد نہ ہوا۔ اس سے پہلے گھنٹی بجانے پر بھی کوئی باہر نہ نکلا تھا۔ اس کے بعد میں نے دروازے کا کنڈا تختے سے بجانا شروع کر دیا۔ جس وقت ایک سات آٹھ سالہ لڑکی باہر نکلی میرا ارادہ ناہید کو کاسٹ کرنے سے بالکل اکتا چکا تھا۔

بڑے محرابی پھاٹک کے پیٹ میں بنے ہوئے طاقچہ نما دروازے سے وہ باہر نکلی، اندر ایک بھینس بیٹھی جگالی کرنے میں مشغول تھی اور مشین چلنے کی آواز آ رہی تھی۔

"ناہید بی بی ہیں؟"

لڑکی نے میری بات کا کوئی جواب نہ دیا۔ وہ آرام سے کھڑی املی کھاتی رہی۔

"کیا ناہید بی بی کا یہی گھر ہے؟"

وہ آرام سے کاغذ چاٹنے میں مشغول تھی۔

"منی میں ریڈیو سٹیشن سے آیا ہوں —— کیا یہ ناہید کا گھر ہے؟ —— ریڈیو آرٹسٹ ناہید کا۔"

اب منی کی زبان فرفر چلنے لگی۔

"اچھا جی آپ ریڈیو سٹیشن سے آئے ہیں۔ باجی تو صبح کی ریڈیو سٹیشن گئی ہوئی ہے۔ ناشتہ بھی نہیں کیا اس نے —— بابا علیا آج صبح ٹکسالی سے نہاری لایا تھا۔ باجی نے وہ بھی نہیں کھائی خدا کی قسم —— صبح بی بی نے اتنے جھڑکے دیئے باجی کو —— تین بار میک اپ کرنا پڑا باجی کو۔"

"تین بار کیوں؟"

وہ میری کم عقلی پر ہنس دی —— "باجی رو رہی تھی صاحب جی۔ پوڈر تھوڑی ٹھہرتا تھا اس کے منہ پر۔"

"جھڑکے کیوں دیئے بی بی نے۔"

"ریڈیو سٹیشن نہیں جاتی تھی باجی —— بی بی کا غصہ ہی برا ہے —— پرسوں

باجی گلزار کے منہ پر کھچ کے چپیڑ مار دی تھی۔ باجی گلزار گری منجے پر۔ پاوا لگا گال پر۔ دو ٹانکے لگے۔ پھر سارا دن بی بی بیٹھی روتی رہی۔ اپنے منہ پر چپیڑیں مارے اور روئے ہائے ہائے اپنا مال آپی داغی کر لیا میں نے —— صاحب جی ریڈیو سٹیشن کیسا ہے؟ ——"

چھوٹی سی لڑکی بڑی پکی باتیں کر رہی تھی۔

"کبھی اپنی باجی کے ساتھ آ کر دیکھ لینا۔"

"باجی کہیں نہیں لے جاتی جی —— کہتی ہے میری پوزیشن خراب ہوتی ہے۔"

میں اس شہزاد سے پتہ نہیں کب تک باتیں کرتا رہتا لیکن اسی وقت کسی نے میرے کندھے پر ہاتھ رکھ کر کہا —— "کیوں سرجی اس وقت کہاں چوری چوری؟"

میں نے پلٹ کر دیکھا امتل کھڑی تھی۔ سرخ ہونٹوں تلے اس کے نسواری دانت بھی مسکرا رہے تھے۔

"آئیں ناں غریب خانے پر۔"

"آج نہیں امتل آج مجھے ڈرامہ بھنبھور ریکارڈ کرنا ہے۔"

"ناں ناں —— لارا چھوڑیں —— ہمارا رواج نہیں کہ ایک بار پھنسے شکار کو چھوڑ دیں —— چلیں آپ۔"

"یہ باجی سے ملنے آئے ہیں ریڈیو سٹیشن سے۔" لڑکی نے قہر بھری نظروں سے امتل کو دیکھ کر کہا۔

"کیوں ایک تیری باجی کے ملنے والے ہیں ریڈیو سٹیشن پر —— اور کسی کا کوئی ملنے والا نہیں وہاں چلترو۔"

یکدم لڑکی نے میرا بازو تھام لیا۔

"بی بی مجھے مارے گی صاحب جی۔"

"اوئے ہوئے وڈی ہیجلی —— چل جا کر بتا اندر اپنی کپتی بی بی کو امتل لے گئی ہے۔ ریڈیو والے صاحب کو —— جا کھڑی کیوں ہے؟ —— ان کے گھرانے نے تو دہلیز میں تعویز دبا رکھا ہے جو کوئی اندر داخل ہو گیا باہر جو گا رہتا ہی نہیں —— چلیں سرجی فوراً یہاں سے۔"

اب ایک بازو میرا شہرزاد کے ہاتھوں میں تھا دوسرا امتل تھامے ہوئے تھی۔

"مجھے ریڈیو سٹیشن پہنچنا ہے منی، میری ریکارڈنگ ہے۔"

"باجی کے ساتھ؟"

"ہاں باجی کے ساتھ ——" منی نے بازو چھوڑ دیا۔

"خدا کے لیے سرجی ایک بار میرے گھر چلے چلیں —— میری عزت بن جائے گی ——" امتل گڑگڑائی۔

میں شہرزاد سے نظریں چرا کر امتل کے ساتھ ساتھ چلنے لگا۔

ہم تھوڑے دور گئے تھے کہ منی بھاگی ہوئی ہمارے پاس آئی اور گھبرا کر بولی —— "بی بی مجھے مارے گی آپا جی آپ انہیں ساتھ نہ لے جائیں۔"

"چل مشٹنڈی خبردار جو پیچھا کیا ہمارا، پتہ نہیں میرا؟۔"

لڑکی خوف زدہ ہو کر پیچھے ہٹ گئی۔ میں شہرزاد کے ساتھ لوٹنا چاہتا تھا لیکن امتل میں کچھ ایسی بات تھی کہ میں خوفزدہ ہو گیا۔

گلی تنگ اور خاموش تھی۔ دو رویہ پرانی وضع کے چھجے اور شہ نشینوں والے مکان تھے۔ جن پر پرانے پینٹ کے جالی دار دروازے اور بوسیدہ کھڑکیاں اس وقت سختی سے بند تھیں۔ رات کو یہاں سے موسیقی کی آواز اور گھنگھروؤں کی جھنکار نکلتی ہو گی۔ اس وقت ان مکانوں کے پٹ کھلتے تو کھانستے ہوئے بڈھے، پان کھاتی ادھ کھائے امرود جیسی عورتیں اور مٹھیوں میں پیسے بھینچے بچے باہر نکلتے۔ گلی ویران تھی۔ جوان پیشہ ور عورتیں اس وقت رات جاگے چوکیداروں کی نیند سو رہی تھیں۔ اوپر والی منزلوں سے گدلا پانی رس رس کو گلی کی نالیوں میں پڑ رہا تھا۔ پرانے گھروں کی دیواروں میں پیپل کی کونپلیں پھوٹ آئی تھیں —— یہ گلی بالکل شانت تھی۔ اس کا رات کے کاروبار کے ساتھ دن کے وقت کوئی تعلق نہ تھا۔ اس کے اندر باہر اس وقت ٹوٹے ہوئے میلے جیسی اداسی تھی۔

"دیکھو امتل میری ریکارڈنگ ہے۔ پورے گیارہ بجے ساری کاسٹ جمع ہو گی —— پھر انجینئر وقت دے سکے یا نہ دے سکے اب مجھے جانے دو۔"

امتل کے گھر کے سامنے میں نے سماجت سے کہا۔

"سرجی آپ کی بڑی مہربانی ہو گی کہ آپ آج میرے گھر چل کر ایک بوتل پی لیں- خدا قسم سارے محلے میں میری بڑی عزت ہو جائے گی- اب تو کئی سالوں سے میرے گھر نہ کوئی فلم والا آیا ہے نہ ریڈیو سٹیشن سے کسی نے خبر لی ہے-"

باہر ڈیوڑھی میں اپنی موٹر سائیکل پارک کر کے ہم دونوں اندر صحن میں داخل ہوئے- اس صحن کے اردگرد کمرے ہی کمرے تھے- آنگن میں ڈھیلی چارپائیاں پڑی تھیں- ان چارپائیوں پر رنگ برنگے مختلف عمروں کے لوگ بیٹھے، نیم دراز اور لیٹے ہوئے تھے- جابجا باسی برتنوں کے ٹرے، کوڑے کی ٹوکریاں، پرانے کپڑوں کے انبار پڑے تھے- بچے رو رہے تھے- عورتوں کے بولنے کی آواز آ رہی تھی- ریڈیو چل رہے تھے- حساب ہو رہے تھے- یہ گھر کسی کا گھر نہیں تھا اور سب کا گھر تھا- بہت سا بے مصرف سامان، زائد چہرے اور فرنیچر کی وجہ سے یہاں سب کچھ فالتو اور بیکار نظر آتا تھا-

امتل میرا بازو تھامے بڑے فاتحانہ انداز میں صحن میں داخل ہوئی- میں اس کی ٹرافی تھا اور وہ مجھے جیت کر لائی تھی- ہم دونوں بغلی سیڑھیوں سے اوپر والی منزل میں داخل ہوئے- یہاں بھی نچلے کمروں کی طرح چاروں طرف کمرے ہی کمرے تھے لیکن اوپر والی منزل نذرے غیر آباد تھی- صحن کی جانب کھلنے والی کھڑکیاں بند تھیں- کمرہ بے ترتیب تھا- ایک پرانا پلنگ تھا- جس پر بوسیدہ کھیس اور نسواری رنگ کی شنیل کی رضائی پڑی تھی- الماری کے پٹ بالکل کھلے تھے اور ان میں ٹھنسا ٹھنس بغیر تہ کیے ہوئے کپڑے اٹے تھے- امتل نے کمرے میں گھستے ہی الماری کے پٹ بند کر کے اس کے سامنے کرسی رکھ دی- بوسیدہ صوفے پر چڑھ کر سڑک کی جانب کھلنے والی کھڑکیاں کھولیں اور مجھے صوفے پر بیٹھنے کا اشارہ کیا-

"یہ اتنی ساری مخلوق یہاں رہتی ہے امتل —— تمہارے ساتھ؟"

"ہاں سرجی ہمارا رواج ہے ہم لوگ اپنے بزرگوں کی بہت عزت کرتے ہیں——" وہ اپنا دوپٹہ اتار کر صوفہ جھاڑنے لگی-

"یہ سب تمہارے بزرگ ہیں —— بچے لڑکیاں سب؟"

"کچھ بزرگ ہیں کچھ رشتہ دار ہیں- اچھا یہ بتائیں کو کا پئیں گے کہ فیسٹا-"

"امتل —— سچ پوچھو تو کچھ بھی نہیں ریکارڈنگ ہے میری-"

"چائے سبز قہوہ؟"

"چلو چائے سہی۔"

اب اس نے دوپٹہ برقعہ سب پلنگ پر پھینک دیا اور اندر صحن کی جانب کھلنے والے چھجے کی طرف چلی گئی۔

"بی بی —— بی بی جی چائے بھجوائیں اوپر —— پارٹی آئی ہے ——"

پشت سے وہ بالکل بیالیس برس کی معلوم نہیں ہوتی تھی۔ اس کے کولہے کمر کندھے پچیس برس کی جوان عورت کے نظر آتے تھے۔ جب وہ صحن کی طرف کھولنے والے دروازے کی چٹخنی لگا کر اندر آئی تو اس کے چہرے پر ہلکی سرخی تھی۔

"پارٹی کیا مطلب امتل؟"

اس نے آنکھ مار کر کہا —— "سر جی پارٹی گاہک ہوتا ہے۔ اب وقت بدل گیا ہے گاہک کہتے ہوئے شرم آتی ہے۔"

میں کچھ گھبرا کر بولا —— "لیکن میں تو پارٹی نہیں ہوں امتل۔"

"سر جی کیا بتائیں۔ میری عزت بن جائے گی محلے میں۔ آپ کا کیا جائے گا —— ویسے بھی اب تو میرے مہمان کی بی بی خاطر ہی نہیں کرتی اب تو فیروزہ کے دن ہیں۔"

"فیروزہ کون؟"

"میری چھوٹی بہن ہے سر جی —— اچھے پیسے لاتی ہے مجروں سے۔ اس کی خاطریں ہوتی ہیں۔ اس کے مہمانوں کو ککڑ بھون بھون کر کھلاتی ہے —— میں تو چائے بھی منگوالوں تو بی بی کو غصہ چڑھ جاتا ہے۔"

پتہ نہیں مجھے کیوں امتل پر شدید ترس آ گیا۔ جب آدمی اندر سے شدید بحران کا شکار ہو چکا ہو اور تنہائی کے دشت میں بہت گھوم پھر لے تو عموماً وہ اپنے سے بڑی عمر کی عورت سے محبت کرنے لگتا ہے کیونکہ اسے مامتا کی سیکورٹی درکار ہوتی ہے۔ شاید یہی وہ لمحہ تھا جس میں ایک لاحاصل رابطے کا شکار ہوا۔

مجھے اس کے بوڑھے جسم میں دوشیزگی کی ادائیں دیکھ کر ایسی تکلیف ہو رہی تھی کہ اگر میرے بس میں ہوتا تو میں اسے اس کی جوانی کہیں سے لا کر لوٹا دیتا۔ دراصل

یہی وہ وقت تھا جب مجھے بھاگنا چاہئے تھا کیونکہ وہ بھی میری طرح ادھ مواء گرج تھی۔ اس گدھ کی ساری زندگی بیابانوں میں، اُجڑے تھلوں میں سوکھے پیڑوں پر کٹی تھی لیکن ہم مشرب کو سامنے پا کر مجھ سے بھاگا نہ گیا۔ اس میں کچھ ایسی گرمی، لجاجت اور خوبصورتی تھی کہ مجھے تھوڑی دیر کے لیے السر کا درد بھی بھول گیا۔

"میری بی بی بھی بہت بد قسمت ہے بے چاری۔ اگر اس کے گھر پانچ بیٹوں کی جگہ پانچ بیٹیاں ہوتیں تو آج راج کرتی بی بی ——— پر ایسی ٹھنڈی قسمت ہے بی بی کی ——— دے لڑکے پہ لڑکا ——— دے لڑکے پہ لڑکا ——— جو کہیں فیروزہ نہ پیدا ہوتی تو ہم سب تو فاقوں مرجاتے۔ خدا قسم بی بی تو اسے بھی میرا قصور سمجھتی ہے اس کا بس چلے تو اس کی سزا بھی مجھے ہی دے۔"

پہلی بار میں ایک ایسی سوسائٹی میں داخل ہوا تھا۔ جہاں بیٹے کی پیدائش غم انگیز امر تھی ——— "پانچ بہوئیں بھی تو آئی ہوں گی۔ اسی گھر میں؟"

"ہماری طرف بہو پیشہ نہیں کرتی سرجی۔ پیشہ صرف بیٹی کرتی ہے۔"

"اس کی کیا وجہ ہے امتل۔"

"بظاہر تو کوئی وجہ نہیں سرجی صرف رواج ہے لیکن شاید صرف بیٹی ہی ماں کو سارا کچھ دے سکتی ہے۔ بہو پیشہ کرے تو کبھی ساس کو کچھ دے؟ پھر پیشہ کرانے کا فائدہ؟"

اس وقت میں سوشیالوجی کا ایک پرانا طالب علم تھا اور ایک نئے معاشرے ایک نئی مخلوق سے متعارف ہو رہا تھا۔ کالج والا تجسّس مجھ میں ابھرنے لگا ——— شاید کالج سے نکلنے کے بعد ہی ہر طالب علم اصلی معنوں میں طالب علم بنتا ہے۔

"امتل ——— یہاں کس قسم کی لڑکی اچھی طوائف بنتی ہے ——— کچھ تو نشانیاں ہوں گی ہاں؟"

"ہاں سرجی نشانیاں پکی ہوتی ہیں جس لڑکی کی آنکھ بولے ہونٹ دعوت دیں۔ چلنے میں کولہے ہلیں۔ سچی بات ہے سرجی جس کا جسم نہ بولتا ہو، وہ ادھر بھی گرہستن رہتی ہے۔ آپ کے شہر میں بے چاری بچے پالتی مرتی ہے۔ عورت کا تو انگ انگ بولتا ہو تو کام بنتا ہے ——— " میری نگاہوں میں گم سم بھابھی صولت کا چہرہ گھوم گیا۔

"ادھر تمہاری طرف بھی کچھ Status وغیرہ کا چکر ہے امتل۔"

"کیا مطلب ہے آپ کا؟"

"یعنی کچھ طبقے وغیرہ —— کچھ ذات برادری کا چکر۔ اونچ نیچ۔"

وہ ہنسنے لگی۔

"لو سرجی اونچ نیچ کا چکر کہاں نہیں —— چوروں میں اس کا چکر، سمگلروں میں اس کا چکر۔ کچھ چور صرف نقدی سونا چرانے والے ہوتے ہیں۔ کچھ بھینس بکری کھول کر لے جاتے ہیں۔ کچھ صرف گٹروں کے ڈھکنے اٹھاتے ہیں۔"

"اور تمہارے ہاں؟"

"ہمارے ہاں بھی سرجی تین طبقے ہیں۔ اونچا طبقہ —— امیر ڈیرے دار طوائفیں، درمیانہ طبقہ عزت دار غیرت دار لوگ۔ رسم و رواج کے پابند —— تیسرے غریب مندے حال —— سب سے راندی ہوئی بھیڑے حال۔ وہ ٹھکیائی ہوتی ہے جسے ہونٹ لال کرنے جوگے پیسے بھی نہیں ملتے۔ اس کا پیٹ سینہ سب سپاٹ ہوتا ہے۔ بالوں میں پلاسٹک کے کلپ جسم پر نائیلون کے ایسے پرانے کپڑے جن سے پسینے کی بو آتی ہے۔ اس ٹھکیائی کے کئی حرامی بچے ہوتے ہیں۔ ایک بیمار شوہر ہوتا ہے کئی ہرجائی مفت خورے آشنا ہوتے ہیں۔ یہ سوتی بھی بار بار ہے اور کاروبار بھی اس کا ادھار پر چلتا ہے۔ شوہر اس کا مارنے والا چرسیا ہوتا ہے۔ وہ سرجی کئی چکیوں میں پستی ہے۔ کبھی شوہر کی چکی میں، کبھی بچوں کی چکی میں، کبھی غریبی کبھی ادھار کی چکی میں۔ تیس تک پہنچتے پہنچتے تو اس کا صرف پھیپھڑا باقی رہ جاتا ہے ہڈیوں پر —— آپ کو ایسی طوائف نظر آ جائے تو آپ ناک پر رومال رکھ لیں۔ یہ جو آپ کے ادیب شاعر لوگ ہیں وہ کبھی ایسی طوائف کی کہانی نہ لکھیں۔ ان پر کون غزل کہے؟ گندی نالی کے پاس کون بیٹھے۔ بتائیے؟"

میں غور سے امتل کو دیکھ رہا تھا۔ اس وقت وہ بہت تجربہ کار اور بوڑھی نظر آ رہی تھی۔

"دوسرا مڈل کلاس طبقہ ہے سرجی جس طرح آپ کی مڈل کلاس عورت شریف ہوتی ہے۔ رسم و رواج کے ہاتھوں ہماری مڈل کلاس عورت پر بھی بڑی پابندی ہوتی ہے۔ اس پر اخلاقی معاشرتی ذہنی کئی پٹیاں کسی ہوتی ہیں۔ یہ کرو وہ نہ کرو کی تلوار ننگی ہوتی ہے

ان کے سر پر —— انہیں بھی شریف زادیوں کی طرح عشق کرنے کی اجازت نہیں ہوتی۔"

"وہ کیوں؟"

"طوائف کا تو ازلی دماغ خراب ہے۔ ادھر اس کو عشق ہوا ادھر وہ بھاگ جائے گی۔ سارا کاروبار ٹھپ اسی لیے تو کنجر، نائیکا گھر والے سب اسے ڈرا دھمکا کر رکھتے ہیں۔ وہ عزت، غیرت، نفع نقصان، لین دین پردہ بے پردگی، کئی قسم کے نظریات میں جکڑی ہوتی ہے۔ نماز، روزہ، نذر نیاز، عاشورے، کونڈے گیارہویں شریف، گنڈا تعویز، دم درود سب اس کی زندگی پر چھائے ہوتے ہیں۔ دراصل وہ بھی آپ کی مڈل کلاس عورت کی طرح بڑی جذباتی، وہمی اور ڈرپوک ہوتی ہے سرجی —— جو رقم وہ کماتی ہے سیدھی ماں کے پاس پہنچتی ہے کیونکہ مڈل کلاس کی عورت کو اپنی ماں سے بڑا پیار ہوتا ہے۔ اس پیسے سے اس کے بھائی بوسکی کی قمیص پہنتے ہیں، عطر لگاتے ہیں بلیک میں ملنے والے سگریٹ پھونکتے ہیں۔ کبھی کبھی وہ ہر مڈل کلاس عورت کی طرح ڈنڈی مار کر رقم بچانے لگتی ہے۔ کسی کسی گاہک سے علیحدگی میں کچھ رقم موس لیتی ہے۔ پھر اس رقم سے پان مٹھائی کھانے کا آرام ہو جاتا ہے کاسٹیم جولیری خریدی جاسکتی ہے۔"

"اور اخلاقی طور پر یہ مڈل کلاس کی طوائف کیسی ہوتی ہے امتل۔"

"شریف ہوتی ہے سرجی —— عموماً اسے شراب، جوئے اور اپنے پیشے سے نفرت بھی ہوتی ہے، آپ کی مڈل کلاس عورت کی طرح —— لیکن اس کا حسن بھی دو روزہ ہوتا ہے۔ عمر ڈھلے پر چاہے وہ اچھی گانے والی ہو چاہے تہلکہ مچانے والی سب اس کا ساتھ چھوڑ جاتے ہیں —— سب کے سب۔"

میں نے امتل کی جانب دیکھا۔ وہ سرے سے پاؤں تک چھوڑی ہوئی مڈل کلاس طوائف تھی۔

"صرف اسی کو شادی کا شوق ہے۔ جتنی عورتیں ہیرا منڈی سے نکاح کے شوق میں بھاگتی ہیں، وہ سب اس طبقے سے تعلق رکھتی ہیں۔ گرہستی کے شوق میں یہ ساری کی ساری عمر کنجری ہونے کا طعنہ سنتی ہیں اور کبھی لوٹ کر پیشہ کرنے نہیں جاتیں —— ان کی عقل ہمیشہ ان کو خراب کرتی ہے۔ ان کا دل ہمیشہ ان کی مٹی پلید کرتا ہے۔"

"اور اونچے طبقے کی طوائف۔ وہ امتل؟"

"وہ سرجی ہر جگہ عیش کرتی ہے۔ آپ کی طرف ہو تو ایک مرد کی دولت، اس کا نام شہرت اس کے کام آتا ہے۔ ادھر کی ہو تو کئی امیر آدمیوں کے گھروں میں سیندھ لگ جاتی ہے۔ آپ کا شاعر جب غزل کہتا ہے اس طبقے کی طوائف پر کہتا ہے۔ فلم بنتی ہے تو اس کو سامنے رکھ کر —— کہانی لکھی جاتی ہے تو وہی نظر میں ہوتی ہے مشٹنڈی —— نہ نماز نہ روزہ لے دے کر ایک مذہب ہے اس کا کالے کپڑے پہن کر بڑھیا فرانسیسی خوشبو لگا کر مجلسوں میں جانا —— سرجی جس عورت کے منسٹر تلوے چاٹیں جاگیردار ہاتھ جوڑیں اونچا افسر جس کے گھر میں ٹائی اتار کر بیٹھے بھلا اس کے کیا کہنے؟ اللہ ادھر منڈی میں تو پیدا کرتا سرجی پر کسی اونچی ڈیرے دار طوائف کے گھر۔"

اس امتل سے میں واقف نہ تھا۔ وہ بڑے تسلسل اور تجربے سے بولنے کی اہل تھی اور اس کی باتوں میں ایک خاص قسم کی منطق تھی۔ پتہ نہیں یہ اس کی گفتگو تھی —— کہ سوشیالوجی میں دلچسپی اب میں کافی حد تک Relax ہو چکا تھا اور مختلف قسم کے سوال پوچھ رہا تھا۔ چائے کافی دیر میں آئی لیکن چائے کے ساتھ پر تکلف سامان بھی تھا۔ چائے کا ٹرے میز پر رکھ کر نوجوان لڑکے نے پوچھا —— "بی بی پوچھتی ہیں صاف چادریں اور غلاف بھی بھیج دوں۔"

امتل نے چور نظروں سے میری طرف دیکھا اور پھر کھسیانی ہنسی ہنس کر بولی ——

"لے اور نہیں تو کیا۔"

"اور پان کا بھی پوچھا ہے بی بی نے۔"

"وہ بھی بھیج دے۔"

نوجوان لڑکا ایک بھرپور نظر مجھ پر ڈال کر لجاجت سے بولا —— "سرجی ذرا موٹر سائیکل کی چابی دیں —— میں لوہاری سے پتنگ لے آوں۔"

"تیری ٹانگیں ٹوٹی ہوئی ہیں۔ یہ ریڈیو سٹیشن سے آئے ہیں کوئی ایویں کیویں نہیں ہیں جا —— بھٹا کھا۔"

میں نے جیب سے نئے موٹر سائیکل کی چابی نکال کر اس کے حوالے کر دی۔

"نہ سرجی جو ادھر آتا ہے یہی کرتا ہے یہ اسی لیے چوڑ ہو جاتے ہیں ہمارے لڑکے۔"

"اچھا بھئی جلدی آنا مجھے ریڈیو سٹیشن جانا ہے —— ریکارڈنگ ہے میری —— گیارہ بجے!"

"یہ کم بخت کبھی جو رات کے بارہ بجے سے پہلے آ گیا ——" امتل نے جھپٹ کر چابی چھین لینا چاہی لیکن وہ اتنی دیر میں چمپت ہو گیا۔

"اب آپ ریڈیو سٹیشن کیسے جائیں گے؟"

"تم فکر نہ کرو آ جائے گا ابھی —— اس عمر میں سب کو موٹر سائیکل کا شوق ہوتا ہے۔"

وہ عمر میں مجھ سے قریباً دوگنی تھی۔ اس کے باوجود اس کی لجاجت، شرمندگی اور کم ہمتی نے عمر میں اسے مجھ سے چھوٹا بنا دیا تھا۔ ریڈیو سٹیشن پر وہ تھانیدارنی بنی پھرتی تھی یہاں اس کے چہرے پر کنواری لڑکی جیسی حیا چھلکنے لگی۔ پتہ نہیں کیوں یکدم میں اس کے ساتھ بہت آرام دہ محسوس کرنے لگا۔

بڑی دیر تک وہ آؤ بھگت میں لگی رہی۔ مہمان نوازی اس کے ساتھ ایک نیچرل نسوانی فعل تھا۔ جیسے ماں دودھ پلاتی ہے۔ میں اب اس علاقے کی طبقاتی کشمکش میں دل میں دلچسپی لینے لگا۔

"تم بھی تو بڑے ٹھسے کی ہو گی اپنے وقت میں امتل۔"

"تھی جی —— پر ادھر مڈل کلاس کی عورت سے کچھ نہیں ہوتا۔ ٹاکیوں کی گڈی ہوتی ہے وہ تو —— میں نے ساری عمر اتنی مار شریف عورتوں سے نہیں کھائی سرجی جتنی امیر رنڈیوں سے کھائی ہے جو بھی اچھا گاہک کبھی ملا، بالآخر انہوں نے چھین لیا جو کام کا گاہک لگا یہ اڑا کر لے گئیں۔"

پتہ نہیں کیوں اس کی آنکھوں میں آنسو آ گئے اور چپ ہو گئی۔

امتل بہت زیادہ جی چکی تھی۔ ان گنت لوگوں سے ملی تھی۔ اس کے تمام خوب صورت کنارے، مینارے، رنگ روغن، منقش پھول بوٹے ختم ہو چکے تھے۔ لیکن اس قدر استعمال شدہ ہونے پر بھی اس میں ایک حزن اور خوبصورتی ایسی بھی پیدا ہو گئی تھی جو

پرانے کھنڈروں میں ہوتی ہے۔ ایک طرح سے وہ بجھا ہوا سگریٹ تھی۔ بے دھیانی، بے مصرفی کی انتہا —— لیکن کبھی کبھی اس سگریٹ میں آگ کے شعلے خودبخود نکلنے لگتے —— ریڈیو سٹیشن پر وہ اور ہوتی —— گھر پر ایک اور امثل ملتی —— بازار میں اس کا رنگ بالکل انوکھا ہوتا ——

نوجوان کے جانے کے بعد چادریں اور غلاف آ گئے۔ امثل نے بستر صفائی سے بچھایا اور مجھ سے نظریں چرائے ادھر ادھر کی باتیں کرنے لگی۔ ریکارڈنگ کا ٹائم نکل گیا۔ شام کے سائے گہرے ہونے لگے لیکن نوجوان موٹر سائیکل لے کر نہ لوٹا۔ میں چلا تو جاتا لیکن دوبارہ میں موٹر سائیکل لینے ادھر نہ آنا چاہتا تھا۔ جب ہم رات کا کھانا کھا چکے تو امثل نے لجاجت سے کہا۔ "سرجی اب آپ چلے جائیں خدا قسم وہ تو چاہے کل تک نہ آئے الو کا پٹھا۔!"

مجھے دوبارہ ادھر آنے سے خوف آ رہا تھا۔ خیال تھا کہ اگر ایک دفعہ اور میں ادھر آیا تو پھر میں کبھی یہاں سے جا نہ سکوں گا۔ بازار جاگ اٹھا تھا اور موسیقی کی آواز اب ادھر بھی آنے لگی تھی۔

"آپ سو جائیں سرجی —— میں ادھر صوفے پر لیٹ رہوں گی صاف بستر ہے۔"

میں چپ چاپ سگریٹ پیتا رہا۔

وہ لجاجت سے پلنگ کے پاس کھڑی تھی۔ اتنی عمر کی عورت کو میں نے اس قدر بے بس کبھی نہیں دیکھا۔

"آپ۔ ٹیکسی پر چلے جائیں سرجی —— میں کل ریڈیو سٹیشن آپ کو موٹر سائیکل بھجوا دوں گی۔"

میں چپ رہا۔

"یہ رضائی صاف ہے —— اس میں کوئی نہیں سویا سرجی ——" اس نے منہ پرے کر لیا۔ شاید وہ رو رہی تھی۔

میں نے جوتیاں جرابیں اتاریں۔ ٹائی کوٹ اتار کر صوفے پر رکھا اور چپ چاپ پلنگ پر دراز ہو گیا۔

"ادھر آؤ امتل۔"

"جی سرجی۔"

"میرا نام معلوم ہے ناں تمہیں؟"

"جی۔"

"تو مجھے قیوم کہو ناں؟"

"یہاں بیٹھو۔"

وہ پلنگ کی پائنتی بیٹھ گئی۔ اس کے کندھے آنکھیں اور ہاتھ بہت خوبصورت تھے۔ یکدم وہ میری ٹانگیں دبانے لگی۔

"یہ کیا کر رہی ہو امتل؟"

"کچھ نہیں جی ——— جی چاہتا ہے ——— بڑی دیر ہو گئی میں نے کبھی کسی کی ٹانگیں نہیں دبائیں۔"

"ادھر آؤ میرے پاس۔"

وہ ڈرتے ڈرتے سرہانے کے پاس آ کر بیٹھ گئی۔

"کبھی تم نے کسی سے محبت کی ہے ——— لاحاصل محبت ——— دیوانہ بنا دینے والی ——— جیسے خالی کنویں میں گونج پھرتی ہے۔"

وہ چپ رہی ——— میں کہنی کے بل ہو گیا۔ پھر میں نے اس کی جھولی میں ہاتھ ڈال کر پوچھا ——— "لاحاصل محبت اور دیوانگی میں کچھ فرق تو نہیں ہوتا امتل ——— تم تو تجربہ کار ہو بتاؤ ——— تم نے کبھی عقل شعور سے نکل کر محبت کی ہے۔"

میرے ہاتھ پر ایک بڑا سا آنسو گرا ——— پھر امتل نے لمبی سانس بھری لیکن خاموش رہی۔

"بتاؤ امتل۔"

اس نے منہ پھیر کر کہا ——— "ہمیں کیا پتہ ان باتوں کا سرجی ——— ہم لوگ کوئی زخم تھوڑے ہوتے ہیں۔ زخم تو اور جگہوں سے لگتے ہیں ہم تو صرف پھاہا رکھتے ہیں ——— زخموں پر ——— ہمارا تو فسٹ ایڈ کا محکمہ ہے۔"

"پھر کسی کا زخم ٹھیک ہوا تمہارے ہاتھوں۔"

اب اس کی آنکھوں میں جھرنے کی طرف آنسو گرنے لگے —— "ناں سرجی —— یہ زخم ہمیشہ اسی سے ٹھیک ہوتے ہیں جو انہیں عنایت کرتا ہے —— کبھی کبھی تو یہ اس کے بس کی بات بھی نہیں رہتی۔"

میں نے اٹھ کر اس کے دونوں کندھے پکڑ لیے —— "بتاؤ امتل جب آدمی کسی کو زخم عطا نہیں کر سکتا —— خود کسی کا زخم بھر نہیں سکتا تو پھر وہ جیتا کیوں ہے؟ جیئے کیوں چلا جاتا ہے؟"

پتہ نہیں کیوں اس نے مجھے سینے سے لگا لیا اور روتے ہوئے بولی —— "آپ کیوں روتے ہیں روئیں آپ کے دشمن۔"

آدھی رات گئے جب میرا موٹر سائیکل نیچے آیا تو میری آنکھ کھلی۔ باہر کے لیمپ پوسٹ کی روشنی تکیے پر اس جگہ پڑ رہی تھی۔ جہاں امتل سوئی ہوئی تھی۔ اس وقت اس کی عمر اس کے چہرے پر لکھی تھی۔ آنکھوں کے نیچے گہرے حلقے اور ہونٹ لکیر دار تھے۔ وہ منہ کھولے ہلکے ہلکے خراٹے لے رہی تھی۔ پہلی بار میں عافیت سے دوچار ہوا۔ اپنے ہم جنس کی رفاقت ملی۔ گدھ برادری کا کوئی فرد اس قدر قریب پا کر میں نے اسے آہستہ سے اٹھایا۔

"امتل!"

وہ ہڑبڑا کر اٹھی۔

"جی سرجی۔"

"مجھ سے شادی کرو گی۔ ہم دونوں —— ہم دونوں ہمیشہ اکٹھے رہیں گے ہمیشہ ہمیشہ۔"

وہ عجیب طور پر ہنسی اور پھر مجھے تکیے پر دھکیل کر بولی —— "اچھا صبح سہی اس وقت تو مولوی نہیں ملے گا۔"

پہلی بار مجھے دیر تک ہنسی آتی رہی۔ اپنے آپ پر —— امتل پر اور ساری دنیا پر۔

یوں تو ہر دفتر میں یونہی آنے والوں کی کمی نہیں ہوتی لیکن ریڈیو ٹیلی ویژن اور فلمی دنیا میں ایسے لوگوں کا تانتا بندھا رہتا ہے۔ کچھ ایکٹر کچھ ادیب کچھ موسیقار پروگراموں کی تلاش میں آتے ہیں۔ کچھ نفری یہاں محض ادیبوں گلوکاروں اور ایکٹروں سے ملنے آتی ہے۔ کچھ ایسے خوش فہم خالی الوقت لوگ یہاں آتے ہیں جو سمجھتے ہیں ان شعبوں میں نام بنانا اور دولت کمانا بہت آسان ہے۔ یہ لوگ ان مکھیوں کی طرح ہوتے ہیں جن کا شہد کے ساتھ کوئی تعلق نہیں ہوتا لیکن وہ مکھیوں کی دیکھا دیکھی پھولوں کا طواف کرنے میں مگن رہتے ہیں۔

میں کئی دن تک امتل کا اسی بھیڑ میں انتظار کرتا رہا لیکن وہ ریڈیو سٹیشن نہ آئی۔

اس روز میں دفتر جانے کے لیے تیار ہو رہا تھا کہ اچانک میرے سینے کے نیچے معدے میں جلن شروع ہو گئی۔ میں کرسی پر بیٹھ گیا۔ کچھ دنوں کے آرام کے بعد اب میرے السر میں پھر تکلیف ہونے لگتی تھی۔ یکدم اتنا شدید درد اٹھتا اور جلن ایسی ہوتی کہ سانس رُکنے لگتا۔ کبھی کبھی تو اس شدتِ تکلیف سے میرا سارا بدن پتے کی طرح کانپنے لگتا اور میں سوچتا کہ کسی ہسپتال میں داخل ہو کر باقاعدگی سے اپنا علاج کراؤں۔

اس وقت دروازے پر دستک ہوئی اور بھائی مختار اندر آئے۔ راجپوتی مونچھوں والے —— سیکرٹریٹ میں کام کرنے والے میرے بھائی نے کھانس کر میری جانب دیکھا اور پھر نظریں جھکالیں۔

"بیمار ہو؟ ——" آفیسر آن سپیشل ڈیوٹی نے سوال کیا۔

"جی نہیں ——" میں یکدم چوکنا ہو گیا۔

وہ تھوڑی دیر تک اپنے گھٹنے دیکھتے رہے۔

"نارمل صحت مند آدمی کو —— ایک وقت پر ساتھی کی ضرورت ہوتی ہے —— ورنہ وہ صحت مند نہیں رہ سکتا!"

"جی۔"

"اچھا ہے تم اب باقاعدگی سے دفتر جانے لگے ہو —— اور مجھے اس بات کی خوشی ہے کہ تم پہلے سے بہتر ہو رہے ہو —— نئی موٹر سائیکل کی بھی مبارک باد ہو۔"

"جی"

"کالج کے زمانے میں ہر نوجوان کو عشق ہو جاتا ہے—— یہ واقعہ قریباً سب کو پیش آتا ہے—— لیکن اس کو روگ بنانا درست نہیں۔"

میں حیران رہ گیا۔ مجھے معلوم نہ تھا کہ میرے سوائے کوئی میرے حالات سے اس قدر اچھی طرح آشنا ہو سکتا ہے۔ اس وقت میری ٹانگیں برادے کی بنی ہوئی تھیں اور میرا بوجھ ان کے لیے بہت زیادہ تھا۔ میں اور مختار بھائی مکمل طور پر ایک دوسرے کے لیے اجنبی تھے۔ ایک ناآشنا کے منہ سے اتنی قریبی باتیں سن کر میں بھونچکا رہ گیا۔

"ہر آدمی اوسطاً زندگی بھر میں پانچ یا چھ فل سائز عشق کرتا ہے اور ہر عشق سے جانبر ہونے کے لیے اسے اوسطاً چار سے چھ ماہ تک لگتے ہیں—— تم نے بہت دیر لگا دی——!"

میں چپ رہا۔

"تمہاری بھابھی کا بھی یہی خیال ہے کہ شادی کی یہی عمر ہے۔ اس کے بعد شادی بالکل بیکار ہے کیونکہ عادتیں راسخ ہو جاتی ہیں—— پھر آدمی کسی اور کے لیے زندگی میں جگہ نہیں بنا سکتا۔"

"میں سوچ کر جواب دوں گا۔"

"تمہاری نظر میں کوئی ہو تو ہمیں بتا دو۔"

میری نظر میں میری ہم مشرب ہم جنس ہم مسلک امتل گھوم گئی۔

"عابدہ نے اپنی چھوٹی بہن کے لیے کہلوایا ہے بلکہ اس نے تو بہت اصرار کیا ہے اگر تم چاہو تو۔"

"جی میں سوچ کر جواب دوں گا۔"

وہ چُپ چاپ واپس چلے گئے جیسے چھٹی کی درخواست منظور کرالی ہو۔

یکدم میرے معدے میں دل جیسی دھڑکن پیدا ہو گئی۔ میں لوہے کی سلاخوں والی کھڑکی کے سامنے جا کھڑا ہوا۔ میں نے کھنگار کر تھوک دور پھینکا۔ آگے بند کی طرف سے متعفن بو کا ایک بھبکا میری طرف لپکا۔

میری نظروں میں عابدہ—— سیمی—— امتل پنکھے کے پروں کی طرح گھومنے لگیں تیز گھومتیں تو ان کا ہیولا ایک ہو جاتا۔ رفتار کم ہوتی تو علیحدہ علیحدہ نظر آنے لگتیں۔

عابدہ نے اپنی چھوٹی بہن کا رشتہ کیوں بھیجا تھا؟

کیا وہ بہن کے توسط سے مجھے زیر منقار رکھنا چاہتی تھی۔

کیا اپنی بہن سے مجھے بیاہ کے وہ مجھے انگوٹھا دکھانے کے منصوبے باندھ رہی تھی؟

جس وقت میں ریڈیو سٹیشن کے باہر پارک ہوئی کاروں کے ساتھ اپنا موٹر سائیکل رکھ کر سیڑھیاں چڑھ رہا تھا امتل برآمدے میں آتی ہوئی دکھائی دی۔ اس وقت کچھ السر کی درد اور کچھ ذہنی ناآسودگی کی وجہ سے میں باتیں کرنے کے موڈ میں نہیں تھا۔ ابھی کچھ عرصہ پہلے وہ اور میں کتاب کے صفحوں کی طرح بہت قریب رہ چکے تھے لیکن امتل ہر دن ازسرنو شروع کرنے کی عادی تھی۔ اس کے چہرے پر پرانی ملاقات کا شائبہ تک نہ تھا۔ اس نے ایک بار پھر مجھ سے قطعی اجنبی پن سے بات کی——"سلام علیکم سرجی!"

"وعلیکم سلام۔"

"سرجی اپنے دوست قاضی سے میری سفارش کر دیں—— سنا ہے رات ان کے گھر کاکا ہوا ہے آج موڈ اچھا ہے ان کا—— چائے بھی پلائی ہے انہوں نے اپنے چپڑاسیوں کو۔"

میں ذہنی طور پر اپنے السر سے لڑ رہا تھا۔

"آج نہیں امتل۔"

وہ میرے ساتھ ساتھ چلنے لگی۔

"میں آپ کے لیے کلیجی لائی تھی پکا کر—— آپ کے دفتر میں رکھا ہے ٹفن کیرئر میں نے——"

"میں تو آج ایک لقمہ نہیں کھا سکتا امتل—— آج میرے السر میں تکلیف ہے۔ ایک نوالہ بھی کھا لیا تو سارا دن معدے میں جلن رہے گی—— کھٹے ڈکار آتے رہیں گے۔"

جس وقت ہم مڑ کر پروڈیوسروں کے دفاتر کی طرف جانے لگے پروڈیوسر غنی کے کمرے سے ستارہ نکلی۔ یہ پتلے ہونٹوں والی آرٹسٹ نیم کلاسیکی موسیقی کے پروگرام کرتی تھی۔ اسے آئے ابھی تھوڑا عرصہ ہوا تھا لیکن ریڈیو سٹیشن پر اس تفنگ انداز نے تڑتھلی

مچادی تھی۔ کچھ اس کی آواز کے عاشق ہو گئے۔ کچھ اس کی ادائیگی اور سوز کے گن گانے میں مشغول تھے۔ کچھ کن رسیا حضرات کا خیال تھا کہ اس کا مخرج بہت درست ہے۔ الفاظ میں نکھار پیدا ہو جاتا ہے۔ رچاؤ اور لگاؤ سے وہ گاتی تو تھی لیکن سب سے بڑی بات آرٹسٹ کا مقدر ہوتا ہے۔ یہ جس وقت یاور ہو دنوں میں انسان مقبولیت کے بام پر آفتاب کی طرح چمکنے لگتا ہے۔

پرانی گانے والیاں اس سے جس قدر جلن، حسد اور بیر کا اظہار کریں۔ یہی اس کی شہرت کی سب سے بڑی دلیل ہوتی ہے۔

ستارہ کو آتے دیکھ کر امتل بھاگی اور اس سے بغل گیر ہو گئی۔

"سبحان اللہ، سبحان اللہ کیا بات ہے تیری چن جی ——— کل شام میں نے تیرا پروگرام ٹیلی ویژن پر دیکھا ——— واہ نی سادھانی پا ——— پاپا کیا جگہ بنائی ہے تو نے پاکی ——— کیا سُر سجایا ہے کوئی کہہ سکتا تھا کہ فوک میوزک کا پروگرام ہے۔ ماشاء اللہ، ماشاء اللہ استاد محمود خاں کی تعلیم کو چار چاند لگا دیئے ——— سارا ماں کا رنگ ہو بہو وہی لے پکڑنے کا انداز جیتی رہ چن جی ———"

ستارہ تعریف کے باوجود خفیف کھڑی تھی۔

اب امتل نے ستارہ کی ٹھوڑی پکڑ کر چہرہ میری طرف کیا ——— "دیکھیں دیکھیں سر جی ——— اللہ کی کرامت دیکھیں ——— ہے کسی کی ریڈیو سٹیشن پر یہ موہنی صورت۔ کسی کا رنگ اچھا ہوتا ہے کسی کے نقش اچھے ہوتے ہیں۔ اس کو تو رب سچے نے سب کچھ دے رکھا ہے چھپڑ پھاڑ کر دیا ہے اسے سب کچھ۔"

حالانکہ نو دریافت شہرت نے ستارہ کو بہت تیز کر دیا تھا۔ وہ میوزیشنوں سے لے کر پروڈیوسر تک کے ناک میں دم کرنے کی اہل تھی۔ لیکن اس وقت وہ بھی گڑبڑا کر کھسیانی ہنسی ہنسے لگی۔

"چھوڑیئے باجی امتل ———"

"ناں چن جی میں کوئی تیرے گن تھوڑے گا رہی ہوں میں تو اللہ سچے کی تعریف کر رہی ہوں۔ کیا کیا مورتیں بناتا ہے ——— اپنا روپ کیسے کیسے دکھاتا ہے ——— سبحان اللہ۔"

"چلو میں قاضی کی طرف جا رہا ہوں——" میں نے ان دونوں سے پیچھا چھڑانے کی غرض سے کہا۔

"چلتے ہیں سرجی چلتے ہیں—— یہ تل دیکھیں اس کی ناک پر—— اس کی ماں کے ہونٹ پر تل تھا۔ سنا ہے سرجی جس عورت کے ہونٹ پر تل ہوں مرد اس سے بہت محبت کرتے ہیں—— ہیں جی——؟"

ستارہ مری ہوئی بھینس کے کٹے کی طرح منہ تھتھائے کھڑی تھی۔ میں بھی رسہ تڑوا کر بھاگنے کے موڈ میں تھا لیکن اس نے ہم دونوں کو پکڑ رکھا تھا۔ اپنے مضبوط ہاتھوں سے۔

"اس کی ماں کو بھی پہننے کھانے کا بہت شوق تھا سرجی—— پاکستان سے پہلے کا ذکر ہے میری عمر بہت کم تھی اس وقت۔ لیکن میں نے اس کی ماں کو دیکھا ہے۔ کناٹ پیلس میں—— میرون سوٹ سرجی—— آنکھوں پر سیاہ چشمہ لگا ہوا۔ پیروں میں سفید سویڈ کے کورٹ شوز—— وکٹوریہ سے اتری تو سارا کناٹ پیلس ہل گیا—— مہاراجہ بڑودا ہاتھی دانت کا صوفہ سیٹ خرید رہے تھے۔ اس وقت—— دو لاکھ روپے تک مول تول ہوا تھا اس—— صوفہ سیٹ تو کیا خریدتے—— دو لاکھ اس کی ماں کو دیئے اور ساتھ بٹھا کر لے گئے اپنی رولز رائس میں—— چن جی تیری ماں کی کیا بات تھی بٹیا—— آفت تھی آفت——"

"اچھا جی ایکسکیوزمی——" ستارہ جلدی سے چق اٹھا کر غنی پروڈیوسر کے کمرے میں دوبارہ گھس گئی۔

ہم دونوں برآمدے میں ساتھ ساتھ چلنے لگے۔

"یہ تم مجھے اس کا چہرہ کیوں دکھا رہی تھیں امتل؟"

"تو اور کیا اپنا چہرہ دکھاؤں سرجی؟—— ہیں نا کملے بادشاہو—— جوانی اتر جائے تو دوسروں کے ہی چہرے دکھانے پڑتے ہیں۔"

"تم اس کی ماں کا ذکر کیوں لے آئیں درمیان میں—— اسے کوفت ہو رہی تھی۔"

"جھوٹی ہے سب کو بتاتی پھرتی ہے کہ یہ کسی ڈاکٹر کی بیٹی ہے۔ بڈھی ہو کر اس

کی ماں نے ڈاکٹر کر لیا ہے تو کیا یہ ڈاکٹر کی اولاد ہو گئی۔ ہم سے کسی کا پیچھا چھپا ہے۔ دو گلیاں ہم سے آگے والیوں کی گلی میں ان کا چوبارہ تھا۔ اب چاہے یہ گلبرگ رہے، کالج جائے۔ میم بن جائے ہم کو تو یاد ہے سب کچھ۔"

"چاہے یاد ہو لیکن کسی کو یاد دلانے سے فائدہ؟ کوئی اپنا ماضی بھولنا چاہے تو تم اسے بھولنے نہیں دو گی ——— ہے نا؟"

ہم دونوں میرے دفتر کے اندر پہنچ گئے۔ امتل نے برقعے کا اوپر والا حصہ اتار کر کرسی کی پشت پر لٹکایا اور لمبی سانس بھر کر بولی۔

"بڑی مشکل ہے سرجی ——— ہمارا بھی دل ہے۔ ہم بھی انسان ہیں۔ ہم سے شریف لوگ نفرت کرتے ہیں تو ہم برداشت کر لیتے ہیں لیکن ہم میں سے ہی جب یہ لوگ اٹھ کر جاتی ہیں اور پھر ہم کو ذلیل سمجھتی ہیں تو ہم سے برداشت نہیں ہوتا۔ سفیدی کروا کر کوے سے کبوتر بن جائیں اور پھر کووں سے ہی نفرت کریں سبحان اللہ ——— ہم تو پھر اتنا ہی کر سکتے ہیں کہ انہیں یاد دلائیں کہ وہ بھی کوے تھے۔"

"اس بے چاری نے تمہیں کیا کہا تھا؟"

امتل نے سگریٹ سلگا کر کہا ——— "بے چاری نہیں ہے موقعہ شناس ہے۔ یہ بھی اس کی ماں بھی ——— پچھلوں کو بھولتے دیر نہیں لگتی انہیں ——— اس کی ماں نے کسی ڈاکٹر سے نکاح پڑھوا لیا ہے۔ اپنی کشتی تو بچالی ہے لیکن گھر والے تو اجڑ گئے ان کے۔ بوڑھی نانی اور اس کے ماموں تو خوار ہو گئے سارے ——— ساری عمر جن بھائیوں نے اس کی کمائی پر راج کیا۔ نشہ پانی کیا اب وہ مزدوری ڈھونڈنے نکلتے ہیں ——— لعنت ہے ایسی نیکی پر ——— ہم سے یہ بھی نہیں ہو سکا۔ اسی لیے تو اپنی جنت تلاش نہیں کی پچھلوں کے دوزخ میں ان کے ساتھ بیٹھے ہیں۔"

"اگر تمہارے دل میں اتنا بغض ہے تو اس کی تعریف کیوں کر رہی تھیں؟"

"پتہ نہیں جی کیوں؟ ——— شاید مجھے منہ پر خوشامد کرنے کی عادت ہے یا شاید میں لوگوں سے ڈر جاتی ہوں؟"

بہت بعد میں مجھے پتہ چلا کہ امتل کے متعلق پیش گوئی ناممکن ——— تھی کیونکہ وہ بچوں کی طرح کسی Sustained Emotion کے قابل نہ تھی۔ اس کا لڑنا جھگڑنا

پیار محبت، نفرت سب موڈ کے تابع تھے۔ کسی تھیوری، مسلک، دباؤ کے تحت وہ کچھ نہ کر سکتی تھی۔ وہ سب کچھ بغیر سوچے سمجھے کرتی۔ جی چاہا مدد کر دی۔ دل میں آیا گالی دے دی۔ کسی کو کھانا کھلا دیا۔ نیا پرس عطا کر دیا۔ کڑھا ہوا دوپٹہ اس کے کندھوں پر ڈال کر اس کا بوسیدہ دوپٹہ اپنے پر لے لیا۔ کسی سے بیس روپے ادھار مانگے اور شکریہ بھی ادا نہ کیا۔ مدد کرنے تحفہ دینے، کسی کو اُلو بنانے، تعریف کرنے کے لیے اس کا کوئی فلسفہ نہ تھا۔ وہ لہر تھی۔ گالی آئی گالی دے دی۔ مدد کو جی چاہا مدد کر دی۔ غیبت پر طبیعت مائل ہوئی تو سارے بخیے ادھیڑ دیئے۔ جوش اور ہمدردی غالب آجاتی تو پاؤں پڑ جاتی، معافی مانگ لیتی۔ وہ وقت، ضابطے اور طریقے کی پابند نہ تھی۔ اس کا سارا نظام Impulse پر چلتا تھا۔ اسی لیے اس کی رائے پر چلنا مشکل تھا کیونکہ اس کی دوستی، دشمنی نظریئے سب منٹ کی سوئی کے تابع تھے۔ کچھ بھی گھنٹوں دنوں سالوں پر محیط نہ تھا۔

"سر جی میں آپ کے لیے کلیجی پکا کر لائی ہوں۔"

"بھائی میں السر کا مریض ہوں مدت ہوئی ایسی خوراک چھوڑ دی میں نے۔"

اسے مجھ میں میرے السر میں چھوڑی ہوئی خوراک میں کوئی دلچسپی نہیں۔

"فکر نہ کیا کریں پہلے ہمیشہ السر ہوتے ہیں پھر پاگل ہو جاتا ہے آدمی ـــــ چلیں قاضی کے پاس میری سفارش کر دیں۔"

جس وقت میں اٹھ کر کھڑا ہو گیا۔ وہ کسی واقف کار کا نمبر فون پر ملا بیٹھی ـــــ امتل کو فون کرنے کا بہت چسکا تھا۔ وہ ہمیشہ میز کی نکڑ پر چڑھ کر بیٹھ جاتی اور اپنی واقف کاروں کو انار کلی کے دوکان داروں کو ریلوے سٹیشن انکوائری پر، پی آئی اے کارگو والوں کو فون کھڑکاتی رہتی۔ فون پر اسے لوگوں کو مرعوب کر کے بڑا مزہ آتا تھا۔

"ہیلو ـــــ ہیلو ـــــ ہے لو ـــــ کون جی ـــــ میں امتل بول رہی ہوں ـــــ ریڈیو سٹیشن سے ـــــ جی آر ڈی صاحب کے دفتر سے ـــــ" اس نے مجھے آنکھ ماری ـــــ "کہاں باجی وقت ہی نہیں۔ اب تو ـــــ میں ضرور آتی ـــــ لیکن ٹیلی ویژن والے چھوڑتے ہی نہیں ـــــ میرا پروگرام ہے پرسوں شام سوا سات بجے ضرور دیکھیں ـــــ اچھا جی گڈ بائی۔"

"جب تمہیں ٹیلی ویژن کے پروگرام مل رہے ہیں تو ریڈیو والوں کی منتوں سے

حاصل؟"

میں واپس کرسی پر بیٹھ گیا۔

"کس کافر کو ٹیلی ویژن سے پروگرام ملتا ہے۔"

"یہ تم اپنی ملنے والی کو کیا بتا رہی تھیں ابھی؟"

"اس چندری کا ٹیلی ویژن خراب ہے اسی لیے تو میں نے ذرا عزت بنا لی اپنی —— کیوں آپ کو کوئی اعتراض ہے۔"

"یہ سارا وقت تمہیں عزت بنانے کی فکر کیوں لگی رہتی ہے؟"

"تو ہم لوگ اور کیا بنائیں سرجی؟ —— جن کے پاس عزت نہیں ہوتی وہ ساری عمر اسے ہی بنانے میں گنوا دیتے ہیں۔ سچ پوچھیں سرجی تو ستارہ کی ماں نے بڑی عقلمندی کی۔ چلو دس بارہ سال مجھ جیسے کمینے اس کا پیچھا کریں گے۔ پھر بیٹھی سکھ کی زندگی گزارے گی —— نانی تو ویسے بھی مرکھپ جائے گی دو چار سالوں میں —— اچھا ہی کیا —— بازار چھوڑ دیا۔"

امتل کی آواز میں دکھ تھا۔ جس درخت پر سارا دن دھوپ پڑتی رہے۔ اس کے چکنے پتے چمکتے رہیں۔ بچے اس میں جھولا ڈالیں۔ عورتیں اس کے سائے تلے بیٹھیں۔ شام پڑتے ہی ایسے درخت کے گرد اس کے اندھیروں میں بڑی اداسی ہو جاتی ہے۔ ایسے ہی امتل تھی۔ ہر وقت ہنسی مذاق، چکاچوند، ادھر ادھر کی بے تکی باتیں۔ جب وہ تھوڑی دیر کے لیے بھی چپ ہو جاتی تو اس کے اردگرد بڑی مایوسی پھیل جاتی۔

"کیسی تھی ستارہ کی ماں —— شکلاً عقلاً؟ ——" میں نے موضوع کو ہلکا کرنے کی خاطر کہا۔

"اچھی تھی —— اتنی خوبصورت نہیں تھی جتنی مردمار تھی —— پیسہ زیادہ نہیں کمایا ہاں آدمی بہت ضائع کیا۔ ٹوانوں کا ایک نوجوان زہر کھا گیا اس کے پیچھے —— چھ فٹ کا جوان تھا۔ اگلے دانتوں میں ایک پر سونے کا پترا چڑھا تھا۔ جہلمی طرز کے پٹے تھے مسکرا پڑتا تو دل جلترنگ کی طرح بجنے لگتا۔ اس کے جنازے پر گئی تھی میں —— ہائے ہائے جو حال اس کی ماں بہنوں کا ہوا ہے۔ پٹی پر سر مار مار کر پکارتی تھیں اسے —— سرجی یہ کیا بات ہے کبھی کبھی مرد اپنی جان دے دیتے ہیں۔ عزت کی ڈال

روٹی نہیں دیتے؟ مردوں کے دینے کا بھی عجیب حساب ہے —— بادشاہ لوگ ہوتے ہیں مرد بھی۔"

"عزت کی دال روٹی میں بڑی بک بک ہوتی ہے امل —— ساری عمر کا لیکھا۔ جان کا حساب تو ایک بار نپٹایا جا سکتا ہے —— ایک جھٹکا اور دوسرے پار ——"

"ہاں جی —— " اس نے لمبا سانس لے کر کہا۔

اس روز امل بار بار بجھ رہی تھی —— کھلے میدان میں آگ جلنے کی کوشش پر بوندا باندی ہو رہی تھی۔

"ابھی تم کہہ رہی تھیں امل کہ ستارہ کی ماں کو تم نے کناٹ پلیس میں دیکھا تھا۔ یہ کس سن کی بات ہے بھلا؟"

میں نے اس کا موڈ بدلنے کی غرض سے کہا۔

"سن چھیالیس کی جی —— مجھے اچھی طرح یاد ہے۔ آگ لگنے کی وارداتیں عام تھیں ان دنوں۔"

"اس وقت تمہاری عمر چودہ برس کی تو ہو گی ——" میں نے ہنس کر کہا۔

"کُھلی جی —— کُھلی چودہ کی ——"

"اس حساب سے تم بیالیس کی ہوئیں —— دیکھ لو پارٹیشن کو کتنے سال ہو چکے ہیں۔"

میرا خیال تھا کہ وہ جھگڑا کرے گی اور اس کا موڈ ہلکا ہو جائے گا لیکن وہ خفیف ہو کر مسکرانے لگی اور بولی —— "ایسے گھپلے تو ریڈیو سٹیشن پر عام ہوتے ہیں۔ آدمی تھیٹر کے واقعات سناتا ہے خاموش فلموں کے شاٹ بیان کرتا ہے اور عمر اپنی تیس سال بتاتا ہے۔ باتیں آل انڈیا ریڈیو کے زمانے کی کرتا ہے اور عمر پوچھو تو چالیس سے آگے نہیں جاتی۔ سچی بات بتاؤں سر جی —— عمر تو سب کے منہ پر لکھی ہوتی ہے۔ بالوں میں رنگی ہوتی ہے۔ منوانے والے زیادتی کرتے ہیں۔ مجھ سے تو جب کوئی عمر پوچھتا ہے مجھے لگتا ہے جیسے میں تھانے میں آ بیٹھی ہوں —— بھلا میری عمر اگر بیالیس کی ہے تو اس میں میرا کیا قصور —— ؟ ہو گئی سو ہو گئی۔"

بوندا باندی میں آگ پھر بجھ گئی۔

"فون کرنا ہو تو کرلو پھر قاضی کے پاس چلیں۔"

فون کا نام سن کر اس نے پی آئی اے کارگو کا فون نمبر ملایا اور بولی ——

"ہیلو —— جی پی آئی اے کارگو ——؟ میرا ایک پارسل آنا تھا کراچی سے ——؟ جی؟ —— بڑا ضروری ہے جی —— تبھی تو پوچھ رہی ہوں —— جی میرا فون نمبر نوٹ کرلیں اور فوراً اطلاع دیں۔"

اس نے میرا فون نمبر دوسری طرف دے دیا۔

"یہ کیا کر رہی ہو امثل؟ —— یہ سرکاری فون ہے۔"

"جب کارگو والے پوچھیں گے تو رانگ نمبر کہہ دیں آپ۔ اتنی سی تو بات ہے۔"

"چلو اب۔"

"سرجی آج آپ میرے ساتھ چلیں۔"

"چلو تیار ہوں میں۔"

"قاضی کے پاس نہیں۔ میرے کرائے دار کے گھر۔ انہوں نے مجھے چھ مہینے کا کرایہ نہیں دیا۔

کوئی مرد وہاں جاتا نہیں۔ وہ عورت سے کیوں ڈرنے لگے۔

"تمہارے پانچ بھائی ہیں۔ وہ نہیں جاتے کرایہ لینے۔"

"ناں جی —— وہ کیوں خجل خوار ہونے لگے۔ وہ فیروزہ کی کمائی پر عیش کر رہے ہیں ان کو کیا پروا ——؟"

میں اس کے ساتھ دوبارہ جانا نہیں چاہتا تھا۔

"آپ کو کچھ کرنا کرانا نہیں ہے سرجی۔ صرف میرے ساتھ چل پڑیں رعب پڑ جائے گا کرایہ داروں پر۔ خدا قسم میرے پاس تو رکشا کو دینے کے لیے بھی پیسے نہیں ہوتے اور بی بی تو ایک پائی بھی نہیں دیتی۔ ہم جیسے بیکاروں کو۔"

پتہ نہیں اس میں کیا تھا؟ اس جلتی بجھتی آگ کے ساتھ میں نوگزے کی قبر کے پچھواڑے اس کے کرایہ داروں کے پاس چلا گیا۔

امل کو اپنا سمجھنے کی صرف یہ وجہ تھی کہ شہر میں وہ اور میں بالکل تنہا تھے۔ میں ذہنی اور جسمانی طور پر بیمار تھا۔ وہ میری ماں کی عمر کی تھی۔ پھر اس کا اور میرا مسلک گدھ جاتی کا تھا۔ ہم دونوں مُردار آرزوؤں پر پلے تھے۔ ہم دونوں بجھے ہوئے کارتوس تھے اور اتفاقاً ایسے اکٹھے ہوئے تھے جیسے کورپس کرسٹی جیسی دوردراز جگہ میں اپنا ہم وطن ہم مشرب ہم زبان مل جائے۔ ہمیں آپس میں بات کرنے کے لیے زیادہ اوڑھنے بچھونے، لگانے چھپانے، رکھ رکھاؤ کی ضرورت نہ تھی۔ وہ عمر میں مجھ سے اٹھارہ بیس سال بڑی تھی لیکن وقت بے وقت اس کے اندر ایک کھلنڈری بچی جاگ اٹھتی۔ وہ جو کچھ بھی کرتی تھی کہتی تھی میں اس کا کبھی بُرا نہ مناتا اور نہ ہی اپنی باتوں کی اسے کچھ سمجھ تھی۔ اسے معلوم نہ تھا کہ روٹھا کیسے جاتا ہے اور کتنی دیر تک روٹھے رہنے میں عزت بنتی ہے۔ اس کی باتوں میں لعنت، سچائی اور کمینہ پن تھا۔ کبھی کبھی جیسے کھُلی کھڑکی سے بارش کا ریلا اندر آجائے، وہ بڑی بے بس قسم کی گفتگو بھی کرنے لگتی۔ سچ وہ صرف اس لیے بولتی تھی کہ اب جھوٹ اور سچ اس کے نزدیک بالکل برابر ہو چکے تھے۔ وہ اپنے جسم سے بے پروا عزت و شہرت سے بے نیاز روپے پیسے سے غنی تھی۔

امل کا ایک چھوٹا سا گھر نوگزے کی قبر کے پچھواڑے بھی تھا۔ یہ گھر بوسیدہ اور پُرانا تھا۔ اوپر والی منزل میں کرائے دار رہتے تھے۔ نچلی منزل کے دو کمروں میں غفور درزی اپنی فیملی کے ساتھ مقیم تھا۔ ہم دونوں جب یہاں پہنچے تو غفور درزی تیزی سے مشین چلا رہا تھا۔ امل کو دیکھتے ہی وہ اٹھ کر کھڑا ہو گیا۔ غفور درزی کے چہرے پر اب صرف آنکھیں باقی تھیں۔ باقی سارا چہرہ وقت، صبر اور غریبی کی نذر ہو چکا تھا۔

"آئیں —— آئیں سلام علیکم صاحب جی۔"

"کیا آئیں ماسٹر جی —— پھر آپ نے کرایہ لے کر نہیں دیا۔"

ماسٹر غفور یوں خفیف ہو گیا جیسے وہ قصوروار ہو —— "بی بی جی —— ان کے مرگ ہو گئی ہے میں نے پوچھا تھا دو بار۔"

"اور جب میری مرگ ہو گئی تب —— تب کفن دفن کیسے ہو گا —— کون خرچ کرے گا —— کمیٹی والے ایل ایم سی کے ٹرک میں ڈال کر لے جائیں گے۔"

ماسٹر غفور کا نچوڑا ہوا چہرہ اور بھی نچڑ گیا —— "خدا نہ کرے ——"

"خدا نہ کرے —— کیا نہ کرے خدا؟ —— آپ کو کیا پتہ میرا گزارہ کیسے ہوتا ہے —— میں بھوکی مرجاؤں آپ کو تو کرایہ داروں سے ہمدردی ہے۔"

ماسٹر غفور نے مشین کی ڈبیا میں سے دو سو روپے نکالے اور امثل کو لجاجت سے پیش کرتے ہوئے بولا —— "آپ یہ لے جائیں میں خود ان سے وصول کرلوں گا۔"

امثل نے پیسے لیے اور شکریہ کرکے دوکان سے نکل آئی —— "ماسٹر جی ان کو کہہ دیں اگر اگلے مہینے کرایہ نہ دیا تو میں انہیں نکالنے پر مجبور ہو جاؤں گی۔"

"اچھا جی کہہ دوں گا۔"

"زور سے کہنا ماسٹر جی رعب میں، منِ منِ منِ نہ کرنا —— " روپے لے کر ہم واپس امثل کے دو منزلہ مکان میں چلے گئے۔

امثل کا سارا روزگار یہ کرائے والا مکان تھا۔ کھانا اور رہائش مفت تھی اور اوپر کے خرچ کے لیے یہی دو سو روپے ماہوار اس کا کفیل تھا۔ اس وقت مجھے امثل کی بجائے درزی غفور پر ترس آ رہا تھا۔ اس کی آنکھوں میں ایسی بے چارگی اور شرم تھی جو آج تک میں نے کسی چہرے پر نہیں دیکھی۔

اس روز پھر بی بی نے پارٹی کے لیے پُر تکلف چائے بھیجی۔ نئی چادریں غلاف آئے۔ امثل نے بڑے وقار کے ساتھ پچاس روپے نوجوان بھائی کو پکڑا کہا —— "بی بی کو دے دینا —— کہنا ریڈیو والے صاحب نے پان سگریٹ کے لیے بھیجے ہیں۔"

نوجوان کے جانے کے بعد میں نے حیران ہو کر اس کی طرف دیکھ کر کہا —— "یہ کیا؟"

"آپ کی عزت بن جائے گی بی بی کی نظر میں۔ آپ کا کیا جاتا ہے۔"

رہ رہ کر مجھے غفور درزی یاد آ رہا تھا۔ اس کی مسکینی، حیا، کم آمیزی نے میرے دل پر عجب اثر کیا تھا۔

"تم نے غفور درزی سے دو سو روپے کیوں لیے؟ —— اب بے چارہ کیا کرے گا۔"

"اسے خوشی ہوئی ہو گی۔"

"خوشی؟"

"یہ میری بڑی بہن کا عاشق تھا سرجی —— پلومر کی دوکان نہیں؟ اس کے پیچھے ایک تین منزلہ بلڈنگ ہوتی تھی —— اس کی جائیداد تھی —— وہ ساری بلڈنگ سارا کچھ بک بکا گیا —— دھیلا دھیلا ہمارے گھر کی نذر ہوا۔ یہ جو ہمارا مکان ہے، اسی نے بنوا کر دیا تھا —— جب کچھ نہ رہا تو درزی بن گیا —— میرے سارے کپڑے مفت سیتا ہے۔ ایسے ایسے نمونے بناتا ہے۔ ابھی کل فیروزہ کا غرارہ سی کر لایا تھا۔ سارے پھڑک گئے۔"

"تمہاری باجی کو بھی محبت تھی درزی غفور سے۔"

"وہ بڑی مشغول رہتی تھی سرجی —— اسے اللہ نے جوانی میں اٹھالیا سوچنے کا موقعہ ہی نہیں ملا —— اگر برف کی بنی ہوتی تو پگھل جاتی ساری کی ساری —— درزی غفور اسے ایسے دیکھتا تھا!"

بڑی دیر تک وہ مجھے اپنی بہن کی طوفان آمیز زندگی کی باتیں بتاتی رہی۔ درزی غفور کی داستان اس آندھی میں اڑنے والا ایک تنکا تھی۔ جب رات کے کھانے کا ٹرے سج کر آیا تو امتل نے سارے ڈونگے کھول کھول کر دیکھے۔ سالن چکھے پھر نوجوان پر گرجی۔

"گوشت کون لایا تھا آج؟۔"

"چاچا ابراہیم گیا تھا۔"

"اب چاچے کو کوئی قصائی سودا نہیں دیتا۔ خود جایا کرو گوشت لینے۔ آخر سارے خاندان نے کھانا ہوتا ہے۔"

آج امتل کی جیب میں پیسے تھے۔ وہ شیرنی تھی۔ ویسے بھی میں نے اسے کھانے کے معاملے میں ازحد محتاط پایا۔ بُرا کھانا دیکھ کر وہ فحش گالیاں بکنے لگتی۔ قصائی، پکانے والا، مرچ مسالہ سب کی شامت آجاتی۔ دال سبزی سے اسے نفرت تھی۔ اسے گوشت مرغی مچھلی کا شوق تھا۔ کھا پی لیتی تو پھر ڈھیر ہو جاتی۔ سونے کا بھی اس کا عجیب ڈھنگ تھا۔ صوفے پر نیند آتی تو وہاں ڈھیر ہو گئی۔ کرسی پر اونگھ آئی تو ملکہ وکٹوریہ کا بت کرسی پر خراٹے لینے لگا۔ پلنگ پر سوئی تو ایسے جیسے دلدل میں بھینس دم چھوڑے پڑی ہو۔

"سوئیں گے سرجی؟"

"نہیں اب میں چلوں گا۔"

"اچھا جی ـــــ" کھانے کے بعد وہ بیٹھی نہ رہ سکتی تھی ـــــ آرام سے پلنگ پر دراز ہو گئی۔

"آپ کے کون سے بیوی بچے روتے ہیں سو جایئے یہیں۔"

"نہیں چلتا ہوں امل۔"

"کیا سوچ رہے ہیں آپ۔"

میں غفور درزی کی گلی میں پھر رہا تھا۔

"ایک لڑکی یاد آ رہی ہے ـــــ کالج میں پڑھتی تھی میرے ساتھ۔"

"پرانے وقتوں کو یاد نہیں کرتے سرجی ـــــ نئے دنوں میں گھن لگ جاتا ہے۔"

میں چپ ہو گیا۔ وہ ہنسنے لگی۔ ان کی ہنسی میں کوئی ایسی چیز تھی جو بکھرنے کی طرف مائل تھی۔

"سرجی ہر انسان کے انجن کو چلانے کے لیے خاص قسم کا پٹرول چاہئے۔ جب تک یہ پٹرول گاڑی میں ہو گاڑی چلتی ہے۔ انسان کا سلف چاہے چلے نہ چلے دھکے دے کر گاڑی چل پڑتی ہے، کنڈم نہیں ہوتی۔"

میں نے حیرانی سے اس کی طرف دیکھا۔

وہ تکیے پر کہنی ٹکائے اس پر اپنا سر جمائے نیم دراز تھی ـــــ "عورت کا ایندھن مامتا ہے صبر ہے آنسو ہے۔ جب تک شہدی رو سکتی ہے جیتی رہتی ہے۔"

"اور مرد؟"

"مرد کے اندر کام کا پٹرول چلتا ہے۔ کام نہ ہو یا کام رہے تو اس کا سلف چاہے بیکار ہو جائے چلتا رہے گا ـــــ عجیب بات ہے اب کبھی میں روتی نہیں ـــــ آنسو ہی نہیں آتے ـــــ کبھی کبھی خیال آتا ہے یہ میرے آخری دن نہ ہوں۔"

اس کی خشک آنکھوں میں خشک آنسو تھے۔

"درزی غفور جیسا کوئی ہنر آتا تو رزق حلال ہی کھاتی۔ اب تو سارا جسم بوجھ بنا رہتا ہے دل پر ـــــ کہاں سے اتنا ایندھن لاؤں اس کا دوزخ بھرنے کو ـــــ کبھی ماں کو بے وقوف بناتی ہوں کبھی فیروزہ کو لیکن کب تک، یہ حرام رزق کب تک؟"

"یہ میرے پاس اس وقت ڈیڑھ سو روپیہ ہے امتل——" میں نے لجاجت سے اس کے تکیے پر پیسے رکھ کر کہا۔

"ناں سرجی—— ابھی نہیں ابھی ہیں میرے پاس یہ دیکھئے۔"

"رکھ لو امتل کام آئیں گے۔"

وہ ہنس دی—— "ابھی تھوڑی دیر کے لئے میں نیک بننے لگی تھی۔ شکریہ سر جی—— میرے لہو میں تو ایک بوند بھی حلال کی نہیں—— مجھے ڈر گیا۔"

پیسے لے کر اس نے اپنی باڈس میں ڈال لئے اور میری طرف کمر کرلی۔ جس وقت میں اس کے کمرے سے نکلا مجھے شبہ ہوا کہ وہ رو رہی ہے۔

امتل سے میرا رابطہ کچھ عجیب نوعیت کا تھا میں آہستہ آہستہ اس کے پروں تلے گھستا چلا جارہا تھا۔ وہ ایسی ماں تھی جو سانپنی کی طرح ہر جھولی میں لاتعداد بچے کھا چکی ہو۔ تجربات کا دکھ سکھ دل پر اسی وقت آری کٹاری بنتا ہے جب یہ کبھی کبھی وارد ہوں۔ وہ اتنے سارے دکھ سکھ سے گزر چکی تھی کہ اب ڈاکٹروں کی طرح مریضوں کے وارڈوں میں پھرتے ہوئے اسے اختلاج قلب نہ ہوتا تھا۔ امتل کے ساتھ رہنے میں ایک خاص آرام یہ تھا۔ وہ کچھ نہ مانگتی تھی، نہ جسمانی تعلق، نہ روحانی محبت، نہ روپیہ پیسہ، نہ شہرت، نہ تعریف—— جس طرح پچانوے فی صد شادی شدہ مرد اپنی محبوبہ سے دل کا ٹیلیفون ملا کر بیوی سے مباشرت کرتے ہیں۔

ایسے ہی امتل بالکل لاتعلقی کے ساتھ میرے ساتھ وقت گزارتی تھی۔ اسے غالباً میرا بالکل شوق نہ تھا۔ کیونکہ وہ مجھ سے بھی پرانا گدھ تھی۔ ہم دونوں زیادہ وقت ساتھ ساتھ تو ضرور رہتے لیکن جس طرح جوتے کے دونوں پیر الگ الگ ہوتے ہیں اور ساتھ ساتھ چلتے ہیں۔ ایک نوعیت سے یہ رشتہ پہلے رشتوں سے بھی زیادہ بانجھ تھا۔ اسی لیے فریقین کو جذباتی ذہنی کوئی نکھار بھی حاصل نہ ہوا۔ امتل وہ لاش تھی جو مدتوں بیماریاں جھیلنے کے بعد مری تھی اس کا گوشت انسانی نہیں تھا۔ ایک طرح کا سنتھیٹک فائبر تھا۔ جس کے ہر مردہ جرثومہ میں بے جان غیر نامی دوائیوں کا سٹور ہاؤس تھا۔

امتل سے جب میری ملاقات ہوئی- میں ذہنی جسمانی جذباتی طور پر بہت الجھا ہوا تھا- میرا دل بلال گنج کی ایسی دوکانوں سے مشابہہ تھا، جہاں ہر طرف پرانا لوہا بکھرا ہوتا ہے، کاروں کی پرانی باڈیاں، لوہے کی الماریاں، پہیے، سریے، نٹ بولٹ، گراریاں، پانے سپوک ـــــ ہر طرف چیزوں کا انبار لیکن تالے نہیں تھے نہ اپنے نہ پرائے- بارش، جھکڑ، آندھی میں یہ سامان باہر صرف اس امید پر پڑا رہتا کہ کبھی شہر والوں کو کسی پرانے پرزے کی ضرورت ہو گی تو وہ اسے یہاں سے خرید کر اپنی نئی کار، موٹر سائیکل یا پرنٹنگ مشین میں لگالیں گے-

امتل سے ملنے کے بعد میں پہلے سے کم تھوکنے لگا تھا- السر کی تکلیف گو کبھی کبھی بہت بڑھ جاتی اور جلن کا یہ عالم ہوتا کہ ہتھیلیاں بھیگ جاتیں لیکن ذہنی طور پر میں سوسائٹی سے ابھی کٹا نہ تھا اور اپنی نوکری پر جانے کے قابل تھا With drawal کے لمحے عموماً راتوں کو آتے- جب میں چلتا چلتا عابدہ اور سیمی سے گزرتا گزرتا چندرائیں جاکر وہاں کی گلیوں میں گھومنے لگتا- اچھی یادیں یا تو کبھی مجھ سے وابستہ نہ ہو سکی تھیں یا ان کا تاثر گہرا نہ تھا- اس لئے یادوں کی ٹونٹی جب بھی کھلتی اس میں سے کھولتا پانی نکلتا- محرومیوں کی داستان حلقہ در حلقہ زنجیر بن کر میرے پاؤں میں پڑ جاتی- مجھے ان یادوں سے نفرت تھی اور میری پوری کوشش رہتی کہ میں اپنا وقت یا تو کارآمد کاموں میں گزاروں یا پھر امتل کی صحبت میں، جس کے ساتھ وقت نہ بیکار تھا نہ کارآمد صرف گزرتا چلا جاتا تھا-

مرد اور عورت کے رابطے کئی بار خود ان کی سمجھ میں نہیں آتے اور سارا شہر ان کی نوعیت سے واقف ہو جاتا ہے--- ڈاکٹر سہیل کے بعد شہر میں میرا کوئی دوست نہیں تھا، ریڈیو سٹیشن پر جن پروڈیوسروں سے صاحب سلامت تھی وہ گہری نہ تھی- دفتر میں گپ شپ رہتی- لیکن شام کو علیحدہ ہو کر ایک قسم کا سکون ملتا- پتہ نہیں امتل کے ساتھ میرے رشتے کی کس نے ہوائی چلائی تھی- کیونکہ ہم دونوں ریڈیو میں بہت کم ملتے تھے اور میرے گھر وہ کبھی نہیں آئی تھی- اس روز میں سیڑھیاں اتر رہا تھا کہ آنگن میں مجھے صولت بھابھی ملیں- یہ ان غمگین صورت عورتوں میں سے تھیں- جنھوں نے شادی کی کاٹھی کو بہت سختی سے اپنی پیٹھ پر فٹ کر لیا ہوتا ہے- صولت بھابھی اب ہر رت اور حالات کے مطابق بھاگی چلی جا رہی تھیں- ان کی چال بدل جاتی، کبھی دلکی کبھی پویہ کبھی

سرپٹ ----- لیکن پیٹھ سے کاٹھی اتار کر ستانے کا کوئی لمحہ نہ آتا۔ وہ ہمیشہ مجھ سے
ایسے بات کرتیں جیسے نامحرموں سے کی جاتی ہے نگاہیں جھکا کر ----- آواز میں سختی پیدا کر
کے ----- بار بار کھانس کر۔

"قیوم -----" انہوں نے ستون کو مخاطب کر کے کہا۔

"جی؟"

"مجھے تم سے کچھ کہنا ہے۔"

"کہیے؟"

"یہاں نہیں اندر چلو ----- یہاں بچے ہیں۔"

بڑی دیر کے بعد مجھے یا جوج ماجوج نظر آئے۔ وہ ایک ہی رنگ کی بش شرٹیں
اور ایک جیسی لکیردار نیکریں پہنے انجن بنے آنگن میں چکر لگا رہے تھے۔ پہلی بار مجھے
افسوس ہوا کہ اتنی دیر میں ان سے واقفیت پیدا کرنے کی بھی میں نے کبھی کوشش نہیں
کی۔

ہم دونوں اندر چلے گئے۔

میں مؤدب بھائی مختار کے پلنگ پر بیٹھ گیا۔

"جی۔"

بھابھی کھڑی رہیں، وہ بات کرتے ہی بھاگ جانا چاہتی تھیں۔

"شکر ہے کہ تم باقاعدگی سے نوکری کر رہے ہو ----- رزق حلال کمانا مرد کا
فرض ہے۔

میں چپ رہا۔

"تمہارے بھائی تمہاری صحت کی وجہ سے پریشان رہتے ہیں۔"

"میں نے بھابھی کو بھر پور نظروں سے دیکھنا چاہا لیکن وہ چھت کو دیکھ رہی
تھیں۔"

"آخر وہ تمہارے بھائی ہیں ----- وہ سارا سارا دن تمہارے متعلق سوچتے
ہیں۔"

"میں ٹھیک ہوں بالکل ----- "پتہ نہیں کیوں اس وقت میرا رونے کو جی چاہا۔

"کہاں ٹھیک ہو- کبھی شیو کرتے وقت اپنا چہرہ دیکھ لیا کرو ڈر آتا ہے- ہاتھ دیکھو کیسی نسیں اُبھری ہوئی ہیں اور تو اور اس عمر میں سفید بال آگئے ہیں تمہارے-"

میں نے حیرانی سے بھابھی کی طرف دیکھا- وہ میرے متعلق اتنا سب کچھ کیسے جانتی تھیں-

"تم کو کسی ڈاکٹر سے ملنا چاہیے جلد از جلد-"

"ملا تھا جی —— دوائیاں پیتا ہوں باقاعدگی سے-"

صولت بھابھی کا رنگ آہستہ آہستہ گلابی ہونے لگا-

"تمہارے بھائی تم سے بات نہیں کر سکتے اس سلسلے میں —— لیکن یہی کافی نہیں- صرف ڈاکٹر ہی-"

"جی —— ؟ارشاد ——"

"سنا ہے وہاں ریڈیو پر کوئی چکر چل رہا ہے تمہارا —— کسی بوڑھی عورت کے ساتھ -؟"

میں سناٹے میں آگیا-

"ایسے چکروں سے بچنا چاہیے- آدمی ایک بار پھنس جائے تو پھر نکل نہیں سکتا ویسے ادھر والیوں کو پھنسانے کے خوب طریقے آتے ہیں-"

میری آنکھوں میں امتل کی شکل گھوم گئی- معصومیت حمق اور قلب کی صفائی کا ایک کوندا لپک گیا- اس احمق نے تو آج تک مجھ سے سگریٹ پان کے بھی پیسے نہ لئے تھے- اسے کسی کو پھانسنے اور خود پھنس جانے سے قطعی کوئی دل چسپی نہ تھی-

"کچھ خاندان کی عزت کا ہی خیال کیا ہوتا تم نے ——" بہت آہستہ دبی ہوئی آواز میں صولت بھابھی نے کہا-

اب یقیناً یہ مشن ان کے لئے بہت مشکل ہو رہا تھا-

چندرا گاؤں میں جس روز چاچا غلام نے عزیز گاتن کی بے عزتی کی اور وہ گاؤں چھوڑ کر بھاگ گیا اسی روز کے بعد میں نے پھر کبھی عزت کے متعلق نہ سوچا تھا-

بھابھی صولت جیسے ابھی بھاگنے والی تھی اس نے آخری حملہ کیا —— "نوکری کر لی ہے —— تو اب شادی بھی کر لو —— جگہ جگہ حرام کھانے سے

حاصل؟ —— شادی حلال چیزوں میں سب سے افضل ہے۔"

میں نے اس دیندار عورت کی طرف نگاہ ڈالی۔

"عابدہ کی بہن کا رشتہ آیا ہوا ہے، کہو تو طے کر دوں۔"

یہ کہہ کر بھابی رستہ تڑوا کر باہر بھاگ گئی۔

میں نے بھابھی کو پکڑ کر کہنا چاہا —— "بھابھی کچھ لوگ معاشرے کے قابل نہیں ہوتے، معاشرے کے مطابق نہیں رہتے جیسے کچھ جانور جنگل میں رہ کر جنگل لاء کے تحت زندگی بسر نہیں کرتے۔ ایسے لوگوں کو محبت کی تلاش ہوتی ہے۔ لیکن وہ محبت کے اہل نہیں ہوتے۔ شادی کی نہ انہیں خواہش ہوتی ہے نہ ضرورت —— بھابھی تم ہمیں کرگس جاتی کے لوگوں کو حلال کھانے پر کیوں مجبور کر رہی ہو —— ہم تو جنم جنم سے مُردار پر پلے ہیں۔ ہمیں حلال سے کیا غرض؟

جب میں آنگن میں پہنچا تو مسعود اور فرید ایک ہی رنگ کے شلوار قمیض پہنے گیلے بالوں میں کنگھیاں پھیر رہے تھے۔

پتہ نہیں کیوں اس روز بڑے دنوں بعد مجھے خیال آیا کہ میں چندرا چلا جاؤں اور اپنی آبائی کلر شدہ زمین آباد کرنے کی کوشش کروں؟ لیکن ساتھ ہی ساتھ مجھے علم تھا کہ وہاں پہنچ کر بھی میں کوئی بندھی ٹکی محنت نہیں کر سکوں گا ——

میرا دل کسی ایک دیار میں رہنے کے قابل نہ تھا۔

جس وقت میں دفتر پہنچا قاضی اور امتل دونوں میرے کمرے میں بیٹھے تھے، اور سگرٹوں کے دھوئیں سے فضا نیلی نیلی ہو رہی تھی۔ امتل حسب عادت بغیر غسل کیے صرف چہرے کا میک آپ درست کر کے آئی تھی۔ اس نے کنگھی بھی صرف گردن تک پھیر رکھی تھی۔ باقی سارے الجھاؤ قائم تھے۔ برقعے کا نقاب کرسی سے لٹک رہا تھا اور کوٹ اس کے جسم پر ایسے پھنسا ہوا تھا کہ تمام بٹن کھلنے ہی والے تھے۔

"لیجیے سرجی میں ان قاضی صاحب کو پکڑ کر لائی ہوں اب آپ میری سفارش کر دیں ان سے۔"

"بھائی اسے کوئی پروگرام وغیرہ دے دیا کرو ورنہ یہ مجھے قتل کر دے گی۔"

"ہائے یہ سفارش ہے؟۔" امتل نے حیران ہو کر پوچھا۔

"اور کیسی ہوتی ہے سفارش۔"

"رعب سے کہتے ہیں کہ یہ میری رشتہ دار ہے، دس سال سے ہمارے تعلقات ہیں، ان کا کام نہ کیا تو میں تم سے کبھی نہیں بولوں گا۔"

میں اس روز موڈ میں نہ تھا۔ قاضی بونگا بھی چپ چاپ بیٹھا تھا۔

"جو کچھ یہ کہہ رہی ہے اس کے مطابق کر دو —— یار ——"

"اب تم نئے پروڈیوسر سے ان کی سفارش کرنا میری تو تبدیلی ہو گئی ہے —— حیدر آباد کی۔"

"کب؟"

"آج ہی آرڈر آئے ہیں۔" وہ اٹھ کھڑا ہوا۔

میں نے اپنے آپ سے پیچھا چھڑا کر اس کے کندھے پر ہاتھ رکھا —— "تم تبدیلی سے خوش نہیں ہو؟۔"

"لاہور چھوٹتا ہے لاہور کے ساتھ اور بہت کچھ چھوٹتا ہے ——" قاضی کی آواز بھرا گئی۔

"کوئی سفارش لگوائی ہوتی۔"

"حیدر آباد والے نے جو لگوائی ہے۔"

"آپ کا کوئی قصور نہیں سرجی —— میری قسمت ہی ماڑی ہے جس پروڈیوسر سے واقفیت ہو جاتی ہے اس کی تبدیلی ہو جاتی ہے —— اللہ کو منظور ہی نہیں کہ امثل کوئی پروگرام کرے اب اس ڈاہڈے کے ساتھ کون لڑے۔"

قاضی سلام دعا کیے بغیر عاشق صورت رخصت ہو گیا۔

"اچھے آدمی تھے قاضی صاحب —— ہے نا سرجی —— ؟"

میں کافی دیر چپ رہا۔

"شادی کیسی چیز ہے امثل —— کبھی تمہیں اس سے پالا پڑا؟"

"ہاں جی کی تھی شادی میں نے بھی —— اس کا پھاہا بھی ڈالا تھا گلے میں۔"

"بچے؟"

"ایک لڑکا ہوا تھا سرجی —— لیکن —— اس کا بھی دماغ ٹھیک

نہیں ـــــ ہم جیسوں کے ایسے ہی بچے ہوتے ہیں سرجی۔"

"کیا؟"

"ساری عمر حرام کھانا ـــــ ہم لوگ حلال کی اولاد کہاں سے پیدا کریں گی جی؟ میرے بیٹے کا بھی دماغ ٹھیک نہیں ـــــ تین بار تو مینٹل ہسپتال رہ آیا ہے۔ اس کے باپ کا خیال ٹھیک ہے ساری وجہ میری ہے نہ میں حرام رزق پر پلتی نہ میرا بیٹا ایسا ہوتا۔"

وہ بہت دکھی ہو گئی۔

"یہ پرانی باتیں ہیں۔"

"ہاں جی ہیں تو پرانی پر ٹھیک ہیں۔"

ہم دونوں چپ ہو گئے۔

"کہاں رہتا ہے تمہارا بیٹا۔"

"اسی کے پاس ہے جی اب تو جوان ہو گیا ہے۔ بڑا گبرو ہے۔ شکل سے تو نہیں لگتا کہ دماغ ٹھیک نہیں۔"

"تمہیں ملتا ہے امتل۔"

"ناں جی ـــــ مجھے مل کر کیا کرے گا ـــــ میں اسے کیا دے سکتی ہوں۔ باپ نے تو ساری بلڈنگ اس کے نام کرائی ہے۔"

"پھر ایسے اچھے شوہر کو چھوڑا کیوں؟"

بھابھی صولت نے میرے دماغ میں ایک نیا ایٹم بم چھوڑ دیا تھا۔

"چھوڑا کیوں اسے امتل۔"

"بس سرجی نبھی نہیں۔"

"پر کیوں، وجہ کیا تھی؟" میں نے اصرار کیا۔

"میں مڈل کلاس کی طوائف تھی سرجی ـــــ اس چندری کپتی کو محبت درکار ہوتی ہے۔ لیکن عزت زیادہ پیاری ہوتی ہے ـــــ اگر اسے صرف محبت درکار ہوتاں تو وہ تو ہمارے ہاں بہت لیکن یہ حریص چاہتی ہے جو بیاہ کر لے جائے وہ محبت بھی کرے۔ دوہرا پنگا ادھر وہ بھی کم بخت مڈل کلاس کا آدمی تھا۔ بھلا بتایئے نباہ کیسے ہوتا ـــــ عشق

کے لیے نہ مڈل کلاس کا مرد بنا ہے نہ عورت ——— ایک ڈرپوک دوسرا تھوڑدلا ——— بتایئے ان کا عشق کتنے دن چلتا؟"

"تھوڑدلا مرد کیسا ہوتا ہے امتل۔"

"تھوڑدلے مرد کی ایک نشانی ہے صاحب جی۔ وہ عورت کو ضرورت کی ہر چیز لا دیتا ہے لیکن عیاشی کا کوئی سامان نہیں کرتا۔ زیور، کپڑا، سینما، پھول تعریف سب اس لیے بیکار چیزیں ہوتی ہیں۔"

"میں تمہارا مطلب سمجھا نہیں۔"

"سرجی ——— یہ جو تھوڑدلا مرد ہوتا ہے ناں وہ روٹی کپڑا اور مکان دیتا ہے ——— جنس دیتا ہے ——— کیونکہ یہ ضرورت کی چیزیں ہیں۔ لیکن وہ بیوی پر محبت ضائع نہیں کرتا تعریف برباد نہیں کرتا ——— لاڈ پیار سے خراب نہیں کرتا ——— مثلاً ——— تھوڑدلا مرد اگر سوٹ سلا دے گا تو اس پر کڑھائی کو اسراف سمجھے گا۔ زیور اگر اپنی عزت کی خاطر بنوا بھی دے تو زیور کبھی جڑاؤ نہیں ہوتا۔ شاعری کی کتاب کبھی خرید کر گھر نہیں لائے گا ——— نیک بیبیوں کو نیک مشورے قسم کی کتابیں لا کر دے گا گھر میں ——— تھوڑدلے مرد سے اللہ بچائے ——— بھڑوے کو یہ علم نہیں ہوتا کہ عورت کا اندر ہی ایسا بنا ہے کہ وہ روٹی کے بغیر تو زندہ رہ سکتی ہے عیاشی کے بغیر زیبائش بنا آرائش کے بغیر کملانے لگتی ہے۔"

"کبھی تم نے سوچا امتل کہ شادی کے بعد محبت نبھتی کیوں نہیں؟ ——— وہی جو ایک دوسرے پر مرمٹنے کو تیار ہوتے ہیں۔ دشمن کیوں بن جاتے ہیں ایک دوسرے کے؟"

اس نے ناک میں انگلی ڈالی اور کھجلا کر بولی ——— "بات یہ ہے سرجی کہ جب محبت مل رہی ہوتی ہے تو سمجھ نہیں آتی کہ کبھی محبت دینی بھی پڑے گی ——— شادی ہوئی قربانی ساری کی ساری ——— گاتا اتروانا پڑتا ہے چاہے من کا چاہے تن کا۔"

"تمہیں اس سے اصلی گلہ کیا تھا امتل اب تک تو تم کسی نتیجے پر پہنچ چکی ہو گی۔"

"اس کا بھی قصور نہیں تھا کچھ ایسا ——— بس سرجی اس کا دل چاہتا تھا کہ میں

شریف عورتوں کی طرح بھانڈے مانجھ کر بچے پال کر بڑوں کی عزت کر کے چھوٹوں کی گستاخیاں سہہ کر اس کے گھر میں گزارہ کروں اور ثابت کروں سب پر کہ بازار والیاں شرافت میں کسی سے کم نہیں ہوتیں۔ چونکہ میں شریف تھی اس لئے مجھے ڈراموں سے نفرت تھی۔ میں نے صاف کہہ دیا کہ میاں اتنے لوہے کے چنے چبا کر جو تیرے گھر والوں کو قائل بھی کر لیا اپنی شرافت کا تو مجھے کیا حاصل ہو گا —— دراصل سرجی مجھے اپنے ہاتھوں سے کام کرنے کی عادت نہیں تھی۔ میرا مزاج ہی نہیں تھا نوکرانی کا —— بڑی تو تو میں میں ہوا کرتی تھی۔"

"کس بات پر امتل؟"

"خاص بات کوئی نہیں ہوتی سرجی میاں بیوی میں تو تو میں میں کی —— بس باسی ہانڈی میں بڑبڑ ہوتی رہتی ہے۔ کچھ لوگ بڑی پٹھی مت کے ہوتے ہیں۔ پہلے تتلی پر مرتے ہیں۔ اسے پکڑنے کے جتن کرتے ہیں جب پکڑ لیتے ہیں تو پھر اسے شہد کی مکھی بنانے پر تل جاتے ہیں۔" وہ جہاندیدہ فلسفی جیسی باتیں کرنے لگی۔

امتل بڑی دیر تک تاسف کے انداز میں سرہلاتی رہی۔

"کیا ہوا امتل؟"

"اپنا نقشہ یاد آرہا ہے سرجی —— چہرے پر چھائیاں، کھردرے ہاتھ ہوائیاں پھٹی ہوئی ہونٹوں پر لکیریں —— یہ سب کس لئے کہ کچھ گمنام سے لوگ کہیں کہ آئی تو بازار سے ہے لیکن شریفوں کو مات کر دیا —— ہٹ تیری! اتنی سی تعریف سننے کے لئے آدمی ساری عمر لاش بنا رہے نہ زردہ ڈال کر پان کھائے نہ سر میں مہندی لگائے نہ نقلی باڈس پہنے —— اور سُنے کیا ہر وقت بازار سے بھاگ کر آئی ہے —— ہیرا منڈی سے اٹھ کر آئی ہے —— چلو جو یہ سُننے میں آئے کہ بازار میں بیٹھی ہے تو کیا ہرج ہے؟ —— یہ جو آپ کے مڈل کلاس کے اشراف ہوتے ہیں ناں ان کو بازار کا لفظ کبھی نہیں بھولتا۔ تعریف بھی کریں گے تو آپ کی اوقات آپ کو یاد دلا کر —— سرجی خود انصاف کریں جب بازار کا لفظ پیچھے سے اترتا ہی نہیں تو وہاں سے چھٹکارا حاصل کرنے سے فائدہ؟"

"تمہیں وہ اچھا نہیں لگتا تھا۔"

سگریٹ کا لمبا کش لگا کر وہ بولی —— لگتا تھا جی —— کبھی کبھی تو بہت لگتا

تھا- پر وہ سارا وقت مجھے ماڈل عورت بنا کر خاندان کے سامنے پیش کرنے میں لگا رہتا تھا ——

بیچارا! ہائے ہائے اس نے بھی بڑے دکھ اٹھائے لیکن کیا کرتی سرجی اسے میری کمزوریوں، غموں، غلطیوں سے کوئی سروکار نہ تھا- یا یوں سمجھیے آپ کہ وہ معاف کرنا نہیں جانتا تھا- ہر جگہ ہر محفل میں ہر وقت اسے ایک ہی شومارنی آتی تھی کہ دیکھو میں کتنا نیک ہوں میری وجہ سے ایک بازاری عورت تائب ہوئی ہے- اسے میرے تائب ہونے کی خوشی نہ تھی- اپنا بت اونچا کرنے کی فکر تھی ہر وقت —— چلیے سرجی محبت کی خاطر تو آدمی سولی پر چڑھتا رہے مرتا رہے، کھپتا رہے- پر کسی کی انا کو موٹا کرنے کے لئے کوئی کب تک اپنی جان مارے؟"

"اسے —— اسے تو پیار ہو گا تم سے امتل؟ جس نے معاشرے سے ٹکر لی، گھر والوں کے سامنے کھڑا ہوا —— اسے پیار تو ہو گا تم سے!-"

سگریٹ ایش ٹرے میں بجھا کر وہ تھوڑی دیر خاموش رہی پھر بولی —— "تھا جی پیار —— تھا کیوں نہیں پر پولا پولا پیار تھا-"

"پولا پولا پیار کیسا ہوتا ہے امتل؟ —— "میں نے سوال کیا-

"ایسا پیار جی جیسی بودی رسی ہوتی ہے- زور سے کچھ باندھو تو تڑک کر کے ٹوٹ جاتی ہے- ایسا پیار جس کا یقین سب کو دلاتے پھریں اور خود اپنے جی کو بھی یقین نہ آئے- ایسا پیار سرجی جیسے ٹھنڈی چائے- اس کا بھی کوئی قصور نہیں تھا- اس کی دوکان تھی انار کلی میں کپڑے کی —— ماں تھی، بہنیں تھیں، ایک پچھلی منگیتر تھی- ایک شادی کے بعد کی محبوبہ تھی- اتنی لمبی چوڑی ذات برادری کی عورتیں تھیں- جو آدمی اتنی عورتوں میں بٹا رہے وہ بیچارہ بھی خالی ہو جاتا ہے- اس کی زندگی ساری حصہ پتی میں گزرتی تھی- ادھر مجھے عادت نہیں تھی بٹے کے سوالوں کی —— ہم تو بچپن سے مرد کے جسم، دل، روح پر سوار ہونا سیکھتی ہیں- ہم جب بھی کسی کو پکڑیں مضبوطی سے پکڑتی ہیں —— پولے پولے پیار سے نفرت تھی سرجی-"

وہ تھوڑی دیر چپ رہ کر پھر آپی بولنے لگی —— "ہمارے ہاں رواج ہے کہ مرد کو قابو کریں تو پھر ایسا کہ وہ —— اس کی ساری جائیداد بک جائے اور وہ ہماری

چوکھٹ پر بیٹھ کر ساری عمر چلمیں بھرتا رہے غفور درزی کی طرح —— اس کی بیوی ساری عمر مزاروں پر بھٹکتی پھرے۔ بچے یتیموں کی طرح پھریں —— سرجی ویسے ہر انسان کا جی چاہتا ہے ناں کہ اس کے چاہنے والے کا ککھ نہ رہے۔ ہر انسان کے اندر رب جو ہوا سرجی —— رب اپنے چاہنے والوں کا کچھ رہنے دیتا ہے کبھی؟ سوائے اپنے۔"

"ہر ایک کا نہیں امتل —— کسی کسی کا —— " میں نے لمبی آہ بھر کر کہا۔

"ناں سرجی ہر مرد کا' ہر عورت کا —— ہر انسان کے اندر کا رب چاہتا ہے کہ کوئی اسے ٹوٹ کر چاہے اس کی پرستش کرے —— بیوی بچوں والا ہو تو بیوی بچے چھوڑ دے —— دولت مند ہو تو مانگتا پھرے۔ کسی بیاہی ہوئی عورت سے پیار ہو تو عاشق چاہے گا کہ آدھی رات کو شوہر کے پہلو سے اٹھ کر آئے —— نیک نام ہو تو بد نامی کے کنویں میں اترے۔"

"اٹھیں سرجی —— " وہ تھوڑی دیر بعد بولی۔

"کیوں؟ —— "

"بس اٹھیں مجھے ایک کام یاد آگیا۔"

میں امتل سے بھابھی صولت کی بات کرنے والا تھا لیکن اس وقت اس کی آواز میں کچھ ایسی تیزی تھی کہ میں اٹھ کھڑا ہوا۔

"مجھے آج بہت کام ہیں امتل —— ایک ریہرسل ہے' ایک ریکارڈنگ ہے۔ پھر کاپسٹ کو میں نے خاص —— بلوا رکھا ہے۔"

"آپ چلیں تو سہی —— جلدی آجائیں گے۔"

پہلے وہ میرے کمرے سے رخصت ہوئی۔ دس پندرہ منٹ کے بعد میں نکلا۔ ریڈیو سٹیشن کے باہر وہ میرا انتظار کر رہی تھی۔ سڑک پر پہنچ کر وہ میری موٹر سائیکل پر سوار ہو گئی۔ چلتی سواری کے شور میں میں نے اسے کہا۔

"تم وہاں سے میرے ساتھ کیوں نہیں آئیں؟"

"کچھ پردہ رکھنا پڑتا ہے —— " موٹر سائیکل کی فل بلاسٹ آواز پر غالب آکر وہ بولی۔

میں نے اسے بتانا چاہا کہ احتیاط کے باوجود باتیں خوشبو کی مانند ہوتی ہیں۔ جہاں

کہیں ہوا جاتی ہے انہیں ساتھ لئے جاتی ہے—— بھابھی صولت کو اس وقت سانده کلاں میں معلوم ہے کہ میں کہاں جا رہا ہوں۔

دینی اعتبار سے بھی امتل بڑی رنگارنگ تھی۔

اس کے گھر میں مجلسیں ہوتی تھیں اور وہ بڑی دھوم دھام سے محرم مناتی تھی۔ عاشورے کے دوران اس کے تن سے کبھی سیاہ کپڑا نہیں اترا۔ پنج تن پر جان نثار کرتی تھی۔ بی بی فاطمہ کے گھرانے کی عاشق تھی۔ اس کے دو منزلہ مکان میں محرم کے دنوں میں مجلسوں کا زور شور سے انتظار رہتا تھا۔ اور وہ ایسے ایسے مرثیہ پڑھنے والے حاضر کر لیتی جو ساری محفل کو رلائے بغیر نہ رہتے۔ شیعہ رجحانات کے باوصف وہ لاہور کی تمام درگاہوں پر باقاعدگی سے جاتی تھی۔ حسین زنجانی، میاں میر، میر صاحب، بابا شاہ جمال اور داتا صاحب کے قدموں میں جانا تو اس کا معمول تھا۔ کرسمس کی رات کو وہ بڑی خوش ہوتی اور اکیلی کرسمس مناتی۔ اس نے مجھے بتایا تھا کہ قیام پاکستان سے پہلے وہ بڑے جوش سے دیوالی کے دن گھر کی منڈیر پر دیئے بھی جلاتی تھی اور اس نے ایک مرتبہ ایک ہندو بزنس مین کو راکھی بھی باندھی تھی۔

جس وقت ہم دونوں لارنس باغ میں داخل ہوئے۔ میرا دل دھک سے رہ گیا۔ میرا خیال نہیں تھا کہ وہ مجھے باغ جناح لے جائے گی—— اس باغ میں ایک کافور کا درخت تھا اور اس درخت کی چھاؤں سے بہت سی یادیں وابستہ تھیں۔

"بس سرجی یہاں اترتے ہیں"

"تمہیں معلوم ہے مجھے آج بہت کام ہے—— میں باغوں کی سیر کو نہیں نکل سکتا۔"

"میں آپ کو باغ میں نہیں لے جا رہی سرجی—— وہ دیکھیے بابا ٹرت مراد کا مزار بس یہاں حاضری دیں گے اور لوٹ جائیں گے—— بس دس منٹ——"

ہم barrier کے پاس موٹر سائیکل پارک کر کے مزار کی طرف چلنے لگے۔ مزار کی جانب سے قوالوں نے ہارمونیم کے سُر اٹھانے شروع کر دیے تھے—— میں چپ تھا

اندر باہر ——— امتل سے مل کر میں نے سیمی کی یادوں کو قفل لگا کر کولڈ سٹوریج میں رکھ دیا تھا۔

"بہت چُپ ہیں آپ سرجی؟"

"ہاں کچھ کچھ۔"

پتہ نہیں کیوں میرا دل چاہتا تھا کہ امتل کے کشادہ سینے پر سر رکھ کر رونے لگوں؟ لیکن رونے کی بھی کوئی خاص وجہ نہیں تھی۔

"اس عورت کو دیکھ کر چپ لگی ہے؟ ——— امتل نے سوال کیا۔"

"کون سی عورت۔"

"وہ ——— ؟"

میں نے سامنے دیکھا۔ ایک جوان عورت ہاتھ اٹھائے مزار کی دیوار سے لگی، دعا مانگ رہی تھی۔ اس نے ریشم کا کُرتا پہن رکھا تھا۔ اور مخالف رخ کی ہوا کے باعث وہ مڑی ہوئی شاخ جیسی لچکیلی نظر آ رہی تھی۔

"کیسی ہے؟ ——— " امتل نے پوچھا۔

"کسی بوڑھے مرد کی بیوی ہے، جوان عاشق سے ملنے کی دعا مانگ رہی ہے۔"

"ناں جی ——— جوان آدمی کی محبوبہ ہے اور دعا مانگ رہی ہے کہ شادی ہو جائے اس سے۔"

"شادی شدہ تو نہیں لگتی ——— " میں نے کہا۔

"لیکن ہے ——— ورنہ پیٹ ایسا نہ ہوتا۔"

"اگر شادی شدہ ہے تو پھر ——— بیٹے کی دعا مانگ رہی ہے۔"

"بیٹا تو ہے اس کے پاس صرف محبت نہیں ہے۔ بچپن کے عاشق کو یاد کر رہی ہے۔"

"پھر ہمیں کیا؟"

"ہاں ہمیں کیا۔"

ہم دونوں مزار کے قرب میں پہنچ کر چپ ہو گئے۔ ساری فضا قوالی کے اولین سُروں سے بوجھل تھی۔ تُرت مراد کے مزار پر بہت کم لوگ تھے ——— ہر طرف آنند

تھہ شانتی تھی، خوشبو تھی، کچھ مزار کے پھولوں کی —— کچھ باغ سے اُڑ کر آنے والی۔ بہار کے دنوں میں مزاروں کی فضا آرزوؤں سے سسکنے لگتی ہے۔ قریب پہنچ کر میں نے ریشمی کرتے والی کی طرف پھر دیکھا۔ وہ مزار سے باہر والی دیوار کے پاس ہاتھ اٹھائے چپ کھڑی تھی۔ نہ اس کے چہرے پر کسی آرزو کا کرب تھا نہ کچھ پالینے کی ہوس —— وہ لچکیلی شاخ کی طرح تمام کی تمام شکر گزاری کے پھولوں سے لدی تھی۔

مزار پر پہنچ کر یکدم امتل اجنبی ہو گئی اس نے وضو کیا۔ گیلے چہرے کے اوپر دوپٹے کی بکل ماری اور اندر مزار کی طرف چلی گئی —— میں قوالوں کے پاس درخت کے ساتھ ٹیک لگا کر بیٹھ رہا۔

اسی طرح جب میں چندرا سے قصور آیا تھا تو میں ماموں کے گھر سے نکل کر روز بابا بلھے شاہ کے مزار پر عین وہاں جا بیٹھا رہتا۔ جہاں قبریں ہیں۔ قوالوں کی آوازیں آتی رہتیں اور میں مزار سے ہٹ کر ان قبروں کے بیچ بیٹھا رہتا —— گپ چپ —— ان دنوں نہ مجھے بابا بلھے شاہ سے عقیدت تھی، نہ میں قوالوں کی موسیقی سے متاثر ہوتا —— صرف وہاں بیٹھ کر میں آنے جانے والے عقیدت مندوں کو دیکھتا رہتا۔ مجھے ان عقیدت مندوں سے بڑا پیار تھا۔ ان کی شکلیں بدلتی رہتی تھیں لیکن ہاتھوں کو جوڑنے کا انداز بھرائی ہوئی آنکھیں لرزتے ہوئے ہونٹ وہی رہتے تھے۔ کئی کئی گھنٹے میں چپ چاپ قبر سے ٹیک لگا کر بیٹھا رہتا —— چندرا میری ماں، ابا، عزیز گاتن سب مجھے ان قبروں میں سوئے ہوئے نظر آتے —— میں ان قبروں کے ساتھ ٹیک تو لگا سکتا تھا۔ ان کے اندر داخل نہیں ہو سکتا تھا ——

بڑی دیر کے بعد امتل میرے پاس آئی۔ رونے کے بعد وہ بڑی کمسن لگ رہی تھی۔ "آپ بھی کوئی دعا مانگ لیتے سرجی۔"

"مانگ لی ہے۔"

"کیا؟"

"بس بتائیں گے کبھی! اور تم نے کیا دعا مانگی ہے امتل؟"

"بس یہی...... یہی سرجی زندگی تو کسی پیار کرنے والے کے سہارے گزری نہیں اب موت تو کسی پیارے کے ہاتھوں آئے۔"

ہم دونوں واپس موٹر سائیکل کی طرف چلنے لگے۔

وہ بھی بلا کی دھنسی ہوئی اور چپ تھی۔ جس وقت ہم بیریئر کے پاس پہنچے تو پتہ نہیں کیوں مجھے خیال آیا کہ آج پہلی بار میں امتل کو وہ مزار دکھاؤں جہاں سیمی میرے خیالوں میں دفن تھی۔ میں اسے سیمی کے متعلق وہ سب کچھ بتاؤں جس کا اظہار میں آج تک نہ کر سکا۔

"آؤ امتل۔"

"کہاں سرجی۔"

"یہیں اسی باغ میں۔"

"آپ کو دیر ہو رہی ہے —— بہت کام ہے آپ کو دفتر میں۔"

"کام تو ہوتا رہے گا آؤ۔"

بہار کے نئے نئے دن تھے —— کچے ناریل جیسے کچر کچر دن —— گرم ملکوں میں بہار تنہا نہیں آتی۔ اس کے ساتھ گرمیوں کا احساس بھی آتا ہے۔ جسم میں سردیوں کی یاد اور گرمیوں کا خوف ہوتا ہے۔ پتے جھڑے درختوں میں نئی کونپلیں سبز براؤن چکنے پتے اور بند بند کلیاں ہوتی ہیں۔ ہر رُت میں تمام عناصر کی ہیئت بدل جاتی ہے۔ ہوا پانی اور روشنی کا مزاج بدلتا رہتا ہے۔ لیکن روشنیوں کا موسم کے ساتھ بڑا گہرا تعلق ہے۔ سردیوں کی رُوشنی اور دھوپ میں معافی مانگنے کا انداز ہوتا ہے۔ دیر سے آنے والے مہمان کی طرح وہ چوکھٹوں کے سایوں سے چمٹی رہتی ہے اور دیر سے آنے کا اعتراف کئے بغیر وقت سے پہلے رخصت ہو جاتی ہے۔ گرمی کی روشنی دندناتا ساہوکار ہے —— مارشل لاء ہے۔ پولیس ایکشن ہے —— دندناتی آتی ہے گلیاں بازار سب سونے ہو جاتے ہیں جیسے کرفیو لگا ہو۔ لیکن بہار کی روشنی میں نہ تندی ہوتی ہے نہ شکست۔

وہ بار بار گلے لگنے والی محبوبہ کی طرح ہر ہر مسام میں خوشی بھر دیتی ہے۔ بہار کی روشنی جگاتی ہے، سلاتی ہے، ہوش میں رکھتے ہوئے بے سُدھ کیے رکھتی ہے —— اس میں دن چڑھنے سے دن ڈھلنے تک ہزاروں کیفیتیں بدلنے کا مادہ ہوتا ہے۔ باغوں میں اس کا رنگ کچھ اور ہوتا ہے، کوٹھوں پر بازاروں میں اس کی کیفیت کچھ اور ہوتی ہے۔ کھڑکیوں دروازوں میں یہ منتظر کھڑی ملتی ہے —— بار بار گلے ملنے والی محبوبہ کی طرح

پذیرائی ہی پذیرائی ہوتی ہے ———

بچھڑنے سے پہلے بار بار ملنے کی وارفتگی!

دراصل بہار کی روشنی مکمل انتظار ہے۔

زرد زرد دھوپ میں گھومنے پھرنے والے بھونروں کا انتظار۔

موٹر سائیکلوں پر آنے جانے والے نوجوانوں کا انتظار۔

بسوں پر سوار ہوتی لڑکیوں کا انتظار۔

سارے شہر کو نہ جانے کس مسیحا کا انتظار ہوتا ہے کہ بہار کی روشنی کا رنگ پیلا پڑ جاتا ہے اور وہ بسنتی کپڑے پہن کر پیلی دھوپ میں نکل آتی ہے ——— مجھے بھی اس بہار کے دن میں پتہ نہیں کس کا انتظار تھا؟ ——— سیمی کا؟ ——— عابدہ کا ——— یا فقط اپنی ذات کا۔

سامنے درختوں سے چمگادڑیں قطار در قطار، گروہ در گروہ چمٹی ہوئی تھیں۔ ایک اندھی چمگادڑ ہمارے سامنے اوپر سے گری اور چند بچے گھیرا ڈال کر اس کا معائنہ کرنے لگے۔ ہم چپ چاپ پہاڑی کے بائیں جانب منٹگمری ہال کی سمت چلنے لگے۔ بہار کے دنوں میں کبھی کبھی اچانک زندہ رہنا بہت مشکل ہو جاتا ہے اور اگر جلد زندگی کا لہو منہ کو نہ لگے تو آدمی بہار کی زرد روشنی میں صرف سانس روک کر مر سکتا ہے۔ کافور کے درخت تلے پہنچ کر میں رک گیا۔

"یہاں کچھ دیر بیٹھیں امتل ——— یہ بڑا مقدس درخت ہے۔"

امتل نے اپنے برقعے کا نقاب اتار کر گھاس پر بچھا دیا ——— "آپ اس پر بیٹھ جائیں سر آپ کا سوٹ خراب ہو جائے گا۔"

میں نے نقاب کو گھٹنوں پر رکھ لیا اور چپ چاپ بیٹھ گیا۔

"اس درخت تلے ایک لڑکی ملی تھی مجھے ایک بار۔"

پتہ نہیں یہ کافور کے درخت کی خوشبو تھی کہ سیمی کے نہ نظر آنے والے وجود کی ——— لیکن اس وقت میں امتل کے ساتھ نہیں تھا۔ میں اندر ہی اندر بھیگ رہا تھا جیسے کسی آبشار کے کنارے بیٹھا ہوں۔

"امتل! کبھی تم نے کسی ایسے شخص سے محبت کی ہے جو کسی اور کی محبت میں

مبتلا ہو؟"

"ہاں جی—— بلکہ ہمیشہ!"

"بہت ٹوٹ کر—— پاگل پن کی حد تک؟۔"

"ہاں جی ایک شخص سے کی تھی۔"

"درزی غفور جیسی محبت؟۔"

"کی تھی سر جی——" امتل نے لمبا سانس لیا۔

"کہاں ملی تھیں تم اسے۔"

امتل نے اپنے گھٹنوں کے گرد بازو حمائل کیے اور کھڑے زانو پر سر رکھ کر بولی۔

"پرانے ریڈیو سٹیشن پر ملی تھی جی اسے۔ بہت سال ادھر کی بات ہے تب میری شادی بھی نہ ہوئی تھی۔ ان دنوں ریڈیو سٹیشن شملے پہاڑی کے پچھواڑے ہوتا تھا۔ میں ریڈیو پر پروگرام کیا کرتی کرتی تھی۔ آرڈی صاحب مجھے اپنے کمرے میں بلا کر دھیما دھیما ٹھرک جھاڑا کرتے تھے۔ بڑی عزت تھی میری ان دنوں۔ بڑی شان تھی۔ پروگرام پروڈیوسر کار تک چھوڑنے آتا تھا۔ ذرا لیٹ ہو جاتی تو فون پر فون آتے۔ ریڈیو سٹیشن کی گاڑی لینے آجاتی—— گھر پر ریڈیو سٹیشن پر—— شہر میں ریڈیو سٹیشن میں ہر جگہ عزت ہی عزت تھی۔"

"کیا نام تھا اس کا؟"

"ایسے لوگوں کا نہ کوئی نام ہوتا ہے سر جی نہ کوئی پروگرام ہوتا ہے—— بس وہ دیس بدیس بجلیاں گراتے پھرتے ہیں۔"

ہم دونوں بڑی دیر تک خاموش رہے۔ سڑک پر لکڑی کی ہیل پہنے کوئی لڑکی جا رہی تھی۔ میں نے آنکھیں بند کر لیں جوتوں کی چاپ بالکل سیمی جیسی تھی—— لکڑی کی ہیل—— سیسہ پلائی سڑک کا سینہ کوٹ رہی تھی۔

"جس وقت میں آرڈی صاحب کے کمرے میں پہنچی وہ جانے کے لیے اٹھ رہا تھا۔ کھدر کی سفید شلوار قمیض کندھوں پر کالی سیاہ چادر—— سفید رنگت، براؤن بال براؤن آنکھیں—— کھڑا ہوتا تو لگتا کہ کھڑے رہنے میں اس کا سارا حسن ہے، بیٹھ جاتا تو لگتا کھڑے ہو کر اتنا پیارا کبھی نہیں لگ سکتا—— مجھے دیکھ کر وہ دوبارہ کرسی میں بیٹھ

گیا۔ لیکن بولا نہیں میرے سلام کا جواب ہی نہیں دیا۔ آرڈی صاحب نے تعارف کروایا اس نے صرف سر کے ہلکے سے اشارے سے جواب دیا۔ چائے آ گئی۔ آرڈی صاحب مجھ سے دھیما دھیما توجہ بھرا عشق کرتے رہے۔ میں دو گھنٹے بیٹھی رہی وہ ایک لفظ نہیں بولا ——— لیکن بار بار دیکھتا تھا ——— کچھ لوگوں کی نگاہیں جب بھی آپ پر پڑتی ہیں۔ ہمیشہ چوم کر لوٹتی ہیں ——— ہے نا سر جی؟"

وہ چپ ہو گئی۔

یہ ایک نئی امتل تھی۔ یادوں کی غلام گردش میں ننگے پاؤں بال کھول کر پھرنے والی امتل ——— اس کی باتوں میں سے سارا پھکڑپن غائب تھا۔ اس کی آواز پنکھڑیوں کی طرح گر رہی تھی۔ پہلی بار مجھے احساس ہوا کہ ایک زمانہ ضرور ایسا بھی ہو گا کہ جب وہ بہت اچھا گاتی ہو گی اور لوگ ریڈیو سے کان لگا کر اس کے گیتوں کو سنتے ہوں گے۔

"پھر ——— پھر امتل؟ ———"

"جب میں ریہرسل کر رہی تھی تو وہ اندر آ گیا۔ بڑا مشہور شاعر تھا۔ ریڈیو کے لئے غنائیے بھی لکھتا تھا۔ سب کے ساتھ صاحب سلامت تھی۔ اندر آ گیا اور ایک کاغذ کا پرزہ مجھے پکڑا کر بولا ——— اسے گائیے ——— میں نے غزل پڑھی اور سناٹے میں آ گئی۔ میں نے بڑے بڑے خوبصورت مرد کوٹھے پر دیکھے ہیں سر جی ——— لیکن کسی خوبصورت مرد کو اتنی خوبصورت شاعری کرتے نہیں دیکھا۔ دھن تیار ہوئی۔ میں نے ریہرسل کی۔ سارا وقت وہ آنکھیں بند کیے کونے میں چپ چاپ بیٹھا رہا۔ جب کبھی اچانک وہ میری طرف دیکھ لیتا تو میں لے پکڑنا بھول جاتی ——— اس طرح آغاز ہوا ——— پھر ——— پھر لمبی داستان ہے بدنامی کی ——— جھگڑوں کی ——— ہماری طرف تو خدا نہ کرے کسی کو عشق ہو جائے ———"

میں اس کی طرف دیکھ رہا تھا۔

"میں نے اس کے لیے کئی سوئیٹر بنے ——— تمباکو کا اسے شوق تھا کئی پائپ منگوائے۔ ولایتی ٹائیاں ——— قمیصیں ——— میں اسے جب بھی ملتی میرا جی چاہتا میں اس پر کچھ نہ کچھ نچھاور کر دوں اپنا جسم۔ اپنی روح ——— ساری ریاضت دھری کی دھری رہ جاتی اور میں اسے خط لکھتی رہتی ——— دن میں تین تین خط سر جی ——— اور وہ

مجھے ہفتے میں ایک آدھ غزل بھیج دیتا۔ اس نے کبھی مجھے خط نہ لکھا۔ کبھی کوئی تحفہ نہ دیا، کبھی میرے جسم کو ہاتھ نہ لگایا۔

اس کے باوجود ——— اسکے باوجود وہ ایسے لگتا جیسے کسی روز مجھے ٹوٹ کر چاہنے لگے گا۔ میں اسی دن کی آرزو میں جی رہی تھی ——— ہم روز ملتے تھے۔ ہر روز میں اس ماؤنٹ ایورسٹ کو سر کرنے کی کوشش کرتی ——— سرجی کبھی آپ نے ایسے زخمی پرندے کو دیکھا ہے جو اپنے گھونسلے تک پہنچنے کی کوشش کر رہا ہو لیکن پہنچ نہ سکتا ہو۔ ہر اڑان کے بعد میں منہ کے بل گرتی اور پھر اڑنے لگتی۔"

"ہاں دیکھا ہے امثل غور سے دیکھا ہے۔"

میں ذہنی طور پر حاضر بھی تھا اور غیر حاضر بھی ہر انسان پر ایسے لمحے آتے ہیں جب اردگرد کی ہر چیز کافی ہوتی ہے کسی نئی چیز کی خواہش یا انتظار بھی نہیں ہوتا۔ بظاہر کسی سے کوئی شکایت یا گلہ بھی باقی نہیں رہتا۔ عشق کا روگ بھی کوسوں دور ہوتا ہے۔ آگے پیچھے ہر سمت سے سُکھ کا سندیسہ آتا ہے۔ فضا میں ہوائیں روح میں کوئی پھانس نہیں ہوتی صرف اس کے سائے کا رنگ بدل جاتا ہے اور اس سائے میں نہ جانے کیا کشش ہوتی ہے کہ وہ سارے کا سارا خوف سے لبریز ہو جاتا ہے اور جیسے ہوا میں سگریٹ کی پنی کانپتی ہے ایسے ہی اس کی پسلیوں تلے اس کا دل لرزنے لگتا ہے انجانے خوف سے انجانی تبدیلیوں سے۔

"آخر میں نے ایک دن آر پار جانے کا فیصلہ کر لیا سرجی ——— میں نے اُسے خط لکھا کہ وہ مجھے رات کے دو بجے شملہ پہاڑی کے پاس ملے۔"

"اس نے میرے اس خط کا بھی جواب نہ دیا۔"

"تمہیں یقین تھا کہ وہ آئے گا؟۔"

"جی مجھے یقین تھا کہ وہ ضرور آئے گا۔"

"کیسے امثل؟۔"

"بس سرجی کچھ باتوں کا دل کو ایسے ہی یقین ہوتا ہے ——— میں نے بڑا زمانہ دیکھا ہے۔ مجھے معلوم ہے آج جس پر دم نکلتا ہے کل وہی اجنبی لگے گا ——— وقت کے ساتھ ساتھ سب عشق عاشقی ختم ہو جاتی ہے ——— لیکن ——— وہ ایسا عشق نہیں تھا

جسے وقت کا ہتھوڑا کوٹ پیس سکے ــــــ"

بڑی دیر تک وہ اپنے برقعے کے پھونسڑے نکالتی رہی۔ پھر بولی ــــــ بی بی کو مجھ پر بہت شبہ تھا۔ اس نے کئی دن سے میرا نکلنا بند کر رکھا تھا ــــــ میرا سارا زیور کپڑا بھی بی بی نے نیچے لے جا کر اپنے قبضے میں کر لیا۔ بڑی کپتی تھی جوانی میں بی بی ــــــ مجھے ایسا ایسا مارا ہے کہ ــــــ کہ پتہ نہیں میں زندہ کیسے ہوں آج ــــــ کونڈی والا ڈنڈا ہمیشہ سرہانے رکھ کر سوتی تھی۔"

"مارا کیوں؟"

"مارتی نہ تو اور کیا کرتی۔ آپا کو مرے تھوڑا عرصہ ہوا تھا۔ فیروزہ سات سال کی تھی۔ اور باقی پانچ بیٹے تھے بی بی کے۔ سارے کے سارے نکھٹو ــــــ میری مانگ بہت تھی ان دنوں ڈیرہ غازی خاں، ہزارہ، سبی ــــــ زیارت، شورکوٹ ــــــ سکھر جانے کہاں کہاں مجرے نہیں ہوئے میرے ان دنوں ــــــ بی بی مالدار ہو رہی تھی وہ میرا عشق کیسے برداشت کرتی بھلا؟"۔

میں بولنا چاہتا تھا لیکن ہر جگہ سیمی بکھری پڑی تھی ــــــ اسکی جوتیاں، کینوس کا بیگ، کھلے بال، جینز ــــــ گلابی عینک، کستوری کی خوشبو۔

"جس روز میں گھر سے بھاگی ہوں۔ اس روز شام سے بارش پڑ رہی تھی۔ پہلے میں نے ان مانے جی سے تین چار غزلیں گائیں اور پھر طبیعت کی خرابی کا بہانہ کر کے بیٹھک سے آ گئی ــــــ بڑی بارش تھی۔ بڑی سردی تھی۔ دروازے کھڑکیاں آنے جانے سے روکتے تھے۔ میں سر پر لحاف لے کر جاگ رہی تھی کہ بی بی نے ایک سندھی نواب اوپر بھیج دیا۔ بڑی بڑی مونچھیں گہری سیاہ آنکھیں ــــــ کچھ بولنے سے پہلے مسکراتا ــــــ اور مسکرانے سے پہلے ابرو کے بال کھینچتا ــــــ پرانے مراسم تھے اس کے میرے ساتھ ــــــ جب بھی لاہور آتا ہمارے پاس ہی ٹھہرتا تھا۔"

امل نے لمبی سانس لی اور کچھ دیر بعد بولی ــــــ "نواب صاحب کا باغ تھا حیدر آباد کے قریب۔ کیلوں کا باغ ــــــ بڑی آمدنی تھی ــــــ تین تین کاریں تھیں لیکن ہمیشہ اپنے بٹوے کو ازار بند سے باندھ کر سوتا تھا ــــــ باہر بارش کی چادر لٹک رہی تھی ــــــ زیور کپڑا سارا بی بی کے پاس ــــــ قسمت سے سواری کے لئے آنے بھی دھیلا

پاس نہ تھا۔ بی بی سونے سے پہلے سارے پیسے مانگ لیتی تھی۔ بہانے بہانے سے۔ اور میں نے اس سے وعدہ کیا تھا شملہ پہاڑی کے پچھواڑے ملنے کا ——"

"بڑی دیر تک سندھی سائیں اپنے باغ، بیوی اور بچوں کی باتیں کرتا رہا۔ پھر بے سُدھ سو گیا۔ پتہ نہیں کیا بات ہے جب اللہ کو منظور ہوتا ہے تو خود بخود سبب بن جاتا ہے۔ پہلی بار میرے دل میں کسی کو قتل کرنے کا خیال آیا۔ اس وقت وہ مجھے آدمی لگتا ہی نہیں تھا۔ جی میں تھی کیوں نہ اس بھیڈو کو ذبح کر دوں۔ امیر آدمی ہے بٹوے میں ہزاروں ہوں گے۔ لیکن مجھے قتل کرنے کا کوئی درست طریقہ نہ آتا تھا۔ نہ میرے پاس کوئی تیز چھری تھی نہ کبھی میں نے پستول کا لائسنس بنوایا تھا —— اس وقت مجھے پورا یقین تھا کہ اگر مجھے کہیں سے کند چھری بھی مل گئی تو میں اس کی شہ رگ کاٹ دوں گی۔ کوئی بیس مرتبہ میں پلنگ سے اُٹھ کر غسل خانے گئی۔ آخر میں نے چھری کی تلاش شروع کر دی۔ کبھی کبھی پھلوں کی خاطر میں اپنے کمرے میں چھری رکھا کرتی تھی۔ کبھی میں اپنا پرس اٹھا کر غسل خانے میں لے جاتی کبھی سوٹ کیس اٹھا کر غسل خانے میں لے جا کر اس کی تلاشی لیتی۔ آخر کو میں نے سندھی نواب کے ساتھ والی سائیڈ ٹیبل کا دراز کھولا جس وقت میں نے دراز کھولا۔ نواب صاحب نے میری طرف کروٹ لی اور بولے —— کیا کر رہی ہو، سو جاؤ —— میرا دل اچھل کر حلق میں آگیا۔ میں نے دبی آواز میں کہا —— "میری طبیعت خراب ہے دوائی تلاش کر رہی ہوں۔" سندھی سائیں اچھا کہہ کر سو گئے —— میں نے پھر کچھ دیر بعد دراز کھولا سامنے چھری اور بٹوہ ساتھ ساتھ پڑے تھے۔"

میں نے دل چسپی سے امتل کی طرف دیکھا —— "پھر امتل پھر ——؟"

"میں نے چھری اور بٹوہ دونوں اٹھا لیے اور غسل خانے کی طرف چلی —— لیکن وہاں تک کا فاصلہ سارا تھل بیلا تھا۔ میں جیسے تپتی ریت پر چل رہی تھی۔ غسل خانے پہنچ کر بٹوہ میں نے اپنے ازار بند سے باندھ کر اڑس لیا اور چھری کموڈ پر رکھ دی۔ شہ نشین والے راستے سے پچھلی سیڑھیوں پر گئی۔ بڑی احتیاط سے کنڈی کھولی اور باہر۔"

"کتنی رقم تھی بٹوے میں؟ ——"

"ایک فیروزے کی انگوٹھی اور بائیس ہزار روپے تھے۔"

"پھر پہنچیں تم شملہ پہاڑی؟۔"

شاہی محلے سے داتا دربار تک پیدل گئی —— وہ بارش وہ بارش ایسے سردی کہ ہڈیاں تک جم گئیں۔ لیکن میرا دل گرم تھا۔ اس رات میں اپنی زندگی کا سب سے اہم فیصلہ کرنے والی تھی —— بالآخر ایک رکشا مل گیا سالم۔ پھر کبھی میں اپنا دوپٹہ نچوڑتی کبھی چادر —— کبھی بال جھٹکتی —— مجھے رکشا ڈرائیور سے بھی خوف آرہا تھا لیکن پتہ نہیں کیوں سر جی میرا جی چاہنے لگا کہ واپس جا کر نواب صاحب کو بٹوہ لوٹا دوں —— اس سے پہلے کبھی میرا ضمیر نہ جاگا تھا —— لیکن ابھی میں نے رکشا والے کو موڑنے کے لیے کہا ہی تھا کہ وہ مجھے لیمپ پوسٹ کے سامنے بھیگتا ہوا نظر آ گیا۔"

"آ گیا وہ —— بڑی خوش نصیب ہو تم!"

"اس وقت میں بھی یہی سمجھتی تھی۔ ہم دونوں مل کر ایک ہوٹل میں چلے گئے۔ وہ سارے کا سارا بھیگا ہوا تھا اور بار بار چھینک رہا تھا۔ ہم دونوں ہیٹر کے سامنے بھیگے پرندوں کی طرح بیٹھ گئے۔ وہ پہلی دفعہ بولا —— کہنے لگا "دیکھو نہ میں تم سے شادی کر سکتا ہوں نہ محبت —— میں کسی اور کا ہوں تم اپنے آپ کو سمجھالو۔"

میں رونے لگی۔ بڑی دیر تک روتی رہی۔ پھر میں نے گیلے کپڑے اتار دیے اور بستر پر لیٹ گئی۔ مجھے سردی لگ رہی تھی۔ کپکپی سے میرا سارا بدن ہچکولے کھا رہا تھا۔

"مجھے سردی لگ رہی ہے۔"

"میں چائے منگواتا ہوں۔"

جب چائے آ گئی تو اس نے پیالی بنا کر مجھے دی لیکن بستر کے پاس نہیں آیا۔ میں کئی گھنٹے روتی رہی۔ وہ ہیٹر کے سامنے بیٹھ کر اپنے بدن کے کپڑے سکھاتا رہا۔ آخر جب رونے سے بھی جی کا بوجھ نہ اترا تو میں نے اُسے پکارا۔

"کیا نام تھا؟"

"آپ کو نام سے کیا لینا ہے سر جی ایسے بے نام ہوتے ہیں۔ میں نے اسے پکارا، تو وہ پاس آ کر قالین پر بیٹھ گیا۔ اس کے کندھے پر میری چادر تھی اور وہ بارش میں نہا کر اور بھی شفاف ہو گیا تھا۔ میں نے بائیس ہزار روپیہ سرہانے تلے سے اٹھا کر اس کی جھولی میں پھینکا۔ پہلے وہ بھونچکا رہ گیا پھر روپے کو دیکھتا رہا۔"

"تمہارے لیے ہے —— یہ سب۔"

"افسوس میں تمہارے کسی کام نہیں آسکتا امتل۔" بڑی دیر کے بعد وہ بولا۔ "میں اپنی ماں کا اکلوتا بیٹا ہوں۔ اس نے بیوگی کے سارے دکھ جھیل کر مجھے پالا ہے اگر میں نے تم سے شادی کرلی تو وہ مرجائے گی۔ میں کبھی کسی عورت کا نہیں ہو سکتا، امتل میں صرف اپنی ماں کا ہوں —— میں اس کے دکھوں میں حل ہو چکا ہوں، سارے کا سارا، پھر اُٹھ کر اس نے روپے مجھے لوٹا دیے۔ "امتل" وہ کہنے لگا۔ "میرے دکھوں سے مجھے یہ روپیہ نجات دلا سکتا ہے لیکن میں تمہاری عمر بھر کی کمائی لینا نہیں چاہتا۔" اس نے روپیہ میرے سرہانے رکھ دیا۔ میں اصرار کرتی رہی اور پھر سو گئی۔ اٹھی تو مجھے تیز بخار چڑھا ہوا تھا۔ کھڑکی سے تیکھی روشنی آرہی تھی۔ میں نے سرہانے تلے ہاتھ مارا وہاں روپیہ پیسہ کچھ نہ تھا۔ ایک پرزے پر دو شعر لکھے تھے جن میں روپے کا شکریہ ادا کیا تھا —— اس کے بعد سرجی ایک اور لمبی کہانی ہے۔ وہ تو بیچارہ سندھی نواب شریف آدمی تھا ورنہ ہمیں تو تھانے کی شکل دیکھنا پڑتی۔"

"پھر تمہیں نہیں ملا وہ شاعر؟"

"پہلے تو میں کئی مہینے ریڈیو سٹیشن نہ گئی۔ جانے لگی تو پتہ چلا وہ کراچی چلا گیا ہے ——"

امتل نے لمبی سانس بھری اور چپ ہو گئی۔

اس نے اپنے اندر کنڈی لگالی تھی —— بہار کی فضا، خاموشی اور خوشبو کی وجہ سے بوجھل ہو گئی۔ ہم دونوں کی سوچ الگ الگ سمت میں رواں تھی۔

بڑی دیر بعد وہ بولی —— "سو گئے بادشاہو۔"

وہ موڈ بدلنے کی کوشش میں تھی۔

"سوئے تھے پر کسی خصماں نوں کھانے نے جگا دیا۔"

وہ جھوٹی ہنسی ہنس کر بولی —— بات نہیں بنی سرجی —— اگر مجھے پان کھانا اور بات کرنا آتا تو میں آپ کا دل بہلاتی۔"

"آج تو خوب باتیں کر رہی ہو۔"

"کچھ نہیں سرجی۔ نہ بات کرنی آئی نہ پان کھانا آیا۔ دونوں باچھوں سے پان کی

دھاری بہلنے لگتی ہے۔ بیگمات کو پان کھاتے دیکھا ہے۔ پان کلے میں اور رنگ ہونٹوں پر —— عورت اچھا پان کھانے والی ہو، اچھی بات کرتی ہو تو مرد ضرور متاثر ہوتا ہے۔"

"مجھے تو تم ویسے بھی متاثر کرتی ہو۔"

"چھوڑیئے سرجی اب وہ ٹیم نہیں رہا۔ ویسے آپ بھی بہت دور نکل چکے ہیں آپ کو بھی کوئی فرق نہیں پڑتا۔"

"پڑتا ہے امتل بہت پڑتا ہے۔"

پہلی بار ہم دونوں ایک دوسرے کے ماضی سے متعارف ہو رہے تھے۔ وہ مجھے اندر والی امتل سے ملا رہی تھی اور یہ امتل میرے لیے بالکل نئی تھی۔ واقفیت بڑھنے کے باوجود حجاب بڑھ رہا تھا۔ ہم دونوں قریب آنے کے بجائے اجنبی بنتے جا رہے تھا۔

"آپ سرجی؟" —— آپ نے بھی کبھی زخم کھایا ہے؟۔"

بڑی دیر تک میں اسے سیمی کے متعلق سب کچھ بتاتا رہا۔ اپنے دکھ اس کی حرمان نصیبی۔ ہم دونوں کمان اور تیر کی طرح کیسے ساتھ ساتھ رہے اور کیسے دور دور نکل گئے۔ وہ چپ چاپ سنتی رہی۔ گردن گرائے ایک بار بھی اس نے کوئی سوال نہ کیا، کوئی تفتیش نہ کی۔

شام پڑنے لگی اور ہوا میں خنکی آگئی۔ باغ کی چہل پہل میں اضافہ ہو گیا۔ پھر شام کے جاگتے اندھیرے میں بتیاں روشن ہو گئیں اور ہم دونوں بیٹھے رہے۔ آمنے سامنے۔ الگ الگ وقتوں میں مقید۔ علیحدہ گردشوں پر گھومتے ہوئے۔

"آپ کو ایک مشورہ دوں سرجی؟ قسم لے لیں کئی برسوں سے میں نے کسی کو مشورہ نہیں دیا۔"

"ضرور دو۔"

"آپ شادی کرالیں سرجی —— آپ جیسے لوگ صرف شادی کے قابل ہوتے ہیں۔ حرام سے کوئی واسطہ نہ رکھیں۔ میں بتاؤں حرام سے کچھ ہو جاتا ہے یہاں۔" اس نے سر کی طرف اشارہ کیا۔

"کیا مطلب؟"

"آپ جیسے لوگ کچھ کرنے کرانے جوگے نہیں ہوتے۔ نہ کوئی دھماکہ نہ قتل نہ

خود کشی۔ آپ جیسوں کے لیے شادی بڑی اچھی رہتی ہے۔"

"مجھ جیسوں سے تمہاری کیا مراد ہے۔"

"آپ جیسے آدمی —— بند آدمی!"

"بند آدمی سے تمہاری کیا مراد ہے امتل؟"

امتل نے ماتھے پر تیوری ڈالی کچھ دیر سوچتی رہی پھر بولی —— "ایک نیک آدمی ہوتا ہے سرجی اور ایک بند آدمی —— دونوں ایک سے لگتے ہیں کچھ فاصلے سے —— پر بڑا فرق ہوتا ہے دونوں میں۔ نیک آدمی کی سرشت نیک ہوتی ہے قدرتی طور پر —— وہ چاہے نیک لوگوں میں رہے، چاہے بد لوگوں کی صحبت میں اس کی سرشت کوئی اور رنگ قبول نہیں کرتی۔ بھوک سے مر جائے لیکن عقاب مُردار نہیں کھاتا سر جی —— حرام کی طرف مائل نہیں ہوتا۔"

"میں تمہاری بات اچھی طرح سے سمجھا نہیں امتل —— میں نے کہا۔"

"نیک آدمی کے اندر جھگڑا نہیں ہوتا —— لیکن بند آدمی کے اندر بڑے جھگڑے ہوتے ہیں سرجی —— اس کے اندر بدی کی کشش ہوتی ہے لیکن وہ اپنے آپ کو بدی کی اجازت نہیں دیتا اس کے اندر نیکی موجود نہیں ہوتی لیکن وہ نیکی کیے جاتا ہے کئی بار سوسائٹی کے ڈر سے کبھی کسی چاہنے والے کے خوف سے —— وہ دراصل خود پیمانہ نہیں ہوتا۔ دوسرے لوگوں کی رائے اس کا پیمانہ ہوتا ہے بے چارہ —— کبھی آنکھوں پر پٹی باندھتا ہے۔ کبھی سرپٹ بھاگتا ہے —— کبھی کانوں پر انگلیاں، کبھی منہ پر تالا —— توبہ توبہ سرجی بڑے عذاب میں زندگی گزرتی ہے اس کی —— میرا مطلب ہے سرجی نیک آدمی بدی دل سے کرنا نہیں چاہتا، اس کی بس طبیعت ہی راغب نہیں ہوتی۔ بند آدمی بس کچھ کرنا چاہتا ہے پر خوف سے مفلوج رہتا ہے۔ وہ بھی ایسا ہی تھا وہ شاعر بھی —— " آج ایک بالکل نئی امتل سے متعارف ہونے کا اتفاق ہوا۔

"میں بھی اس کی طرح ہوں —— بائیس ہزار لے جانے والے کی طرح —— ؟" میں نے سوال کیا۔

"بالکل سرجی بالکل، آپ بھی بند ہیں، سیل بند، مُہر بند، دل بند، ہوا بند، آپ کے اندر بھی کوئی روشن دان نہیں۔ آپ کے چوبچہ میں سے بھی کوئی موری نہیں نکلتی سر

جی—— وہ بھی بند کمرہ تھا—— آپ بھی گولک کی طرح بند ہیں۔ ہاں کبھی کبھی کوئی شخص آپ کے اندر گھس کر چور کو ہتھکڑی پہنا دیتا ہے۔ ایسے میں اپنے آپ کو سزا دینے سے آپ بچ جاتے ہیں۔ ورنہ تو—— ورنہ تو——"

میں نے کنکھیوں سے اس کی طرف دیکھا۔ آج میں نے اسے سیمی کے متعلق بس کچھ بتایا تھا اور پہلی بار مجھے لگ رہا تھا کہ وہ اور میں ایک دوسرے کو بالکل نہیں جانتے اور اب جاننے کا وقت نکل گیا ہے۔ تیل اور پانی ہم رہنے کے باوجود ایک دوسرے میں حل ہونے سے قاصر رہے۔ انسان کا بھی خُوب المیہ ہے۔ کبھی کبھی کسی شخص سے پورا ربط بڑھا لینے کے بعد یکدم اسے پتہ چل جاتا ہے کہ وہ تو حل ہونے کے بجائے سطح پر بیٹھا رہا اور ذرا سی چھیڑ چھاڑ سے اوپر آکر کارک کی شکل میں تیرنے لگا۔ ہر انسان کو کسی اور میں حل ہو جانے کی شدید آرزو ہوتی ہے۔ اسی لیے وہ ساری عمر ہم جنسوں، ہم زبانوں، ہم وطنوں، ہم مشربوں میں گھومتا ہے۔ جھانکتا ہے اور رابطے جب بہت بڑھ جاتے ہیں تو ہر رشتے سے ایسی صدائیں آتی ہیں جیسے اندھے کنویں کی سطح سے جا کر خالی ڈول ٹکرائے اور شرمندہ شرمندہ ٹامک ٹوئیاں مارتا ہلکا پھلکا باہر کی طرف نکلنے لگے۔

"یہاں ہم سب کس لیے آتے ہیں سر جی—— صرف مرنے کے لیے ناں؟"

"زندہ رہنے کے لیے بھی امتل۔ زندہ رہنے کے لیے بھی شاید۔"

امتل نے ماتھے پر ان گنت سلوٹیں ڈالیں—— "ناں سر جی۔ آنا صرف مرنے کے لیے ہے—— زندہ رہنا تو ٹائم پاس کرنے کے لیے ہوتا ہے اور ٹائم پاس کرنے کے لیے شادی سے بہتر کوئی مشغلہ نہیں—— جلدی سے عمر کٹ جاتی ہے اور پھر حلال رستہ ہے یہ۔"

"شاید اصلی مقصد اپنے آپ کو تلاش کرنا ہو امتل۔"

"اپنے آپ کو تلاش کرنا بہت مشکل ہے سر جی—— آپ جوان ہیں صحت مند ہیں—— بڑی عزت ہے آپ کی ریڈیو سٹیشن پر۔ آپ سیدھی سیدھی شادی کرا لیں۔ ابھی آپ کا بیلنس ٹھیک نہیں—— دو پٹڑیوں پر گاڑی چلے گی تو بیلنس ٹھیک ہو جائے گا۔"

"تم—— تم مجھ سے شادی کرا لو امتل—— ہم دونوں۔"

یکدم اس کی آنکھوں سے آنسو بے تحاشہ گرنے لگے اور اس کا چہرہ بوڑھی عورت کا ہو گیا وہ بیالیس سے بھی زیادہ کی لگنے لگی۔

"ہم دونوں سرجی؟ —— ہم دونوں؟ میرے جسم کا تو —— ہر قطرہ حرام پر پلا ہے سرجی۔ میں اس لہو سے اب کوئی حلال زادہ پیدا نہیں کر سکتی —— میں —— میں نے کوشش کی تھی ایک بار شادی کی سرجی —— پر —— چھوڑ دیں اس بات کو ،میں شادی کے قابل نہیں ہوں۔"

وہ آنسو پونچھنے لگی۔

"تمہیں کبھی اپنا بیٹا یاد نہیں آتا۔"

"اپنا جو ہوا سرجی —— یاد کیسے نہ آئے؟ پر —— کیا کروں اسے یاد کر کے —— آپ سرجی غلط عورتوں کے پیچھے وقت ضائع نہ کریں۔ آپ کو چاہیے ایک باکرہ لڑکی —— طیب دوشیزہ —— جو آپ کو سیدھا راستہ دکھا سکے ——"

"باکرہ کیوں امتل۔"

"آپ کو عورت کے دل کی تلاش ہے۔ باکرہ لڑکی جو ہوتی ۔ہے سرجی۔ اس کے پتن سے ابھی کسی نے پانی نہیں پیا ہوتا —— وہ جسم اور دل ایک ہی جوئے میں ہارتی ہے۔ آپ کے بڑے احسان ہیں مجھ پر۔ خدا قسم میں اگر پہلے جیسی ہوتی تو فوراً آپ سے شادی کرالیتی۔"

اس وقت وہ کسی مصری راہبہ کی طرح بڑی پُر شوکت لگ رہی تھی۔

"یہ جسم اور دل بڑے بیری ہیں ایک دوسرے کے سرجی۔ جسم روندا جائے تو یہ دل کو بسنے نہیں دیتا۔ دل مٹھی بند رہے تو یہ جسم کی نگری تباہ کر دیتا ہے —— ان دونوں کو کبھی آزادی نصیب نہیں ہوتی۔ اللہ جانے کیوں میرے مولا نے ان کو ایک ہی ہتھکڑی پہنا دی۔ اور پتہ نہیں آپ سے میں کبھی کبھی کیسی باتیں کرنے لگتی ہوں —— میں تو نہیں بولتی سرجی میرا تجربہ بولتا ہے۔ مجھ کو تو باتیں کرنے کا ڈھنگ ہی نہیں۔"

باغ میں شام آگئی —— بہار کی خوشبوؤں سے بوجھل شام۔

ہم دونوں کرگس جاتی کے شودر تھے۔ کوئی بات ہمیں اندر ہی اندر آگاہ کر رہی تھی کہ وہ رابطہ جو اتنی دیر ہمارا بھار اٹھائے رہا اب ٹوٹنے والا ہے۔ اس شام ہم دونوں

نے ایک دوسرے کو اچھی طرح پہچان لیا۔ اسی لیے ہمیں بچھڑنے میں مشکل پیش نہ آئی۔ یہ ایک اور بات ہے کہ اس شام کے بعد ہم پھر نہیں ملے۔ لیکن اگر ہم ملتے بھی رہتے۔ ریڈیو سٹیشن میں سڑکوں پر بازاروں میں تو اس شام کے بعد ہر ملاقات اجنبیوں کی ملاقات ہوتی۔ ہم ایسے ہی ملتے جیسے چیونٹیاں اپنے اپنے رزق کا دانہ منہ میں لیے راستے میں ایک دوسرے سے دعا سلام کرتی ہیں اور پھر اپنی اپنی راہ پر چلی جاتی ہیں۔ نہ کوئی ماضی کی یاد —— نہ کسی فردا کا وعدہ۔

جب ہم دونوں باغ سے نکلے تو امتل نے میرا ہاتھ پکڑ کر کہا —— "بس سرجی اب آپ جائیں۔"

"میں تمہیں گھر چھوڑ کر جاؤں گا۔"

"نہیں سرجی میں چلی جاؤں گی خود ہی۔"

"تمہیں کہیں اور جانا ہے۔"

"ہاں جی۔"

"کہاں؟۔"

"بس پاس ہی سرجی بابا شاہ جمال کے۔"

"میں بھی چلتا ہوں —— تمہارے ساتھ۔"

وہ منہ پرے کر کے بولی —— "ناں سرجی میں ضعیف الاعتقاد عورت ہوں۔ آپ اب گھر جائیں بڑی دیر ہو گئی ہے پہلے ہی —— میں نے آپ کا بڑا وقت ضائع کر دیا ہے۔"

"وہاں کیا دعا مانگو گی امتل سچ سچ بتانا؟۔"

وہ ہونٹ چبا کر بولی —— "شاید کچھ اور دعا مانگوں۔ شاید وہی دعا —— جو بابا تُرت مراد کے مانگی تھی۔"

میں اس کی دعا بھول چکا تھا۔

"کون سی دعا؟۔"

"یہی سرجی —— زندگی تو کسی پیار کرنے والے کے سہارے گزری نہیں۔ اب موت تو کسی پیارے کے ہاتھوں آئے —— موت تو حلال ہو میری۔"

وہ بغیر کسی سلام دعا کے مڑ گئی اور جلدی جلدی سڑک کراس کرنے لگی۔ میں نے اس کے پیچھے جانا چاہا لیکن پہلی بار مجھے اس سے خوف سا آ گیا۔

دوسری صبح میں دیر تک سویا رہا۔ خواب میں رات کو کئی مرتبہ میں نے ذبح کیے ہوئے مرغے، اونٹ اور بکرے دیکھے —— رسی سے بندھے ہوئے جانور آسمان کی طرف منہ کر کے روتے نظر آئے۔ کئی بار میں اٹھا۔ السر میں شدید جلن اور تکلیف تھی۔ پچھلے دن کا سارا فاقہ تھا۔ منہ میں تیزابی کیفیت تھی۔ رات کو اٹھ کر میں نے ٹھنڈا پانی پینا چاہا تو مجھے یوں لگا جیسے نلکے سے فراٹے بھرتا تازہ لہو بہہ رہا ہے۔ سناٹے اور اندھیرے کے باوجود سانڈہ کلاں سے کتوں کے رونے کی آوازیں آ رہی تھیں۔

اعصابی سکون کی گولیاں کھا کر میں بہت دیر میں سویا تو صبح خلاف معمول صولت بھابی مجھے جگانے آئیں۔ پہلے انہوں نے ٹیبل پر چائے کا ٹرے رکھا پھر کرسی سے ٹکرائیں۔ اندر غسل خانے میں جا کر انہوں نے نلکہ چھوڑ دیا۔ پھر اندر کھلنے والی سیڑھیوں پر کھڑی ہو کہ مسعود اور فرید کو ڈانٹتی رہیں۔ جب میں جاگ گیا تو وہ بغل میں اخبار دبائے چائے کے پاس کھڑی تھیں۔

"بڑی خراب خبر ہے آج اخبار میں۔"

میں سمجھا ہندوستان اور پاکستان میں جنگ چھڑ گئی۔

"کیا —— " میں نے حواس مجتمع کر کے سوال کیا۔

"کسی امتل العزیز طوائف کو اس کے بیٹے نے قتل کر دیا کل رات۔"

میں ہڑبڑا کر اٹھا۔

"کون —— کیا —— کس کا قتل ——"

"ایک حرام کھانے والی کا —— اور کس کا۔"

بھابی نے کچھ جواب نہ دیا۔ اخبار میرے بستر پر پھینکا اور سیڑھیوں کی طرف چلی گئیں۔

اخبار میں امتل کی پرانی تصویر چھپی تھی جس میں اس نے دو چوٹیاں کر رکھی تھیں۔ اس کے ساتھ اس کے بیٹے کی تصویر تھی۔ لڑکے کی شکل ماں سے مشابہ تھی۔ وہی نتھنے وہی ہونٹ وہی آنکھیں۔ چوکھٹے کے اوپر جلی حروف میں رقم تھا —— مخبوط

الحواس بیٹے نے غیرت میں آکر ماں کو قتل کر دیا۔

ساری خبر پڑھنے کی ہمت نہ تھی۔ میں نے اخبار تہہ کیا اور اسے عابدہ کے سلیپروں کے پاس جہاں سیمی کا خوشبودار رومال بھی پڑا تھا رکھا دیا۔ پھر میں نیچے گیا۔ مجھے معلوم تھا کہ بھابھی صولت بن کہے بغیر کسی سے پوچھے سارا معاملہ جانتی ہیں۔ وہ باورچی خانے کے سامنے کھڑی اپنے دانتوں کو برش کر رہی تھیں۔

"بھابھی!"

"جی۔"

"آپ میری شادی کا انتظام کر دیں۔"

"بھابھی نے میری طرف دیکھا اور نظریں جھکالیں۔

"لیکن ایک شرط ہے۔"

"وہ کیا؟"

"لڑکی باکرہ ہونی چاہیے۔"

"اچھا۔"

رات کے پچھلے پہر

موت کی آگاہی

جنگل سے ایسی آواز آرہی تھی جیسے تنگ سرنگ میں بڑی رفتار سے ہوا داخل ہو رہی ہو۔

ٹولی ٹولی گروہ در گروہ حلقہ بہ حلقہ موج در موج بھانت بھانت کے پرندے سوکھے تال کے ارد گرد بڑے بڑے چھتنارے درختوں پر جمع تھے۔ بڑے پنکھوں والے پرندے تال کے پاس شامیانوں کی طرح تنے بیٹھے تھے۔ اونچے اونچے ٹیلوں پر جھاڑیوں میں ڈالیوں میں گچھے دار بیلوں میں اڑنے والوں نے بسیرا کر رکھا تھا۔ ہند سندھ سے پرندہ برادری جمع تھی۔ پامیر کی چوٹیوں سے وفد آئے بیٹھے تھے۔ الاسکا سے بھی چند پرندے سیاہ برقعے اوڑھے ہانپ رہے تھے۔ رایو گرینڈ اور برازیل سے لمبی چونچ اور جھبرے پروں والے پرندے فیصلے کے انتظار میں تھے۔

سانپ بھی آج جرأت کر کے ہاتھی ڈوباؤ گھاس میں چھپے بیٹھے تھے۔ لیکن ان کی سائیں سائیں سے گھاس سرسرانے لگا تھا۔ پرندوں میں اس بات کا چرچا تھا کہ دوسرے ست جگ کے آغاز سے پہلے ایک بار ایسا ہی اجلاس ہوا تھا لیکن اس کے بعد پرندوں کی برادری کبھی انبوہ در انبوہ اس طرح اکٹھی نہ ہوئی۔ اس مرتبہ جب تبت کی سطح مرتفع پر پرندوں کا اکٹھ ہوا تھا تو پرندے انسان سے کلی طور پر مایوس ہو کر کسی اور سیارے میں ہجرت کرنے کے لیے اکٹھے ہوئے تھے۔ تب متمدن دنیا پہلی بار تباہ ہوئی تھی۔ انسان نے اپنی مکمل دیوانگی کا ثبوت دے کر اپنی ہی نسل کو دنیا سے مٹانے کی کوشش کی تھی —— نیویارک، ماسکو، پیرس، فرینک فرٹ، لندن جیسے ہزاروں اور ان گنت شہر چشم زون میں راکھ کا ڈھیر بن گئے تھے۔ ساری دنیا پر غبار کا ایک گھومتا غلاف چڑھا تھا۔ آتش فشاں پہاڑ اور انسانی تخلیق کا لاوا ہاتھ میں ہاتھ دیے ہر طرف بہتا تھا۔ دور دور تک کسی براعظم پر سبزے کا نشان نہ تھا۔ ملکوں ملکوں محشر بپا تھا تب سارے پرندے تبت کے مرتفع پر جمع ہوئے تھے اور یوں ہانپ رہے تھے جیسے سب دمے کے مریض ہوں۔

انسان تمدن کی آخری سیڑھی پر پہنچ کر قلابازی کھا گیا تھا۔ اس نے اپنے ہی لوگوں کے لیے ایسے بم ایجاد کیے تھے جن سے نہ صرف انسان ہلاک ہوتا ہے بلکہ عورت کا رحم بچہ بنانے اور مرد کا عضو تناسل بیج بونے سے قاصر رہ جاتا ہے۔ اس نے شہروں پر ایسے بم پھینکے کہ میٹھے پانیوں کے ایٹم پھٹ کر زہر میں تبدیل ہو گئے پھر جس نے اس پانی کو چکھا وہ اولین گھونٹ کے ساتھ جاں بحق ہوا۔ نسل انسانی کے اکادکا پانی کی تلاش میں ننگے بوچے سرگرداں ہوئے۔ ان کی تلاش ایسی تھکا دینے والی تھی کہ قافلے کے لوگ ہر پڑاؤ پر گھٹتے گئے اور پڑاؤ کم ہوتے گئے —— یہ دوسرے ست جگ کے آغاز کا ذکر ہے۔ تب پرندوں نے تبت کی اونچائی پر بیٹھ کر سوچا کہ آؤ یہاں سے پرواز کریں اور کسی ایسے سیارے میں چل کر گھر بنائیں، جہاں انسان کی دیوانگی سے پناہ ملے —— وہ کئی روز تک مشیت ایزدی کے انتظار میں رہے اور ہجرت نہ کر سکے —— حتیٰ کہ ان کا صبر دیکھ کر اللہ کی رضا سے تمام براعظموں پر پھر سے ہاتھی ڈوباؤ گھاس اگ آئی۔ جنگل ہرے بھرے ہو گئے اور تال میٹھے پانیوں سے بھرنے لگے۔

اس وقت دوسری بار اس قدر تعداد میں پرندے جمع تھے اور چپ تھے مسئلہ پھر وہی درپیش تھا جنگل سے ایسی ہوک اٹھ رہی تھی جیسے زرد کھیتوں سے پھیکے چاند کی طرف ٹیٹری کی آواز لپک رہی ہو۔ پھر سیمرغ نے تین بار اپنے تن کی بتی بجھائی اور گویا ہوا۔ "سرخاب تُو غیر جانب دار ہے کھیتوں کھلیانوں کا نگہبان رزق کی خوشخبری دینے والا تجھے خدا کی قسم مختصر الفاظ میں بیان کر کہ اصل وجہ نزاع کیا ہے تاکہ جو نئے مہمان آئے ہیں اصل حالات سے واقف ہوں۔"

سرخاب نے سارا ماجرا مختصر الفاظ میں بیان کیا تو نائجیریا کی چیل ملکہ اُٹھ کر بولی "آقا جو کچھ سرخاب نے کہا ہے درست ہے لیکن ہماری التجا ہے کہ اس بار انسان کا حوالہ درمیان میں نہ آئے۔ وہ سیال ہو یا نقال وہ آئینہ ہو کہ کاربن پیپر۔ اس میں گھٹنے بڑھنے کی صلاحیت چاند سے بھی بڑھ کر ہو ہم کو اس کی تہہ در تہہ سرشت سے کوئی سروکار نہیں۔ ہم کو انسان سے کوئی غرض نہیں۔ ہم جانوروں سے کیڑے مکوڑوں سے اس بحث کو پاک رکھنا چاہتے ہیں۔ ہمیں جل باسیوں کا حوالہ نہ دیا جائے۔ ہم ہواؤں کے مسافر ہیں، اور ہمارا اپنے رب سے معاہدہ ہے کہ ہم صرف رزق حلال کھائیں گے اور سرشت بھر بدی

کریں گے۔ سرشت سے بڑھ کر بدی ہم پر حرام ہو گی اسی لیے آقا جنگلی برادری میں پرندے کبھی بھٹکے نہیں —— لیکن گدھ جاتی آدم خور چیتے کی طرح اپنی سرشت کی حد کو پار کر گئی ہے اور حرام رزق کھانے لگی ہے۔ اس کا سارا دیوانہ پن اسی سے نکلا ہے پیشتر اس کے کہ یہ بھی ہوا باسیوں کو جنگل سے نیست و نابود کر دے اسے جنگل بدر کر دینا چاہیے۔"

گیدڑ نے نہایت ادب سے تین بار ماتھے کو دُم سے چھوا اور بولا —— "شاید پچھلی بار ہم اس نتیجے پر پہنچے تھے کہ باوجودیکہ رزق حرام ہی سے راجہ گدھ میں دیوانگی کے آثار پیدا ہوئے ہیں لیکن مسئلہ دراصل سرشت کا ہے —— اگر راجہ گدھ کی سرشت میں حرام کھانا لکھا ہے تو پھر اس کے لیے حرام گناہ نہیں عین ثواب ہے —— لیکن اگر اس نے اپنی عقل سے رزق حرام کھانا سیکھا ہے تو پھر یہ ضرور اس کے لہو پر اثر انداز ہو گا اور دیوانگی پیدا کرے گا —— طے یہ کرنا ہے کہ کیا رزق حرام گدھ کی سرشت کا حصہ ہے کہ اس کی اپنی تجویز کا ردعمل۔"

اب چیلوں کی ملکہ برافروختہ ہو کر اُٹھی اور بولی —— "دیکھ دوست گیدڑ ہم اللہ کی عطا کردہ سرشت سے جنگ نہیں کر رہے۔ اس جنگل میں جہاں ڈسنے والا سانپ رہتا ہے وہیں مٹی رنگا مینڈک بھی پُھدکتا پھرتا ہے چنگھاڑنے والی شیرنی اور اس کے نرغے سے بھاگنے والی نیلی گائے بھی یہیں رہتی ہے۔ ہم جنگل والوں کا اس بدی سے کوئی بیر نہیں جو ہماری سرشت کا حصہ ہے کیونکہ ہم جانتے ہیں ہماری سرشت میں بدی کا عنصر ابلیس کی تخلیق نہیں۔ روزِ ازل سے بنانے والے نے کسی مصلحت کے پیشِ نظر ہم میں کچھ ایسے وصف رکھے ہیں جو ہمیں تحفظ سے تو آشنا کرتے ہیں لیکن ظلم پر آمادہ نہیں کر سکتے۔ جنگل میں کوئی سانپ سے نہیں لڑتا کہ پھنکارنا ڈسنا اس کی سرشت ہے۔ چیتے سے کسی کا بیر نہیں کیونکہ بنانے والے نے اسے اسی ڈھب سے بنایا ہے لیکن گدھ نے اپنی سرشت خود بدلی ہے۔ پہلے یہ بھی شکار کرنے کو اپنی زندگی کا طرۂ امتیاز سمجھتا تھا۔ پھر اس نے اپنی عقل سے اپنی تجویز سے اپنی سرشت میں ترمیم کی اور حرام کھانے کا مرتکب ہوا، بول اعتراف کر۔ ہم جنّوں، انسانوں، فرشتوں، جانوروں کی سرشت کے خلاف نہیں اس رزق حرام کے خلاف ہیں جو اپنی عقل سے کھایا جاتا ہے جس کی مناہی موجود ہوتی ہے اور

جو زہر بن کر لہو میں پھرتا ہے اور دیوانگی کا باعث ہوتا ہے۔"

ایک سانپ نے اپنے ساتھیوں سے کہا —— "دیکھو یہ ہمارا ذکر ہے یہ موقعہ ہے صفائی کا، کچھ کہہ گزرو۔"

سانپوں کے راجہ نے آہستہ سے جواب دیا —— "چپ رہو پہلے ہی ہم پر بہت بڑا الزام ہے کہ ہم نے اماں حوا کو ورغلایا۔ ان کو سرشت سے زیادہ بدی پر آمادہ کیا۔ حالانکہ ان کے نفس نے انہیں دھوکا دیا۔ ان کی سرشت میں تو پہلے سے سوچ کی دو شکلیں موجود تھیں۔ اگر ان کی سرشت میں شروع سے دو راستے نہ ہوتے تو وہ میری بات کیونکہ مانتیں؟ —— چپ رہو اور یہاں آنے کا راز مت کھولو۔"

سرخاب نے گدھ برادری کو مخاطب کیا اور کڑک کر بولا —— "کیا یہ شانِ عبودیت کے خلاف نہیں کہ کوئی ذی روح اپنی عقل و تجویز سے اپنی سرشت میں نئے رنگ کا اضافہ کرے۔ کائنات کی ہر چیز سے گواہی لے۔ پتھر اس کے حکم سے پہاڑ ہوئے اور کبھی سفر کے مرتکب نہ ہوئے۔ جانوروں کو ان کی جبلت کی پاسبانی میں رہنے کا حکم تھا سودہ رہے —— تو نے انسان کی نقالی کیوں کی کیا یہ تیری کم عقلی نہ تھی کہ تو نے اپنی عقل سے رزق حرام کھایا؟۔"

"تھی —— تھی —— "گدھ نے زمین پر سر رکھ کر کہا۔

تیہو کی ٹولی بھاگنے والی تھی لیکن پاس ہی بیٹھے ہوئے مہرلاٹ نے ہمت دلائی اور کہا —— "ہم کم عقل ہیں آقا ہم کو تو یہی سمجھ نہیں آئی کہ رزق حرام سے دیوانہ پن کیونکر پیدا ہوتا ہے۔ ہم سرشت کی بات تک کیونکر پہنچیں۔"

عقاب کی ٹولی سے ایک پاپائے روم اٹھا —— "سن مہرلاٹ! رزق دو طور کا ہوتا ہے۔ ایک رزق وہ ہے جو جسم کا ایندھن ہے جو روح کی توانائی کا باعث بنتا ہے جیسے پانی خوراک حدت ہوا —— جسم کو پالنے کا وسیلہ ہیں۔ اسی طرح عبادت عشق قربانی روح کی استقامت کی غذا ہیں۔ بتا گدھ جاتی کے راجہ کہ تو نے جسم کا رزق حرام کھایا کہ روح کا —— بتا وہ رزق کون سا تھا جس سے تیرے جرثومہ ٹوٹ کر پاگل پن کا شکار ہوئے؟

اب چیل ملکہ اٹھی اور چلا کر بولی —— "ان بیکار باتوں میں الجھنا تضیع اوقات

ہے۔ فاضل جج جانتا ہے کہ جسم کا رزق بالآخر روح کو لگتا ہے اور روح کا رزق آخر کار جسم کا حصہ ہو کر رہتا ہے۔ رزق حرام چاہے بدنی ہو یا روحی، دیوانہ پن کا باعث ہوتا ہے۔

گیدڑ یہ بات سن کر بہت متاثر ہوا اور تالی بجا کر بولا —— "خُوب چیل ملکہ یہ بات طے ہے کہ رزق چاہے بیرونی ہو یا اندرونی اگر حرام ہے تو ٹوٹ پھوٹ کا باعث بنتا ہے لیکن بات وہیں ہے کہ کیا گدھ اپنی سرشت کے خلاف رزق حرام کھاتا ہے۔"

مہرلاٹ نے پھر سوال کیا —— "یہ کیا بحث ہے رزق حرام کا دیوانگی سے کیا تعلق۔"

شاہین بچے اٹھے اور خفگی سے بولے —— "کیا تو اتنا بھی نہیں جانتا کہ پاک رزق سے لہو میں ایسی مثبت لہریں پیدا ہوتی ہیں، جن سے روح میں کوئی مغائرت پیدا نہیں ہوتی۔ جس وقت حلال رزق پیٹ میں پہنچتا ہے تو انسان رب کی ثنا اور اس کے احکامات کا خود بخود پابند ہو جاتا ہے لیکن جب رزق حرام جسم کے اندر داخل ہوتا ہے تو منفی لہروں کا جال لہو میں پھیل جاتا ہے اور ہر جرثومہ کی زندگی منفی طور پر متاثر ہوتی ہے اور وہ وقت سے پہلے ٹوٹنے لگتا ہے —— اس گدھ سے پوچھا جائے کیا یہ اس حقیقت سے واقف نہ تھا؟

"تھا —— تھا —— تھا ——" راجہ گدھ چلایا۔

چیل برادری سے آواز آئی —— "لمبے بکھیڑوں میں پڑنے سے حاصل؟ ہم جانتے ہیں کہ گدھ پہلے طیب رزق کھاتا تھا۔ پھر یہ اپنی عقل سے حرام کی طرف راغب ہوا ——" تیھو کی ٹولی سے ایک پرندہ اٹھا اور بولا —— "آقا! ہم بحث کو الجھانا نہیں چاہتے صرف یہ جاننا چاہتے ہیں کہ انسان نے اپنی سرشت کیونکر بدلی اور وہ رزق حرام کی طرف کیسے مڑ گیا؟۔"

اب ایک مریل سی بطخ بولی —— "ہم کو پتہ چلا ہے کہ انسان کی سرشت ٹھہرے ہوئے پانیوں کی مانند ہے جس میں ہر قسم کا عکس پڑتا ہے۔ درختوں میں رہے تو درختوں جیسا، پہاڑوں میں رہے تو پہاڑوں جیسا اٹل مضبوط، جانوروں میں بسیرا کرے تو ان ہی کی مانند حیوان —— اچھوں کی صحبت ملے تو فرشتہ، رذیلوں کا رنگ چڑھے تو شیطان!"

نیلی چونچ والا ست رنگا پرندہ اچانک بولا ــــــ "تو انسان سیال ہوا۔ کبھی شیر سا بہادر کبھی اونٹ سا کینہ ور ــــــ کبھی فاختہ کی طرح معصوم کبھی چتے کی طرح چکنا اور کبھی پھول جیسا گل رنگ ــــــ لے یہ تو کوئی بات ہی نہ ہوئی ــــــ لے دے کے انسان تو اردگرد کا پابند ہو گیا۔"

"انسان تلاش ہے ــــــ وحدت کی کثرت میں تلاش۔" ایک طرف سے آواز آئی۔

"نہیں صاحبو انسان تضاد ہے آگ پانی کے میل سے بنا ہے۔"

"آقا! انسان نہ رزق حرام کی وجہ سے دیوانہ ہوا ہے نہ اس طاقت کی وجہ سے جس کا ذکر نجد کی مینا نے کیا تھا۔ بلکہ تضاد کے ہاتھوں دیوانہ ہوا ہے ــــــ دن کے ساتھ رات ہے ــــــ زندگی کے ساتھ موت ــــــ شمال کے مخالف جنوب ــــــ لیکن بیچارے انسان کے اندر ہر وقت نیکی بدی کی جنگ ہوتی رہتی ہے ــــــ اگر اس کے اندر جنگ ساکت ہو گئی تو خدا ہار جائے گا۔"

یہ کفر کے کلمات سن کر سارے پرندے سناٹے میں آئے اور آواز کا تعاقب کرنے لگے۔

"بزدلوں کی طرح بات نہ کر سامنے آ۔"

فاسفورس کی بتی سے آواز آئی۔

ایک چھوٹا سا کھٹ بڑھی باہر نکلا اور زمین چوم کر بولا ــــــ "پہلے آقا انسان کی سرشت میں بدی نہ تھی۔ وہ بھی فرشتوں کی طرح نیک اور آئینے کی طرح پاک تھا۔ لیکن ایک روز ابلیس نے موقعہ پا کر اس میں جھانکا۔ اس لمحے حضرت آدمؑ کے اندر، حق و باطل کی جنگ شروع ہوئی۔ اگر اللہ اپنے اذن سے اس عکس کو نکال دیتا جو آدم کے دل میں پڑ چکا تھا تو بے انصاف کہلاتا۔ اس لیے اس نے ابلیس کو مہلت دی۔ اور انسان کو ترغیب دی کہ وہ اپنا آئینہ صاف کر لے۔ اس وقت سے آج تک حق و باطل کی جنگ جاری ہے۔ جنگ کا میدان انسان ہے ــــــ اللہ کی کل کائنات میں صرف انسان ایسا ہے جو اپنی سرشت بدلنے پر قادر ہے اپنے آئینے کو صاف کر سکتا ہے۔ جیت اللہ کی ہو گی لیکن موقع ابلیس کو برابر کا فراہم کیا جائے گا۔ آپ دیکھتے نہیں آقا اس جنگ کی وجہ سے انسان کی کیا

حالت ہوئی —— اگر وہ دیوانہ ہے تو اس تضاد کے ہاتھوں —— فرزانہ ہے تو اسی تضاد کی وجہ سے۔"

سرخاب اٹھا اور مؤدب لہجے میں بولا —— "آقا یہ بحث لمبی ہے، انسان کی سرشت کو یا تو خدا سمجھتا ہے یا ابلیس.... انسان تو ابھی خود اپنی سرشت کو سمجھ نہیں پایا. تو جانتا ہے کہ انسان کا خمیر نیکی سے اٹھا ہے چور، اچکا ڈاکو بدمعاش ساری عمر بدی کمائے ایک توبہ کے وضو سے اس کی بدی دُھل سکتی ہے۔ بدی اس کے آئینے میں فقط ابلیس کے عکس کی طرح رہتی ہے۔ عکس ڈالنے والا نہ ہو تو آئینہ پاک رہتا ہے لیکن پھر یہ بات لمبی ہے۔"

اتنے میں ایک بوڑھا کوا اٹھا اور کہنے لگا —— "میں انسانوں کے پاس رہا ہوں اور جانتا ہوں کہ ان کی دیوانگی کا ان کی سرشت سے کوئی علاقہ نہیں —— جنگل والوں کا وجود بھی ایک ہوتا ہے اور ان کی سرشت بھی ایک —— لیکن انسان کو خالق نے اس طور پر بنایا ہے کہ اس کا وجود تو ایک ہے لیکن اس کی روح، سائیکی، سرشت، عقل، قلب جانے کیا کیا کچھ کئی رنگ کے ہیں۔ وہ کسی کے ساتھ شیر ہے کسی کے ساتھ بکری، کسی کے ساتھ سانپ بن کر رہتا ہے تو کسی کے لئے کینچوے سے بدتر ہے۔ بدی اور نیکی روزِ ازل سے اس کے اندر دو پانیوں کی طرح رہتی ہیں۔ ساتھ ساتھ ملی جُلی علیحدہ علیحدہ جیسے دل کے تیسرے خانے میں صاف اور گندہ لہو ساتھ ساتھ چلتا ہے —— وہ تو ہمیشہ ڈھلتا ہے ہمیشہ بدلتا ہے کہیں قیام نہیں کہیں قرار نہیں۔ وہ ایک زندگی میں ایک وجود میں ایک عمر میں لاتعداد روحیں ان گنت تجربات اور بے حساب نشوونما کا حامل ہوتا ہے اس لئے افراد مرتے ہیں انسان مسلسل رہتا ہے۔ ہم جنگل والے سیدھے ہیں۔ ہماری سرشت طے ہے۔ ہم اس تہہ در تہہ کو نہیں سمجھ سکتے۔ ہمیں انسان کے پرت کھولنے سے کچھ حاصل نہ ہوگا.... وہ رزق حرام سے دیوانہ ہو کہ تضاد سے، عشق لاحاصل سے کہ تلاش بے سود سے۔ ہم جس کی سرشت کو نہیں سمجھ سکتے اس کی دیوانگی کا بھید ہم پر کیا کُھلے گا —— بہتر ہے کہ ہم اس باب کو بند کر کے صرف راجہ گدھ کے مسئلے پر توجہ دیں۔"

اس وقت ایک مینا اُٹھی اور بولی —— "انسان کے ساتھ میری پہچان بھی پرانی ہے —— اگر تضیع اوقات نہ ہو تو کچھ عرض کروں۔"

چیل ٹولی سے نفی کی آوازیں اٹھیں لیکن سرخاب نے اجازت دے دی۔

مینا گویا ہوئی ——— "میں جانتی ہوں آقا! انسان خود وحدت کی تلاش میں ہے اور وہ اپنی وحدت کو اس لئے تلاش نہیں کر سکتا کہ وہ ساری زندگی آرزوؤں کے جنگل میں سے گزرتا ہے۔ آرزوؤں کے جنگل کی سرشت کا یہ عالم ہے جیسے ایک آئینہ ٹوٹ کر ہر ٹکڑے میں ایک ہی عکس دینے لگے ——— جب انسان ایسے جنگل سے گزرتا ہے آقا تو باوجودیکہ ہر ٹکڑے میں اس کا اپنا عکس ہوتا ہے کن ہزارہا آئینے کے ٹکڑے اسے اپنی وحدت سے ملنے نہیں دیتے۔ اس جنگل کا عجیب شعور ہے۔ یہاں آرزو کی ناکامی ہو کہ آواز کی بار آوری --- کثرت موجود رہتی ہے۔ اسی کثرت کی وجہ سے انسان کبھی اپنی وحدت سے دوچار نہیں ہو سکتا۔

مجھے ایک واقعہ پیش آیا، میں وہ بیان کرتی ہوں، شاید انسان کی سرشت کا کچھ سراغ اس سے لگے۔ آج سے دو ہزار سال پہلے سائپرس کے ملک میں ایک بادشاہ رہتا تھا۔ وہ ہفت اقلیم کا مالک تھا۔ صبح خیزی اس کی عادت تھی۔ گجر دم اپنے براق برق رفتار گھوڑے پر سوار ہوتا اور جنگل کے باسیوں کو ملنے چلا جاتا۔ اسے جانوروں کی بولی سے شغف تھا۔ دن کے وقت وہ راج پاٹ کے کاموں میں بسر کرتا لیکن دوپہر ڈھلتے ہی اپنے گھوڑے پر سوار ہو کر بیابانوں میں نکل جاتا اور پہاڑوں سے گفتگو کرتا رہتا۔ دن ڈھلے گھر آتا تو تھکا ہارا ایک ایسے کمرے میں استراحت کرتا جس کی دیواریں چھت فرش تمام چھوٹے چھوٹے آئینوں سے مزین تھے۔

وہ حسن میں اس قدر لاثانی تھا کہ آدھی رات کو میں نے اس کے بستر کے گرد ملائکہ کو طواف کرتے دیکھا ہے۔ اسے ایک سحر آتا تھا۔ آرزوؤں کی تکمیل کا سحر۔ ادھر خواہش کا بیج اس کے دل میں پڑتا ادھر وہ اس سحر کی بدولت حصول آرزو میں کامیاب ہو جاتا۔

اس کے حرم میں دس ہزار پری جمال دوشیزائیں تھیں۔
اس کے خزانے بارہ سالوں میں بھی نہ دیکھے جا سکتے تھے۔
اسے آنے والے واقعات کا پہلے سے علم ہو جاتا تھا۔
وہ چہرے سے دل کا حال معلوم کرنے میں لاجواب تھا۔

اسے جڑی بوٹیوں کا مکمل علم حاصل تھا۔

لیکن رفتہ رفتہ اس نے اپنے برق رفتار گھوڑے پر سوار ہونا چھوڑ دیا اور سحر خیزی کی عادت ترک کر دی۔ پھر اس نے اپنے براق گھوڑے کو بھی ایک اصطبل کے حوالے کر دیا اور خود اپنے آئینے خانے میں اکیلا رہنے لگا چونکہ میں آئینے خانے میں مثل قطب نما رہتی تھی اس لیے سارا سارا دن اسے ملول دیکھ کر میرا دل پھٹنے لگتا۔ میں اسے دور دراز کے ملکوں میں بسنے والی خوبصورت دوشیزاؤں کے جمال کی باتیں سناتی لیکن وہ کروٹ بدل کر کہتا —— "مجھ سے حسن ناپائیدار کی بات نہ کر مینا۔ کبھی تو نے ایسی عورت دیکھی جو بوڑھی نہ ہوئی؟۔"

میں اس سے دوسرے ملکوں کے عجائبات کی بات کرتی تو وہ کہتا --- "عجائبات وقتی کرشمہ ہیں، ان کو مسلسل دیکھو تو عجائبات نہیں رہتے!"

رفتہ رفتہ وہ ہر طرح کے عیش سے متنفر رہنے لگا۔ ہفتے میں ایک بار جو کی روٹی کھاتا۔ قلیل الطعام، قلیل الانام، قلیل النوم ہو گیا۔ اپنے پر ایسی پابندیوں کا شکنجہ کس لیا کہ اس کی رعایا کا مفلوک الحال فقیر بھی حالت میں اس سے بہتر ہو گیا۔

ایک رات جب پورا چاند چڑھا اور ہر آئینے میں بادشاہ کی صورت منعکس ہوئی۔

میں نے جرأت کر کے اس سے پوچھا —— "اے شاہ! سچ سچ بتا تجھے کیا ہوا ہے؟"

کہنے لگا —— "اے مینا! میں اپنی رنگا رنگی سے اکتا گیا ہوں۔ آرزو کی ناکامی ایک حجاب ہے لیکن آرزو کی بار آوری دوسری قسم کا ایک پردہ ہے۔ میں اپنے میں دو راستے دیکھنا نہیں چاہتا۔ میں اس قدر تنہا ہونا چاہتا ہوں کہ مجھ میں صرف ایک رنگ رہ جائے۔ دیکھتی نہیں کہ میں نے ہر ذی روح کو چھوڑ دیا۔ نباتات، جمادات مجھ سے چھوٹ گئے۔ میں نے بدی کی ساری پنیری اکھاڑ پھینکی تاکہ نیکی کا خاکستری رنگ میری ذات کو ایک رنگ میں رنگ دے۔ میں اپنی تنہائی کی ایسی اکائی تلاش کر رہا ہوں جہاں بنانے والے کو مجھ پر ترس آ جائے گا اور پھر میری وحدت کی بیچارگی کو وہ اپنی وحدت میں سمو لے گا —— میں اپنی وحدت کی تلاش میں ہوں تاکہ اس کی وحدت کو پہچان سکوں جو ہمیشہ تنہا رہتا ہے اور جسے زوال نہیں۔"

دوسری صبح جب اس کا برق رفتار گھوڑا کھڑکی کے پاس آ کر ہنہنایا تو میری آنکھ

کھلی ـــــ وہ مرچکا تھا۔ اس نے اپنے خنجر سے خودکشی کرلی تھی۔ ہر آئینے میں ایک خنجر کا عکس تو موجود تھا لیکن کسی شیشے میں اس صاحب جمال کا عکس نہ تھا۔ اس کی خودکشی ـــــ خودکشی دیوانگی کی دوسری شکل ہے ـــــ کیا اس کی سرشت کی وجہ سے نہ تھی۔ کیا اس دیوانگی کا تعلق اس تلاش سے نہ تھا جو کثرت میں وحدت کی تلاش کرتی ہے؟"

اس وقت چیلوں کے ہراول دستوں میں دھماکہ خیز شور ہوا۔

ایک بوڑھی لقوہ زدہ چیل نے اٹھ کر کہا ـــــ "آقا! ہم ان مباحثوں سے بددل ہو چکے ہیں جو گھوم پھر کر انسان کی سرشت کے گرد گھومتے ہیں۔ تجھ کو اگر انصاف کرنا ہو تو کرو ورنہ ہم چلے ـــــ" تمام گدھ جاتی منقار زیر پر بیٹھے تھے۔

"بول راجہ گدھ ـــــ کیا تجھ پر جو الزام لگا ہے درست ہے۔"

"الزام درست ہے لیکن میں خود نہیں جانتا کہ مجھ میں دیوانگی کے آثار پہلے پیدا ہوئے کہ میں نے رزق حرام کی طرف پہلے قدم اٹھایا ـــــ پتہ نہیں مُردار کھانے سے میری روح ملوث ہوئی کہ میری روح کو گھن لگ چکا تھا اس لیے میں نے رزق حرام کھایا!"

چیل ملکہ چلائی ـــــ "ہم اسے برسوں سے دیکھ رہے ہیں۔ اس کا دیوانہ پن بڑھ رہا ہے ـــــ تو ہمیں باتوں میں نہ بہلا۔ ہم سب جانتے ہیں کہ ایک دن یہ تمام پرندوں کو نیست و نابود کردے گا۔"

گیدڑ نے آگے بڑھ کر دونوں ہاتھ صلح کے انداز میں پھرا کر کہا ـــــ "حضور! یہ بات طے کیجئے کہ کیا راجہ گدھ اپنی سرشت سے مجبور ہو کر رزق حرام کھاتا ہے کہ یہ اس کی اپنی اختراع ہے اپنی عقل کا کرشمہ ـــــ؟"

"راجہ گدھ سے پوچھا جائے ـــــ" فاسفورس کی بتی تین بار بجھی۔

سرخاب نے راجہ گدھ کو مخاطب کرکے پوچھا ـــــ "کیا تو بتا سکتا ہے کہ اولاً تیری سرشت کیا تھی۔"

راجہ گدھ نے خاموشی سے سر جھکا لیا۔

"آقا! یہ اپنی اولین سرشت کو بھول چکا ہے!" گیدڑ نے التجا کی۔

سرخاب نے سخت لہجے میں سوال کیا—— "تو یہ بتا کیا تجھ میں انسان کی طرح تضاد کا خمیر موجود ہے؟"

"نہیں—— فاضل سرخاب نہیں۔"

"کیا عشق لاحاصل کے آب حیات سے تجھے گوندھا گیا؟۔"

"نہیں بڑی شان والے میری سرشت میں عشق کا عرفان شامل نہیں۔"

"تو کیا تو تھکا دینے والی جستجو کا حامل ہے؟ کیا تیری سرشت میں ایسی تلاش ہے جو زمان و مکان سے پرے کھینچتی ہے۔ ایسی تلاش جو کثرت میں وحدت کی متلاشی رہتی ہے۔"

"کیا تو بے نشان منزلوں کی تلاش میں دیوانہ ہوا؟"

"نہیں—— کھلیانوں کے پاسبان ایسے نہیں۔ میری سرشت کو تلاش سے کوئی سروکار نہیں۔"

"پھر یہ بات طے ہے کہ تو مُردار کھانے کے باعث دیوانہ گردانا گیا؟"

"شاید"

فاسفورس کی باطنی روشنی تین بار گل ہوئی اور سیمرغ کی گرجدار آواز آئی—— "راجہ گدھ الزام تجھ پر ثابت ہوا ہی چاہتا ہے۔ تجھے اپنی صفائی میں کچھ کہنا ہو تو کہہ۔"

گدھ مُردار کھاتے ہیں۔

وہ جانے زیست کے کس موڑ پر رزق حرام سے شناسا ہو چکے تھے۔

ان کی اڑانیں شاہین سے بھی زیادہ تھکا دینے والی تھیں۔

گیدڑ نے تالی بجا کر کہا—— "اس کی صفائی میں جو کچھ کہوں گا میں کہوں گا آقا!"

لیکن گدھ نے اپنی گردن زمین پر رکھ کر عرض کی—— "نہیں اپنی صفائی میں جو کہوں گا خود کہوں گا۔"

سرخاب نے زور سے سانس لے کر کہا—— "دیکھ کہ راجہ گدھ کی نوعیت بدل چکی ہے۔ اگر تو کوئی تشفی آمیز جواب دے سکا تو بری الذمہ ہو جائے گا۔ اگر تیرے

جواب سے حاضرین کی تسلی نہ ہو سکی تو تجھے جنگل بدر کا حکم سننا ہو گا۔

بتا بول —— کیا تو نے اپنے ماحول سے خائف ہو کر اپنے آپ کو بدلا؟ —— کیا تو نے انسان کی تقلید میں اپنی سرشت بدلی؟ —— کیا —— وجہ تھی کہ تو اللہ کی دی ہوئی سرشت پر قانع نہ رہا اور مُردار کھانے پر مجبور ہوا؟"

گیدڑ نے راجہ گدھ کو سمجھانے کی بہت کوشش کی۔ لیکن وہ آنکھیں بند کر کے گویا ہوا —— "آقا! میں بھی تمام پرندوں کی طرح یکسر معصوم تھا اور اپنی سرشت بھر نیکی اور بدی کے سہارے زندگی بسر کرتا تھا۔ میرے اندر اپنے متعلق کوئی شبہ موجود تھا نہ اپنے گرد و پیش کے متعلق کوئی تجسس۔ لیکن جس درخت پر بیٹھ کر میں شکار کے لیے نگاہیں دوڑایا کرتا۔ اس کے نیچے ایک جوگی نے آ کر بسیرا کر لیا۔ اس کے تن پر بھبھوت کے علاوہ کوئی لباس نہ تھا۔ رفتہ رفتہ اس کی ڈاڑھی اس قدر لمبی ہو گئی کہ وہ برگد کی جڑوں میں بیٹھا درخت کا ایک حصہ نظر آنے لگا —— وہ سارا دن نگاہیں آسمان پر جمائے دیکھتا رہتا۔ میں اس کی شخصیت سے اس درجہ مغلوب ہوا کہ میں نے اپنی تھکا دینے والی اڑانیں ترک کر دیں اور پہروں اسے دیکھنے کا کسب اختیار کیا۔

ایک روز اس نے مجھے نیچے اترنے کا اشارہ کیا اور ہم دونوں بغیر آواز کے آپس میں باتیں کرنے لگے۔ اب ہمارا معمول ہو گیا کہ ہم دونوں روز کچھ دیر کے لیے یکجا ہوتے۔ وہ مجھے زندگی کے کئی بھید بتاتا اور میں اسے جنگل کی زندگی کے راز سمجھاتا۔ وہ آرزو کے جنگل سے نکل تو آیا تھا لیکن تمام آرزوؤں سے چھٹکارا پا لینے کے بعد اب وہ ابدیت کے خواب دیکھنے لگا تھا۔ وہ خدا کی طرح مستقل ہونا چاہتا تھا۔ ہر صبح جب موت اپنا ترشول لے کر آتی اور برگد کے درخت کے سامنے ترشول پر اپنا سرخ ہاتھ رکھ کر پوچھتی —— چلتا ہے کہ کل آؤں؟ تو جوگی ہنسنے لگتا اور کہتا —— جا اپنا کام کر تُو مجھے کیا مارے گی۔"

جب موت بہت اصرار کرتی تو جوگی کہتا جسم لے جاتی ہے تو لے جا!

موت کچھ اور تقاضے کرتی۔

میں اس کی یہ جنگ روز دیکھتا۔

رفتہ رفتہ موت کے آنے پر جوگی چھپنے لگا۔ جب وہ چلی جاتی تو جوگی مجھے بلاتا۔

ہم دونوں بغیر آواز نکالے گھنٹوں باتیں کرتے۔ ان باتوں میں وہ مجھ سے ہر روز ایک بات ضرور کہتا کہ اس کی روح ہمیشہ رہے گی۔ موت اس کی روح نہیں لے جاسکتی۔

ایک روز صبح کے وقت جب سورج ابھی اچھی طرح دریا سے اشنان کر کے نہ نکلا تھا، جوگی برگد کے درخت سے لٹکا ہوا تھا۔ اس نے برگد کی لٹکتی جڑ سے پھندا لے کر جان موت کے سپرد کردی تھی۔ میں اونچی شاخوں سے اترا اور میں نے اسے اس گرہ سے آزاد کرانے کی کوشش کی۔ میری چونچ اور پنجے گرہ کھولنے میں مصروف تھے۔ جب اس کے لہو کی پتلی سی دھار میرے حلق میں داخل ہوئی۔

آدم زاد کا لہو——!

جوگی درخت سے اپنے بوجھ سمیت زمین پر جاگرا۔ ایسے کہ میری چونچ اس کی گردن میں پیوست تھی۔ اس وقت میری سرشت بدلی آقا! سوائے انسان کے کوئی موت سے خائف نہیں۔ پہلی بار میں موت سے ڈرا—— اس روز کے بعد میں اونچے درختوں پر موت سے چھپ کر رہتا ہوں۔ لیکن موت سے میرا رشتہ کچھ ایسے منسلک ہو گیا ہے کہ میرے جسم میں تمام لہو مُردار جسم سے بنتا ہے میں موت کا دشمن اور موت ہی کا پروردہ ہوں۔"

"پھر؟—— پھر؟——" سارا جنگل گونجا۔

"اس واقعے کے بعد میری آنے والی نسلیں حرام کھانے لگیں۔ میں دریائے نیل کے شمال میں آباد ہو گیا۔ مجھ سے پیدا ہونے والوں میں ایک گروہ ایسا بھی تھا جس میں ایک بھی نر گدھ باقی نہ رہا۔ وشے بھوگ کو انہوں نے شعوری طور پر زندگی سے نکال دیا۔ اس علاقے میں اڑنے والی مادہ گدھ جب بچہ پیدا کرنا چاہتی ہے تو ہوا میں دور تک اڑتی۔ آدھی اڑان میں واپس لوٹتے وقت خود بخود اس کا رحم کھل جاتا اور وہ ہوا سے ایسے بار آور ہوتی جیسے درخت پودے ہوا سے پولن لے کر بار آور ہوتے ہیں۔ ہماری سرشت میں اس کے بعد تبدیلیاں آتی رہیں—— کچھ کا علم ہمیں رہا کچھ تبدیلیوں کو ہم نے اپنی ازلی سرشت کا حصہ سمجھ کر قبول کر لیا۔ حتیٰ کہ ہم پر دیوانگی کے دورے پڑنے لگے۔ ہم اب موت سے گریزاں لیکن موت ہی کی تلاش میں رہتے ہیں۔ مُردار جانوروں سے زندگی کی حدت حاصل کرتے ہیں۔ چرند پرند کوئی موت سے آگاہ نہیں—— صرف

انسان موت سے خائف رہتا ہے—— موت! اس کے لیے ایک حقیقت ہے آقا—— بچپن میں وہ باقی ذی روح کی طرح موت سے آشنا نہیں ہوتا لیکن جوں جوں وقت گزرتا ہے اور اس میں شعور پیدا ہوتا ہے وہ موت سے شناسا ہونے لگتا ہے—— پہلے چھوٹی چھوٹی حقیقتیں کھلتی ہیں ناپائیداری—— بے ثباتی—— تبدیلی—— موسم بدلتا ہے تو وہ اندر ہی اندر ڈرتا ہے—— بچپن گزرتا ہے تو وہ غیر شعوری طور پر بے چین رہتا ہے—— محبوب کا رنگ روپ گہنا جائے تو وہ تلملاتا ہے—— یہ تبدیلی ناپائیداری—— یہ احساس زیاں یہ سب چھوٹی چھوٹی کھڑکیاں ہیں جو ایک منظر کی طرف کھلتی ہیں۔ موت کا گھپ اندھیرا—— فنا کی آخری منزل—— جانور پرندے—— سب آزاد ہیں اس آزار سے—— لیکن انسان اور میری جاتی کے لوگ صدیوں سے دیوانے ہیں آقا—— صدیوں سے—— اور اسی آگاہی کی وجہ سے انسان دیوانہ ہے۔ وہ چھوٹی سی ناپائیدار زندگی میں ہمیشہ کی بقا چاہتا ہے—— کیا اس احساس کے ساتھ کوئی دیوانے پن سے بچ سکتا ہے——"

سارے میں خاموشی چھا گئی۔

گیدڑ نے دم ہلائی اور فخر سے بولا—— "آقا! اب بات واضح ہے۔ موت کا احساس انسان اور گدھ کی سرشت کا حصہ ہے جو فیصلے رب اور اس کی مخلوق کے درمیان ہوں ان فیصلوں پر ہم قادر نہیں۔ موت سے آگاہی کا مسئلہ گدھ اور اس کے رب کے درمیان ہے۔ ہم کو اس جھنجھٹ میں نہیں پڑنا چاہئے کون جانے اصلی مسئلہ کیا ہے۔"

"لیکن یہ آگاہی—— یہ احساس اولاً اس کی سرشت میں نہ تھا——؟"

راجہ گدھ نے پرنام کے انداز میں پر جوڑے اور بولا—— "چیل جاتی کی ملکہ! دیکھ تو اپنے آپ کو شانت رکھ! اور میرے رب اور اس کی بنائی ہوئی سرشت کو سمجھنے کی کوشش نہ کر—— ہم تو خود ہجرت کرنے والوں میں ہیں۔ ہمارے لیے قیام اور سفر میں فرق نہیں لیکن جانے سے پہلے ہمیں کچھ عرض کرنا ہے۔"

گیدڑ نے اونچے اونچے رو کر کہا—— "یہ تو کیا کر رہا ہے راجہ گدھ!"

راجہ گدھ نے نظریں جھکا کر جواب دیا—— "آقا! ہم جا رہے ہیں، ہرے بھرے جنگلوں کو چھوڑ کر اجڑے بنجر علاقوں کی طرف، لیکن ایک غلط فہمی میں مت

رہنا ـــــ دیوانگی دو طور کی ہوتی ہے ـــــ ایک دیوانہ پن وہ ہوتا ہے جس کی مختلف وجوہات یہاں بیان کی گئیں ـــــ جن کی وجہ سے حواس مختل ہو جاتے ہیں اور انسان کائنات کی ارذل ترین مخلوق بن جاتا ہے ـــــ لیکن ایک دیوانگی وہ بھی ہے جو انسان کو ارفع و اعلیٰ بلندیوں کی طرف یوں کھینچتی ہے جیسے آندھی میں تنکا اوپر اٹھتا ہے ـــــ پھر وہ عام لوگوں سے کٹتا جاتا ہے ـــــ دیکھنے والے اسے دیوانہ سمجھتے ہیں۔ لیکن وہ اوپر اوپر اور اوپر چلتا جاتا ہے ـــــ حتیٰ کہ عرفان کی آخری منزلیں طے کرتا ہے ـــــ عام لوگ اسے بھی پاگل سمجھتے ہیں ـــــ لیکن انسان جب بھی ترقی کرتا ہے پاگل ہوتا ہے ـــــ اس وقت وہ ایسے زہر آگیں بم بنا رہا ہے جن سے یہ کرہ زمین تباہ ہو سکتی ہے ـــــ یہ اس کے دیوانے پن کی دلیل ہے ـــــ لیکن جب اس کرہ ارض کو بچانے کی ضرورت آئے گی۔ تب بھی ایک مقدس دیوانہ آئے گا ـــــ کاش ملکہ چیل کو میرے دیوانے پن پر اس قدر اعتراض نہ ہوتا تو ہم پرندوں کے لیے نئی سمتیں، نئے دروازے ـــــ نئی جہتیں کھول دیتے۔ ہمارا دیوانہ پن بھی عرفان کی ایک شکل ہے ـــــ"

راجہ گدھ نے اپنی برادری کو حکم دیا اور وہ چپ چاپ پرے باندھ کر جنگل سے نکل گئے۔ آہستہ آہستہ تمام پرندے جنگل سے کھسکنے لگے۔ برگد کے درخت میں روشنی نہ رہی۔ صرف دیر تک چیل برادری کے لوگ چپ چاپ تال میں بیٹھے رہے اور ہاتھی ڈوباؤ گھاس سے سانپوں کی سائیں سائیں فیڈ بیک ہوتی رہی۔

بظاہر امتل کی موت کا مجھ پر کوئی اثر نہ ہوا لیکن دفتری کام کرنے کی ـــــ اہلیت اچانک مجھ میں نہ رہی اور میں نے دفتر سے چھٹی لے لی۔ ادھر بھابھی صولت میرے لیے لڑکی تلاش کرنے میں مصروف تھیں۔ ادھر میں کمرے اور کوٹھے کی چھت پر گھومتا رہتا۔ بے مصرف بے ارادہ جاگتے میں سونا اور سوتے میں چوکس رہنا میرا معمول ہو گیا۔ پہلے مجھے انہماک سے کتابیں پڑھنے کی عادت تھی۔ اب مطالعہ عبث خیالات کے ہیر پھیر کا باعث ہوتا۔ پہلے میں نے کئی ناول شروع کیے لیکن تعجیل کی وجہ سے میں آخری

صفحے پہلے پڑھ لیتا، پھر باقی ناول پڑھنے میں لطف باقی نہ رہتا۔ سیاست، سوشیالوجی اور سائیکلوجی کی کتابیں دلچسپ تھیں لیکن ان کے مطالعے میں دماغی توجہ کو دوڑنے پھرنے کی مہلت نہ ملتی ——— ایک ایک جملہ کئی کئی بار پڑھنا پڑتا۔ پھر کچھ عرصہ میں نے جاسوسی کہانیوں، سائنس فکشن پر بسر کیا۔ ان کی طلسماتی فضا بھی موافق نہ آئی۔ جنس اور شادی شدہ محبت کے متعلق کتابوں سے بازار بھرے پڑے تھے۔ ان کتابوں میں وہی بات بار بار دوہرائی جاتی تھی جس کی وجہ سے دو چار کتابوں کے بعد دلچسپی کا گراف گرنے لگا۔ سفرنامے اور یادداشتیں وقت کٹی کا باعث ہوتیں۔ اگر میں موجود رہ سکتا۔ مطالعے میں جو سب سے بڑی مشکل درپیش تھی وہ یہی تھی کہ کاغذ کی سطح پر الفاظ کے ساتھ ساتھ واقعات، چہرے، کیفیات، باتیں حتیٰ کہ خوشبوئیں بھی تیرنے لگتیں۔ دماغ کہیں کا کہیں بھٹک جاتا اور ایک ایک صفحہ کئی کئی گھنٹوں میں ختم ہوتا۔

کتابوں کی پناہ جب تمام وجود کو مرکز پر لانے سے قاصر رہتی تو میں اٹھ کر باہر شہ نشین پر جا بیٹھتا۔ کبھی کبھی آسمان کو تکتے مجھے آدھی رات ہو جاتی۔ چاند راتوں میں مجھے لگتا جیسے میں ثقل مہتاب کے ساتھ اوپر کی طرف اٹھ رہا ہوں ——— بالکل سمندر کی لہروں جیسی بیتابی مجھ میں پیدا ہو جاتی۔ چاند کی روشنی میرے وجود میں شبنم کی طرح اترتی اور میں محسوس کرتا کہ میرا جسم پتھر کی طرح ٹھنڈا رہنے لگا ہے۔ ایسے میں بار بار اپنے ہاتھ پاؤں دیکھتا۔ اس روشنی میں مجھے اپنے جسم پر قلعی کیے ہوئے برتن کا شبہ ہوتا۔ میری آرزو ہوتی کہ میں کسی سارس کی طرح پہروں ایک ہی ٹانگ پر کھڑا رہوں چپ چاپ!

جسمانی طور پر بھی میں نارمل نہ رہا تھا۔ سارا منہ کڑوا رہتا اور زبان پر کتھئی رنگ کا لیپ چڑھا نظر آتا۔ دن کے وقت میں ڈاکٹر کی ہدایات کے مطابق تھوڑے تھوڑے وقفے کے بعد کچھ نہ کچھ کھانے کی کوشش کرتا لیکن سہ پہر کے قریب ایک غبار سا دماغ کو چڑھنے لگتا۔ پہلے معدے میں جلن شروع ہوتی۔ پھر جلن کا غبار بن کر سینے میں اوپر کی طرف اٹھنے لگتا۔ مجھے محسوس ہوتا کہ تھوڑی دیر بعد میرا دل بند ہو جائے گا۔ کئی گولیاں اور مکسچر میرے پاس جمع ہو گئے تھے۔ اصلی دورہ رات کو ایک اور تین کے درمیانی وقفہ میں شروع ہوتا۔ اس وقت میرے ہاتھ پاؤں میں پہلے چیونٹیاں سی چلتیں، بعد میں سارے جسم پر لرزہ طاری ہو جاتا۔ اس لرزے کی وجہ سے میں خوف زدہ رہتا۔

دن کے وقت بھی مجھے اس لرزنے کا ڈر متوحش کرنے کو کافی تھا۔ میری آنکھیں اندر کو دھنس گئی تھیں اور کان باہر کو نکلے ہوئے دکھائی پڑتے تھے۔ ہاتھوں کو دیکھتے رہنا میرا محبوب مشغلہ تھا۔ ان کا کھردرا پن، ہیئت، ناخن، ہاتھوں کی لکیریں میری دلچسپی کا باعث تھیں۔ السر کی تکلیف کے باعث میں بار بار ڈاکٹر سے ملتا۔ ایک ڈاکٹر تسلی بخش ثابت نہ ہوتا تو پھر کسی اور ماہر کے پاس منتقل ہو جاتا حالانکہ میرے اندر غالباً یہ آرزو تھی کہیں میں ٹھیک نہ ہو جاؤں۔ میں Anxiety اور Withdrawal کی وجہ سے کبھی دوست نہ بنا سکا۔ کالج کے دوست تو چھوٹ ہی چکے تھے۔ اب ریڈیو سٹیشن سے بھی کوئی ملنے آجاتا تو میں یہ بہانہ بنا دیتا کہ میں گھر پر نہیں ہوں—— اندر سے یوں بنج ہو چکا تھا جیسے کنوئیں میں اُگے ہوئے خودرو پودے——

اول تو میں ساری رات جاگ کر گزارنے کا خواہش مند رہتا لیکن اگر ڈاکٹر کی دی ہوئی خواب آور دوائیوں سے نیند آجاتی تو اچانک پسینے میں شرابور آدھی رات کو آنکھ کھل جاتی۔ جونہی آنکھ کھلتی مجھے محسوس ہوتا جیسے کمرے میں کاربن ڈائی آکسائیڈ کی زیادتی ہے اور میں آنسو گیس کے دھوئیں میں مبتلا ہوں۔ ایسے میں میرے پھیپھڑے شدید گھٹن محسوس کرتے لیکن مجھے کھانسی نہ آتی فقط حلق کا پردہ بند ہونے لگتا۔ میرا منہ ایسے سوکھ جاتا جیسے میں صحرائے گوبی میں سفر کر رہا ہوں۔ ہڑبڑا کر میں بستر چھوڑ دیتا۔ گرمیوں کا آغاز تھا نلکے کے نیچے سر رکھ کر میں پانی کھول دیتا۔ جب ٹھنڈے پانی کی جھلار سے کچھ افاقہ ہوتا تو پھر میں باہر کوٹھے پر جا کر شہ نشین پر جا بیٹھتا۔ یہاں بھیگے سر کی وجہ سے ایک بار ہلہلا کر تھرتھری چھوٹ جاتی۔ ایسا لرزہ طاری ہوتا کہ پاؤں کے انگوٹھے تک کانپتے نظر آتے کبھی کبھی میرا جی چاہتا کہ میں نیچے جا کر صولت بھابھی سے اپنی حالت کہوں اور پھر ان کے گلے لگ کر اونچے اونچے رونے لگوں—— لیکن بھابھی صولت اور بھائی مختار گڈی کاغذ میں لپٹے رہتے تھے، ایسے کہ نظر تو آتے لیکن ان تک رسائی نہ ہو سکتی۔

نیند کا وقفہ گو کم تھا لیکن اس میں آنے والے خواب لاتعداد تھے۔ خوابوں میں نہ کبھی سیمی نظر آئی نہ عابدہ نہ امتل—— بلکہ ایسی انجانی لڑکیاں جو کبھی کبھار ریڈیو سٹیشن پر نظر آتی تھیں۔ جب بھی کوئی لڑکی مجھے خواب میں دکھائی دی اس کا دہن ہمیشہ پھٹا ہوا ہوتا جیسے ہاتھ ڈال کر مچھلی کے گلپھڑے نکال لیے جائیں۔ ایسے ہی ہر لڑکی کی

زبان دانتوں کے اندر سے نظر آتی۔ بے آباد ریگستان اور ریگستانوں میں گھومنے والا چھوٹا سا خرگوش، بمباری سے تباہ شہراور شہر میں بجنے والا اکلوتا سائرن —— اندھے کنویں میں مصلوب کتا —— بنجر زمین میں مری ہوئی ویل مچھلی، بغیر پائیلٹ کے اڑنے والا جہاز —— پانیوں کے بغیر کُھدی ہوئی نہریں —— انسانی ڈھانچے قبروں کے اندر اور باہر، ٹن ٹنا ٹن ٹوٹنے والے برتن —— اور ان سب خوابوں میں ہر جگہ خاکی براؤن گدھ —— چپ چاپ دم سادھے —— شانت پرانت —— ٹولی در ٹولی ہجرت کرتے ہوئے، جنگل سے کوچ کرتے ہوئے۔

جاگنے کا سماں سونے کے وقت سے بھی نرالا تھا۔

صبح شیو کرتے وقت مجھے اپنی شکل یوں نظر آتی جیسے روشنی کی سفید کرن طیف منشوری میں سے نکل کر سات رنگوں میں بدل جاتی۔ سادہ شیشے میں میری شکل کئی شکلوں میں منتقل ہو جاتی۔ کسی عکس میں مونچھ غائب ہوتی کسی حصے میں بابر بادشاہ جیسی ڈاڑھی نظر آتی۔ کبھی کبھی اوپر والے ہونٹ پر لپ سٹک کا لیپ ہوتا۔ ناک میں چھوٹی سی نتھنی ہوتی۔ کبھی کسی چہرے کی آنکھیں غائب ہوتیں۔ آئینے میں نظر آنے والی صورتوں سے میں خوفزدہ ہو جاتا۔ پھر میں الماری کھول کر اندر دیکھتا مجھے یقین تھا کہ الماری میں ٹرنک کے اندر گدے کے نیچے مجھ سے مشابہ کئی بونے رہتے ہیں اور کسی دن مجھے اکیلا پا کر وہ مجھ پر اچانک حملہ آور ہو جائیں گے۔

چونکہ میرا دن زیادہ تر گھر پہ گزرتا اس لیے لوگوں سے ملاقات نہ ہو سکتی۔ اسی دوران ایک دو خط ڈاکٹر سہیل کے آئے۔ وہ امریکہ میں دھڑادھڑ تجربات، علمی وسعت اور مغربی کلچر سیکھ رہا تھا۔ اس کے ایک خط میں درج تھا کہ وہ ایک ٹاپلس بار پر گیا۔ لیکن ایسی جگہیں اتنی ہلا دینے والی ہوتی ہیں کہ دوبارہ جانے کی ہمت نہیں ہوتی۔ مجھے وہاں کے کلچر اور اپنے کلچر کے تقابل میں کوئی دلچسپی نہ تھی۔ امریکہ اخلاقی طور پر تنزل کی طرف راغب تھا کہ سائنسی اعتبار سے عروج کی جانب۔ مجھے کسی ملک کسی مذہب کسی انسان کے عروج اور زوال کی پروا نہ تھی۔ میں نے پہلے پروفیسر سہیل کو خط لکھنے چاہے لیکن اب میں سہیل کے مشوروں سے آگے نکل گیا تھا۔ امتل کے مرنے کے تیسرے روز بعد مجھے آفتاب کا خط بھی ملا۔ لیکن چونکہ اس میں کوئی پتہ درج نہ تھا اس لئے میں جواب دینے

کے فرض سے آزاد ہو گیا۔ ہاں یہ بات اس میں قابل ذکر تھی۔

"میرا خیال تھا تم سیمی کے بہت قریب ہو۔ لیکن سیمی کے بعد تم نے بھی مجھے خط نہیں لکھا—— کیا بات ہے؟ کیا وطن میں کسی کو بھی پروا نہ تھی—— وہ کیسے مری؟—— کیوں مری—— تمہیں تو معلوم ہو گا؟"

کئی دن میں یہ خط پڑھتا رہا۔ میں نے جواب بھی لکھا۔ لیکن پھر مجھے محسوس ہوا جیسے آفتاب نے جان بوجھ کر مجھے ایڈریس نہیں لکھا۔ وہ میرے خط کا منتظر نہ تھا۔ شاید اسے سیمی کے متعلق درست انفرمیشن بھی درکار نہ تھی۔

تنہائی، بیماری، غم خوری اور بے اعتدال عادتوں کے باعث میں جلد کسی ہسپتال میں پہنچ جاتا اگر بھابھی صولت میرے لیے ایک لڑکی تلاش نہ کر لیتی۔ اس روز اچانک آسمان ابر آلود ہو گیا۔ سارے آسمان پر بھاری پستانوں کی شکل کے گول گول بادل چھائے تھے۔ آسمان مائیکل اینجلو کی بنائی ہوئی تصویر نظر آتا تھا۔ میں شہ نشین پر بیٹھا تعجب سے آسمان کے ان ہی بادلوں میں حلول کرنے کی کوشش کر رہا تھا۔ جب بھابھی صولت اوپر آئیں۔ وہ مجھ سے چند قدم کے فاصلے پر رک گئیں۔

"قیوم!۔"

"جی—— ؟——"

"اوپر کیا دیکھ رہے ہو؟۔"

"بادل دیکھ رہا تھا۔" میں نے نظریں جھکا کر کہا۔

"تمہارے لئے میں نے لڑکی تلاش کر لی ہے۔"

"میں عابدہ کی بہن سے شادی نہیں کروں گا۔"

"نہیں بھئی—— وہ نہیں یہ اور—— ہے۔"

وہ شہ نشین پر پہلی مرتبہ میرے قریب بیٹھ گئیں—— "ستاروں نے بھی اسے بے نقاب نہیں دیکھا۔ صوم و صلوٰۃ کی پابند... سلائی کڑھائی اچھی—— کھانا پکانا جانتی ہے۔ بڑے اچھے لوگ ہیں۔"

"آپ تسلی کر لیں۔"

"بالکل باکرہ باعصمت لڑکی ہے۔ جیسی تمہیں درکار ہے بالکل ویسی۔"

پہلی مرتبہ میں نے جرأت کر کے پوچھا ——— "آپ کو کیا معلوم ہے کہ مجھے کیسی لڑکی چاہئے۔"

بھابھی نے میرے کندھے پر ہاتھ رکھ کر کہا ——— "مجھے معلوم ہے ناں ——— تم چاہتے ہو کہ.... کہ تمہیں ایسی لڑکی ملے جو پہلی نظر میں تمہاری ہو جائے۔ ہے نا؟"

میری آنکھوں میں آنسو آ گئے۔

"جی ایسی ——— کہاں ———!"

"بس وہ ڈبے میں پیک ہے پوری طرح ——— تم ہی اس کا ربن کھولو گے پہلی بار۔"

میں چپ ہو گیا۔

"کوئی فکر نہ کرو قیوم وہ خوب صورت بھی بہت ہے۔ پڑھی لکھی تو خیر زیادہ نہیں لیکن خوبصورت بہت ہے۔"

مجھے سردست خوبصورت لڑکی میں کوئی دلچسپی نہ تھی۔ میں نے نگاہیں آسمان پر جمالیں۔ وہاں بڑے بڑے مدور پستانوں جیسے بادل ساکت کھڑے تھے۔ مجھے یوں لگا جیسے ابھی ان میں سے دودھ برسنے لگے گا۔

"مجھے افسوس ہے۔"

"کس بات کا بھابھی؟۔"

"ہر بات کا ——— اماں جی کی موت کا ——— ابا جی کے پاگل پن کا.... اور.... اور....."

ہم دونوں نے ایک دوسرے سے منہ پھیر لیا اور وہ چپ چاپ نیچے چلی گئی۔

میری نظروں میں چندرا گھوم گیا۔

ہمارے گاؤں کو مکمل طور پر کلر کھا گیا تھا۔ آخری بار جب بھائی مختار ابا سے ملنے گئے تو انہوں نے مجھے بھی ساتھ چلنے کو کہا ——— لیکن میں آخری بار ابا سے مل چکا تھا۔ مجھے معلوم تھا کہ ابا حویلی چھوڑ کر کبھی لاہور نہیں آئے گا۔ پھر بھی میرے اندر ہی اندر کہیں آرزو تھی، کہ ابا لاہور آ جائے۔ مجھے وہ ماں کی آخری نشانی لگتا تھا۔ میں بھائی مختار

کی آمدورفت میں قطعی کوئی دلچسپی نہیں لیتا۔ لیکن جس روز انہیں شیخوپورہ سے واپس آنا تھا، میں ایک موہوم امید کے ساتھ ریلوے سٹیشن پر پہنچا۔ وہ گاڑی سے اترے۔ ابا ان کے ساتھ نہیں تھا۔ مجھے سٹیشن پر پا کر لمحہ بھر کو ان کی آنکھوں میں حیرانی آئی اور پھر انہوں نے مجھے بیگ ایسے پکڑا دیا، جیسے انہیں اسٹیشن پر لینے جانا میرا معمول ہی ہو۔

ہم دونوں چپ چاپ ٹیکسی میں بیٹھ گئے۔ مجھے کچھ پوچھنے کی ہمت نہ تھی۔ وہ کچھ بھی بتانے پر رضامند نہ تھے۔ سارا راستہ میں شیشے سے باہر دیکھتا رہا اور وہ سیٹ کی پشت سے سر لگائے آنکھیں بند کیے اصل موضوع سے گریزاں رہے۔ جب ہم دونوں کرشن نگر کی حدود سے آگے کھیتوں کھلیانوں والے حصے میں پہنچے تو میں نے ڈرتے ڈرتے بھائی مختار پر نظر ڈالی۔

"گاؤں کیسا تھا؟"

انہوں نے بغیر آنکھیں کھولے کہا —— "اب گاؤں کہاں؟ لوگ سب چلے گئے ڈھورڈنگر مر کھپ گئے۔ مکان تقریباً سب گر گئے۔ کنوئیں تال سب کھاری پانی سے بھر گئے گاؤں اب کہاں؟"

"اور ابا؟"

"مختار بھائی چپ ہو گئے۔"

"ابا کو ساتھ نہیں لائے آپ۔"

"وہ نہیں آسکتا اب۔"

"کیوں؟ ——" میرا دل دھڑکنے لگا۔

پہلی بار بھائی مختار نے اتنی لمبی بات کی —— "جس روز میں رات کو پہنچا ہوں۔ وہ اوپر والے چوبارے پر کھڑا تھا۔ میں بھی اوپر چلا گیا۔ اس نے مجھے پہچانا نہیں —— میں پاس گیا —— سلام کیا —— ابا بولا —— چلو میں تیار ہوں۔ اتنی دیر کیوں لگائی۔ میں تو ہر روز تمہاری راہ دیکھتا تھا۔ پھر ابا اتنی تیزی سے نیچے اترا کہ میں حیران رہ گیا۔ چلو —— "سیڑھیوں سے اتر کر میں نے کہا۔ اب کل چلیں گے ابا۔ آج تو نہیں جا سکتے ناں۔ کل شیخوپورہ سے روانہ ہوں گے۔ یہ بات سن کر اس نے مجھے غور سے دیکھا۔ دیکھتا رہا اور اچھا اچھا کہتا رہا۔ بہت دیر کے بعد دیوار کے ساتھ لگ کر بولا۔ لیکن

میں شیخوپورہ تو جانا نہیں چاہتا، مجھے وہاں کیوں لے جانا چاہتے ہو؟ تم مختار کی ماں کے پاس سے نہیں آئے؟ —— نہیں ابا لاہور چلیں گے —— میں نے جواب دیا۔ وہ چپ ہو گیا اور جیسے کچھ سوچتے ہوئے بولا —— کون ہو تم؟ —— جب میں نے اپنے باپ سے اپنا تعارف کرایا تو اس نے کہا۔ اچھا میں کچھ اور ہی سمجھا تھا۔ تم وہ نہیں ہو جس کا مجھے انتظار ہے۔"

ڈرتے ڈرتے میں نے سوال کیا —— "اسے کس کا انتظار ہے مختار بھائی۔"

"وہ..... وہ موت کا انتظار کر رہا تھا۔ شاید جس روز سے وہ پیدا ہوا ہے اسی روز سے اسے موت کا انتظار ہے۔ لیکن.... اب وہ مزید برداشت نہیں کر سکتا۔ رات کو میں اسے مناتا رہا کہ وہ ساتھ لاہور چلا آئے لیکن وہ بولا نہیں بس چپ چاپ چھت کی طرف دیکھتا رہا۔ صبح میں اٹھا تو وہ اپنے پلنگ پر نہیں تھا۔

"کہاں گیا؟"

"پتہ نہیں —— تین دن مسلسل میں اس کی تلاش کرتا رہا لیکن وہ مجھے کہیں نہیں ملا۔ شاید —— وہ اب اور انتظار نہیں کر سکتا۔ یا شاید وہ کہیں چلا گیا ہے، سڑکوں پر مزاروں پر —— بازاروں میں —— ایسے لوگ ہوتے ہیں ناں قیوم۔"

بھائی مختار خاموش ہو گئے۔ ہم سانده کلاں کی حدود میں داخل ہو چکے تھے۔ ہم دونوں میں جو سانجھا رشتہ تھا۔ تین دن کی مسلسل کوشش کے باوجود اسی رسی کو وہ ساتھ نہ لا سکا جس پر چل کر ہم نٹ بازی گروں کی طرح ایک دوسرے کی طرف بڑھ سکتے تھے۔ ابا شاید ان لوگوں میں سے تھا جو ساری عمر موت سے محبت کرتے ہیں۔ انہیں زندگی سے اگر پیار بھی ہوتا تو وقتی —— موت ہی کی کشش انہیں زندہ رہنے پر مجبور کرتی ہے!

میں اور بھابھی صولت خاموشی سے ٹیکسی میں بیٹھے رہے۔ موچی دروازے کے باہر جہاں مونگ پھلی چلغوزے اور دیگر ڈرائی فروٹ کی دوکانیں ہیں۔ بھٹیارے بھنے ہوئے چنے پھلیاں تھوک کے بھاؤ بیچتے ہیں۔ یہاں ہم نے ٹیکسی چھوڑ دی اور پیدل چل دیئے —— گرمیوں میں یہ بازار باہر کی نسبت بہت ٹھنڈا تھا۔ اس بازار کی اشیاء لوگ

اور بولی سن کر لگتا تھا جیسے ہم کسی قصباتی علاقے میں آ گئے ہیں۔ چھوٹی اینٹوں کے مکان تین تین منزلہ اوپر کو نکلے تھے اور یوں لگتا تھا جیسے اوپر جا کر ان کے ماتھے آپس میں مل جائیں گے۔

اچار والوں کی دوکان کے پاس سے جہاں سامنے ہی پتنگوں والے نے بڑے بڑے قد آدم پتنگ سجا رکھے تھے ہم ایک بغلی گلی میں مڑ گئے۔ یہاں ہی اس گلی میں روشن کا مکان تھا۔ یہ مکان ضرور غدر سے پہلے تعمیر ہوا ہو گا۔ اس کے چھجے شہ نشین کھڑکیاں، اندر داخل ہونے والا دروازہ سب علی بابا کے عہد کی چیزیں تھیں۔ اندر مکان کے فرشوں میں کالی سیاہ شطرنجی بچھی تھی۔ جس کمرے میں ہمیں بٹھایا گیا وہ بیک وقت بیٹھک، آفس اور مہمان خانہ تھا۔ ایک کونے میں ہرا ٹیبل فین پڑا تھا۔ جو ہماری آمد سے لے کر ہماری رخصتی تک بہت کوشش کے باوجود ایک بار بھی نہ چلا۔ صوفوں پر سفید چادروں اور پلنگ پر کڑھائی سے اٹا ہوا لیس لگا پلنگ پوش بچھا تھا۔

ہماری آمد کے بعد روشن کی ماں آئی۔ ماں کے بعد روشن کی دو چھوٹی بہنیں، دو ممانیاں اور پھر ایک پھوپھی آ کر بیٹھ گئی۔ اس کے بعد مرد آنے شروع ہوئے۔ آہستہ آہستہ کمرے میں کوئی ایسی جگہ نہ تھی جس پر کوئی بیٹھا نہ تھا۔ میزوں پر کوکا کولا، پھل، موچی دروازے کی خاص مٹھائی، شامی کباب اور جانے کیا کیا سجا دیا گیا۔ وہ تمام لوگ نروس ہونے کی وجہ سے خاموش تھے۔ صرف گلبرگ میں بیاہی ہوئی ایک پھوپھی اپنے رتبے کے اعتبار سے بات چیت کرتی رہی۔

"آپ ریڈیو سٹیشن پر کام کرتے ہیں ناں؟ ——" پھوپھی نے سوال کیا۔

"جی ——"

"آج کل چھٹی پر ہیں ان کی طبیعت کچھ ٹھیک نہیں آج کل ——" بھابھی صولت نے میری طرف سے جواب دیا۔

"آپ حامد صاحب کو جانتے ہیں؟"

"کون سے حامد صاحب۔"

"وہ میرے شوہر کے کزن ہیں۔ ریڈیو سٹیشن پر انجینئر ہیں۔"

مجھے چھوٹے سے قد کے سیاہی بکری جیسے حامد صاحب یاد آ گئے۔

"جی جانتا ہوں۔"

"ذکی صاحب کے گھر بھی آنا جانا ہے ہمارا۔"

"کون ذکی صاحب ——؟" میں نے سوال کیا۔

"وہ ڈراموں میں کام کرتے ہیں۔ بڑی مزاحیہ طبیعت ہے ان کی —— میرے بچے انہیں بہت پسند کرتے ہیں۔ جب بھی ہمارے گھر میں کوئی فنکشن ہوتا ہے وہ ضرور آتے ہیں۔ اپنے سازندے بھی لے آتے ہیں ریڈیو سٹیشن کے۔ انہیں بڑے فلمی گانے آتے ہیں۔"

مجھے سرے سے یاد نہیں آ رہا تھا کہ ذکی صاحب کون ہے لیکن میں نے لاعلمی ظاہر کر کے پھوپھی کو شاک کرنا مناسب نہ سمجھا۔

"بڑے اچھے آرٹسٹ ہیں۔"

"ان کو تو فلم میں کئی آفر آ چکی ہیں۔ لیکن وہ جاتے ہی نہیں۔ کہتے ہیں فلم کا ماحول خراب ہوتا ہے —— بڑے شریف آدمی ہیں۔ ہم جب بھی پارٹی کرتے ہیں انہیں ضرور بلاتے ہیں کوئی مائنڈ نہیں کرتا۔"

موچی دروازے کی باقی سادہ لوح عورتیں تحیر سے ہم دونوں کی باتیں سن رہی تھیں —— شلوار قمیص میں ملبوس تاجر پیشہ، دوکاندار مرد کھانے پینے کی چیزیں لانے میں مصروف تھے۔ پھوپھی کی معلومات کے آگے کسی کا دیا جل ہی نہیں سکتا تھا۔

بڑی دیر تک پھوپھی جان مجھ سے گلبرگ والوں کی باتیں کرتی رہیں۔ پھر انہوں نے اس سامان کا ذکر شروع کر دیا جو وہ حال ہی میں ہانگ کانگ سے لائی تھیں۔ اس کے بعد انہوں نے اپنے بچوں کی پڑھائی کے مسئلے پر مجھ سے رائے چاہی۔ اس موضوع کے بعد انہوں نے پاکستانی کردار کی دھجیاں بکھیریں۔ ہم لوگ دوسرے ملکوں کے مقابلے میں کس قدر پست کردار ہیں اور کیوں ہیں۔ اس کا تجزیہ کیا۔ حالیہ سیاست پر اظہار خیال ہوا۔ یہ ٹاپک ختم ہوا تو انہوں نے مرد عورت کے باہمی تعلقات اور مرد کی فطری کمزوری اور جبلی کمینگی پر بڑی فصیح گفتگو کی۔ اس دوران بھابھی صولت مکان کے اندر روشن سے ملنے چلی گئیں۔

بڑی دیر بعد بھابھی صولت باہر آئیں تو ان کے ساتھ روشن تھی۔

میں نے اُسے چق کے سامنے کھڑے دیکھا —— موتیا رنگت، ہلکا زرد لباس، پھیکے پھیکے ہونٹ اور بہت خوبصورت ہاتھ —— اس کے بعد میں نے اس پر نظر نہ ڈالی، وہ مجھے پیلی موم کا بُت نظر آئی۔ اس کی پلکیں رخساروں سے پیوست تھیں۔ غالباً اس نے میری طرف ایک بار بھی نگاہ اٹھا کر نہ دیکھا۔ کمرے میں شام کا اندھیرا چھایا ہوا تھا۔ جس وقت پھوپھی نے پہلا بلب جلایا میں اور صولت بھابھی وہاں سے رخصت ہوئے۔

واپسی پر تنگ بازار میں سے چلتے ہوئے بھابھی صولت نے پوچھا —— "کیسی ہے؟"

"اچھی ہے۔"

"سب سے اچھی بات بتاؤں۔ سخت پردے میں پلی ہے۔ ماموں زاد، چچا زاد، پھوپھی زاد بھائیوں سے بھی ملنے کی اجازت نہیں۔ تمہاری طرف بھی نگاہ اٹھا کر نہیں دیکھا۔ خوش نصیب ہو قیوم —— ایسی لڑکی اب ان ہی علاقوں میں مل سکتی ہے ورنہ اگر گلبرگ میں ڈھونڈتے تو بڑی تیز لڑکی ملتی۔

میرے دل میں چھوٹی سی امید کی کرن پھوٹی۔

بقول امثل ہر انسان کے اندر ایک چھوٹا سا رب چھپا ہوا ہے جو چاہتا ہے کہ زندگی میں اسے ایک سچا پجاری ایک صادق عبد اور ایک سر ہتھیلی پر رکھنے والا عاشق مل جائے۔ جس وقت اللہ نے حضرت آدم میں اپنی روح پھونکی۔ اسی وقت سے یہ چھوٹا خدا اس بات کا آرزومند ہوا۔ اسی لیے آدم کی خواہش کے احترام میں حضرت حوا وجود میں آئی۔ یہ اور بات ہے کہ اس کے بعد حضرت آدم اللہ کے سچے عبد نہ رہے لیکن چھوٹا سا رب بننے کی تمنا ان کے ساتھ ہی زمین پر آئی۔

میں بھی کسی پجاری پر اپنی ذات کا مکمل بوجھ ڈال کر آزاد ہونا چاہتا تھا۔ انسان ساری عمر زندگی کی خواہش میں بھٹکتا رہتا ہے۔ یہ اس کی دوسری ایسی خواہش ہے جس کے اندر تضاد پہلے سے موجود رہتا ہے۔ چونکہ مشیت غالباً آزادی کی خواہاں نہیں اس لیے اس نے روح کو پابند کرنے کے لیے جسم کی بیڑیاں پہنائیں۔ جب بھی روح مکمل طور پر آزاد ہو جانا چاہتی ہے یہی جسم اس کی اُڑانوں کو سست رفتار کرتا ہے۔ جب جسم پورے طور پر کھُل کھیلنا چاہتا ہے اور ہر جوا اُتار کر اپنے لیے مکمل آزادی کی کوشش کرتا

ہے۔ روح جسم کے اندر کبھی احساس گناہ کبھی تصور خدا کبھی تخیل مابعد کے نامعمول جال پھیلا کر جسم کو قید کر لیتی ہے۔ بنیادی طور پر شروع سے انسان قیدی پیدا ہوا ہے اور اس قید سے بھاگنے کی سعی میں دیوانہ وار بھاگتا رہتا ہے۔ شاید ابا کو بھی اسی قید کا شدید احساس تھا۔ کچھ لوگ اسی احساس سے اس قدر بوجھل رہتے ہیں کہ زندگی بھر انہیں نیستی کے سوائے اور کسی چیز سے پیار نہیں ہو سکتا۔ وہ صرف اسی وقت پُرسکون ہوتے ہیں جب نیند یا بے ہوشی کا غلبہ ان پر ہو جائے۔ پھر ان کے اندر جسم اور روح کی جنگ وقتی طور پر بند ہو جاتی ہے۔ عمر رفتہ میں محبوس یادیں ان کا کچھ نہیں بگاڑ سکتیں۔ آنے والے مستقبل کی زنجیریں انہیں پابوس نہیں کر سکتیں اور وہ کچھ دیر کے لیے آزاد ہو جاتے ہیں۔ بالکل آزاد ——— آزادی کی اس خواہش نے انسان کو ہمیشہ بے قرار رکھا ہے۔ حالانکہ وہ اندر ہی اندر جانتا ہے کہ اس کے ضمیر میں ایک بہت بڑا حصہ غلامی کا بھی ہے ——— اور وہ مقید رہے بغیر پروان نہیں چڑھ سکتا ——— آگے نہیں بڑھ سکتا۔ جس قدر وہ آزادی کا خواہاں رہتا ہے۔ اسی شدت سے اطاعت غلامی اور انکساری اس کی ذات کے لیے ضروری ہوتی جاتی ہے۔

شادی سے پہلے کئی دن میں ان ہی دو خواہشوں میں پرویا رہا۔ ایک طرف تو یہ تسلی تھی کہ روشن جس وقت میرے گھر میں داخل ہوئی اس میں اتنی شکتی ہو گی کہ وہ میرے جسم اور روح کا تمام تر بوجھ اپنی محبت کے جیک پر اٹھا لے گی اور سچا پجاری پا کر آئندہ میرے تجربات میرا کچھ نہ بگاڑ سکیں گے۔ میں اپنے آپ میں نہیں اس کے وجود میں زندہ رہنے لگوں گا۔ دوسری طرف مکمل آزادی کی خواہش تھی۔ مجھے لگتا تھا کہ اگر وہ روشن ثابت نہ ہو سکی تو پھر میں شادی میں محصور ہو جاؤں گا۔ جیسے کبھی کبھی ندی رستہ پا کر ایک گہری جھیل میں جا گرتی ہے اور پھر اس کے پانی نشیب کی تلاش میں نہیں بہتے صرف پاتال کی طرف اترتے جاتے ہیں۔ اندھیرے کی طرف گرم لاوے کی طرف۔

شادی سے دو ایک دن پہلے میرا دل و دماغ اور جسم بالکل سُن ہو گیا۔ پورا دن میری کھوپڑی پر ڈھولک بجتی رہتی۔ نیچے کی رونق سے گو میرا تعلق کم تھا۔ پھر بھی یہ شادی والا گھر تھا اور میں سارا سارا دن اکیلا نہ بیٹھا رہ سکتا تھا۔ جس وقت میں سہرا پہن کر کار میں بیٹھا۔ آخری بار رسہ تڑوا کر آزاد ہونے کی خواہش دل میں جاگی اور جب قبول

ہے قبول ہے کے مرحلے سے گزر کر سب طرف چھوہارے اُچھلے مبارک مبارک کی صدائیں اٹھیں۔ اس وقت میں نے جانا۔ میرے اندر کے چھوٹے سے رب نے گواہی دی کہ آج مجھے ایک سچا عاشق ملے گا جو میرے بوجھل وجود کا سارا بوجھ اپنے کندھوں پر ڈال لے گا۔ اب اس خواہش کے ساتھ ہی میرے دل میں عجیب قسم کی خوشی بیدار ہوئی ایک خاص قسم کی Ecstasy جیسے بہار کے دنوں میں خوشبو سے بوجھل ہوا ہوتی ہے۔

رات گئے تک میں نیچے بھابھی صولت اور بھائی مختار کے مہمانوں میں گھرا بیٹھا رہا۔ کچھ ریڈیو سٹیشن کے ساتھی بھی موجود تھے۔ کچھ آرٹسٹ برادری بھی آن پہنچی تھی۔ ان لوگوں کے بے تکلف لطیفوں نے مجھ میں اور بھی خوش اعتمادی پیدا کر دی اور مجھے ان سلیم شاہی جوتیوں نے کانٹا بند کر دیا جو میرے پیروں میں کچھ کچھ تنگ تھیں۔ آدھی رات کے قریب میں اوپر گیا —— یہ وہی کمرہ تھا جہاں عابدہ چائے کا ٹرے اور مونگ پھلیوں کا لفافہ لے کر آیا کرتی تھی۔ اسے بیک وقت مونگ پھلیاں کھانے اور باتیں کرنے کا کس قدر شوق تھا —— عابدہ کہاں تھی؟ —— جس نے بچے کی آرزو میں اپنے آپ کو تنترا یوگا پر آمادہ کیا تھا —— شاید وہ بھی مہمانوں میں تھی لیکن آج میں سارا دن اسے پہچاننے سے بھی قاصر رہا۔

کمرے کی صورت پھول اور ہاروں کی وجہ سے بدلی ہوئی تھی۔ ہر جگہ نئے سوٹ کیس سرخ کیسری کاغذوں میں لپٹے ہوئے ڈبے پڑے تھے۔ کمرے میں باسی چنبیلی کے پھولوں کے ساتھ ساتھ دلہن کی خوشبو تھی۔ ہم دونوں اکیلے تھے اور شادی شدہ تھے —— بڑی آرزوؤں کے ساتھ اور بڑے عہد و پیمان کر کے ہم دونوں کو باقی زندگی کا سفر کاٹنا تھا۔

"میرا نام قیوم ہے ——" میں نے پلنگ پر اس کے مقابل بیٹھتے ہوئے کہا —— "میں نے سوشیالوجی میں ایم اے کیا ہے —— ریڈیو سٹیشن میں ملازم ہوں۔ السر کا مریض ہوں، سالن میں مرچیں نہیں کھا سکتا —— آپ کو اس کی طرف سے احتیاط کرنا ہو گی ——" مجھے ایم اے سوشیالوجی کی تعارفی کلاس یاد آ گئی —— کیا انسان ساری عمر اپنا تعارف ہی کراتا رہتا ہے۔

روشن نے بغیر تکلف کے منہ سے گھونگھٹ اتار دیا —— ایسا زرد سورج مکھی

میں نے پہلے کبھی نہیں دیکھا تھا۔

"میں نے ارادہ کیا ہے کہ اپنی ساری زندگی آپ کو دوں ـــــ بمع اس کی تلخ یادوں کے ـــــ کیا آپ میں اتنی ہمت ہے کہ آپ میری یادوں کا بوجھ بھی اٹھالیں اپنے دل پر؟ ـــــ اور مجھے ہلکا پھلکا کر دیں ـــــ؟" میں نے پوچھا۔

اس نے اپنا سر گھٹنوں پر رکھ لیا۔ اس کی آنکھوں سے پیلے رنگ کے آنسو زرد گالوں پر بہنے لگے۔ میرا خیال تھا کہ چونکہ وہ زیادہ پڑھی لکھی نہیں اس لیے غالباً وہ میری بات کی تاب نہیں لا سکی۔ میں نے جیب سے رومال نکال کر اس کے آنسو پونچھے۔ اس نے مدافعت نہ کی اور چپ رہی۔

"کیا آپ میری تلخیوں کو جذب کر لیں گی؟ ـــــ میں اتنا کچھ سہہ چکا ہوں کہ اگر آپ نے وعدہ نہ کیا تو بالکل پاگل ہو جاؤں گا ـــــ مینٹل ہسپتال سے مجھے صرف آپ بچا سکتی ہیں۔"

پہلی بار روشن بولی ـــــ چھوٹی سی عمر۔ کم عمر آواز جیسے کوئی نو عمر کبوتری بولے۔ "اگر آپ نے میری تلخیوں کو جذب نہ کیا تو میں تباہ ہو جاؤں گی پوری طرح ـــــ پوری طرح ـــــ پوری طرح ـــــ"

میرے اندر کے مرد نے بیچاری عورت کو سہارا دینے کے لئے کہا ـــــ "تم میرے ہوتے ہوئے تباہ نہیں ہو سکتیں روشن ـــــ تمہاری تمام تلخیوں کو میں جذب کر لوں گا جیسے ـــــ جیسے بارش کو ریت جذب کرتی ہے۔"

ہم دونوں خاموش ہو گئے۔ مجھے لگا جیسے میں ٹاس ہار گیا ہوں میں نے سگریٹ سلگا لیا اور کتنی ہی دیر تک سگریٹ پیتا رہا۔

"پھر ـــــ؟" بڑی دیر بعد میں نے سوال کیا۔

"جی ـــــ" وہ اب بھی ہولے ہولے رو رہی تھی اور کوئی چیز مجھے اندر ہی اندر بتا رہی تھی کہ میں اسے چپ کرانے کی صلاحیت نہیں رکھتا۔

"پھر ـــــ بتاؤ ناں ـــــ؟"

"بتانے والی بات نہیں ہے ـــــ میں اچھی طرح سے بتا بھی نہیں سکتی۔"

"ہم ریڈیو والے بہت کچھ جانتے ہیں ہمارے لیے کچھ نیا نہیں ہوتا۔ تم بتاؤ تو

سہی؟——"

دو تین گھنٹوں کے دم دلاسے کے بعد وہ اپنی تلخی کی طرف آئی۔

"جی مجھے بچہ ہونے والا ہے۔"

یکدم مجھے یوں لگا جیسے کوئی بھاری چیز میرے ماتھے سے اندھیرے میں ٹکرائی، میں بھنا گیا۔ بظاہر میں نے جرأت سے کہا—— "اچھا پھر تو—— پھر—— تو ایک دوسری بات ہے۔"

اب وہ اونچے اونچے رونے لگی—— "میں نے اماں جی سے بہت کہا—— ہاتھ جوڑے خدا قسم بہت منتیں کیں لیکن وہ تو کہتی ہیں میں کسی قصائی کو بیچ دوں گی اس کے ساتھ شادی نہیں کروں گی تیری۔"

"کون ہے وہ؟—— بچے کا باپ؟"

"ہماری گلی میں پتنگوں کی دوکان ہے اس کے باپ کی—— پہلے وہ باپ کی دوکان پر بیٹھا کرتا تھا اب—— اب تو وہ جدے چلا گیا—— میرے گھر والوں نے اسے ٹکنے ہی نہیں دیا۔"

"بڑا افسوس ہے——" یہ بات میرے منہ سے بڑی فروعی لگی۔

"ایک روز وہ فلم دیکھنے گیا تو—— تو میرے بھائیوں نے اسے ٹکٹ گھر کی کھڑکی کے سامنے پکڑ لیا کالر سے—— اتنا مارا—— اتنا مارا—— بھلا اسے کیوں مارتے تھے یہ لوگ قیوم صاحب—— قصور تو سارا میرا تھا سارا میرا—— اس نے کئی بار میری منتیں کیں ہاتھ جوڑے لیکن—— لیکن میں اسے چھوڑ ہی نہیں سکتی نہ اس زندگی میں نہ——" یکدم وہ میرا چہرہ دیکھ کر چپ ہو گئی۔

"آپ کو میری باتیں بُری لگ رہی ہیں؟——" روشن نے اٹک اٹک کر سوال کیا۔

"تم نے—— تو پھر تم نے یہ شادی کیوں کی روشن؟—— جب تم اس حد تک بیاہی جا چکی ہو تو اس شادی کی کیا ضرورت تھی؟"

اب اس کی آواز دھیمی پڑ گئی—— "مجھے تو ضرورت نہیں تھی جی—— یہ میرے گھر والے اگر اسے جان سے مارنے کی دھمکی نہ دیتے تو—— تو میں کبھی رضامند

نہ ہوتی میرا خدا گواہ ہے۔"

اتنے زرد و معصوم چہرے پر اتنی وثوق کی باتیں کچھ اوپری معلوم ہو رہی تھیں۔

"اب کیا کریں روشن؟"

وہ چپ ہو گئی۔ پھر چپ چاپ اس کی آنکھوں سے آنسو بہتے رہے۔

"جیسی آپ کی مرضی؟"

"تم جدے خط لکھو کہ ـــــ وہ تمہیں آ کر لے جائے ـــــ میں تمہیں اس کی امانت سمجھوں گا۔"

یکدم اس کے آنسو خشک ہو گئے اور وہ ہکابکا میرا چہرہ دیکھنے لگی۔ دیکھتی گئی۔ اس کی آنکھوں میں تحیر خوف کی حد تک منجمد ہو گیا تھا۔

"آپ ـــــ آپ جی؟"

"چاہو تو میں ابھی تمہیں طلاق دے دوں ـــــ چاہو تو اس کی آمد پر ـــــ فیصلہ کر دوں ـــــ" میں نے جیب سے ایک خوبصورت گھڑی نکالی۔ اس گھڑی میں دن، وقت، مہینہ، چاند رات سب کچھ نظر آتا تھا۔ یہ گھڑی میں نے اس امید پر خریدی تھی کہ جس وقت میں یہ گھڑی روشن کی کلائی پر باندھوں گا۔ اس لمحے کے بعد میں اپنی زندگی کا پیٹرن مکمل طور پر بدل دوں گا۔ اس کے بعد میرے وجود کی تمام سوئیاں اس کے تابع چلیں گی اور اس طرح میں اپنے بوجھ سے آزاد ہو جاؤں گا۔ میں نے گھڑی اس کے پاس رکھ کر کہا ـــــ "وقت دیکھ لو روشن ـــــ اس وقت میں تم سے عہد کرتا ہوں کہ ـــــ کہ تم یہاں مہمان ہو۔ جب تک تمہارے حالات اجازت دیں یہیں رہو۔ اپنے آپ کو میری بیوی ظاہر کرنے میں سہولت ہو تو ایسے سہی ـــــ میری بیوی کا رتبہ ناپسند ہو تو تم کھلم کھلا اظہار کر سکتی ہو کہ تمہارا مجھ سے کوئی رشتہ نہیں۔" اس کی آنکھیں بالکل ساکت مجھ پر جمی ہوئی تھیں۔

"آپ جی ـــــ آپ کو ـــــ" وہ چپ ہو گئی۔

ہم دونوں تھوڑی دیر خاموش بیٹھے رہے۔ پھر میں نے گلے سے پھولوں کے سنہری تاروں والے روپے کے کئی ہار اتار کر اس کے پاس پلنگ پر رکھے۔ اپنی زری کی اچکن اتاری۔ عینک صاف کی اور وہ سلیم شاہی جوتا جو صبح سے پاؤں دبا رہا تھا اتار دیا۔

"شکر ہے تمہارے ماں باپ ماڈرن نہیں ورنہ تمہیں جہیز میں ڈبل بیڈ دے دیتے ——" میں نے ہنس کر کہا —— "اس صورت میں مشکل پیدا ہو سکتی تھی —— آرام سے سو جاؤ، جب میں آؤں گا تو یہاں اس پلنگ پر لیٹ رہوں گا۔"

"آپ کہاں جا رہے ہیں اس وقت؟"

"کوئی خاص جگہ نہیں —— بس ایسے ہی۔"

وہ گھبرا گئی۔

"آپ بھابھی صولت کو بتانے چلے ہیں؟ ——" ڈر کر اس نے سوال کیا۔

"نہیں!"

"اگر آپ نے کسی سے ذکر کیا —— تو میں مر جاؤں گی۔"

مجھ میں عجیب قسم کی قوت آ گئی تھی —— "میں کسی سے ذکر نہیں کروں گا روشن —— لیکن اگر جدے والا کسی وجہ سے نہ آ سکا —— اور بچے کی آمد ہو گئی تو —— تو تم اسے میرا بچہ ظاہر کرنا۔"

وہ میری طرف دیکھ رہی تھی لیکن آنکھوں سے مسلسل آنسو بہنے کی وجہ سے مجھے اس کی آنکھیں دکھائی نہ دیتی تھیں۔

"وہ ضرور آئے گا —— ضرور آئے گا —— وہ ایسا نہیں ہے جیسا اماں سمجھتی ہیں۔"

میں روشن کے قریب ہو گیا اور آہستہ سے میں نے اپنا ہاتھ اس کے کندھے پر رکھ کر کہا —— "انشاء اللہ —— وہ ضرور آئے گا —— ہم دونوں دعا کریں گے۔"

یکدم روشن نے میرا ہاتھ پکڑ لیا اور بلبلا کر بولی —— "آپ کو بھی تو کچھ بتانا تھا مجھے —— آپ کو بھی تو ——"

"ابھی اس کا وقت نہیں آیا روشن —— بتاؤں گا کسی روز۔"

جس وقت میں سیڑھیوں سے اترا سارا گھر خاموش تھا۔ آنگن میں بریانی اور قورمے کی خوشبو تھی۔ سب طرف ٹوٹے ہوئے پھول بکھرے تھے۔ برآمدے میں قالین پر ڈھولک کے ساتھ دو تین باکرہ لڑکیاں بے سُدھ سوئی ہوئی تھیں —— ان کے پاس بھابھی کے دونوں توام بیٹے مسعود اور فرید گتھم گتھا بے فکرے پڑے تھے۔ اندر باہر بجلی

کے پنکھوں کی گھو کر جاگی ہوئی تھی۔ میں نے سیڑھیوں کے نیچے سے اپنا موٹر سائیکل دبے پاؤں باہر نکالا اور دور تک موٹر سائیکل کو پیدل چلاتا نکل گیا۔ پھر یکدم اس پر سوار ہو کر میں نے ریس دی رات کے پچھلے پہر موٹر سائیکل کی آواز چنگھاڑ کر دور دور پھیل گئی۔ یکدم مجھے یوں لگا جیسے دکھائی نہیں دے رہا۔ میں نے چہرے پر ہاتھ پھیرا —— خدا جانے کب سے میرے آنسو بہہ رہے تھے۔

میں مال روڈ کی طرف سے جناح باغ میں داخل ہوا۔ رات کے وقت منٹگمری ہال جنات کا محل لگ رہا تھا۔ میں نے باغ میں جانے سے بہت پہلے موٹر سائیکل کا انجن بند کر دیا اور کنٹین کے قریب اسے پارک کرنے کے بعد میں بائیں جانب مڑ گیا۔ کافور کے درخت تلے عجیب قسم کی خوشبو تھی۔ سارے باغ میں جھینگروں کی آواز اور جگنوؤں کی ٹمٹماہٹ تھی۔ باغ سے ایک خاص قسم کا خوف پھوٹ پھوٹ کر ساری طرف پھیل رہا تھا۔

میں چھتنارے کافور کے درخت تلے لیٹ گیا۔ ہوا میں موت کی خوشبو تھی۔ میرے معدے میں تیزاب پھینٹا جا رہا تھا اور منہ کڑوے کھیرے کی مانند تھا۔ میں کچھ بھی سوچنا نہ چاہتا تھا۔ پھر بھی یادوں کی چیونٹیاں میرے جسم پر تیر رہی تھیں۔ آہستہ آہستہ —— میرے تمام رونگٹے کھڑے ہو گئے اور مجھے لگا جیسے میری نکسیر بہہ رہی ہے۔

شادی سے چند دن پہلے مجھ میں دو خواہشیں آگاہی کے ساتھ ابھری تھیں۔ اب مجھ پر یہ حقیقت بھی کھل رہی تھی کہ انسان جب تک چاہے جانے کی، رب بننے کی آرزو رکھتا ہے۔ وہ کبھی آزاد نہیں ہو سکتا۔ چاہا جانا اور آزاد رہنا صلیب کے بازو ہیں جن پر آدمی مصلوب ہو جاتا ہے۔ جب تک انسان میں ہلکی سی خواہش بھی ہو وہ تابع رہتا ہے خواہش کی وجہ سے قیدی ہوتا ہے۔ کبھی حاکم نہیں ہو سکتا۔

خواہش سے آزادی کیونکر ممکن ہے؟

کیونکر کیسے؟

موت سے پہلے موت —— زندگی کے ساتھ زندگی کی نفی —— آخرت

نجات سے پہلے کُلی فرار۔

نجات کی آرزو تک سے —— ہر مسلک سے ہر بُت سے چھٹکارا حاصل کرنے کا ایک ہی طریقہ ہے کہ انسان ہر قسم کے بت توڑ دے، ہر مسلک سے آزاد ہو جائے۔ کسی ملت میں شامل نہ ہو۔ کسی ملک کا باشندہ نہ ہو —— کسی معاشرے کا فرد نہ ہو۔ کسی کلچر سے وابستہ نہ ہو۔ کسی خاندان کا فرد نہ ہو —— نہ کسی کا عاشق ہو نہ محبوب —— ہر کیفیت سے آزاد —— ایسی حالت میں وہ سوائے موت کے اور کسی کا مرہونِ منت نہیں ہو گا؟ کسی اور کا عاشق نہ ہو گا۔

موت جو یقینی ہے —— موت سے پہلے موت۔

کیا انسان پیدائش کے لمحے سے لے کر موت کی گھڑی تک صرف اسی کوشش میں رہتا ہے کہ وہ کسی طرح اس محسن کو پہچان سکے جو اسے زندگی کے ہر احسان سے نجات دلا سکتا ہے۔ کبھی کبھی اچانک کسی کے چہرے پر خاموشی اور غم کی دبیز لہریں چھا جاتی ہیں۔ کیا اس لمحے اسے مراجعت کی فکر ہوتی ہے کیا موت کا مہربان سایہ اس پر پڑتا ہے؟ کیا آبائی وطن کی طرف لوٹ جانے کی آرزو ہر ذی روح کو یہاں کی لذتوں میں بھی ناآسودہ رکھتی ہے؟ کبھی کبھی بھری محفلوں میں شام کے وقت سب خاموش ہو جاتے ہیں۔ کیونکہ موت کا فرشتہ وہاں سے گزرتا اور سب کی سانسیں جانتی ہے کہ انسان موت کی مدد کے بغیر مکمل طور پر کبھی آزاد نہیں ہو سکتا۔ خواہشات کا تمام بوجھ انسان کے کندھوں سے اتارنے والی صرف موت ہے۔

سیمی زندگی میں کتنی کرب ناک تھی —— وہ کیسے تلملاتی رہتی تھی اور موت سے ہمکنار ہوتے ہی اس کا چہرہ کتنا شانت —— کیسا آزاد ہو گیا تھا۔

اس دن کے بعد میری زندگی کا ہر لمحہ موت کے متعلق سوچنے میں گزرنے لگا۔ موت کے ساتھ ہمکلامی کے بعد مجھ میں ایسا خوف پیدا ہو جاتا کہ میں سر سے پاؤں تک پسینے میں بھیگ جاتا۔ مجھے گرد و پیش کی سُدھ بدھ نہ رہتی اور کئی بار ایک ہی پوزیشن میں کتنی کتنی دیر بیٹھا یا کھڑا رہتا۔ مجھے لگتا تھا جیسے میں اسی لیے پیدا ہوا ہوں کہ موت کا منتظر رہوں۔ میں جیتے جی کسی عورت کے عشق کا سہارا لے کر آزاد نہیں ہو سکتا۔ خواہشات کے خوش رنگ اور عطر بیز جنگل سے اگر کوئی چیز مجھے نکال سکتی ہے تو وہ صرف موت

ہے ـــــ اور اگر میں جسمانی طور پر نہ بھی مر سکوں تو بھی اندر مجھے مرہی جانا چاہیے۔

اس وقت ایک گھنی جھاڑی سے ایک نوگزا آدمی برآمد ہوا۔ اس کے ساتھ چھوٹے چھوٹے کئی آدمی تھے۔ کسی کے سر پر بال نہ تھے اور چار ابروؤں کا بھی صفایا تھا۔ ان کے ہاتھوں میں لمبی لمبی روشن مشعلیں تھیں اور وہ دائرے میں ایسے چل رہے تھے کہ نوگزا آدمی درمیان میں آٹھ نمبر بناتا آگے بڑھتا اور باقی تمام بالشتیے اس آٹھ کے گرد واٹربال کی طرح گول گول چکر لگاتے چلتے آتے۔ اس نوگزے کو میں نے ان دنوں بھی دیکھا تھا جب سیمی موت سے ہمکنار تھی۔ اس وقت مجھے یقین تھا کہ اب وہ میرے خیر مقدم کے لیے آیا ہے۔ مشعلوں کی روشنیاں کبھی تابناک ہو جاتیں کبھی بھک سے جل کر واپس مشعلوں میں گھس جاتیں۔ پھر دیکھتے ہی دیکھتے بالشتیے ساری مشعلیں چاٹ جاتے۔ اب وہ تمام کے تمام خود مشعلوں کی طرح بھڑک رہے تھے لیکن ختم نہ ہوتے تھے۔ کبھی کبھی جگنو ساں بجھ جاتے۔ لیکن پھر لحظہ دو لحظہ بعد ان کا دائرہ بھڑک اٹھتا۔ نوگزے کو البتہ نہ ان کی فکر تھی نہ آگاہی۔ وہ آٹھ کا ہندسہ بناتا دائرے میں آگے بڑھا آرہا تھا۔

اپنی طرف اسے بڑھتے دیکھ کر میں پسینے میں شرابور ہو گیا۔ میں نے اٹھ کر بھاگنا چاہا، لیکن اس کی نظروں میں ایک مقناطیسی کشش تھی۔ اس نے مجھے ایسے باندھ رکھا تھا جیسے سانپ کو بین مسحور کر لیتی ہے۔ اس کا سارا تن سفید چادر میں چھپا ہوا تھا۔ یہ چادر نہ سلی ہوئی تھی نہ کھلی ـــــ نہ جبے کی شکل کی تھی نہ تہمد جیسی بس ایک لبادہ تھا جیسے روئی میں نگندے ڈال کر پہنی ہوئی ہو۔ وہ مجھ سے کافی فاصلے پر تھا لیکن ہم دونوں میں عجیب طور پر بغیر بولے گفتگو جاری ہو گئی۔

"تم مجھ سے موت کے متعلق پوچھنا چاہتے ہو؟"

"ہاں ـــــ ہاں ـــــ میں جاننا چاہتا ہوں ـــــ انسان کہاں سے آیا ہے اور کہاں چلا جائے گا ـــــ وہ ـــــ جہاں سے آیا ہے کیا وہیں لوٹے گا کہ کہیں اور ـــــ یہ سارا وقفہ ـــــ یہ ساری دیوانگی ـــــ اس سے چھٹکارا ـــــ کیا موت سے پہلے نہیں ہو سکتا ـــــ کیا آزاد ہونے کے لیے صرف اس سوئی کے ناکے سے گزرنا ہو گا؟"

وہ خاموش تھا اور میری طرف سرچ لائٹ جیسی نظریں جمائے ہوئے تھا۔

"بتاؤ تم بتا سکتے ہو——؟ کیا موت کی آرزو نے انسان کو دیوانہ بنا رکھا ہے—— کیا ہر انسان شروع دن سے صرف موت کی آرزو کرتا ہے۔ بولو بتاؤ—— کیا نسل انسانی صرف تصور موت کے ہاتھوں پاگل ہوتی ہے۔ بتاؤ ناں——"

اس کی نظروں میں جلا دینے اور بھسم کرنے کی قوت تھی۔

میں دیر تک سوالات کرتا رہا۔ وہ دیر تک چپ چاپ کھڑا رہا۔ صرف اس کے ارد گرد بالشتیے روشنی کے گولے بناتے رہے۔

"بتاؤ—— بتاؤ موت کیا ہے؟ یہ اسرار یہ بھید کیا ہے—— فنا کا ذائقہ کیا ہے؟ مر کر آدمی پر کیا بیت جاتی ہے؟"

اس نے تین مرتبہ بغیر پلکوں کے پپوٹے جھپکائے اور بغیر آواز کے گویا ہوا—— "سن! جب انسان مرتا ہے تو دو آدمی مُردے کے پاس آتے ہیں۔ غالباً ان ہی کو منکر نکیر کہا جاتا ہے۔ ان دونوں کا مقصد تمہیں الجھانا ہوتا ہے—— ایک آدمی جھوٹا ہوتا ہے اور ایک سچا—— جھوٹے کا مقصد یہ ہے کہ تمہیں اس فریب میں مبتلا رکھے کہ تم زندہ ہو۔ اور ابھی تمہاری روح واپس جسد خاکی میں چلی جائے گی۔ سچے آدمی کو یہ مشکل درپیش ہوتی ہے کہ کس طرح آپ کو یہ یقین دلائے کہ آپ مر چکے ہیں اور اب آپ کی روح جسد خاکی میں کبھی نہ جا سکے گی—— اس مرحلے میں تین دن لگتے ہیں۔"

"پھر—— پھر؟—— پھر؟"

"بڑے ردوکد کے بعد انسان بالآخر سچے آدمی کی بات ماننے پر مجبور ہو جاتا ہے اور سمجھ جاتا ہے کہ وہ مر گیا ہے۔ اب جھوٹا ساتھی رخصت ہو جاتا ہے اور سچا آدمی کئی سائز کے نیم شفاف ڈبے لے کر پہنچتا ہے—— یہ ڈبے بڑے ریفریجریٹر کے کھوکھے سے لے کر دوائی کے کیپسول جتنے ہوتے ہیں۔ ان سب کا رنگ ہلکا گلابی ہوتا ہے۔ اب سچا آدمی مرے ہوئے آدمی کو مجبور کرتا ہے کہ وہ ان ڈبوں میں سے کسی کو منتخب کرے۔ جس قدر بڑی روح ہو گی اسی جتنا بڑا ڈبہ تلاش کرنا پڑتا ہے۔ کئی بار مرنے والا چھوٹا ہوتا لیکن بڑے کھوکھے میں جا بیٹھتا ہے اور سچے آدمی کو منتوں سے منانا پڑتا ہے کہ وہ یہ کھوکھا چھوڑ دے—— درست ڈبے کے انتخاب اور اس میں بند ہونے میں قریباً چالیس دن لگ جاتے ہیں۔ لیکن ایک بار جب روح ڈبے میں بند ہو جاتی ہے تو پھر سچا آدمی بڑی

جلدی سے ڈبہ لے کر رخصت ہو جاتا ہے۔"

"کہاں —— کہاں؟"

وہ خاموش رہا۔ اس کی ٹکٹکی سے شعاعیں نکل رہی تھی۔

"دریائے نیستاں پر —— اس دریا میں سچا آدمی وہ سارے ڈبے پھینک دیتا ہے جن میں روحیں مقید ہوتی ہیں —— ہولے ہولے تمام ڈبے اپنے اپنے بوجھ سے دریا کی تہہ میں اترنے لگتے ہیں اور ڈبوں میں بند روحیں باہر نکلنے کے لیے جدوجہد کرتی ہیں۔ یہ ڈبے عجیب طرح سے بند ہوتے ہیں۔ نہ کہیں زپ نہ بٹن —— نہ کنڈا —— صرف کسی ایک جگہ مناسب بوجھ پڑ جاتا ہے تو ڈبہ خود بخود کھل جاتا ہے۔ کئی لوگ سالوں میں قرنوں میں صدیوں میں یہ ڈبہ نہیں کھول سکتے۔ کئی پہلے غوطے میں کچھ ایسے اطمینان سے بوجھ ڈالتے ہیں کہ کھٹاک سے ڈبے کا منہ کھل جاتا ہے اور روح تیر کر باہر نکلتی ہے اور کائی جمی سطح کو کاٹ کر باہر نکل جاتی ہے۔ ان کے لیے نئی زندگی ہوتی ہے۔"

"کچھ ایسے بدنصیب بھی ہوں گے جو —— جو باہر نہیں نکل سکتے —— وہ لوگ —— وہ روحیں؟۔"

"ایسے بدنصیب نیچے سطح پر جا پہنچتے ہیں۔ یہ روحوں کا قبرستان ہے —— یہ روحیں قیامت تک وہیں رہیں گی۔ روز جزا تک —— یہ وہیں بند سیپیوں کی طرح منتظر رہیں گی۔ کوشش کرتی رہیں گی لیکن باہر نہ نکل سکیں گی۔"

پتہ نہیں کیا بات ہوئی کہ میں کافور کے درخت تلے سے اٹھا اور بھاگنے لگا، گول دائروں میں —— کبھی گراؤنڈ کے اندر —— کبھی سڑکوں پر —— کبھی درختوں کے گرد —— کہتے ہیں کہ جب گدھ کی موت آتی ہے تو وہ مُردار سے بھی منہ پھیر لیتا ہے پھر وہ ایک ٹانگ پر دور نزدیک بنجر علاقوں میں یوں بھاگتا ہے جیسے مدتوں کا پیاسا ہو۔ مُردار جانور کا تعفن اس کے نتھنوں میں ہوا کے ہر جھونکے کے ساتھ آتا رہتا ہے لیکن اس تعفن سے اشتہا بڑھنے کے بجائے اسے متلی ہونے لگتی ہے۔ اس کے جسم میں مُردار کھانے کے خلاف احتجاج ہونے لگتا ہے۔ ایسے میں وہ گم ہیضے کا شکار ہو جاتا ہے۔ اشتہا عروج کو پہنچ جاتی ہے۔ لیکن جبڑے نہیں کھلتے معدہ کچھ قبول کرنے سے انکار کر دیتا ہے۔ وہ بنجر زمین

پر پڑے ہوئے مُردار لاشوں کو دیکھ کر بھاگتا ہے اور آخر کو خاردار جھاڑیوں میں الجھ کر دم توڑ دیتا ہے۔ مرے ہوئے گدھ کے لاشے کو ٹھکانے لگانے فطرت کے خاکروب نہیں آتے۔ اس لاشے کو سورج کی کرنیں —— ریت کے سوکھے انبار، خشک پتے —— بارش اور ہوا کے تھپیڑے توڑ پھوڑ کر پھر مٹی کا حصہ بنا دیتے ہیں۔

کہتے ہیں ایسی مٹی میں جو بھی بیج ڈالو —— کبھی بار آور نہیں ہوتا —— کبھی زمین سے سر نکال ہی نہیں سکتا۔

جب میری آنکھ کھلی تو میں ہسپتال میں تھا!

کچھ دیر تک میں اپنے اردگرد کا صحیح جائزہ نہ لے سکا۔ دھوپ بہت تھی۔ ماحول نیا تھا۔ میرے بازو میں گلوکوز کی ڈرپ لگی تھی اور سامنے کرسی پر روشن بیٹھی تھی —— روشن سے کوئی یقینی تعارف نہ تھا۔ شاید میں اسے پہچان ہی نہ سکتا —— اگر اس کے ساتھ دائیں بائیں بھائی مختار کے دونوں بچے کھڑے نہ ہوتے۔ بھابھی صولت میری پائینتی بیٹھی تھیں اور منہ میں کچھ پڑھ رہی تھیں۔

"اب طبیعت کیسی ہے ——" روشن نے سوال کرتے ہوئے نظریں جھکا لیں۔

"باتیں نہ کرو ——" بھابھی صولت نے خفگی کے ساتھ کہا —— "پتہ نہیں ڈاکٹر نے منع کیا ہے —— اسے مکمل آرام کی ضرورت ہے۔"

"چاچاجی آپ جناح باغ کیوں گئے تھے؟ ——" مسعود نے پوچھا۔

"آپ چڑیا گھر گئے تھے نا —— چاچاجی نیا زیبرا دیکھنے ——؟" فرید نے سوال کیا۔

"چپ کرو —— اور باہر چلے جاؤ ——" بھائی مختار نے جھڑکا۔

"آپ بے ہوش کیوں پڑے تھے جناح باغ میں چاچاجی ——" مسعود نے پھر پوچھا

"چلو نکلو یہاں سے جاؤ ——" بھابھی صولت نے بچوں کو پانچ روپے کا نوٹ

پکڑا کر کہا —— "باہر جا کر آئس کریم کھاؤ۔"

میں نے آنکھیں بند کر لیں۔ دن کی روشنی، ہسپتال کا کمرہ، ڈرپ، کمبل، روشن کا چہرہ سب میرے لیے بے حقیقت چیزیں تھیں۔ میں ابھی تک نوگزے کے ساتھ تھا اور میرے نتھنوں میں کافور کی خوشبو تھی۔ ڈاکٹر کے آنے تک میں دم سادھے آنکھیں بند کیے لیٹے رہا۔ روشن اور بھابھی صولت سے کوئی بات کرنے کو نہ تھی۔

"وہ کہاں ہے —— ؟ —— وہ —— " میں نے ڈاکٹر صاحب سے پوچھا۔

بلڈ پریشر کا آلہ میرے بازو پر فٹ کرتے ہوئے ڈاکٹر نے تعجب سے میری جانب دیکھا اور بولا —— "وہ کون حضت! —— یہاں تو ہم سب ہیں آپ کی خدمت کے لیے۔"

"وہ نوگز کا آدمی —— جو مشعل لے کر چلتا تھا۔ جو —— جس نے مجھ سے باتیں کی تھیں۔"

ڈاکٹر بے مغز، تھکا ہوا، عینکو، زمینی شخصیت کا آدمی تھا۔ ڈاکٹری اس کا صرف پیشہ تھا —— وہ بناوٹی بے تکلفی اور خوش دلی سے بولا —— "حضور آپ تو پانچ دن سے بے ہوش پڑے ہیں۔ خدا کا شکر کریں جان بچ گئی۔ ورنہ بہت کچھ ہو سکتا تھا۔"

میں نے آنکھیں بند کر لیں۔ مجھے معلوم تھا کہ وہ میری باتیں سمجھ نہیں سکتا۔

پھر بھابھی صولت اور ڈاکٹر کھسر پھسر کرنے لگے۔

"بے ہوش ہو گیا ہے پھر —— ؟ —— "

"بس آرام کی ضرورت ہے ہم Tranquiliser دے رہے ہیں۔"

"ابھی تو ٹھیک تھے۔" روشن کی آواز آئی۔

"بس جی باڈر لائن کیفیت ہوتی ہے۔ کبھی مریض ہمارے پاس واپس آ جاتا ہے کبھی ادھر چلا جاتا ہے ایب نارمل لوگوں میں۔"

"آپ ان کی مدد نہیں کر سکتے؟" —— " روشن نے سوال کیا۔

"کر رہے ہیں بی بی —— ہم سب کچھ کر رہے ہیں لیکن ایسا کیس ہمارا نہیں ہوتا —— انہیں کسی سائیکو تھرپسٹ کی ضرورت ہے —— سر دست جو کچھ بھی ممکن ہے کر رہے ہیں —— "

اس کے بعد کسی نے میرے بازو میں انجکشن لگایا، بھابھی صولت کے رونے کی آواز آئی اور رفتہ رفتہ مجھے یوں لگا جیسے میں کھسک رہا ہوں چارپائی سے بستر سے —— میرا سر بوجھل تھا۔ میں بازو اٹھا کر ناک کھجلانا چاہتا تھا۔ آنکھیں کھول کر دیکھنے کی آرزو تھی لیکن نہ میری آنکھیں کھلتی تھیں نہ بازو اٹھتا تھا۔

"یہ —— یہ ٹھیک تو ہو جائیں گے ——" یہ روشن کی آواز تھی اور اسی آواز کے ساتھ میں دوبارہ نیند کی آغوش میں چلا گیا۔

ہسپتال سے واپسی پر سب سے پہلے میں نے اپنے سر کے سارے بال منڈوا دیئے۔ سر منڈوانے سے میں نے وہ ڈیڑھ فٹ کا فاصلہ اور بڑھا لیا جو روشن اور میرے پلنگ کے درمیان تھا۔ میں ابھی تک چھٹی پر تھا لیکن اب ریڈیو پاکستان سے کبھی کبھی کوئی واقف میری طبیعت کا پوچھنے آ جاتا۔ مجھے معلوم ہے کہ میرے متعلق ریڈیو پر کیسی باتیں ہوتی ہوں گی۔ کچھ آرٹسٹ اور افسر مل کر مجھے دیوانہ سمجھتے ہوں گے شروع سے —— نیچے بھابھی صولت اور بھائی بھی مجھے دیکھ کر شرمندہ ہو جاتے۔ ان کی شکلیں دیکھ کر مجھے لگتا جیسے وہ مجھے نہیں اپنے آپ کا قصوروار سمجھتے تھے۔ ادھر روشن کی عجیب مصیبت تھی۔ وہ دن بدن پیلی ہوتی چلی جا رہی تھی۔ پہلے اس کی رنگت زرد ساٹن جیسی تھی۔ اب وہ پیلے کھدر جیسی نظر آتی۔ میرا سارا کام وہ کرتی۔ اس کی ضروریات کا میں خیال رکھتا۔ اس کے باوجود ہم دونوں میں کم ہی بات ہوتی۔ کمرے میں ترتیب آ گئی تھی —— یا تو میرے آنے سے پہلے وہ سو جاتی لیکن اگر وہ جاگتی نظر آتی تو میں نیچے چلا جاتا اور بے مصرف سڑکوں پر گھومتا رہتا۔

یہ عجیب دن تھے جیسے پانی کی سطح پر ہولے ہولے کائی جمتی چلی جائے۔ میرے اندر بھی ہر خواہش آہستہ آہستہ شٹر بند ہو رہی تھی اور میں عجیب طرح سے آزاد ہوتا چلا جا رہا تھا۔ موت سے اس قدر گہرا رابطہ قائم کرنے کی وجہ سے زندگی یکدم بے معنی ہو گئی تھی —— میں دوکانوں کے سامنے کھڑا سوچتا رہا —— لوگ یہ سارا سامان کیوں خریدتے ہیں۔ کیمرے —— کپڑے —— برتن —— گیس کا سامان —— فریج

کاریں—— سارے بازاروں میں بے ہودہ سامان دیکھ کر میں جان بچا کر کسی فلم ہاؤس کے سامنے جا کھڑا ہو جاتا، فلموں کے پوسٹر اب جاذب نظر نہ رہے تھے—— میں کوشش کرتا کہ ان فلموں میں مجھے دلچسپی پیدا ہو جائے لیکن جن وجوہات کی بناء پر فلمیں دیکھی جاتی ہیں وہ باقی نہ رہی تھیں۔

باغوں میں سڑکوں پر سب جگہ بے مصرف لوگ نظر آتے۔

یہ وہ دور تھا جب میں مکمل آزادی یا—— تمام تر فنا کے بالکل مقابل تھا۔ گھر پر میرا کوئی کام نہ تھا۔ روشن مجھے دبی زبان میں آرام کرنے کو کہتی لیکن مجھے گھر سے وحشت ہوتی تھی۔ باہر چلا جاتا تو بھی کوئی کام میرے کرنے کا نہ تھا۔ میں فٹ بال کی طرح کبھی اس کورٹ میں کبھی اس کورٹ میں بھاگتا رہتا۔ ایک صبح مجھے روشن نے کہا—— "اگر آپ چاہیں تو موچی دروازے چلی جاؤں اماں کے پاس——"

"تمہاری مرضی ہے۔"

"آپ بتائیں؟"

"میں کیا بتاؤں اگر تم کو یہاں آرام ہے تو یہاں رہو ورنہ وہاں چلی جاؤ۔"

وہ رونے لگی۔

"آرام تو مجھے یہاں زیادہ ہے لیکن—— لیکن میری وجہ سے آپ کو آرام نہیں ہے۔"

میں اس کے مقابل پلنگ پر بیٹھ گیا—— "دیکھو روشن تمہاری وجہ سے مجھے کوئی تکلیف نہیں۔ اس وجہ سے تمہیں پریشان ہونے کی ضرورت نہیں۔"

ہم دونوں چپ ہو گئے۔

"اس کا کیا جواب آیا ہے؟"

روشن اٹھی اور نئے سوٹ کیس کی جیب میں سے یو اے ای کا ٹکٹ والا لفافہ نکال لائی۔

یہ خط اس کا تھا۔ روشن کے افتخار کا۔

"کیا لکھا ہے؟"

"آپ پڑھ لیں——"

میں نے بڑی دیر میں خط پڑھا —— پتہ نہیں کیوں میری آنکھوں میں جالے سے آ رہے تھے۔ تحریر معمولی تھی۔ پتنگ فروش کے بیٹے کی سیدھی سادی تحریر —— لیکن تحریر میں حدت خلوص محبت سب کچھ تھا۔ اس نے اصرار سے لکھا تھا کہ جتنی جلدی میں اسے آزاد کر دوں گا۔ وہ آ جائے گا اور پھر وہ دونوں واپس جا سکیں گے۔

"تم اسے لکھو کہ تم آزاد ہو اور ہم اس کا انتظار کر رہے ہیں۔"

"سب کچھ جلدی ہونا چاہئے —— میں —— میری حالت زیادہ انتظار نہیں کر سکتی۔"

"یہ تو افتخار پر منحصر ہے جتنی جلدی وہ آئے گا معاملہ طے ہو جائے گا۔"

وہ چپ ہو گئی —— بڑی دیر چپ رہی۔

"میں جی پھر چلی جاؤں موچی دروازے۔"

"جیسا تمہارا جی چاہتا ہے روشن —— میں —— تمہاری زندگی میں کسی قسم کے فیصلے نہیں کرنا چاہتا۔"

وہ اٹھی اور میرے پاس آ کر بیٹھ گئی۔ اس کے عورت پن کی خوشبو میرے اس قدر قریب تھی کہ میں اس خوشبو کی وجہ سے ہی اپنے فیصلے بدل سکتا تھا۔

"آپ قانونی طور پر میرے شوہر ہیں آپ کا حق ہے میرے فیصلے بدلنے کا۔"

میں اٹھ کر سلاخوں والی کھڑکی کے سامنے کھڑا ہو گیا۔ پھر میں زور سے کھانسا اور تھوک دور پھینک کر عجیب لذت محسوس کی۔

"دیکھو اگر تمہارے خط آسانی سے موچی دروازے آ سکتے ہیں تو وہی جگہ اچھی ہے —— ورنہ ——"

"میں پھوپھی جان کے جا سکتی ہوں گلبرگ میں وہ —— وہ ماڈرن ہیں اور —— افتخار کو پسند کرتی ہیں۔"

"جیسی تمہاری مرضی۔"

شام کو میں روشن کو لے کر پھوپھی جان کے گھر پہنچا۔ وہاں روشن اور میرے لیے ڈبل بیڈ والا کمرہ مخصوص تھا۔ اس ڈبل بیڈ کو دیکھ کر میں بدکے ہوئے گھوڑے کی طرح باہر کو بھاگا۔ میں روشن سے مل کر بھی نہ آیا، بلکہ پھوپھی جان پینٹری میں ٹرولی سجاتی

رہ گئیں اور میں باہر نکل گیا۔ عین کوٹھے کے باہر جس وقت میں موٹر سائیکل موڑنے کی کوشش میں تھا ایک لمبی سفید کار رُکی اور ہارن بجا۔ گو میں حاضر نہیں تھا پھر بھی وہیل پر دونوں بازو رکھنے والا مجھے جانا پہچانا نظر آیا۔

"سہیل!—— سر۔"

پروفیسر نے دروازہ کھولا۔ میں نے موٹر سائیکل چھوڑی اور پھر ہم دونوں شدت سے بغل گیر ہو گئے۔

سہیل نے فرنچ کٹ داڑھی اور موٹے شیشوں کی ڈگ عینک پہن رکھی تھی۔ اس کے جسم پر سرخ چیک کی قمیص تھی۔ جس کی آستینیں کہنیوں تک چڑھی ہوئی تھیں اور قمیص کے تین بٹن کھلے تھے۔ اس کی جینز موری بند تھی اور کلائی پر ڈی جٹل گھڑی تھی۔ جس کا سیکنڈ کا پھول ہر سیکنڈ کے بعد بدلتا تھا۔ وہ سارا کا سارا تمباکو کولون اور آفٹر شیو لوشن سے مہکا ہوا تھا۔

"یہ تم نے کیا حلیہ بنا رکھا ہے کوجیک؟——" اس نے امریکہ کے مشہور گنجے ایکٹر کے نام سے مجھے پکارا۔

"بس ایسے ہی؟—— سر۔"

"یہاں کہاں پھر رہے تھے میری چچی کے گھر؟"

"اپنی بیوی جمع کروانے آیا تھا۔"

"تو ہو گیا پٹڑا—— ختم ہو گئی تلاش—— کچھ نہ ملا زندگی میں——؟"

میں نے اپنا موٹر سائیکل وہیں پورچ میں رکھا اور ہم دونوں وارث روڈ چلے گئے۔ بڑی دیر سہیل مجھے امریکہ کے متعلق بتاتا رہا۔

"وہ ملک بھی کھوکھلا ہو گیا ہے—— انسانوں کی طرح ملک اور قومیں بھی ہمیشہ اپنی کمزوریوں کی وجہ سے نہیں بلکہ اپنی خوبیوں کے ہاتھوں تباہ ہو جاتی ہیں——" ہمیشہ کی طرح وہ بہت چمک دار اور ذہین تھا۔ اس کے چہرے پر تمام تر امریکہ چھاپ تھی۔

"کیسے؟—— سر۔"

"خوبی وہ چیز ہوتی ہے جس پر انسان اعتماد کرتا ہے جس کی وجہ سے دوسرے لوگ اس کی ذات پر بھروسہ کرتے ہیں لیکن رفتہ رفتہ یہ خوبی اس کی اصلی اچھائیوں کو

کھانے لگتی ہے۔ اسی خوبی کی وجہ سے اس میں تکبر پیدا ہو جاتا ہے اور پھر رفتہ رفتہ اسی خوبی کے باعث وہ انسانیت سے گرنے لگتا ہے —— فرد —— قومیں سب اپنی خوبیوں کی وجہ سے تباہ ہوتی ہیں۔"

ہم دونوں وارث روڈ کی ایک بہت پرانی کوٹھی میں بیٹھے تھے۔ اس کی چھتیں اینٹوں کی تھیں اور باہر لال گیرو رنگ پھرا ہوا تھا۔ گیٹ پر بوگن ویلا کی بیل کاسنی پھولوں سے لدی تھی۔ گھر کے پچھواڑے مسلسل کوئی نلکہ چل رہا تھا جس کی مدھم آواز آئے جا رہی تھی۔ کمرے میں پرانا فرنیچر، بوسیدہ پردے اور کین کا صوفہ تھا۔ ایک قالین جو کبھی ایرانی ہو گا۔ اب فرش سے چپکی ہوئی دری نظر آ رہا تھا۔ کھڑکیوں میں دھول سے اٹے کاغذی پھول تھے۔ یہ سہیل کے خالو کا گھر تھا۔ اور وہ امریکہ سے ایک مہینے کی چھٹی پر صرف رشتہ داروں سے ملنے آیا تھا۔

بہت ٹھہر ٹھہر کر سوچتے ہوئے میں نے پروفیسر سہیل سے اپنے موجودہ حالات کہے وہ چپ رہا۔

"پھر؟ ——"

"پھر کیا؟ ——" میں نے جواب دیا۔

"پھر کیا ارادہ ہے؟"

میں نے اپنا ارادہ ظاہر کیا —— اس نے کوئی مشورہ نہ دیا۔

"میں —— میں سارا وقت سوچتا رہتا ہوں سر —— کہ انسان کی روح کہاں جاتی ہے؟ —— موت کیا ہے؟ کیا موت سے ہمکنار ہوئے بغیر آدمی کبھی آزاد ہو سکتا ہے؟ —— مکمل آزاد۔"

سہیل ایک ماڈرن کیپسول سائز ولی تھا۔ اس کی آنکھوں میں توجہ کی ایسی شعاعیں تھیں جو ماڈرن تعلیم یافتہ آدمی کا سینہ شق کر کے اس پر اثر انداز ہو سکتی تھیں اور اس کے باوجود وہ اپنے گریڈ —— اپنے مستقبل کے لیے بڑی جدوجہد کرتا رہتا تھا۔

"آپ تو امریکہ سے آ رہے ہیں وہ لوگ تو آج کل E.S.P پر بہت ریسرچ کر رہے ہیں۔ آپ کا کیا خیال ہے کیا روح واقعی کوئی چیز ہے؟ —— کیا —— کیا انسان واقعی موت کے دروازے سے نکل کر کہیں جاتا ہے؟ کیا مابعد واقعی ہے؟"

"مغرب والے ابھی ابتدائی کوششوں میں ہیں۔ مسمرازم، ہپناٹزم اور سپرچولزم جیسی کچھ میں نے وہاں دیکھی ہے یہ ایک طرح سے Concentration کے کرشمے ہیں۔ تصور اور خیال کی مشق سے بہت کچھ حاصل ہو جاتا ہے۔ لیکن عالم ناسوت سے یہ لوگ آگے نہیں بڑھتے ــــــ تمہیں اگر شوق ہو تو میں ایک بزرگ سے ملا دوں گا۔ وہ تصور اسم ذات سے اگلی دنیا کھولتے ہیں۔ جس سے انسان عالم ناسوت سے پرواز کرتا عالم ملکوت جبروت اور لاہوت میں جا داخل ہوتا ہے ــــــ دراصل عالم ناسوت میں جن رہتے ہیں۔ خبیث روحیں رہتی ہیں ــــــ اس لیے یہاں بہت خطرات ہوتے ہیں۔ کئی بار شیاطین یہیں نفس کے رفیق بن جاتے ہیں اور روح آگے نہیں بڑھ سکتی۔"

میں فرنچ کٹ داڑھی والے ماڈرن پروفیسر کو دیکھ رہا تھا۔

"آپ میری مدد کر سکتے ہیں سر ــــــ روح کے سفر میں۔"

"میں تو تمہاری مدد نہیں کر سکتا۔ ہاں کسی ایسے شخص کی تلاش کی جا سکتی ہے جو تمہاری اعانت کر سکے۔ یہ جو آسٹرل باڈی کے سفر ہیں اور جادوگروں کی ساحری ہے۔ یہ سب ہمزاد کے کرشمے ہیں۔ ان کا روح کے ساتھ کوئی تعلق نہیں۔ ہمزاد چونکہ ساری عمر انسان کے ساتھ رہتا ہے انسان کی کوئی بات اس سے چھپی نہیں ہوتی۔ جب حاضرات بلائے جاتے ہیں یا روحیں حاضر کی جاتی ہیں تو یہی ہمزاد حاضر ہوتا ہے۔ یہی ماضی ــــــ کے واقعات بیان کرتا ہے۔"

میں نے سوالوں کا طومار باندھ دیا۔

"میں زیادہ نہیں جانتا قیوم ــــــ میں خود تلاش میں ہوں۔ تمہاری طرح راہرو ہوں ــــــ دیکھو اگر تمہیں کوئی راستہ مل جائے تو مجھے اطلاع دے دینا ــــــ مجھے خبر ہو گئی تو میں تمہیں انگلی پکڑ کر لے چلوں گا ــــــ وہاں بھی بہت چھان بین کی میں نے لیکن کوئی راستہ نہیں ملا۔ وہ لوگ بھی تلاش میں ہیں۔ بہت صوفی سنٹر کھل گئے ہیں۔ کئی بھگتی آشرم ہیں۔ ان گنت ادارے ہیں Protestant, Baptist لیکن ابھی کامل یقین کا وقت نہیں آیا ــــــ نہ یہاں نہ وہاں ــــــ"

میں بہت پریشان تھا۔ میرے اندر کی آگ اب بہت بھڑک گئی تھی۔

"کسی طرح ــــــ آپ میری ملاقات کسی روح سے نہیں کرا سکتے ــــــ

میرے ابا کی روح سے ــــــ میری ماں کی روح ــــــ وہ ــــــ وہ ــــــ وہ مجھے اس کرب سے نجات دلا سکتے ہیں۔"

پتہ نہیں کیوں میری آنکھوں میں آنسو آ گئے۔

"میں کچھ نہیں جانتا قیوم ــــــ کچھ تھوڑی سی سوجھ بوجھ آ گئی ہے ــــــ لیکن صرف کتابوں سے مجھے عینی یقین حاصل نہیں۔ بس میرے تمام علم کی طرح یہ بھی ایک Academic Research ہے لیکن میں تلاش میں ہوں۔"

اس وقت پروفیسر سہیل سے ملنے تین جوان یونیورسٹی سے آ گئے۔ انہوں نے رسماً تھوڑی سی باتیں کیں۔ پھر تینوں نے سگریٹ بجھا دیئے۔ ایک میز پر ایک بڑا شیشہ رکھا گیا۔ درمیان میں گلاس پر سہیل اور دو لڑکوں نے انگلیاں رکھ دیں اور کمرے کے پردے برابر کر کے صرف ایک موم بتی روشن کر دی گئی۔

اب روحیں بلانے کا عمل شروع ہوا۔

"کوئی روح جو ادھر سے گزر رہی ہو۔ گلاس میں آ جائے اور گلاس ہلا کر اپنے وجود کا یقین دلائے ــــــ" انگریزی میں سہیل نے کہا۔

ابھی سہیل کو استدعا کرتے ایک آدھ منٹ ہی گزرا تھا کہ گلاس زور و شور سے ادھر ادھر سرکنے لگا۔

"آپ کس کی روح ہیں۔"

"میں رایو گرینڈ کے کنارے رہنے والا ایک بروجو ہوں ــــــ" روح نے مختلف الفاظ پر جا کر ہجے کیے۔

"آپ کو مرے کتنے سال ہوئے ہیں۔"

"جب راکٹ پورٹ کے قریب اپاشی قبیلے کی جنگ ہوئی تھی تو میں ایک انگریز کی گولی سے مارا گیا تھا۔"

"دنیا کا مستقبل کیسا ہے؟"

"تاریک! ــــــ"

"کیوں؟ ــــــ"

"ہوپی قبیلے کی پیش گوئی کے مطابق شمال مشرق سے آنے والے ایک ایسا کدو

ایجاد کریں گے جس میں راکھ ہو گی جب وہ کدو ہوا میں اچھالیں گے تو دنیا نیست و نابود ہو جائے گی۔

سہیل نے گلاس میز سے اٹھا کر اس میں پھونک ماری اور پھر ایک نئی روح کو بلایا۔

"ہم سینٹ فرانسس آف اسسی کو بلانا چاہتے ہیں——" سہیل نے کہا۔

"کیوں؟——" نئی روح نے سوال کیا۔

"ہم ان سے پوچھنا چاہتے ہیں کہ ہم کیا کریں۔ انسان کی فلاح کس میں ہے۔"

"غریبی، عصمت اور اطاعت میں——" روح نے جواب دیا۔

"ہمیں سینٹ فرانسس بلا دو۔"

"وہ نہیں آسکتے۔"

"کیوں کیوں؟——" سب چلائے۔

"وہ جس عالم میں ہیں وہاں سے آیا نہیں جاتا۔"

مجھ پر اس مشغلے کا عجیب اثر ہوا۔ میں سر سے پاؤں تک پسینے میں بھیگ گیا۔ اور میرے معدے میں شدید جلن اٹھی۔

"سہیل میرے اباجی کو—— میرے اباجی کو—— بلاؤ——"

سہیل نے میرے کندھے پر ہاتھ رکھا اور میری آنکھوں میں دیکھ کر بولا——

"وہ نہیں آسکتے قیوم—— میں تمہیں بتا چکا ہوں یہاں صرف عالم ناسوت سے پیغامبر آتے ہیں۔"

نوجوانوں نے شیشہ اور گلاس ایک طرف رکھ دیئے اور سگریٹ پینے لگے۔ اب گفتگو امریکہ کی جنسی زندگی کی طرف مڑ گئی۔ ابھی چند لمحے پہلے جو لوگ ارواح سے ناطہ جوڑنے میں مگن تھے، بڑے تپاک سے مغرب کی جنسی زندگی کے متعلق باتیں کر رہے تھے۔ سہیل انہیں گروپ شادیوں کے متعلق، کی رنگ سوسائٹی، وائف سوپینگ، سیکس شاپ اور بلو فلموں کے متعلق تفصیل سے بتا رہا تھا۔ اس وقت وہ اس قدر چسکے لے کر باتیں کر رہا تھا کہ مجھے شبہ ہوا۔ وہ امریکہ میں سٹڈی ٹور نہیں کر رہا بلکہ امریکہ کی انڈر ورلڈ مافیا کا جیتا جاگتا حصہ ہے۔ وہ امریکی لڑکیوں کے متعلق ایسی انفرمیشن دے رہا تھا جو

پلے بوائے رسالوں میں بھی ملنی مشکل ہے۔ اس کی باتوں میں پوری اشتعال انگیزی تھی اور وہ اس وقت مجھے ایسا شیطان لگ رہا تھا جس کے سر پر چھوٹے چھوٹے خرگوش جیسے کان ہوتے ہیں۔ رات گئے تک وہ تینوں نوجوان بیٹھے رہے۔ پاکستان کے ملکی، سیاسی حالات، روس اور امریکہ کی خارجی پالیسی خاص کر تھرڈ ورلڈ میں ان کی حیثیت اور خودساختہ ایمپائیر کے فرائض کی تشریح، اسلامی اخوت اور ملت کا مستقبل، تعلیمی مسائل، ابلاغ کی حالت، دیار غیر میں اور مقامی پالیٹکس میں، لڑکیوں کی آزاد روی اور پیشہ طلبی، ملازموں میں گریڈوں کی اونچ نیچ، مہنگائی، موسم، فیشن بہت کچھ زیر بحث رہا۔ پروفیسر سہیل بے تکان اور بڑے سلیقے سے بات کرنے کا عادی تھا۔ وہ جب بھی بات کرتا ایسے جیسے لکڑی میں ایک ہی ہتھوڑے سے کیل اندر تک دھنس جائے۔ وہ پہلے موضوع کو دوسرے آدمی کے سامنے پھینک دیتا۔ چھوڑنے کے بعد جب موضوع اس تک پہنچتا تو وہ اسے غلیل کے ربڑ کی طرح کھینچ کر تان کر نشانہ باندھتا۔ اس میں دوسرے کو اپنا نقطہ نظر سمجھانے کی اہلیت تھی —— بلکہ قائل —— کرنے کا مادہ تھا۔ وہ بحث میں الجھے بغیر گفتگو کو مناظرے کی شکل نہ دیتے ہوئے اپنا مطلب منوانے میں کامیاب ہو جاتا اور یہی اس کی گفتگو کا خوبصورت ڈھنگ تھا۔ جس کی بدولت وہ مختلف محفلوں میں اچانک چمکنے لگتا اور رفتہ رفتہ چھا جاتا۔ رات گئے جب وہ مجھے لے کر باہر نکلا تو پورا چاند چمک رہا تھا۔

"آؤ چلیں۔"

"میں چلا جاؤں گا —— سر" میں نے اصرار کیا۔

"کیسے جاؤ گے تمہاری موٹر سائیکل تو وہیں رہ گئی۔"

پہلی بار مجھے خیال آیا کہ اپنی موٹر سائیکل کو ساتھ نہ لانا بہت بڑا احمق پن تھا۔

"بیٹھو —— اور اندر سے اس قدر کس کر مت رہا کرو۔ Relax

Relax۔"

رات کے ڈھائی بجے میں پھوپھی کے گھر پہنچا۔ کار جس وقت پھاٹک تک پہنچی دو بڑے بڑے السیشن کتے اندر لان سے بھونکتے اور بھاگتے ہوئے آئے اور پھاٹک کے اوپر پاؤں رکھ کر بھونکنے لگے۔ کافی دیر تک اندر سے کوئی نہ آیا۔ ہم دونوں بھی کتوں کی وجہ سے کار کے اندر ہی بیٹھے رہے۔ پھر بوڑھا خانساماں اور روشن برآمدے میں آئے پہلے

پورچ کی دو بتیاں روشن ہوئیں۔ پھر خانساماں اور روشن گھر کے پھاٹک کی طرف آئے۔ خانساماں نے دونوں کتوں کو گلے کے پٹکے سے پکڑا اور اندر لے گیا۔ روشن میری طرف بڑھتی آئی۔ میں نے پروفیسر سہیل سے خدا حافظ کہا اور اندر اس کے ساتھ ساتھ چلنے لگا۔

"افسوس میں موٹر سائیکل یہیں چھوڑ گیا ورنہ یہاں نہ آتا۔"

"اچھا ہوا کہ ــــــ کہ آپ آگئے پھوپھی جان بار بار پوچھ رہی تھیں۔"

"کیا۔؟"

"کچھ نہیں جی ــــــ بس یہی ــــــ"

ہم دونوں چپ چاپ اندر کی طرف چلے۔

ڈبل بیڈ پر لیٹنے سے پہلے اس نے اونچی آواز میں کہا۔

"افتخار کا خط ہے ــــــ آپ دیکھ لیں۔"

میں غسل خانے کے اندر روشن کے برش سے دانت صاف کر رہا تھا۔

"اسے رکھو ــــــ" میں نے اندر سے کہا۔

باہر آکر میں نے سعودی عرب کا نیلا ایروگرام کھولا۔ لکھا تھا۔

پیاری روشن!

میں بمشکل تمام دو ہفتے کی چھٹی لے سکا ہوں۔ دو ہفتے کی چھٹی مجھے کمپنی کی طرف سے نہیں ملی۔ صرف جرمن مالک نے اپنی مہربانی سے میرے حالات کے پیش نظر چھٹی دی ہے۔ تم اب تیار ہو جاؤ۔ تمہاری مصیبت کے دن ختم ہونے والے ہیں۔ انشاء اللہ!

جب میں یہاں پہنچا ہوں تو میرا خیال تھا کہ مجھے بڑی اچھی نوکری مل جائے گی لیکن یہاں پر صرف ٹیکنیکل آدمی فائدے میں رہتا ہے۔ سو سے ڈیڑھ سو ریال تک ایک مزدور کی یومیہ آمدنی ہے۔ میں نے اب راج کا کام سیکھ لیا ہے۔ میرا ویزا بھی پکا ہو گیا ہے۔ روزی بھی اللہ نے خوب دے دی ہے۔ رہائش اور کھانا مفت ہے۔ جس قدر مرضی پھل کھاؤ جوس پیو لیکن کام بھی خوب سخت ہے۔ گیارہ گیارہ منزلہ بلڈنگیں بن رہی ہیں۔ اتنی اونچائی پر سے جب نیچے دیکھو تو

سر چکرانے لگتا ہے۔ تم جب جدہ کے بازاروں میں گھوموگی تو تمہیں پتہ چلے گا کہ سامان کیا ہوتا ہے ہے؟ بچے کے پوتڑے کاغذ کے بنے ہوتے ہیں اور یورپ سے ڈبوں میں پیک ہو کر آتے ہیں۔ تم کو کوئی کام نہیں کرنا پڑے گا۔ یہاں کی روٹی کئی قسم کی ہے اور اسے عیش کہتے ہیں۔ سمولی ہب' اور تمیز یہاں کی مقبول روٹیاں ہیں۔ زیتون کا اچار اور پنیر ساتھ کھاتے ہیں۔ تمہیں فول بھی کھلاؤں گا جو ایک قسم کی دال ہے اور صراحی دار منہ والی دیگ میں پکتی ہے۔ اب تیار رہو پاسپورٹ میں گڑبڑ نہ ہو۔ تم جدہ ایئرپورٹ پر اترو گی تو دنگ رہ جاؤ گی۔ سترہ کلومیٹر لمبا یہ ایئرپورٹ بہت خوبصورت ہے۔ سارے کا سارا امریکن فیشن کا ایک ایک منٹ کے بعد طیارہ اترتا ہے لیکن اب زیادہ باتوں کی کیا ضرورت تم خود سب کچھ دیکھ لوگی۔ انشاء اللہ۔

تمہارا افتخار

ہم دونوں چپ ہو گئے۔ پھر کچھ دیر بعد وہ ڈبل بیڈ کے ایک کنارے اور میں دوسرے کنارے پر لیٹ گئے۔ اب بھی ہم میں دو بازو بھر کا فاصلہ تھا۔ بتیاں بجھا دی گئیں تو پچھلی کھڑکی سے پورے چاند کی روشنی اندر آنے لگی۔

"آپ کو روشنی بُری لگتی ہو تو کھڑکی کے آگے پردہ کر دوں——؟ روشن نے بڑی دیر کے بعد پوچھا۔

"نہیں ٹھیک ہے۔"

ہم دونوں ہمیشہ ایک ہی کمرے میں رہے تھے لیکن ہمارے پلنگ ہمیشہ علیحدہ تھے۔ اس ڈبل بیڈ نے دوری اور نزدیکی کا ایک اور بکھیڑا کھڑا کر دیا۔

بڑی دیر بعد میں نے سوال کیا—— "تمہارا پاسپورٹ تیار ہے؟"

"ہاں جی—— وہ تو—— وہ تو افتخار نے جانے سے پہلے بنوا دیا تھا۔"

پھر ہم دونوں میں خاموشی چھا گئی۔

"اگر تم کو کوئی خرید و فروخت کرنا ہو تو پیسے مجھ سے لے لینا۔"

"نہیں جی۔"

بڑی دیر وہ آنکھیں کھولے چھت کو دیکھتی رہی۔ میں نے کروٹ بدل لی۔

"اگر آپ مائنڈ نہ کریں تو میں غسل خانے کی بتی جلا لوں۔ مجھے ڈر لگ رہا ہے۔"

"ضرور"

اس کے بعد میں نے سر کے نیچے سے تکیہ اٹھایا اور اپنے چہرہ پر لے لیا۔ مجھے معلوم نہیں وہ چاند رات میں غسل خانے کی بتی جلا کر جاگتی رہی کہ سو گئی۔

پکی سڑک کے کنارے پروفیسر سہیل نے گاڑی پارک کر دی اور ہم سائیں جی کے ڈیرے کی طرف پیدل چلنے لگے۔ یہ ڈیرہ پکی سڑک سے قریباً پونے دو میل دور تھا۔ راستے میں ایک نہر کئی کھیت کیکر کے درختوں کے جھنڈ، پرانے بے آباد بھٹے، مٹی کے ٹیلے اور جھاڑیاں آئیں۔ سارا راستہ سہیل مجھے سائیں جی کے کشف و کرامات کے متعلق بتاتا رہا۔ امریکہ پلٹ سہیل پوری عقیدت سے سائیں جی کا معترف ہو رہا تھا۔

"وہ چاہیں تو موت کا حجاب اٹھا کر تمہیں ادھر کی دنیا کا رخ دکھا سکتے ہیں۔"

"میں —— اپنی پریشانیوں کا حل چاہتا ہوں ——" میں نے تڑپ کر کہا۔

"تمہاری پریشانی کا حل کتابوں سے حاصل نہیں ہو سکتا۔ میں بھی سمجھتا تھا کہ مجھے کتابوں سے کوئی راستہ مل سکتا ہے لیکن جب تک میں سائیں جی کے ڈیرے پر نہیں پہنچا۔ میری پریشانیوں کا حل نہیں ملا۔"

"تو کیا اب آپ Anxiety سے آزاد ہو چکے ہیں سر؟"

"نہیں ——"

"تو پھر حاصل؟ ——"

"انسان کو دنیا میں ایک سب سے بڑی پریشانی ہے قیوم —— وہ پائیدار ہونا چاہتا ہے اور موت کے ہوتے ہوئے وہ کبھی مستقل نہیں ہو سکتا۔ انسان کی ہر پریشانی کا تجزیہ کرو اصل میں پریشانی موت سے پیدا ہوتی ہے —— آرزو کی موت راحت و خوشی

کی مرگ ـــــ دیکھو تو آدمی ہر وقت مرتا رہتا ہے۔ بدن کی موت تو آخری فل سٹاپ ہے۔ موت کی جھلکیاں چھوٹی موٹی ملاقاتیں تو روز ہوتی ہے، موت سے۔

"مجھے اب فلسفہ نہیں چاہئے پروفیسر سہیل ـــــ میرا خیال ہے زیادہ سوچ نے میری زندگی میں بارود بھر دیا ہے۔"

"سائیں جی سے ملو گے تو پتہ چلے گا کہ موت کچھ نہیں ہے ـــــ وہ پردہ اٹھا کر دکھا دیں گے کہ کیسے انسان اس جسم کو چھوڑنے کے بعد پھر ابدی زندگی پا لیتا ہے ـــــ جنت وہ جنت ہے جہاں خوشیوں کو موت نہیں آرزوؤں کی مرگ نہیں ـــــ موت نہ ہوتی موت کا شعور نہ ہوتا تو آدمی کبھی غم سے آشنا نہ ہوتا ـــــ دیوانہ نہ ہوتا!"

"وہ مجھے ابا کی روح سے ملا دیں گے۔"

"بڑی کرنی والے سائیں جی ہیں تم میں ہمت ہو گی تو ضرور ملا دیں گے۔"

"آپ ـــــ آپ نے تجربہ کیا ہے کسی روح سے ملنے کا؟ ـــــ سر۔"

"مجھے یقین ہے کہ انسان موت کے بعد زندہ رہتا ہے مجھے کسی ثبوت کی ضرورت نہیں ہے۔ میں روحوں سے مل کر کیا کروں گا؟"

وہ پتہ نہیں کیوں مجھ سے نظریں چرانے لگا۔

ڈیرے پر مکمل خاموشی تھی۔ کھُلا احاطہ تھا جس میں ایک طرف چھوٹی سی کچی مسجد تھی۔ مسجد کے احاطے میں چٹائیوں پر دو سفید ریش بزرگ بیٹھے کھجور کی گٹھلیاں ہاتھوں میں لیے ذکر میں مشغول تھے۔ ایک ہرا جھنڈا سائیں جی کے کوٹھے پر لہرا رہا تھا۔ سارے میں گرمیوں کی دوپہر چھائی تھی۔ ڈیرے پر کوئی درخت نہ تھا۔ پھر بھی کہیں سے کوئل کی آواز گرد آلود آسمان کو چیر کر پہنچ رہی تھی۔ سائیں جی کے کچے کوٹھے میں ٹھنڈک اور شانتی تھی۔ وہ کھجوری صف پر کہنی کے بل نیم دراز تھے اور ان کا ایک مُرید کھجوری پنکھے سے انہیں جھل دے رہا تھا۔ کمرے میں اندھیرا ہونے کی وجہ سے چند لمحے تک کچھ نظر نہ آیا۔ سائیں جی کا مشفق چہرہ اور لمبی سفید ریش بہت بعد میں نظر آئی۔

"آؤ بیٹھو بیٹھو آج تو بڑے بڑے لوگ آئے ہیں۔"

سائیں جی آلتی پالتی مار کر بیٹھ گئے۔ ان کے جسم پر تہمد کے علاوہ اور کچھ نہیں

تھا۔ چھاتی کے بال سفید سینے کو ڈھانپے چمک رہے تھے۔

"جا بھائی ان کے لیے چائے لا۔"

مُرید نے پنکھا چھوڑا اور حق سائیں کہہ کر ڈیرے سے نکل گیا۔ پتہ نہیں چائے کہاں پکتی تھی کیونکہ بظاہر نہ کہیں دھواں تھا نہ چولہا۔ مجھے لگا جیسے ڈیرے پر ہمزاد پکی پکائی چیزیں اتارتے ہوں۔

"آرام سے کھلے ہو کر بیٹھیں ——" سائیں جی نے مجھے کہا اور پھر کتنی ہی دیر اللہ اللہ کرتے رہے۔

گجراتی پیالوں میں گرم گرم چائے آ گئی۔ کچھ عرصہ بعد تندوری روٹیاں مکھن اور مچھلی کا طشت لے کر ایک اور مُرید حاضر ہو گیا۔

"لنگر کریں —— لنگر میں برکت ہوتی ہے۔"

ہم مودب انداز میں کھانا کھانے لگے۔ میں خاموش تھا لیکن ڈاکٹر سہیل سلوک کی مختلف منزلوں پر سائیں جی سے تبادلہ خیال کر رہا تھا۔ گفتگو میں خاص ٹیکنیکل توجیہات کی وجہ سے بات میری سمجھ سے بالاتر تھی۔

"اچھا تو آپ کے دوست دعوت۔ الارواح کی مجالس میں شرکت کرنا چاہتے ہیں۔"

"جی میں اپنے باپ کی روح سے ملنا چاہتا ہوں۔"

"بیٹا اگر فقط تجسّس کے لیے ہے تو باز رہو اگر باطنی فتح کی خاطر مطلوبہ روح کی روئت چاہتے ہو تو ہم راستہ بتا دیں گے۔"

"کیسے؟ حضور کیسے؟ سائیں جی میں بہت بے قرار رہتا ہوں۔"

خواب میں چاہو تو خواب میں —— مراقبے میں استغراق میں چاہو تو ویسے عالم بیدار میں روح کو مجسم دیکھنا چاہو تو اس طرح ——"

"کیا روح دوبارہ جسم میں آ سکتی ہے سائیں جی۔"

"روح دوبارہ جسم میں نہیں آتی لیکن جس صورت میں متشکل ہونا چاہے ہو سکتی ہے۔ ملائکہ جنات بھی یہ قدرت رکھتے ہیں —— لیکن بیٹا یکسوئی شرط ہے۔"

"یکسوئی کی کوشش کروں گا سائیں جی ——" میں نے ہاتھ جوڑ کر کہا۔

"ہم تم کو ایک طریقہ بتاتے ہیں —— اسم ذات کسی کاغذ پر لکھ کر دیوار پر ٹانگ لینا‘ ایسے کہ تمہاری نظریں اس کے متوازی ہوں۔ پھر آرام دہ تکیے سے ٹیک لگا کر اس کو دیکھنا اور پاس انفاس جاری رکھنا —— روز —— بلاناغہ پہلے پانچ منٹ پھر ہر دن کے ساتھ ایک منٹ اور —— ظلمات بشری جب دور ہونے لگیں تو خود بخود عام ملکوت کا راستہ کھلے گا۔"

میں نے ان سے پاس انفاس کا طریقہ سیکھا۔ بڑی دیر تک اس عمل کا تجزیہ ہوتا رہا کہ لا کیسے کہا جائے اور الا اللہ کی ضرب کیسے قلب پر جاری کی جائے۔

کچھ دیر کے لیے سائیں جی نے مجھے انفاس کا ورد پریکٹیکل کی شکل میں کرکے دکھایا۔

"کتنے دن یہ عمل جاری رکھنا ہوگا سائیں جی۔"

سائیں جی ہلکا سا مسکرائے۔ کڑی دھوپ میں جیسے نیم کی گھنی چھاؤں۔

"بیٹا یہ تو سالک کی اپنی لگن پر منحصر ہے کچھ لوگ دنوں کی منزل سالوں میں طے کرتے ہیں۔ کچھ سالوں کو لمحوں میں پار کر جاتے ہیں۔ اونگھنے سونے یا سستی کرنے سے راستہ کھوٹا ہوتا ہے —— جب یہ مشق مکمل ہو گی تو اندھیرے میں بھی اسم ذات نظر آنے لگے گا اس وقت تم کسی کو بھی متوجہ کرکے اسے اپنی طرف کھینچنے کی قوت اپنے میں پاؤ گے۔"

یکدم روشن کا زرد چہرہ میری نظروں میں گھوم گیا۔

"جب یکسوئی کا مرحلہ طے ہو گیا تو پھر قوت ارادی کا عمل بتائیں گے —— جب یکسوئی تصور اور قوت ارادی مضبوط ہو گئے تو پھر لطیفۂ خفی کا مقام کھلے گا۔"

"لطیفۂ خفی کا مقام؟ ——" میں نے لجاجت سے سوال کیا۔

"دو ابروؤں کے درمیان لطیفۂ خفی کا مقام ہے۔ جس طرح ناسوتی چیزوں کو دیکھنے کے لیے آنکھ کام دیتی ہے جب باطنی آنکھ کھلے گی تو روح ملائکہ اور دیگر باطنی اشیاء خود بخود نظر آنے لگیں گی۔"

"کیا میری باطنی آنکھ کھل سکے گی؟"

"ہاں بھئی کیوں نہیں —— بچہ جو کچھ دیکھتا ہے سمجھتا ہے؟ ارد گرد کے لوگ

بتاتے ہیں۔ یہ گھوڑا ہے۔ یہ بلی ہے، ایسے ہی ہر آدمی اپنی باطنی آنکھ سے کچھ نہ کچھ کبھی نہ کبھی دیکھتا ہے۔ لیکن سمجھ نہیں سکتا۔ رہنمائی شرط ہے۔ جب یہ مرحلے طے ہو جائیں گے تو ہم تم کو ایسا ورد بتا دیں گے جس سے روح عالم شکل میں آ کر تم سے خود ملے گی۔ ان کی زیارت کے وقت اگر فیض چاہو گے تو کئی منزلیں طے ہو جائیں گی۔ دنیاوی رہنمائی کی آرزو رکھو گے تو وہاں اعانت کریں گے لیکن بہتر یہی ہے روحانی فیض حاصل کرو۔"

میں نے خوفزدہ ہو کر سہیل کی طرف دیکھا——— "یہ تو بہت لمبا کام ہے سر——— کون جانے یکسوئی نصیب ہو نہ ہو——— قوت ارادی مضبوط ہو سکے نہ ہو سکے۔ سائیں جی کوئی چھوٹا راستہ نہیں ہے——— کوئی شارٹ کٹ۔"

"ہے!"

"بتائیے خدا کے لیے بتائیے۔"

"بزدل ہو؟"

"جی کوئی خاص نہیں۔" شاید ہوں بھی

"اندھیرے سے تو ڈر نہیں آتا۔"

"نہیں جی۔"

"شیطانی آوازوں سے تو نہیں گھبراتے؟

پروفیسر سہیل نے میری طرف نظر ڈالی۔ جیسے وہ مجھے روکنا چاہتا تھا۔

"جی نہیں۔"

"تو میرے ساتھ آؤ۔"

ہم دونوں اٹھ کر سائیں جی کے پیچھے پیچھے چلے۔ وہ ہمیں ڈیرے سے کوئی دو فرلانگ دور لے گئے۔ یہاں مٹی کے اونچے اونچے تودے اور بکائن کی جھاڑیاں تھیں۔ ان ہی ٹیلوں کی اوٹ میں ایک پکی قبر بنی تھی۔ جب ہم قبر کے قریب پہنچے تو نظر آیا کہ قبر کے اندر جانے والی سیڑھیاں صاف نظر آتی ہیں۔ جس وقت سائیں جی قبر میں داخل ہوئے۔ اس لمحے پروفیسر سہیل نے خوف سے میری جانب دیکھا اور میرا ہاتھ پکڑ لیا۔ لیکن میں دور تک فیصلہ کر چکا تھا اس لیے آہستہ آہستہ سائیں جی کے پیچھے پیچھے اترنے لگا۔ آٹھ سات سیڑھیاں اتر کر ہم قبر کے اندر پہنچے تو گھپ اندھیرا تھا۔ نم مٹی کی خوشبو آ رہی

تھی اور باہر کی نسبت اندر ٹھنڈک تھی۔

سائیں جی نے اندر جا کر ماچس جلائی۔ اندھی کھوہ میں لپائی بڑی نفاست سے کی ہوئی تھی اور ایک طاقچے میں قرآن کریم ریشمی کپڑے میں ملفوف دھرا تھا۔ سائیں جی نے موم بتی روشن کر کے طاقچے میں رکھ دی کیونکہ قبر کے اندر کھڑے ہونے کی جگہ نہ تھی۔ اس لیے ہم کمریں جھکا کر ایستادہ تھے۔

"بیٹھ جاؤ۔"

ہم دونوں لپے ہوئے فرش پر سائیں جی کے پاس بیٹھ گئے۔

"یہ ہماری قبر ہے یہاں ہر رات ہم قرآن کریم کی تلاوت کرنے کے لیے آتے ہیں اور اپنے پیر و مرشد کی خدمت میں حاضری دیتے ہیں۔"

"آپ کے پیر و مرشد بھی یہاں آتے ہیں؟" میں نے حیران ہو کر پوچھا۔

"ان کے وصال کو چالیس سال ہو چکے ہیں لیکن یہاں وہ باقاعدگی کے ساتھ ہمیں ہدایت دینے آتے ہیں۔"

"سائیں جی —— آپ کو یہاں ڈر نہیں لگتا ——" پروفیسر سہیل نے سوال کیا۔

"جس بشر کے ساتھ ظلمات بشری ہو اسے ڈر لگتا ہے جو اس جہالت سے نکل جاتا ہے وہ نور ہدایت سے منور رہتا ہے خوف اور بزدلی اسے چھو نہیں سکتی۔"

قبر کی چھت سے نامعلوم سی مٹی چھن چھن کر گر رہی تھی۔

"برخوردار اگر تم کو اپنے والد کی روح سے ملنا ہو تو یہاں مل سکتے —— ہو۔"

"جانے دو یار ——" آہستہ سے سہیل نے کہا۔

"ہاں میں تیار ہوں۔"

"پہلے چار ہفتے تم میرے ساتھ یہاں آؤ گے۔ پھر ایک جمعرات ہم باہر ہوں گے تم اندر ہو گے۔ تم کو اپنے والد کی روح ملنے آئے گی۔ یاد رکھو روح گزند نہیں پہنچاتی۔ لیکن اس کی ہیبت بہت ہوتی ہے۔ ہم باہر ہوں گے تمہیں کوئی نقصان نہیں پہنچ سکتا۔"

"ٹھیک ہے سائیں جی میں تیار ہوں ——" میں نے ہاتھ جوڑ کر جواب دیا۔

"تم کو اپنے والد کی قبر کا نقشہ یاد ہے۔"

میں سوچ میں پڑ گیا۔

چندرا کا سارا گاؤں میری نظر میں گھوم گیا—— کلر کھائی زینئیں، دو منزلہ چھوٹی اینٹ کی حویلی—— اماں کا کھلا صحن جن کے ایک طرف دیمک زدہ تخت پوش پڑا تھا۔ اوپر چڑھنے والی گول سیڑھیاں اور چوتھی سیڑھی کی ٹوٹی ہوئی اینٹ، ممٹی کے ساتھ بوڑھے گدھ جیسا میرا باپ—— مجھے تو یہ بھی معلوم نہ تھا کہ ابا زندہ تھا کہ مر گیا؟ اس کی قبر کہیں تھی بھی کہ نہیں؟

"سائیں جی مجھے اپنے والد کی قبر کا نقشہ یاد نہیں۔"

سائیں جی نے دونوں ابرو اٹھا کر پوچھا—— "بیٹا پھر زیارت کیسے کرو گے؟ باپ کی قبر کو ہی یہاں بیٹھ کر یاد کرنا ہو گا۔"

سہیل نے مجھے کہنی مار کر کہا—— "کس بکھیڑے میں پڑ گئے ہو—— چلو——"

"بیٹا ملاقات صرف اسی کی ہو سکتی ہے جس کی قبر کا نقشہ ذہن میں ہو۔"

یکدم یمی میری نظروں میں گھوم گئی۔ پتہ نہیں اتنی دیر سے میں نے باپ کی رٹ کیوں لگا رکھی تھی؟ مجھے یمی سے ملنے کی آرزو تھی۔ میں اس سے پوچھنا چاہتا تھا کہ دنیا کے جھنجٹ سے نکل کر کیا اب وہ شانتی سے ہے کہ اب بھی اس کی روح لندن کی سڑکوں پر آفتاب کے تعاقب میں بھٹکتی ہے؟ کبھی اسے میرا خیال بھی آیا ہے کہ مرنے کے بعد فروعی تعلقات یاد نہیں رہتے؟

"کسی لڑکی کے متعلق سوچ رہے ہو برخوردار؟——"

میں نے گھبرا کر سائیں جی کی طرف دیکھا۔

"جی—— میں اس سے ملنا چاہتا ہوں لیکن مجھے معلوم نہیں وہ کہاں دفن ہے؟"

"ہم تمہیں بتا چکے ہیں قبر کے تصور کے بغیر یہ عمل بیکار ہو گا۔"

امثل؟

امثل کہاں دفن تھی کیا وہ میانی صاحب کے نشیبی علاقے میں دفن تھی کیا راوی کے آس پاس اس کا آستانہ تھا۔

میری ماں؟

ماں کی قبر کا نقشہ بھی مجھے یاد نہ تھا—— پتہ نہیں اس کی قبر کو کلر چاٹ گیا یا شاید وہ مائی توبہ توبہ کے پتلوں کی طرح مٹی پر بے آسرا ہی پڑی ہو کہیں؟

"سائیں جی کیا سیمی مجھے مل سکتی ہے۔"

پروفیسر سہیل نے مجھے کہنی مار کر چپ رہنے کا اشارہ کیا۔

"مل تو سکتی ہے بیٹا لیکن اس کی قبر کا تصور تو لانا پڑے گا ذہن میں۔"

میں نے سر جھکا لیا۔ آخری بار جب میں نے اسے چھوڑا تو وہ ہسپتال کے لال کمبل میں لپٹی ہوئی تھی۔

"اچھا سائیں جی اجازت دیں؟"

پروفیسر سہیل اٹھ کھڑا ہوا اور ہم دونوں قبر سے باہر نکلنے لگے۔

"اچھا بیٹا تم کل آنا—— ہم تمہارے لیے کچھ سوچیں گے۔"

واپسی پر پروفیسر سہیل نے کار بہت تیز چلائی اور کئی جگہوں پر بریکیں لگائیں۔ وہ بہت مضطرب تھا۔ وارث روڈ کی کوٹھی میں داخل ہونے کی بجائے اس نے گیٹ کے سامنے کار پارک کر لی۔ پارکنگ لائیٹز کی وجہ سے سڑک پر ہلکا سا چانن ہو گیا۔ پھر اچانک ایک بوسیدہ عمارت کے پیچھے سے پورا چاند رسی ٹاپتا سامنے آگیا۔ ہمیں دیکھتے ہی اس نے اپنی رسی دائرے کی شکل میں اپنے گرد پھیلا لی اور ساکت ہو گیا۔

"یہ تم بار بار سیمی سے ملنے کی آرزو کیوں کر رہے تھے؟"

میرے پاس اس کی کوئی خاص وجہ نہیں تھی۔

"میں تمہیں بہت لکچر دیتا رہا ہوں لیکن ابھی تک بہت احمق ہو سٹوڈنٹ—— سائیں جی برگزیدہ ہستی ہیں۔ کشف و کرامات سے آگے نکلے ہوئے ہیں۔ ایسے بزرگان دین سے سیمی ویمی کا ذکر نہیں کرتے۔"

"پھر ان سیمیوں کا ذکر کن سے کرتے ہیں سر؟ کن سے——؟"

"مجھ جیسے فری سٹائل پروفیسروں سے جو تمہیں دنیا کے علم کے مطابق ایسی باتوں

کا حل بتائیں۔"

"پھر بتائیں حل——؟"

وہ سر کھجانے لگا—— "گو میں خود بہت الجھا ہوں اس سیمی کے ٹاپک میں—— لیکن مجھے بغلی راستے ملتے رہے ہیں۔ تم میں وہ صلاحیت نہیں ہے۔"

مجھے کوثر یاد آ گئی۔ اس نے مجھے بتایا تھا کہ پروفیسر سہیل بھی سیمی کا گرفتہ رہ چکا ہے۔

"یار—— یہ لڑکیاں بڑی لعنتی چیز ہیں۔ پتہ نہیں چلتا کہ کہاں تک اتر چکی ہیں—— تمہارے اندر—— خاص کر سیمی شاہ تو بہت ہی دور تک اترنے والی تھی—— تھی نا؟"

"تھی جی—— بہت۔"

"بے چارے پروفیسر بھی کیا کریں۔ وہ بھی جب کہ وہ عمر میں اپنے طالب علموں سے کچھ ہی سال بڑے ہوں۔"

میں نے حیرانی سے اس کی طرف دیکھا۔

"پروفیسر کی شان یہ ہے کہ باپ بن کر رہے، گرو بن کر رہے—— اور—— لڑکی—— یہ چاہتی ہے کہ پروفیسر سر پر راکھ ڈال کر پیچھے پیچھے چلے—— لعنت ہے اس مخلوط تعلیم پر!"

سہیل اور میں بہت دیر تک کار میں بیٹھے باتیں کرتے رہے۔ امریکہ سے واپسی پر وہ میرا پروفیسر نہیں رہا تھا بلکہ دوست بن گیا تھا۔ ایک طرح سے دوست تو وہ شروع دن سے تھا لیکن اب وہ مراتب کا لحاظ بھی جاتا رہا تھا۔ جب ہم دونوں نے تیسری ڈبیا سگریٹ کی شروع کی تو سہیل بولا—— "یار یہ لڑکی آخر کیا چیز ہے—— کچھ سمجھنے نہیں دیتی۔ کہیں پہنچنے نہیں دیتی۔ ہمیشہ ہر سوال کے سامنے اور ہر جواب کے پیچھے آ کھڑی ہوتی ہے۔"

میں حیرانی سے اس کا چہرہ تکنے لگا۔ فرنچ کٹ ڈاڑھی اور سرخ چیک کی بش شرٹ، میں یہ نوجوان مجھے کچھ اجنبی سا لگا۔ کبھی اس نے کسی ٹاپک پر ہار نہیں مانی تھی۔

"آج تک ہمیشہ تم نے اپنی مشکلات کا مجھ سے ذکر کیا ہے آج میں تمہیں اپنے

اندر کی زندگی کے متعلق کچھ بتاؤں گا۔"

بڑے تعجب کی بات تھی کہ ابھی تک میں نے بھی ڈاکٹر سہیل کی زندگی میں دلچسپی نہیں لی تھی۔ وہ میرے لیے فقط علم کا "Bionic Man" تھا۔ بغیر جذبات کے علم اگلنے والا۔

"جب تم لوگ کالج میں داخل ہوئے ہو —— اس وقت میں اونچی اڑانوں میں تھا شاف روم میری باتیں سن کر Extension سے چمٹے ہوئے پروفیسر دنگ رہ جاتے۔ میں علم کے بل بوتے پر ایک بڑا حسین و جمیل فرعون بن گیا تھا۔ اندر سے مجھے کسی کی پروا نہ تھی۔

"اب ہے —— سر۔"

"ہاں ہے —— اپنی تھیوری کی —— یاد ہے رزق حرام کی تھیوری۔"

"خدا کے لیے اسے دوبارہ نہ دوہرانے لگ پڑیں۔"

"نہیں اس کی چنداں ضرورت نہیں میں اپنی کتاب چھپنے کے لیے امریکہ کے ایک پبلشر سے بات کر آیا ہوں۔ رزق حرام کی تھیوری پر تم سے بات ہو گی لیکن بزبان انگریزی ہو گی۔"

"پھر سر جب ہم داخل ہوئے تب؟"

چاند کی عادت ہے جب کبھی راز و نیاز کی باتیں ہو رہی ہوں وہ کسی نہ کسی درخت کی اوٹ سے نکل آتا ہے۔ اور کسی پھاپھا کٹنی کی طرح ساری باتیں چوری چوری سنتا رہتا ہے۔ اس وقت بھی پورا چاند وارث روڈ پر نہ جانے کیوں طلوع ہو گیا تھا۔ اور ایک کوٹھی کی تیسری منزل سے پورا نکلا ہوا ہماری باتیں سنے جا رہا تھا۔ ایسی لڑکی کی طرح جو اپنے باپ کی موجودگی میں اپنے منگیتر کی رنگین Slides نہیں دیکھ سکتی اور آدھا دروازہ کھول کر اندھیرے میں اپنے چندرماں کو دیوار کی سطح سے چمٹا دیکھتی ہے۔

"اتنے سارے علم کے باوجود —— اتنی بے اعتنائی دکھانے پر بھی وہ سیمی شاہ میرے دل میں گھستی چلی گئی۔ میرے دل میں اگر علم کا تکبر اتنا نہ ہوتا تو شاید میں اسے لے اڑتا۔ لیکن علم خود ایک حجاب ہے۔ میرا خیال تھا کہ وہ میرے سامنے زانو ٹیک دے گی لیکن ابھی میں اپنے علم کو آگ نہیں لگا سکا تھا کہ آفتاب درمیان میں کود آیا۔ اس کے

ساتھ وہ سب کچھ تھا جو کوئی عورت پسند کرتی ہے —— تھا نا —— "

"تھا —— سر —— " میں ہکا بکا اسے دیکھ رہا تھا۔

"تم سب حیران تھے کہ —— کہ یمی شاہ اچانک کالج کیوں چھوڑ گئی اور آفتاب نے اس سے شادی کیوں نہ کی —— یہ بات تمہارے لیے معمہ تھی —— "

"اب بھی ہے۔"

"وجہ میں تھا —— میں بُرا آدمی نہیں ہوں۔ Devil نہیں ہوں مائی ڈیئر سٹوڈنٹ —— لیکن اتنے سارے، علم کے باوجود میں اپنے Emotions پر قابو نہ پا سکا —— ان دنوں میں اس قدر شدید حسد کا شکار ہو گیا کہ تم اس کا اندازہ نہیں کر سکتے —— آفتاب مجھ سے بہت متاثر تھا۔ میں طالب علموں کو متاثر کیے بغیر اپنی نوکری کو حلال نہیں سمجھتا۔"

"مجھے یاد ہے سر —— وہ سارا وقت آپ کی مالا جپتا تھا۔"

"جیسے تم —— مجھ سے متاثر ہو —— " سہیل نے دھواں چھوڑ کر کہا —— "لیکن تم دونوں مجھ سے نہیں میرے علم سے متاثر تھے۔"

"بس دو شامیں آفتاب نے میرے ساتھ ہوٹل میں گزاریں اور پھر اسے یمی سے محبت تو رہی ہو گی لیکن وہ یمی سے شادی پر رضامند نہ رہا —— میں نے اسے بددل کر دیا یمی سے۔"

"آپ نے —— آپ وجہ تھے —— " مجھے وہ ساری باتیں یاد آ رہی تھیں جو شادی کے دن آفتاب نے مجھ سے تالاب کے کنارے کی تھیں وہ ساری گفتگو پروفیسر سہیل سے کی تھی۔

"ہاں میں ہی وجہ بنا —— میں —— یمی میری طرف شروع شروع میں مائل تھی لیکن آفتاب کو میں نے یقین دلا دیا کہ وہ کسی ایک مرد کے ساتھ خوش نہیں رہ سکے گی۔ یمی میں محبت تو تھی وفا نہیں تھی۔"

"یہ آپ نے کیا کیا؟ —— وہ تو سر سے پاؤں تک وفا تھی سر —— اس نے تو آفتاب کے لیے جان دے دی۔"

سہیل نے بالوں میں ہاتھ پھیر کر کہا —— "ہاں یہ میں نے کیا کیا قیوم ——

بہت دیر میں Guilt میں مبتلا رہا ہوں لیکن اب نہیں —— بہت سے راستے کھلے ہیں مجھ پر اس احساس جرم کا دروازہ کھلنے کی وجہ سے —— بہت کچھ عطا کیا ہے مجھے اس Guilt نے —— اب میں علم کا تعاقب حلم اور انکساری سے کرتا ہوں۔ پہلے میں اسے تلوار کی طرح استعمال کرتا تھا۔ میں کھاتے پیتے گھرانے کا فرد تھا۔ مجھے طبقاتی احساس کمتری نہ تھا۔ چہرہ مہرہ بھی قابل قبول تھا —— اس لیے یہ احساس کمتری پیدا نہ ہو سکا —— شکر ہے جوانی میں Guilt کا زہر رگوں میں اتر گیا ورنہ اپنے عہد کا پورا شیطان ہوتا۔ مجھے بھی اس Guilt نے بڑے مار دی ہے۔"

ہم دونوں چپ ہو گئے بہت دیر چپ رہے۔

"پتہ نہیں آفتاب کا کیا حال ہے؟ وہ کہاں پہنچا ہے۔ اگر کبھی وہ تمہیں مل جائے تو مجھے امریکہ خط ضرور لکھنا۔ میں چاہتا ہوں کہ وہ خوش رہے۔ اتنے علم کی وجہ سے ہم تو خوش نہیں رہ سکے۔"

"کب جا رہے ہیں آپ واپس؟"

"پرسوں۔ ایک مہینے کی تو چھٹی تھی۔"

"اتنی جلدی؟۔"

اس نے میرے کندھے پر زور سے ہاتھ مار کر کہا —— "یار وقت کی حیثیت کیا ہے؟ —— نہ گزرنا چاہے تو گزارا نہیں جا سکتا۔ گزرنا چاہے تو یوں —— جاتا ہے یوں۔"

میں نے آخری بار ان کا چہرہ دیکھا اور بولا —— "کیا آپ کو علم نہ تھا کہ آپ دو زندگیوں سے کھیل رہے ہیں؟ اتنے سارے فلسفے —— اتنے سارے علم کے باوجود۔"

"ہاں اتنے سارے علم کے باوجود میں اپنے فعل پر قادر نہ تھا —— یہ علم کا سب سے بڑا المیہ ہے میرا نہیں۔"

میں کار سے اترا تو اس نے ہاتھ بڑھا کر کہا —— "قیوم ہاتھ نہیں ملاؤ گے آخری بار ——؟"

میں نے گرم جوشی سے اس کا ہاتھ اپنے دونوں ہاتھوں میں پکڑ لیا ——

"سر —— سر —— سر مائی ڈارلنگ سر۔"

"یقین ماننا اس گناہ کے علاوہ میری سلیٹ بالکل پاک ہے —— اور اب مجھے اس گناہ پر افسوس بھی نہیں —— شاخیں جب تک کاٹی نہ جائیں درخت تن آور نہیں ہوتا ——"

ہم دونوں دیر تک ہاتھ ملائے ٹھہرے رہے۔ پھر اس نے پورے زور سے Accelerator کو دبایا اور چاندنی رات میں گرد اڑاتا وارث روڈ سے باہر نکل گیا۔ اس وقت گاڑی تیز چلانے کے علاوہ اس کے پاس کوئی اور چارہ نہ تھا۔!

جس وقت میں روشن کی پھوپھی کے گھر سے نکلا۔ روشن میرے پیچھے پیچھے آ رہی تھی۔

"پھر جی؟"

"تم فکر نہ کرو میں خود افتخار کو لینے ایئرپورٹ جاؤں گا۔"

"اچھا جی۔"

میں کئی دنوں بعد روشن سے ملنے پھوپھی کے گھر گیا تھا۔

وہ میرے پیچھے پیچھے چلی آ رہی تھی اور میں پیچھے دیکھے بغیر اینگل آئرن کے سفید پھاٹک کی طرف بڑھ رہا تھا۔

"میں سوچتی تھی جی کہ —— میں بھی چلتی ایئرپورٹ۔ آپ افتخار کو کیسے پہچان سکیں گے۔"

یکدم مجھے خیال آیا کہ واقعی میں افتخار کو کیسے پہچان سکوں گا؟

"اچھا —— پونے گیارہ بجے فلائٹ آتی ہے میں تمہیں آکر لے جاؤں گا۔"

"آپ تکلیف نہ کریں۔ میں پھوپھی جان کی کار میں وہاں پہنچ جاؤں گی وقت پر۔"

افتخار اپنے گھر والوں کو اطلاع دیئے بغیر پندرہ دن کی چھٹی پر آ رہا تھا۔ خطوں میں اتنی بات طے پا گئی تھی کہ وہ اچانک آئے گا اور کراچی سے ہمیں ٹیلکس دے کر مطلع

کر دے گا۔ اس کے بعد کچھ قانونی کام تھے یعنی افتخار کا روشن کے ساتھ نکاح اور میرا روشن کو طلاق دینا۔ یہ سارے کام نپٹانے کے بعد افتخار کو اپنے گھر موچی دروازے چلے جانا تھا۔ مجھے اپنے گھر سانده کلاں میں اور افتخار کی روانگی تک روشن کو وہیں پھوپھی کے گھر ٹھہرنا تھا۔ ساری سکیم میں گلبرگی پھوپھی بھی شامل تھی لیکن بار بار اس کا تقاضا ہوتا کہ کہیں بات نہ نکل جائے۔ وہ روشن کی مدد کرنے کو تیار تھی۔ بلکہ مغربی فلمیں دیکھ دیکھ کر اسے حالات میں بڑا مزا اور Excitement کا موقع مل رہا تھا لیکن وہ موچی دروازے والے رشتہ داروں سے ڈرتی بھی رہتی تھی۔ اس لیے تمام معاملے کو چوری چھپے نپٹانے کے درپے تھی۔

جس وقت افتخار کو لینے ایئرپورٹ پہنچا۔ کراچی جانے والی سواریاں انکوائری سے لے کر اندر جانے والے چھوٹے دروازے تک بھری پڑی تھیں۔ گوٹے کے ہار پہنے ہوئے پردیسی اور ان کی برقعہ پوش رشتہ دار عورتیں —— کراچی سے آنے والی سواریوں کو خوش آمدید کہنے اور ساتھ لے جانے والے لوگ —— گرمی کے باوجود سمر سوٹ پہنے ہوئے بزنس مین، فیشن ایبل لڑکیاں اور وینٹی بکس اٹھائے ہوئے عورتیں بیوروکریٹ اور ان کے ہمسونائیٹ کے بیگ شلوار قمیض کے عوامی لباس میں نوجوانوں کا سرپھرا ایک طبقہ —— یونیفارم میں ٹاکی پھیرنے والی عورتیں، سکیورٹی کے افسر، سفید وردیوں والے پائیلٹ، ہری شلوار، آتشی گلابی قمیص اور پرنٹ کے دوپٹوں میں اتراتی ہوئی ایئرہوسٹسیں، ایئرپورٹ دیکھنے کا شوق رکھنے والے بچے، نمائشی جسم دکھانے والی دبلی پتلی لڑکیاں سب جگہ لوگ ہی لوگ تھے۔

ایئرہوسٹس لڑکیاں ان شہروں کے متعلق سوچتی نظر آتی تھیں جہاں سے وہ ابھی آئی تھیں اور جہاں کے لیے انہیں ابھی روانہ ہونا تھا۔ بیوروکریٹ حسب عادت بار بار گھڑی دیکھ کر سامان کے Tags کے متعلق سوچ رہے تھے۔ فائلیں، گھریلو الجھنیں، سفر کا شیڈول ان کے ذہن اور چہرے پر سوار تھا۔ پائیلٹ سفید موروں کی طرح اتراہٹ سے چل رہے تھے۔ انہیں اپنی اہمیت کا احساس تھا کہ ان کے بغیر کوئی جہاز کہیں جانے کا اہل نہیں۔ عورتوں کو گرمی لگ رہی تھی۔ میک اپ کی تہہ تلے برقعوں کے اندر، بیلٹ والی شلواروں میں، پیڈ والی باڈسوں کے اندر، مردوں کو تھری پیس سوٹوں کی وجہ سے گرمی لگ

رہی تھی ٹائی اور الاسٹک والے انڈرویئر کی وجہ سے کوٹ کی بغلوں کے نیچے اور کلائی پر بندھی ہوئی سٹین لیس سٹیل کی گھڑی تلے پسینہ آ رہا تھا۔ سب جگہ لوگ تھے۔ ہر انسان کے ساتھ کچھ وقتی کچھ طبقاتی کچھ اس کی عمر کے حساب سے جکڑے ہوئے مسائل تھے۔ کوئی آدمی آزاد نہ تھا۔

ان ہی میں ایک روشن بھی تھی۔ جس جنگلے کے پار مسافروں کے سوائے اور کوئی نہیں جاتا وہاں روشن جنگلے پر ہاتھ رکھے کھڑی تھی۔ اس نے بڑھے ہوئے پیٹ کو چھپانے کے لیے ٹانسے کی سفید چادر ایسے اوڑھ رکھی تھی کہ پیٹ اور بھی نمایاں ہو گیا تھا۔ چہرہ پہلے سے کہیں زیادہ زرد تھا اور اب دونوں گالوں پر چھائیاں دھبوں کی صورت نظر آتی تھیں۔

"میں نے پتہ کر لیا ہے فلائیٹ وقت پر آ رہی ہے۔" میں نے روشن کے قریب آ کر کہا۔

وہ چپ رہی۔

"مبارک ہو۔"

اس نے نظریں جھکا لیں۔

"اب کیا ہو گا۔"

کچھ دیر کے بعد اس نے نگاہیں اٹھائے ہوئے کہا۔

"تم باہر چل کر ہوائی جہاز اترتے دیکھنا چاہتی ہو۔"

"نہیں جی باہر بہت گرمی ہے ـــــ" اس نے رومال سے اپنے ہونٹوں کے بالائی حصہ کو پونچھا۔

"اچھا تو یہیں انتظار کر لیں ـــــ"

اس وقت اناؤنسمنٹ ہوئی کہ کراچی سے آنے والا ڈی سی ٹن لینڈ کر گیا ہے۔ ہم دونوں عمارت سے باہر نکلنے لگے۔

"اب کیا ہو گا جی؟ ـــــ" اس نے میری طرف دیکھے بغیر پھر کہا۔

میں نے سگریٹ سلگایا۔ لمبا کش لیا اور کہا ـــــ "تمہارا نکاح ہو گا اور کیا ہو گا۔"

"ہاں جی وہ تو ٹھیک ہے پر ——"

ہم دونوں آہستہ آہستہ بیرونی راستے کی طرف چلنے لگے۔ وہ بار بار چہرہ پونچھ رہی تھی۔

"آپ کئی دن سے آئے نہیں ——" روشن نے سوال کیا۔

"صبح میں ریڈیو سٹیشن چلا جاتا ہوں اور شام کو ——" میں چپ ہو گیا۔

"اور شام کو؟"

"شام کو سائیں جی کی طرف۔"

میں نے روشن کو یہ بتانا مناسب نہ سمجھا کہ میں ہر روز باقاعدگی کے ساتھ سائیں جی کے پاس جاتا ہوں۔ پھر سائیں جی مجھے لے کر ٹیلوں کی اوٹ میں چلے جاتے ہیں۔ وہاں سائیں جی کی قبر میں بیٹھ کر ہم دونوں گھنٹہ بھر پاس انفاس کرتے رہتے ہیں۔ پھر عشاء کی نماز کے بعد سائیں جی قبر میں بیٹھ کر تلاوت شروع کر دیتے ہیں۔ اس وقت میں ان کے پاس نہیں ہوتا۔ لیکن قبر کے دہانے پر بیٹھا رہتا ہوں۔ مجھے آخری سیڑھی پر بیٹھ کر خالی الذہن ہونے کی پریکٹس کرنی پڑتی ہے —— تہجد کے وقت تک مجھے جنگل کی طرف سے لاکھوں آوازیں آتی ہیں۔ پھر فجر کے بعد خاموشی ہونے لگتی ہے کہ اوپر دل کی دھڑکن بھی گھڑی کی ٹک ٹک جیسی سنائی دیتی ہے۔ سارے مسام کھڑے کھڑے رہتے ہیں۔ نتھنوں میں کئی قسم کی خوشبوئیں آتی ہیں اور لگتا ہے کہ عین گدی کے پیچھے کوئی آہستہ آہستہ اپنے پر پھڑپھڑا رہا ہے۔ میں نے ان پروں کا ذکر سائیں جی سے کیا تو وہ بولے ——

"دیکھو بیٹا پیچھے مڑ کر نہ دیکھنا ورنہ دیوانے ہو جاؤ گے۔ عموماً یہ موت کے پروں کی آواز ہوتی ہے اگر تم موت کے حضور خوفزدہ نہ ہو تو وہ تمہارا کچھ بگاڑ نہیں سکتی۔"

"لیکن سائیں جی پروں کی آواز مجھے ذکر کرنے نہیں دیتی۔"

"تم کو معلوم نہیں اس وقت فرشتے آسمانوں سے اترتے ہیں۔ کچھ فرشتوں کو رزق تقسیم کرنا ہوتا ہے —— کچھ فرشتے خوشیاں بانٹنے نکلتے ہیں۔ کچھ اسرار و رموز سکھانے آتے ہیں۔ نسل انسانی کو حکمت الٰہی سے شناسا کرنے بھی کئی یہاں آتے ہیں۔ موت کا فرشتہ اپنی سواریوں کو تاکنے کے لیے نکلتا ہے۔ تم کو مڑ کر نہیں دیکھنا ورنہ ختم ہو جاؤ گے۔"

"اچھا سائیں جی ——" ان باتوں کا ملاقاتوں کا ذکر روشن سے بالکل بیکار ہوتا۔

وہ مجھ سے ایک قدم پیچھے چل رہی تھی۔

ہم دونوں ادھر آ گئے جہاں ٹیکسی سٹینڈ ہے اور کراچی سے آنے والی سواریاں اترتی ہیں۔ چونکہ ڈی سی ٹن آیا تھا۔ اس لیے سواریاں میلے کی طرح اتریں۔ بہت انتظار کے بعد سامان پہنچا اور لوگ لدے پھندے رخصت ہونے لگے۔ دوبئی، مسقط، کویت اور سعودی عرب سے آنے والے کماؤ لوگوں کا عجیب عالم تھا۔ ان کے ہاتھوں میں ریڈیو، ٹیپ ریکارڈر، گلے میں کیمرے جسم پر فرنگی جیکٹیں، بازوؤں سے لٹکتی تھرمیس اور خوبصورت کمبل کلائی پر کئی کئی گھڑیاں تھیں۔ وہ باہر کے ملکوں میں کام کرنے کی وجہ سے خود اعتمادی کا ڈھیر نظر آتے تھے اور انہیں اپنے رشتہ دار خوشامدیوں کی طرح آگے بڑھ بڑھ کر سلام کر رہے تھے۔

بہت بعد میں افتخار آیا۔ وہ بھی جدہ پلٹ لوگوں کی طرح سامان سے لدا ہوا تھا۔ جب وہ میرے قریب پہنچا تو میں نے اس کے ہاتھ سے تھرموس پکڑ لی اور کیمرہ اس نے روشن کے گلے میں لٹکا دیا۔ وہ بہت خوش تھا۔

"آپ نے بہت تکلیف کی —— میں خود پہنچ جاتا۔"

"کوئی بات نہیں۔"

روشن اور میں ساتھ ساتھ چل رہے تھے اور وہ ہم دونوں سے کچھ ہٹ کر چلنے کی کوشش میں تھا۔ جس وقت میں ٹیکسی والے سے جھگڑا کرنے لگا تو افتخار نے فوراً مدافعت کی —— "کتنے پیسے مانگ رہا ہے؟"

"یہ ساتھ گلبرگ ہے اور یہ بیس روپے مانگ رہا ہے۔"

"کوئی بات نہیں سر کُل چھ سات ریال کی تو بات ہے چلیں۔"

میں شرمندہ ہو گیا۔ ہم تینوں ٹیکسی میں بیٹھ گئے۔ وہ میرے اور روشن کے قانونی رشتے کو مدنظر رکھ کر آگے بیٹھ گیا —— سارے راستے ایک بار بھی اس نے روشن کی طرف نہیں دیکھا۔ بلکہ پیچھے منہ کر کے صرف مجھ سے باتیں کرتا رہا۔

"ٹیپ ریکارڈر میں اپنے چھوٹے بھائی کے لیے لایا ہوں۔ اس نے مجھے کئی خط لکھے تھے —— یہ دیکھئے بالکل Latest فیشن ہے Stereo ہے۔ میں نے کہا ایک بار

لے جاتا ہے۔ اچھا لے جانا چاہیے۔ قیمت کی میں نے کبھی پروا نہیں کی—— یہاں تھرموس کی کیا قیمت ہے؟۔"

"میں نے اندازے سے تھرموس کی قیمت بتائی۔"

"مجھے تو اسی ریال میں ملی—— یہ دیکھیے—— ایسے پانی نکلتا ہے۔" اس کے کہنے پر—— میں نے تھرموس کی مکینکل ٹونٹی دبا کر دیکھی۔

"پہلے میں یوشیکا کیمرہ لانے لگا تھا۔ پھر خیال آیا پولورائیڈ ٹھیک ہے۔ فٹ تصویر کھینچو فٹ تیار ہو جائے۔ آپ ایسے ہی رہیں میں آپ کو دکھاتا ہوں ابھی۔"

اس نے روشن کے گلے سے کیمرہ اتار کر چلتی گاڑی میں تصویر کھینچی۔ تصویر کیمرہ سے نکلتے ہی تیار تھی۔ آہستہ آہستہ اس کے رنگ گہرے ہونے لگے۔ پھر اس نے وہ تصویر مجھے پکڑا دی۔

شادی کے بعد روشن کے ساتھ یہ میری پہلی فوٹو تھی۔

تصویر میں روشن گھبرائی ہوئی نظر آتی تھی۔

"کمال ہے——" میں نے حیرت سے کہا—— "ابھی تصویر کھینچی اور فوراً کیمرے میں ہی Develop بھی ہو گئی۔"

"اب تو جی جدے میں سارے لوگ Instant کیمرہ خریدتے ہیں۔ یہاں پر اس کا نیگیٹو مل جائے گا۔"

"معلوم کرنا پڑے گا—— شاید ملتا ہو—— شاید نہ ملتا ہو——" میں نے لجاجت سے کہا۔

گھر پہنچ کر ہم دونوں سعودی عرب کی دولت، بیرونی ممالک سے اس کے سیاسی تعلقات، پاکستان کی اور جدہ کی قیمتوں کا موازنہ، مغربی کلچر کا اسلامی ممالک میں انشراح، اسلامی قدروں کی بے حرمتی، اسرائیل کی ویسٹ بنک کے معاملے میں ڈھٹائی اور پی ایل او کی باتیں دیر تک کرتے رہے۔ پھوپھی جان جو خالصاً گلبرگی خاتون تھیں اور چٹی ان پڑھ تھیں۔ محض اپنی دولت کی وجہ سے گفتگو میں شریک رہیں۔ روشن سارا وقت خاموش تھی۔

شام کی چائے کے بعد میں نے اجازت چاہی تو سب چپ ہو گئے۔

"پھر اب؟ —— " نوجوان پلی پلائی پھوپھی نے سوال کیا۔

روشن نے لحظہ بھر کو نگاہیں اٹھا کر میری جانب دیکھا۔

"اب تو مجھے فاروق صاحب سے بات کرنا پڑے گی —— " پھوپھی بولی۔

"تو ابھی تک آپ نے ان سے بات نہیں کی —— " افتخار نے خوفزدہ ہو کر سوال کیا۔

"نہیں کی تو ہے —— کی تو ہے —— لیکن اب پوری طرح Arrangement کرنی پڑے گی ناں؟"

"اگر کسی نے مجھے ائرپورٹ پر دیکھ لیا تو قیامت آ جائے گی —— " افتخار نے ناک میں انگلی پھیر کر کہا۔

"نہیں کل ہی سب کچھ ہو جانا چاہئے —— " پھوپھی نے اپنے سونے کے چوڑے پر ہاتھ رکھ کر جواب دیا —— "کیوں قیوم؟"

"جیسے آپ کہیں۔"

میں کئی دنوں سے جانتا تھا کہ افتخار روشن کو لے جانے کے لیے آ رہا ہے لیکن پھر بھی مجھے محسوس ہوا کہ سب کچھ بہت آناً فاناً ہو رہا ہے۔

"آپ کسی وکیل سے مل کر طلاق کے قانونی کاغذ تیار کروا لیں۔ ایک دو دن میں۔"

یکدم روشن کا چہرہ پہلے سے زیادہ پیلا ہو گیا اور اس کی چھائیاں نمایاں ہو کر چہرے پر پھیل گئیں۔

"دیکھئے ناں قیوم صاحب —— یہ بہت بڑا قدم اٹھا رہی ہے روشن —— ہمارے خاندان میں پہلے ایسا کبھی نہیں ہوا۔ اگر موچی دروازے یہ خبر پہنچ گئی تو کہرام مچ جائے گا۔ روشن کی ماں تو زہر کھا لے گی۔"

"اس وقت میں روشن کا ضامن ہوں —— میرا خیال ہے کوئی اور صورت ممکن نہیں۔"

"پھر بھی بھائی افتخار بات نہ نکلے —— " اس نے افتخار کو مخاطب کر کے کہا۔

"دیکھئے میں تو آپ کے پاس ہوں۔ آپ چاہے زنجیر پاؤں میں ڈال کر مجھے باندھ

رکھیں- باقی قیوم صاحب مالک ہیں —— یہ اگر کسی سے بات کرنا چاہیں تو میں انہیں مجبور نہیں کر سکتا۔"

"آپ ان کی طرف سے بے فکر رہیں۔" پہلی بار روشن نے جواب دیا۔

جب نکاح کی تفصیلات طے پا گئیں تو یکدم روشن کی پھوپھی بولیں ——

"لیکن روشن ایک الجھن میری بھی ہے —— میں نے تمہاری دل و جان سے مدد کی ہے تم تو جدہ میں آرام کرو گی عیش کرو گی۔ گھر والوں سے مجھے ہی بھگتنا پڑے گا —— تمہارے بعد ——"

روشن کا چہرہ لحظہ بہ لحظہ پھیکا پڑتا جا رہا تھا۔

"آپ فرمائیں آپ کی کیا الجھن ہے —— آپ کی الجھن کو بھی ہم خلاص کریں گے۔" افتخار نے کہا۔

"بس جس وقت نکاح ہو جائے، افتخار اپنے گھر چلا جائے اور روشن قیوم کے ساتھ چلی جائے۔ کسی کو علم نہ ہو کہ نکاح میرے گھر میں ہوا ہے ——" پھوپھی نے چہرے کو کاغذی رومال سے پونچھ کر کہا۔

"لیکن کبھی نہ کبھی تو یہ بھید کھلے گا ——" افتخار بولا۔

"ہاں کبھی نہ کبھی تو ٹھیک لیکن جب تک روشن پاکستان میں ہے یہ بات نہیں کھلنی چاہیے۔"

"میں قیوم صاحب کے ساتھ چلی جاؤں گی ——" روشن نے مری ہوئی آواز میں کہا —— "کیوں قیوم صاحب؟"

"ٹھیک ہے —— بالکل"

"خلاص —— خلاص —— اب کل تک یہ ٹاپک بند ——" افتخار نے خوش دلی سے کہا۔

ساتھ ہی اس نے اپنی کلائی سے بندھی ہوئی چھ گھڑیوں میں سے ایک گھڑی اتار کر میری طرف بڑھائی —— "قیوم صاحب یہ گھڑی باندھ لیں۔ Digital گھڑی ہے سر بالکل نیو ڈیزائن کی ——"

"مجھے گھڑی کی ضرورت نہیں —— یہ دیکھئے یہ بندھی ہوئی ہے ——

شکریہ۔"

میں کچھ دیر اس کے پاس بیٹھ کر جدہ ایئرپورٹ کی باتیں سنتا رہا —— اور پھر رخصت ہو گیا۔

سائیں جی اس روز ڈیرے پر موجود نہ تھے۔ میں بھی جانتا تھا کہ مغرب کے بعد وہ کہاں ہوتے ہیں۔ کئی دن سے میں ٹوٹا پھوٹا بکھرا ہوا ان کے پاس پہنچتا۔ قبر میں بیٹھ کر انفاس کے وقت مجھ سے کئی غلطیاں ہو جاتیں۔ لیکن سائیں جی جھڑکنے والے آدمی نہ تھے۔ وہ مجھے شاید مابعد کا سچا سالک سمجھ کر میری رہبری کر رہے تھے۔ لیکن میں تمام تر موت کے شکنجے میں تھا۔ میرے —— تمام خواب، جاگتے کی سوچیں میرے خیالی خواب موت کے متعلق ہوتے۔ کبھی کبھی میں موت سے اس درجہ خائف ہو جاتا کہ بیٹھے بیٹھے میرا سارا وجود پسینے میں بھیگ جاتا اور میری پتلیاں خوف سے گھومنے لگتیں۔ میں نے ریڈیو سٹیشن پر اچانک استعفےٰ داخل کرا دیا تھا۔ اب مجھ سے موٹر سائیکل نہ چلتی تھی۔ مجھے لگتا تھا کہ اگلے موڑ پر اچانک میں کسی بس، ٹیکسی یا کار سے بھڑ جاؤں گا۔ روشن کو طلاق دینے کے بعد بھی اس کا تمام سامان میرے گھر میں موجود تھا۔ بھائی مختار اور صولت بھابھی کچھ نہ جانتے تھے۔ روشن کے گھر والوں کو معلوم نہ تھا کہ ان کی بیٹی کو طلاق ہو گئی ہے۔

اس روز سائیں جی کے پاس پہنچتے پہنچتے میرا سانس اکھڑا ہوا تھا۔

"آجاؤ اندر ——" قبر میں سے آواز آئی۔

سیڑھیوں کے باہر جوتیاں اتار کر میں اندر چلا گیا۔ اگر بتی کی خوشبو آ رہی تھی —— ایک اور باریش بزرگ سائیں جی کے پاس بیٹھے تسبیح پھیر رہے تھے۔ اس نورانی بزرگ نے ہاتھ کے اشارے سے مجھے بیٹھنے کو کہا۔

"آج سائیں جی جسم اور روح کے اعتبار سے بہت چھوٹے لگ رہے تھے۔"

"موت سے بہت ڈرتے ہو؟ ——" نئے باریش بزرگ نے سوال کیا۔

میں نے اثبات میں سر ہلایا۔

"فنا کے بغیر بقا کے آرزومند ہو؟ ——"

میں نے کوئی جواب نہ دیا۔

"موت انسان کی محسن ہے ------ "نہ آتی تو اس زندگی کو کتنی پائیداری ہوتی جس میں حزن و ملال کے سواء کچھ نہیں ------ "نورانی بزرگ بولے۔

"جی ------ "

سفید ریش والے بزرگ نے میرا ہاتھ تھام لیا۔

"ہمارے ساتھ چلو گے؟"

میں نے اپنے سائیں جی کی طرف دیکھا وہ آنکھیں بند کیے بیٹھے تھے۔

"کہاں پوچھنے والا تیار نہیں ہو تا ------ باہر چل کر بیٹھو ------ "

"جاؤ ------ "سائیں جی نے آہستہ سے کہا اور پھر آنکھیں بند کر لیں۔

میں عشاء کی نماز تک باہر بیٹھا رہا لیکن قبر کے اندر سے کوئی آواز نہ آئی۔ پھر جنگل کی طرف سے گیدڑوں کی آوازیں آنی شروع ہو ئیں اور جب آسمان پر ٹیٹری بولی تو قبر سے آواز آئی۔

"یہاں آؤ۔"

میں ڈر تا ڈر تا اندر چلا گیا۔

سائیں جی اکیلے بیٹھے تھے۔ قبر میں سوندھی مٹی کی خوشبو تھی اور اکلوتی موم بتی میں سائیں جی کے تین سائے دیوار پر پڑ رہے تھے۔

"بیٹھو ------ "

میں دو زانو بیٹھ گیا۔

"آج تم نے بہت بڑا موقع گنوا دیا۔ پیر و مرشد کے ساتھ چلے جاتے تو عاقبت سنور جاتی۔"

"میں ڈر گیا تھا۔"

"ٹھیک ہے ------ اب اگلی جمعرات تم کو یہیں اس لڑکی کا دیدار کرنا ہو گا جس کا تم نے ذکر کیا ہے۔ اگر چوک گئے تو ساری عمر کے لیے مجذوب ہو جاؤ گے۔ حواس قائم رکھے تو اس سے فیض حاصل ہو گا ------ تیار ہو؟ ------ "

"جی تیار ہوں۔"

"دیکھ لو عرفان اور دیوانگی میں بس ایک حواس کا فرق ہوتا ہے ——— حواس قائم رہیں تو عرفان، نہ رہیں تو دیوانگی تیار ہو۔"

"جی تیار ہوں۔"

نکاح بہت خاموشی کے ساتھ ہوا۔ اس کے بعد افتخار اپنے گھر موچی چلا گیا۔ اور روشن میرے ساتھ سانده آ گئی۔ وہ اور میں سارا راستہ خاموش رہے۔ گھر پہنچتے ہی اسے قے شروع ہو گئی۔ بار بار وہ غسل خانے جاتی اور واپس آ کر نڈھال لیٹ جاتی ——— میں بھابھی صولت کو اس کی حالت کے متعلق کچھ بتانا نہ چاہتا تھا۔ میں روشن کو بتائے بغیر ڈاکٹر سے دوا لینے چلا گیا۔

پھر ہم دونوں میں فروعی باتوں کے علاوہ کوئی بات نہ ہوئی۔ کچھ ویزے اور پاسپورٹ کی باتیں، سامان چھوڑنے اور رکھنے کے امور، کچھ بدنامی کے خدشات، کبھی کبھی ماں باپ اور پاکستان چھوڑنے کا غم زیرِ ذکر رہا۔ لیکن قفل دونوں طرف سخت لگا تھا۔ دوسرے دن مغرب کے وقت روشن کو افتخار کے ساتھ جدہ روانہ ہونا تھا۔ اپنے گھر والوں سے افتخار نے جدہ واپس جانے کا ذکر نہیں کیا تھا۔ میرے گھر میں سوائے میرے اس حقیقت سے کوئی آگاہ نہ تھا۔

یہ روشن کی میرے گھر میں آخری رات تھی۔ ہم دونوں پلنگوں میں ڈیڑھ فٹ کا فاصلہ تھا لیکن وہ اور میں دم سادھے چپ لیٹے تھے۔ پتہ نہیں کیا سوچتے ہوئے مجھے نیند آ گئی۔ پھر مجھے ایسے لگا جیسے کسی نے میرے بازو پر برف کی قاش رکھ دی۔ میں نے آنکھیں کھولیں۔ روشن میرے پلنگ پر بیٹھی تھی۔ اس کا بھاری پیٹ اس کی گود میں تھا اور ٹھنڈی انگلیاں میرے بازو پر تھیں۔

"کیا بات ہے روشن؟"

"میں آپ کا شکریہ ادا کرنا چاہتی تھی ——— شاید کل وقت نہ ملے۔"

آنسو اس کی آنکھوں سے بلا تکان گر رہے تھے۔

"آپ بڑے اچھے آدمی ہیں۔ اگر آپ میرے بچے کو قبول کر لیتے تو ——— تو

میں یہاں سے کبھی نہ جاتی۔"

زندگی میں پہلی بار ایک ٹھنڈا جھونکا میرے بند دل میں گھس آیا۔

"تم ـــــ تم یہاں رہنا چاہتی ہو میرے پاس؟۔"

"آپ کے مجھ پر اتنے احسانات ہیں۔ آپ نے مجھے سب کچھ دیا اور پلٹ کر کچھ بھی نہیں مانگا ـــــ"

"صرف احسانات؟ ـــــ" میں نے اس کی آنکھوں میں آنکھیں ڈال کر پوچھا۔ یکدم اس کی آنکھوں کے جھرنے بند ہوئے۔

"اگر ـــــ اگر میں تم کو نہ جانے دوں روشن تو ـــــ تو افتخار کو بھلا سکو گی؟"

اس نے نظریں جھکا لیں ـــــ "جی نہیں ـــــ یہ ممکن نہیں۔"

میں نے آخری بار کسی کو زخم عطا کرنے کی کوشش کی اور ناکام رہا۔

"پھر یہاں رہنے کا فائدہ؟ حاصل یہاں رہنے سے؟۔"

"آپ مجھ سے ناراض ہیں؟ ـــــ دیکھئے نا ـــــ دیکھئے ناں میں یہاں رہ سکتی ہوں ساری عمر آپ کے پاس ـــــ لیکن افتخار کو نہیں بھلا سکتی حالانکہ ـــــ وہ آپ کی جوتیوں جیسا بھی نہیں۔"

میں نے اٹھ کر کھڑکی بند کر دی۔ گندے نالے کی متعفن ہوا تھکے کی طرح میرے جبڑے پر پڑی اور گزر گئی۔

"سو جاؤ ـــــ یہ باتیں فضول ہیں ـــــ ایسی باتوں سے کچھ حاصل نہ ہو گا۔"

کچھ سڑکیں جب شہر سے باہر نکلتی ہیں تو کافی فاصلے تک پکی اور مضبوط نظر آتی ہیں۔ پھر ان کے کنارے بھربھرے ہونے لگتے ہیں۔ جابجا گڑھے نظر آتے ہیں اور پکی سڑک کچے راستے میں بدل جاتی ہے۔ ایسا راستہ جو بارش میں کیچڑ اور دلدل میں بدل جاتا ہے۔ کچھ دور جا کر یہ کچا راستہ جھاڑیوں میں کھیتوں کے دہانے پر ختم ہو جاتا ہے۔ یہ سڑکیں کسی گھر کسی شہر کسی محلے کو نہیں جاتیں۔ بس یوں ہی شہر چھوڑ کر دم سا چھوڑ دیتی ہیں۔

میں بھی ایک ایسی ہی سڑک تھا۔ شادی سے نکل کر نہ جانے مجھے کہاں جانا تھا؟

اس وقت مجھے روشن میں سیمی، عابدہ، امتل اور جانے کون کون نظر آ رہا تھا۔ سامنے بیٹھی ہوئی عورت سے میری کوئی جان پہچان نہ تھی۔ ساری عمر میں نے عورتوں کے ادھ کھلے دروازوں سے اندر جھانکنے کی کوشش کی لیکن اندر والوں نے کبھی آواز دے کر نہ بلایا۔

"آپ کیا سوچتے ہوں گے۔" روشن بالآخر بولی۔

"میں کچھ نہیں سوچتا روشن —— کبھی کبھی صرف اتنا کہ کاش تم نے مجھے ایک رات دھوکے میں رہنے دیا ہوتا۔ —— کاش صرف ایک رات کے لیے کسی کا جسم کسی کا دل ایک وقت میں میرا ہوتا" ——

"آپ رو رہے ہیں جی؟"

روشن نے اپنا دوپٹہ اٹھا کر میری گال سے لگا دیا۔

"میں کیا کرتی جی میرا دل اس کا ہے۔ میرے جسم میں اس کی روح پل رہی ہے میں آپ سے کیسے جھوٹ بولتی۔"

مجھے امتل نے یہ نہیں بتایا کہ باکرہ لڑکی ذہنی قلبی جسمی طور پر باعصمت ہی نہیں ہوتی۔ سچی بھی ہوتی ہے۔ کاش اس نے صرف ایک رات کے لیے مجھے جھوٹ کی زندگی بسر کرنے دی ہوتی۔

"میں —— آپ جیسے اچھے انسان کو کیسے اتنا بڑا —— فریب دے سکتی تھی؟ ——"

وہ چپ ہو کر اپنے پلنگ پر جا بیٹھی۔

میں نے تکیے پر سر ڈال دیا۔ لیکن نہ میں ساری رات سویا نہ اس نے آنکھ بند کی۔ چونکہ ہم میں قانوناً اور شرعاً کوئی رشتہ باقی نہ رہا تھا۔ اس لیے ہم انسانی کشش کے تحت ایک دوسرے کے بہت قریب آ گئے تھے۔ جیسے کسی جہاز کے باسی جہاز برد ہونے کے بعد کسی جزیرے میں رہنے لگیں اور نسل، قوم، مذہب کی تمام زنجیریں ٹوٹ کر انہیں نئے رشتوں میں پرونے لگیں۔

میں نے اسے آہستہ آہستہ اپنے گاؤں کے متعلق بتایا۔ کیسے چندرا کی آبادی کلر

کے ہاتھوں بے آباد ہوئی۔ کھیتوں، کھلیانوں کی سفیدی کیسے ہریاول چاٹ گئی —— اور ڈھور ڈنگر انسان سب چندرا چھوڑ کر چلے گئے۔ پھر میں —— اسے عزیز گاتن کے متعلق، اس کی ماں کی زندگی کے متعلق ایسی تفصیل سے باتیں سنانے لگا کہ میں خود حیران رہ گیا۔ میرا خیال نہیں تھا کہ مجھے وہ تفصیلات معلوم ہیں۔

"تمہارا کیا خیال ہے روشن —— کیا بددعا سے بستیاں اُجڑ جاتی ہیں۔"

"ہاں جی —— اُجڑ جاتی ہیں۔"

پہلی بار روشن سے بات کرنا بہت آسان تھا۔ وہ پہلو کے بل کہنی ٹیک کر اپنے پلنگ پر لیٹی ہوئی تھی اور اس کا پیٹ تہہ کیے ہوئے تکیے کی طرح اس کے سینے کی طرف چڑھا ہوا تھا۔

"میں ایک دفعہ سکول سے لوٹی تو میری باجی ایک خط پڑھ رہی تھیں۔ میں نے خط کے متعلق پوچھا تو انہوں نے مجھے نہ بتایا بلکہ خط چھپا دیا —— کبھی کبھی کتنا تجسس پیدا ہو جاتا ہے انسان میں —— بھلا مجھے کیا ملنا تھا خط سے —— لیکن آخر میں نے خط تلاش کیا اور پڑھا —— وہ خط میرے خالو کا تھا —— وہ خط ایسا تھا جو انہیں باجی کو لکھنا نہیں چاہیے تھا —— اور مجھے خط پڑھنے کے بعد اسے وہیں چھپانا چاہیے تھا —— باجی جانتی اس کا کام جانتا —— لیکن میں نے خط پکڑ کر امی کو دے دیا —— امی نے ابو کو بتایا —— ابو نے خالو کو طلب کیا —— باجی بے چاری کا کوئی قصور نہیں تھا۔ پھر بھی وہ دھری گئی —— دیکھتے دیکھتے اس کا نکاح کر دیا گیا۔ جس وقت وہ رخصت ہوئی مجھے کبھی وہ دن نہیں بھولتا —— باجی میرے کمرے میں آئی اور بولی —— کاش کبھی تیرے ساتھ بھی ایسا ہو —— تو بھی شادی کہیں اور کرنا چاہے ہو کہیں جائے —— میں نے ڈرتے ڈرتے کہا تو کیا آپ خالو جان سے شادی کرنا چاہتی تھیں؟

"خالو جان گئے بھاڑ میں —— مجھے ان سے کیا لینا ہے؟ —— جہاں بھی میں چاہتی تھی، وہاں تو تُو نے نہیں ہونے دی ناں کم بخت! —— اللہ تجھے بدلہ دے —— آپ کا کیا خیال ہے —— دولہن کی بددعا زیادہ لگتی ہے کہ کنواری کی —— ؟ ——"

ہم دونوں کافی دیر تک ایسے ہی سوال ایک دوسرے سے پوچھتے رہے —— پھر

میں نے اسے اپنی ماں کی موت کے متعلق بتایا —— سیمی کا سارا واقعہ سنایا، امتل کے قتل کی داستان سنائی —— لیکن ابا کے متعلق میرے منہ سے ایک لفظ نہ نکلا —— میں اپنے بابا گدھ کی یادوں کو کسی کے ساتھ بانٹ نہیں سکتا تھا —— مجھے لگتا کہ اس کی گمشدگی یا موت میری اپنی گمشدگی ہے۔ میں اس کے ساتھ ہی کہیں کھو گیا تھا کہیں ختم ہو گیا تھا۔

آخری بار جب میں نے ابا کو دیکھا وہ تیسری منزل پر اس ممٹی کے پاس کھڑا تھا جس میں سے کبھی دھواں نکلا کرتا تھا۔

کیا وہ عشق لاحاصل سے دیوانہ ہوا؟ —— کیا وہ چاچا غلام کے ساتھ مل کر رزق حرام کھانے کا مرتکب ہوا؟ —— کیا اسے موت کے انتظار نے پاگل کیا؟

ایئر پورٹ پر افتخار موجود تھا۔ روشن کا سوٹ کیس اٹھائے ہم دونوں اس کے پاس پہنچے۔ اس وقت اس نے سادہ شلوار قمیض پہن رکھی تھی اور اس کے جسم پر کوئی سامان نہ تھا۔ اناؤنسمنٹ سے پہلے ہی ہم دونوں اندر چلے جانا چاہتے تھے۔ کیونکہ کسی نہ کسی واقف کے مل جانے کا خطرہ تھا۔

جنگلے کے پاس پہنچ کر افتخار نے سادگی اور خلوص سے ہاتھ ملایا اور بولا

"آپ نے میری بہت مدد کی ہے سر —— میں آپ کا شکر گزار ہوں —— کوئی اور ہوتا تو ——"

وہ چپ ہو گیا۔ سعودی عرب کی کمائیاں، جدے کے بازار، پردیس کی ایک اور Frequency کی زندگی اس کے دل کو مکمل طور پر مجهول نہ کر سکی تھی۔

"اگر آپ —— عمرہ کرنا چاہیں تو جی خادم کے پاس رہیں۔ ڈیڑھ گھنٹے کا تو راستہ ہے جدہ سے —— بڑی اچھی ائر کنڈیشنڈ بس چلتی ہے۔ مدینہ منورہ کو الشرکیہ العربیہ للنقل راستے میں صرف ایک بار رُکتی ہے۔ میں ٹکٹ بھیج دوں گا۔ آپ ٹکٹ کی فکر نہ کریں آپ بس آنے کا ارادہ کریں۔"

روشن چپ تھی اس کا چہرہ آج سوجا ہوا تھا اور چھائیاں گہری لگ رہی تھیں۔

"انشاء اللہ ——" بہت آہستہ روشن بولی۔

"انشاء اللہ ——" میں نے اس سے بھی آہستہ کہا۔

"میں تو مہینے میں ایک دو عمرے کھڑ کا لیتا ہوں —— آپ ضرور آئیں۔ یہ میرا ایڈریس ہے —— آپ صرف مجھے لکھ دیں —— کب آنا چاہتے ہیں ٹکٹ پہنچ جائے گی۔ میرے پاس دو کمروں کا گھر ہے۔ غسل خانہ بھی ہے۔ سادہ زندگی ہے آپ Enjoy کریں گے۔"

"اچھا ——"

اندر جانے سے پہلے افتخار نے مجھے جپھی ڈالی اور میرے کندھے کو چوم کر بولا۔ "مجھے بڑا افسوس ہے سر لیکن ——"

اس کی موٹی موٹی آنکھوں میں آنسو آگئے اور وہ روشن کا بیگ اٹھا کر جلدی سے جنگلے کے اس پار چلا گیا۔

روشن کھڑی رہی۔ کچھ لمحے کچھ سیکنڈ۔ متذبذب حیران —— دُکھ میں بھیگی ہوئی۔

ہمیں معلوم نہ تھا کہ ہمیں کیسے ایک دوسرے کو الوداع کہنی چاہیے۔ پھر وہ اندر کی طرف مڑی اور پلٹی —— یکدم ہم دونوں بغل گیر ہو گئے۔ اس کا پیٹ درمیان میں حائل نہ ہو سکا۔ میں نے اپنے ہونٹ اس کے سر پر پیوست کر دیئے اور اس کے آنسو میری قمیص میں جذب ہونے لگے۔

یہ کل دس بارہ سیکنڈ کا واقعہ ہو گا۔ لیکن اس کے جسم کا قرب عرصہ تک میرے ساتھ رہا۔ میرے ہونٹ اس کے سر کو کتنی ہی دیر چومتے رہے۔ شائد میں بھی ہوائی جہاز کی سیڑھیوں پر اس کے ساتھ تھا۔

پھر اس نے آخری بار ہاتھ ہلایا اور ہوائی جہاز کے پیٹ میں گھس گئی۔ اس کے بعد افتخار نے اپنی اور اس کی سیٹ تلاش کی ہو گی۔ اسے کھڑکی کی جانب بٹھایا ہو گا۔ اس کے پیٹ کا خیال کر کے بلٹ باندھی ہو گی۔ شاید اب اس کی کھڑکی سے جنگلے کے ساتھ کھڑے لوگوں کا ہجوم بھی نظر آ رہا ہو گا۔ لیکن اب افتخار کا بالوں بھرا بازو ایئر ہوسٹس کی اناؤنسمنٹ کے بعد آخری سگریٹ بجھاتے ہوئے اسے چھو رہا ہو گا۔ پلین کے اندر بند سندھی نوک

میوزک سنتے ہوئے تمام مسافر ہوا کے لیے بنائے ہوئے Ducts Set کر رہے ہوں گے۔ افتخار نے بھی ہوا کا رُخ روشن کی طرف کر دیا ہو گا۔

ٹھنڈی ہوا ——— افتخار نئی منزل ——— ہمیشہ ٹھنڈی ہوا کا تازہ جھونکا ——— ایک نئی منزل کی ایئر ٹکٹ ——— زخم کتنی جلدی مندمل ہونے کی صلاحیت رکھتے ہیں؟ اور پھر یہ تو کوئی زخم بھی نہ تھا!

ایئرپورٹ سے مجھے سیدھے سائیں جی کی طرف جانا تھا ——— طے تھا کہ اس جمعرات کو میں سیمی سے ملوں گا ——— سائیں جی دو دن پہلے سارا معاملہ طے کر چکے تھے اور وہ مجھ سے ملنے پر رضامند تھی۔ مجھے اس سے ملنے پر صرف ایک سوال پوچھنا تھا۔ اس سوال کو میں کئی طور پر ذہن میں ترتیب دے چکا تھا ——— "سیمی! اب تو تم مجھے اور آفتاب کو بہتر طور پر جانتی ہو بتاؤ اگر اب تمہیں ہم دونوں میں سے کسی کو پسند کرنا ہو تو کسے منتخب کرو گی؟"

جس وقت میں سائیں جی کے ڈیرے کی طرف جا رہا تھا۔ اندر ہی اندر میں سیمی کے جواب سے خوف زدہ تھا۔ کیا وہ اسی طرح نیلی جینز کُرتا پہن کر بازو پر کینوس کا تھیلا لٹکائے آئے گی؟ کیا اب بھی اس کا جواب وہی ہو گا جو زندگی میں تھا۔ کبھی کبھی مجھے خیال آتا کہ شاید مصری عورتوں کے احرام کی طرح وہ ایک سفید لبادے میں ہو گی۔ سر سے پاؤں تک ڈھکی ہوئی اور چپ ——— شاید وہ میرے سوال کا جواب دینا پسند نہ کرے؟

سائیں جی کے ڈیرے پر مکمل خاموشی تھی۔ اندر باہر کوئی نہ تھا۔ صرف مغرب کی نماز کے بعد کا اندھیرا ساری جگہ چھایا تھا۔ ڈیرے سے پار سائیں جی کی قبر اب مجھے بلا رہی تھی۔ میں آہستہ آہستہ چلنے لگا۔ ایک بات بار بار دل میں آ رہی تھی، جسے میں دبانا چاہتا تھا۔ اگر سیمی نے وہی جواب دیا جو وہ زندگی بھر دیتی آئی تھی پھر؟

جس وقت میں سائیں جی کی قبر سے کچھ فرلانگ دور پہنچا تو مجھے احساس ہوا کہ اس طرف سے کچھ لوگ آ رہے ہیں۔ یہ لوگ ٹکڑیوں میں چپ چاپ میرے پاس سے گزرتے گئے۔ میں نے کسی کو سلام نہ کیا، نہ ہی کوئی مجھ سے مخاطب ہوا ——— اندھیرے میں کچھ پتہ نہ چلتا تھا کہ یہ سب کون ہیں۔ سائیں جی کی قبر سے کوئی آدھا فرلانگ ادھر بالکل خاموشی چھا گئی۔ یہ جگہ ہمیشہ سے ایسی تھی لیکن تب مجھے اسی خاموشی

سے خوف آنے لگا۔ اونچے اونچے ٹیلے پرانے زمانے کے ایسے جانوروں سے مشابہ نظر آئے جو اب صفحۂ ہستی پر موجود نہیں ہیں۔

جس وقت میں قبر کے پاس پہنچا۔ ایک کتے نے آسمان کی طرف منہ اٹھا کر کہیں دور بین کیا۔

قبر اندر کو دھنسی ہوئی تھی اور نیچے اترنے والی سیڑھیاں غائب تھیں۔ قبر کے اوپر تازہ مٹی کا ڈھیر تھا۔ میں نے قبر کے چاروں طرف گھوم کر دیکھا۔ اندر جانے کے تمام راستے مسدود تھے اور قبر ایسے لگتی تھی جیسے ابھی ابھی بنائی گئی ہو۔ پھر قریب ہی سے کہیں سسکیوں کی آواز آنے لگی۔ میں نے غور سے دیکھا ایک جھاڑی کے پاس سائیں جی کا خاص مُرید منہ پر ہاتھ رکھے رونے کی آواز روکنے کی کوشش کر رہا تھا۔

"یہ —— یہ قبر کو کیا ہوا اللہ دتے؟ ——" میں نے پاس جا کر پوچھا۔

"بند ہو گئی ——"

"کیسے کیسے؟ ——"

"سائیں جی کل شام اندر عصر کی نماز پڑھ رہے تھے —— قبر دھنس گئی —— ہم نے —— ہم نے اسے کھولا نہیں غائبانہ نماز جنازہ پڑھا دی۔ یہی حکم تھا سائیں جی کا —— ایسے ہی فرما دیا تھا پیر و مرشد نے —— انہیں تو وصال ہو گیا —— لیکن ہم کہاں جائیں ہم کہاں جائیں سائیں جی —— کہاں جی کہاں۔"

مُرید دھاڑیں مار مار کر رونے لگا۔

مجھے یوں لگا تازہ قبر کی مٹی ایک بار پھر اندر کی طرف دھنسنے لگی۔

"دیکھو —— قبر دھنس رہی ہے دھنس رہی ہے قبر ——"

مُرید نے چیخ ماری اور ڈیرے کی طرف بھاگنے لگا۔

میں چپ چاپ جھاڑی کے پاس بیٹھا رہا۔ قبر آہستہ آہستہ تڑخنے لگی۔ پھر مٹی اندر کی طرف دھنسنے لگی اور تھوڑی دیر بعد جہاں پہلے قبر تھی۔ وہاں ایک گڑھا پڑ گیا —— میں کچھ دیر وہاں بیٹھا رہا۔ اتنے میں آسمان پر ایک کالی گدھ تاروں بھرے آسمان پر لمبے لمبے چکر لگانے لگی آہستہ آہستہ —— پہلے وہ دائروں میں اڑتی رہی پھر اس نے آٹھ کے ہندسے جیسی اڑانیں اختیار کر لیں۔ اندھیرا بہت ہو چکا تھا لیکن کالی گدھ

صاف نظر آ رہی تھی۔ دھنسی ہوئی قبر سے نگاہیں اٹھا کر میں نے غور سے اس کو دیکھنا شروع کیا۔

دور دور تک پھیلا ہوا تاروں بھرا آسمان اور ایک کالی گدھ جو ہر اڑان میں نیچے اتر رہی تھی آہستہ آہستہ اس کی آنکھوں میں فاسفورس جل رہی تھی۔ دو ننھے ننھے بلب بغیر پر پھڑپھڑائے چہرہ نیچے کیے کالی گدھ دھنسی ہوئی قبر کی طرح اتر رہی تھی —— انچ انچ ملی میٹر ملی میٹر —— آہستہ آہستہ۔

میں شہر کے مشہور سکائی ٹرسٹ کے کلنک سے باہر نکل رہا تھا کہ مجھے آفتاب سڑک پر نظر آیا۔ وہ لمبی سیاہ کار سے اتر رہا تھا۔ ہم دونوں بے ساختگی سے بغلگیر ہوئے —— اور درخت کے نیچے کھڑے ہو کر باتیں کرنے لگے۔ پھر یکدم جیسے آفتاب کو کچھ یاد آگیا۔ وہ بھاگ کر کار تک گیا۔ پچھلا دروازہ کھول کر اس نے ایک، دس سال کے بچے کو باہر نکالا۔ بچہ سہا ہوا اور کمزور تھا۔ اس کا سر باقی دھڑ سے اور آنکھیں چہرے سے بہت بڑی تھیں۔ آفتاب نے اسے بازو سے پکڑ کر سڑک کراس کرائی اور پھر مجھ سے مخاطب ہو کر بولا —— "میں ذرا اسے ویٹنگ روم میں بٹھا آؤں تم مت جانا —— پلیز۔"

جب آفتاب واپس لوٹا تو اس کا چہرہ پہلے سے بھی پریشان تھا۔

"کیا تم مستقل طور پر پاکستان آگئے ہو؟ —— " میں نے سوال کیا۔

"ہاں ہاں وہاں Handicaped بچے کے ساتھ گزارا مشکل تھا۔"

"کیا مطلب؟"

اس کے بیٹے میں کچھ ایسی بات تھی جسے دیکھ کر میں پہلے سے ہی گھبرا گیا تھا۔

"میرا بیٹا افراہیم ذہنی طور پر کچھ نارمل نہیں ہے —— وہاں لندن میں میڈیکل سہولتیں تو بہت تھیں لیکن وہاں کی تعلیم کلچر —— رنگ و نسل کا امتیاز —— وہاں اتنی ساری Adjustments ایک بچہ کیسے کر سکتا ہے۔"

"ہوا کیا ہے بچے کو —— "

"اسے خواب آتے ہیں —— یہ —— عجیب عجیب خواب دیکھتا ہے پہلے یہ موٹا تازہ تھا۔ پھر —— ان خوابوں کی وجہ سے اس کا وزن گھٹنے لگا —— آدھا آدھا گھنٹہ ایک ہی پوزیشن میں بیٹھا رہتا —— ہے۔ ڈاکٹر کہتے ہیں یہ Catatonic حالت ہے —— آفتاب کی آواز اور آنکھوں میں آنسو تھے۔

"افراہیم کہتا ہے کہ اس نے چاند کو دو ٹکڑے ہوتے دیکھا ہے —— وہ —— اپنے آپ کو —— دنیا کا نجات دہندہ سمجھتا ہے —— کبھی کبھی وہ فرفر عربی بولنے لگتا ہے —— کبھی —— عبرانی میں باتیں کرتا ہے —— میں —— اس کے خوابوں سے تنگ آگیا ہوں قیوم —— وہ کہتا ہے کوئی فرشتہ اسے پھل کھلانے آتا ہے۔"

تنے کے ساتھ آفتاب نے یوں ٹیک لگالی جیسے جسم کا بوجھ اس کے لیے اٹھانا ناممکن ہو۔

"یہ سب کس چیز کی سزا ہے؟ —— کیا مجھ سے کوئی گناہ سرزد ہوا ہے؟ کیا میرے باپ دادا کے گناہ نے اسے گھیرے میں لے لیا ہے۔"

کیا واقعی باپ دادا کے گناہ Gene Mutation کی صورت میں افراہیم پر اثرانداز ہوئے تھے۔ کیا اس کے آباؤ اجداد نے کیا آفتاب نے کبھی رزق حرام سے اپنے Genes کی ساخت کو اس حد تک متاثر کر دیا تھا کہ آنے والی نسلوں میں دیوانہ پن ظاہر ہونے لگا تھا؟

چھوٹا سا افراہیم کیا دیوانگی کو ورثے میں لایا تھا؟

وہ عشق لاحاصل کے نتیجے کے طور پر تو دیوانہ نہ ہوا تھا؟

جستجو کے آثار بھی اس کی دیوانگی کا باعث نہ تھے۔

پھر پھر؟

کیا موت کا خوف چھوٹے سے بچے کو ہو سکتا ہے؟

ہم دونوں خاموش کھڑے رہے۔

"یہ کس بات کی سزا ہے قیوم بتاؤ —— تم ہماری جماعت میں سب سے ذہین تھے۔ بتاؤ یہ کس جرم کی سزا مل رہی ہے مجھے؟"

ہم دونوں پھر خاموش ہو گئے۔

"تمہارا کیا خیال ہے کیا بددعا میں اتنا اثر ہے۔" آفتاب نے مجھ سے سوال کیا۔

"نہیں یمی ایسی نہیں تھی ——" میں نے اسے تسلی دی۔

اس وقت وہ زرد رو لڑکا کلنک سے باہر نکلا اور برآمدے کے ستون سے لگ کر کھڑا ہو کر آسمان کو تکنے لگا۔ اس کا چہرہ آنکھوں کے مقابلے میں بہت چھوٹا تھا اور سر جسم کے تناسب سے بہت بڑا تھا۔ وہ چھوٹا سا لڑکا عجیب طور پر یمی سے مشابہ تھا ——

"اب یہ اسی طرح کھڑا رہے گا کھڑا رہے گا آدھ گھنٹہ پونا گھنٹہ سارا دن۔"

میں نے آفتاب کے کندھے پر ہاتھ رکھ کر آہستہ سے کہا —— "آفتاب جو لوگ اپنے آپ کو نارمل سمجھتے ہیں انہیں دیوانگی سے بہت ڈر لگتا ہے —— میں بھی نارمل ہونے کی کوشش کر رہا ہوں۔ کیونکہ اس جسم کے ساتھ مادی زندگی بسر کرنے کا یہی آسان طریقہ ہے —— اسی لیے یہاں آتا ہوں کلنک پر —— لیکن دیوانگی نے انسانیت کو سب کچھ عطا کیا ہے —— ہر دیوانے آدمی نے —— دیوانگی کی ایک اور جہت ہے —— صرف ہم کو اس کا ادراک نہیں ہے —— جس طرح جسم کی بیماری سے ہم خوفزدہ ہوتے ہیں تو ہسپتالوں کو دوڑتے ہیں۔ ڈاکٹروں کی طرف بھاگتے ہیں —— روح جب لنگڑی لولی ہوتی ہے تو ہم ایسے ہی خوف زدہ ہوتے ہیں۔ حالانکہ جب روح Boundry کراس کر جاتی ہے تو انسانیت کے لیے یہی دیوانہ پن رحمت بن جاتی ہے —— میں اس سارے دائرے پر گھوم چکا ہوں —— یقین مانو آفتاب —— ہر دیوانگی پاگل پن نہیں ہوتی نہیں ہوتی —— نہیں ہوتی۔ ہر دیوانہ آدمی ننگ انسان نہیں ہوتا۔"

"تھینک یو تھینک یو —— تھینک یو۔"

"جس طرح بیماری موت کی وادی میں اترتی ہے —— جسم ریجنت کا شکار ہو کر اسرار کی انتہا کو پہنچ جاتا ہے۔ ایسے ہی دیوانگی —— انتہا کی ہو تو عرفان کی سرحدوں کو چھونے لگتی ہے۔ پھر مادہ ہر شکل میں بیکار ہو جاتا ہے —— تم اعتبار کرو تمہارا افراہیم پاگل نہیں ہے۔ یہ ایک اور سمت میں دیکھ سکتا ہے۔ اس کی وہ کھڑکیاں کھل رہی ہیں —— جو عام صحت مند نارمل آدمی میں بند ہوتی ہیں —— یہ دونوں ابرووں کے

درمیان میں سے دیکھ سکتا ہے۔ تم اسے عرب کے صحراؤں میں لے جاؤ —— وہاں اس کے لیے بہت کچھ ہے —— اسے شیر سے مشابہہ جبل النور کے سامنے لے جانا —— یہ تمہیں اس پہاڑ کو دیکھتے ہی وہ سب کچھ بتا دے گا —— جو کوئی ماہر نفسیات آج تک نہیں بتا سکا —— جو کوئی سائنس دان سوچ بھی نہیں سکا —— چاہو تو اسے رفتہ رفتہ سیڑھی سی اتار کر عام پاگل خانے میں —— ان پاگلوں کے ساتھ بند کر دینا جو مادی دنیا پر بوجھ ہیں۔ ہو سکے تو اسے —— اسے وہاں لے جانا جہاں لوہے کے ہم شکل پہاڑ ہیں۔ سارے میں عصر کے وقت گلابی ہوا چلتی ہے —— خدا کے لیے یقین کرو جسم کی بیماری دو قسم کی ہوتی ہے —— ایک بیماری وہ ہے جو —— جسم کو لاغر و نحیف کرتی ہے دوسری بیماری سے شفایاب ہونے پر انسان دوگنا تندرست ہوتا ہے اور دیر تک تندرست رہتا ہے۔ جیسے جسم میں تازہ خون شامل ہو گیا ہو —— دیوانہ پن بھی دو طور کا ہے۔ ایک پاگل پن کی وہ قسم ہے جس سے روح، قلب، دماغ سب کمزور ہوتے ہیں —— دوسرا دیوانہ پن وہ ہے —— جس سے روح میں توانائی آتی ہے۔ وہ ایک ہی جست میں کئی کئی منزلیں پار کرتی ہے —— خدا کے لیے مجھ پر یقین کرو —— تمہارے بیٹے کا دیوانہ پن دوسری قسم کا ہے —— میرا ایمان ہے۔"

اس وقت افراہیم ہم دونوں کے پاس آ کر کھڑا ہو گیا۔ اس کا چہرہ بالکل زرد تھا۔ آفتاب نے میرا ہاتھ پکڑ کر آہستہ سے کہا —— "اسے دورہ پڑنے والا ہے —— میں جانتا ہوں۔"

"وہ دیکھئے ابو وہ دیکھئے آپ کو گنبد نظر نہیں آتا —— آنٹی اقبال نے جو ساڑھی امی کو دی تھی اس کے رنگ کا Greenish Blue ابو آپ کو نظر نہیں آتا وہ گنبد —— اس کے Dome کے نیچے چودہ طاق ایک طرف —— اور —— وہ دیکھئے ابو کبوتر اڑ رہے ہیں۔ مدینے کی سڑکوں پر لوگ بھاگ رہے ہیں۔ اس گنبد کی طرف —— روسی امریکی —— افریقی —— اذان ہو رہی ہے ابو —— آپ کو لوگ بھاگتے ہوئے نظر نہیں آتے؟ کیا آپ واقعی اذان کی آواز نہیں سن سکتے —— وہ دیکھئے —— چار موذن ایک وقت میں اذان دے رہے ہیں —— آپ نہیں سن سکتے کیا؟"

"یہ بچہ کبھی مدینے شریف گیا ہے؟"

آفتاب نے نفی میں سرہلایا۔

"ہم لندن سے سیدھے یہاں آ رہے ہیں۔"

"وہ دیکھئے ابو وہ —— ابو —— وہ دیکھئے کون اتر رہا ہے چاند سے؟"

ہم دونوں نے چاند کی طرف دیکھا۔ عصر کے وقت کا پھیکا چاند آسمان پر گم سم بیٹھا تھا جیسے افراہیم نے اس کا کوئی بہت بڑا بھید فاش کر دیا ہو۔

اس وقت کلنک کی عمارت کے پیچھے سے اذان فیڈ ان ہونے لگی۔ آفتاب نے جیب سے رومال نکال کر اپنی آنکھوں پر دھر لیا۔ افراہیم کچھ دیر کانپتا رہا اور پھر منہ کے بل سجدے میں گر گیا۔

افراہیم خوابوں کی آخری سیڑھی پر سربسجود تھا۔

میں پاگل پن کی پہلی اور اسفل ترین سیڑھی پر مجوب کھڑا تھا۔

اور ہم دونوں کے درمیان انسان کا مسئلہ ارتقاء کھنچی کمان کی مانند تنا ہوا تھا۔

انسان کو ایب نارمل سے سوپر نارمل تک پہنچنے کے لیے جانے ابھی کس کس منزل سے گزرنا ہے؟